川崎病学

改訂第2版

編集 日本川崎病学会
Japanese Society of Kawasaki Disease

診断と治療社

川崎富作先生

ここに掲載したのは，1967年の原著論文の英文対訳版(http://www.jskd.jp/info/pdf/kawasaki.pdf)を作成した際の，川崎先生の冒頭のメッセージである．特に若い研究者や医療従事者には十分に噛み締めていただきたい(編集委員より)

Preface

Life sometimes takes strangest turns. From April 1948 through March 1949, I spent one year as an intern at the University Hospital of Chiba University Medical College. After rotating through various departments, I intended to specialize in pediatrics; After receiving the news of my passing the National Licensure examination, I applied and was admitted to the Department of Pediatrics of Chiba University Medical College. Because of the harsh living conditions after the end of the World War II, I emboldened myself to ask my professor to transfer me to a better position because it was financially difficult for me to remain a member of the medical staff at the university hospital. Fortunately, the professor referred me in December 1949 to the Department of Pediatrics, Japan Red Cross Central Hospital, which had no direct relationship with Chiba University. I took a position there starting in January 1950 and began receiving a salary, which was of small economic help to my family. Altogether, I remained a member of the university hospital staff for only 7 months. It is no exaggeration to state that my good fortune started from there.

On my first day at the Japan Red Cross Hospital, I was assigned to a child who had suffered from pertussis complicated by encephalopathy, a condition that was later found to be Pelger's familial anomaly of the leukocyte nucleus. Dr. Yutaka Kokubo, then the assistant chief of the department and my advisor, reported the case in the journal "Shonika Rinsho" (Japanese Journal of Pediatrics). I still remember the excitement I felt when I obtained the booklet with my name printed next to Dr. Kokubo's. Later, I encountered cases with diverse conditions and Dr. Jushichiro Naito, then the chief of the department, told me to introduce each case at the Tokyo Regional Academic Meeting of Pediatrics. We had more than 200 outpatients to attend to daily. In addition, 10 to 15 inpatients were assigned to each of us. Naturally, our daily schedule was quite full but we appreciated truly substantial clinical experiences. Thanks to superb guidance from Drs. Naito and Kokubo, I gained personal satisfaction working as a pediatrician.

In April 1956, Dr. Naito was transferred to head the Aiiku Hospital and Dr. Fumio Kosaki assumed the position of department head. From the beginning, Dr. Kosaki stated that the academism upheld at Tokyo University would be the basis of our training. Because Dr. Naito had placed a greater emphasis on clinical practice, we were somewhat perplexed at the start. However, under the influence of Dr. Kosaki, we learned to inject an academic element into our daily clinical practice. Under this condition, I began to hope for substantial work while working at the pediatric department of Japan Red Cross Hospital.

In January 1961 I was given a unique opportunity to observe a condition, which was later to be known as Kawasaki disease. Initially, I was unable to give a definitive diagnosis and had to discharge the patient with a diagnosis of unknown disease. One year later, in February 1962, while on night duty, I examined a patient who had been suspected to be suffering from septicemia. I immediately recalled the symptoms of the earlier patient. This time, the patient was admitted for further examination, which showed clinical symptoms that were identical to those of the first patient. I realized that there were at least two cases presenting unique clinical symptoms that have never been reported. Fortunately for me, patients with similar conditions were brought to us but occasional atypical cases confused me from time to time. After very careful studies over a period of 6 years, I compiled records on 50 cases. I was able to depict the unique nature of this new syndrome, which later earned international recognition as Kawasaki disease.

Burkitt, who reported the Burkitt's lymphoma, stated in his lecture to medical students: "You should not despair if you do not have access to sufficient research funds or research facilities; what is most important in conducting outstanding studies are steady observation and logical deduction." (Physicians whose names are remembered in acronyms, by Itakura, Naoe, and Hara, Medical Sense, April 2000). This statement indicates that anyone can be the second Burkitt or Cushing.

Be ambitious, young researchers!

December 2001

Tomisaku Kawasaki, M.D.
Director, Japan Kawasaki Disease Research Center
a specific non-profit organization

| 口 絵 | ・本項「口絵」は，本書本文中にモノクロ掲載した写真のうち，カラーで呈示すべきものを並べたものである．
・本項「口絵」に示したページは当該写真の本文掲載ページを表す．|

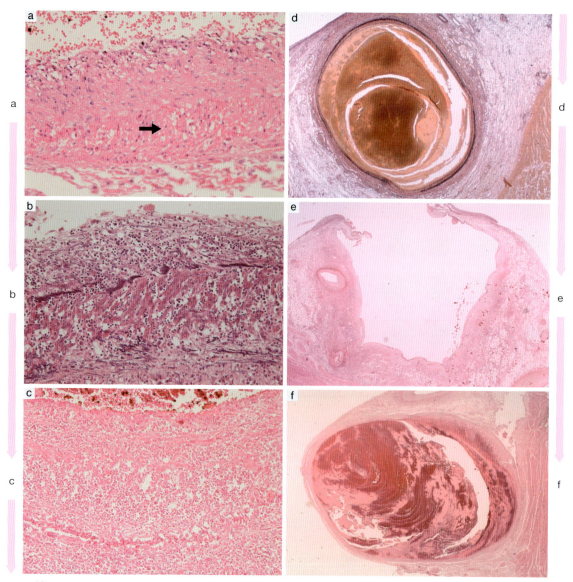

口絵1　急性期冠動脈炎の組織学的推移
a：中膜水腫性疎開性変化(第6～8病日)，b：汎動脈炎(第8～10病日)
c：血管炎極期(増殖性炎症)(第10～25病日)，d：動脈瘤形成(第12病日頃)
e：動脈瘤破裂，f：炎症の消退(第26～40病日)
［p.42］

口 絵

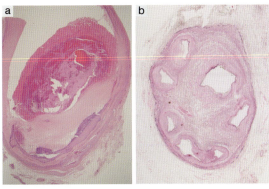

口絵 2　遠隔期冠動脈後遺病変
　a：動脈瘤残存動脈，瘤壁には層状の石灰化を認める
　b：動脈瘤血栓閉塞後の再疎通血管
[p.43]

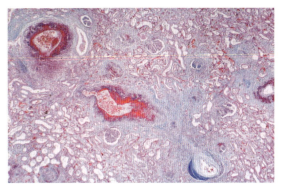

口絵 4　結節性多発動脈炎(PAN)の組織像
　腎臓．1本の弓状動脈にフィブリノイド壊死を伴う急性期炎症像と線維化に陥った瘢痕期像とが同時に観察される
[p.43]

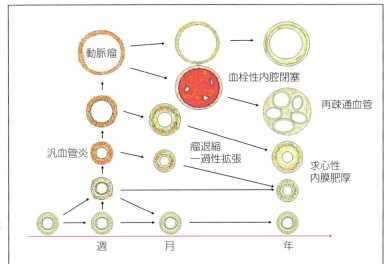

口絵 3　川崎病冠動脈炎の経時的推移
〔髙橋　啓，他：川崎病後遺病変における冠状動脈内膜肥厚の組織学的検討．脈管学 1991；31：17-25 より作成〕
[p.43]

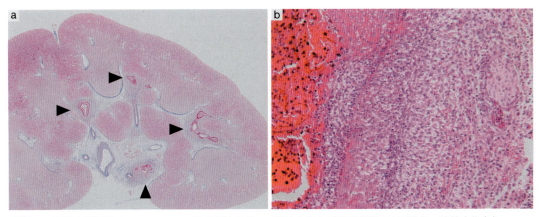

口絵 5　腎臓大割切片の Azan Mallory 染色標本のルーペ像(a)および汎動脈炎の HE 染色，強拡大像(b)
　a：腎動脈や葉間動脈に多発性に血管炎が認められる(▶)
　b：血管壁の全層にわたる増殖性炎症が認められる．フィブリノイド壊死はみられない
[p.45]

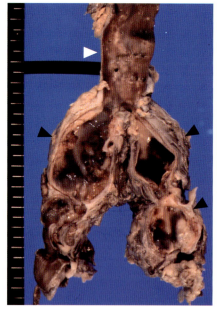

口絵 6　総腸骨動脈瘤の肉眼像
左右総腸骨動脈に囊状の動脈瘤がみられる（▶）▷は大動脈
[p.46]

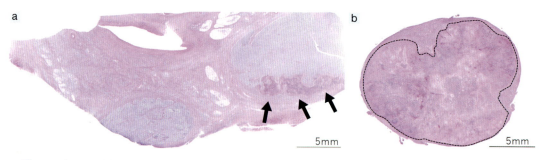

口絵 7　頸部リンパ節のルーペ像
a：第 13 病日例．被膜直下に巣状の壊死が認められる（➡）．隣接するリンパ節間の結合織には高度の非化膿性炎がみられる
b：第 20 病日例．リンパ節のほぼ全体が壊死に陥っている．リンパ節周囲に高度の非化膿性炎がみられる（で囲んだ範囲はリンパ節）
[p.48]

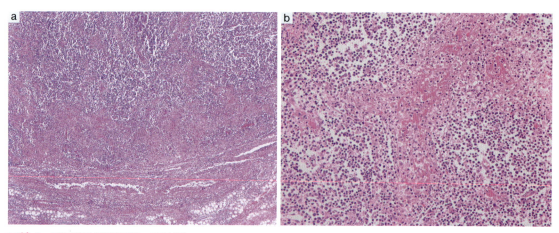

口絵 8　壊死巣の組織像（第 6 病日例）
a：リンパ節の被膜側に不整形の壊死巣が認められ，被膜および被膜周囲にも炎症が及ぶ
b：小血管の線維素性血栓と核破砕像
[p.49]

口絵

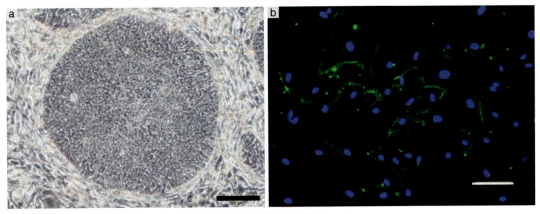

口絵9 川崎病患者由来iPS細胞の樹立と血管内皮細胞への誘導
　a：川崎病患者由来iPS細胞のコロニー
　b：血管内皮細胞表面マーカーであるCD31を用いた川崎病患者iPS細胞由来血管内皮細胞の免疫染色
青色：hoechst33342による核染色，緑色：血管内皮細胞，スケールバー：100μm
〔b：Ikeda K, et al.：Transcriptional Analysis of Intravenous Immunoglobulin Resistance in Kawasaki Disease Using an Induced Pluripotent Stem Cell Disease Model. Circ J 2016；81：110-118〕
〔p.52〕

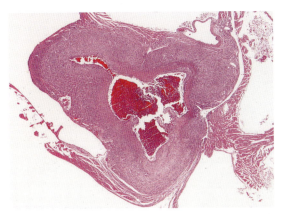

口絵10 左右冠動脈分岐部と心基部大動脈に生じた全層性炎症
HE染色，弱拡大
〔p.54〕

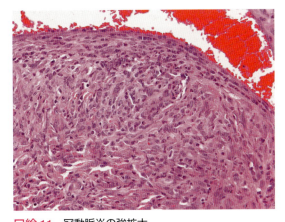

口絵11 冠動脈炎の強拡大
マクロファージや好中球の浸潤と線維芽細胞増生からなる増殖性炎症（HE染色，強拡大）
〔p.54〕

vii

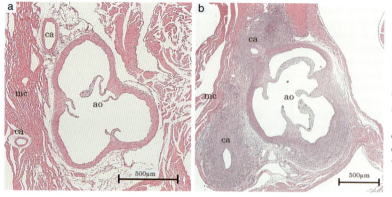

口絵 12 LCWE 誘導大動脈炎，冠動脈炎

PBS（a），LCWE 投与 28 日後（b）の HE 染色．両側冠動脈分岐部を含む大動脈起始部の横断面を示す
ao：大動脈，ca：冠動脈，mc：心筋
（Suganuma E, et al.：A novel mouse model of coronary stenosis mimicking Kawasaki disease induced by *Lactobacillus casei* cell wall extract. Exp Anim 2020；69：233-241 より抜粋）
[p.56]

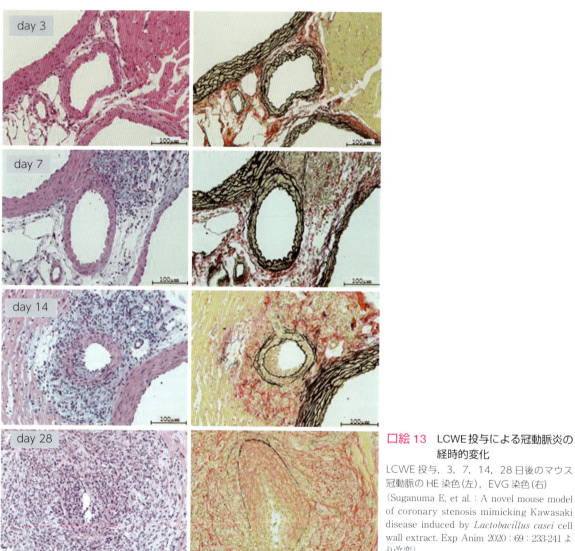

口絵 13 LCWE 投与による冠動脈炎の経時的変化

LCWE 投与，3，7，14，28 日後のマウス冠動脈の HE 染色（左），EVG 染色（右）
（Suganuma E, et al.：A novel mouse model of coronary stenosis mimicking Kawasaki disease induced by *Lactobacillus casei* cell wall extract. Exp Anim 2020；69：233-241 より改変）
[p.57]

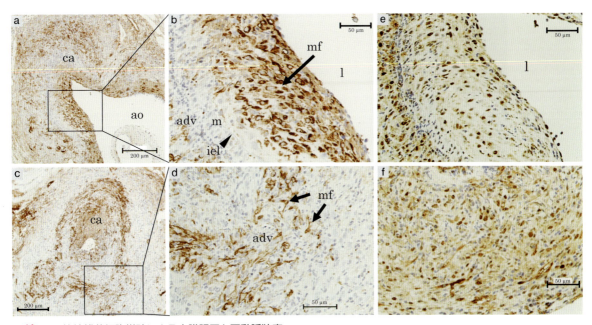

口絵 14 筋線維芽細胞増殖による内膜肥厚と冠動脈狭窄

LCWE 投与 28 日後のマウス冠動脈の α-SMA 染色（a〜d），PCNA 染色（e, f）．紡錘形の α-SMA 陽性の筋線維芽細胞が肥厚した内膜に多数観察される．多くは PCNA 陽性細胞である

ao：大動脈，m：中膜，adv：外膜，mf：筋線維芽細胞，l：内腔

（Suganuma E, et al.：A novel mouse model of coronary stenosis mimicking Kawasaki disease induced by *Lactobacillus casei* cell wall extract. Exp Anim 2020；69：233-241 より抜粋）

[p.58]

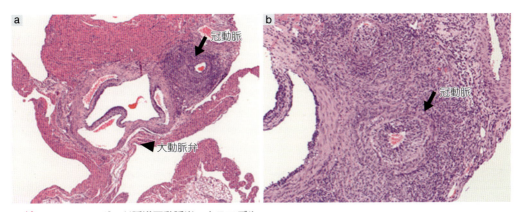

口絵 15 Nod1 リガンド誘導冠動脈炎マウスモデル

a：大動脈弁周囲組織（弱拡大，HE 染色），b：冠動脈炎（強拡大，HE 染色）

[p.60]

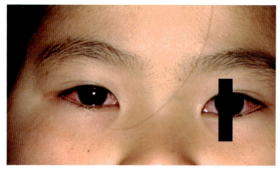

口絵 16 両側眼球結膜の充血
[p.68]

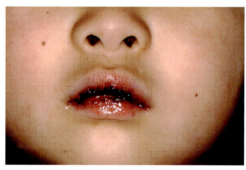
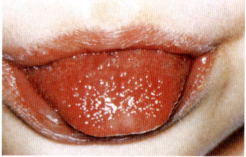

口絵 17 口唇，口腔の変化（発赤，腫脹，いちご舌）
〔厚生労働省川崎病研究班作成：川崎病（MCLS，小児急性熱性皮膚粘膜リンパ節症候群）診断の手引き（改訂5版）[http://www.jskd.jp/info/pdf/tebiki.pdf]〕
[p.68]

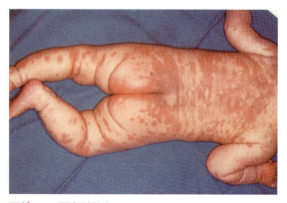

口絵 18 不定形発疹
〔厚生労働省川崎病研究班作成：川崎病（MCLS，小児急性熱性皮膚粘膜リンパ節症候群）診断の手引き（改訂5版）[http://www.jskd.jp/info/pdf/tebiki.pdf]〕
[p.69]

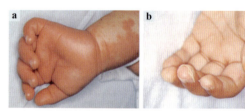

口絵 19 四肢末端の変化
a：急性期．手足の硬性浮腫，掌蹠ないしは四肢先端の紅斑
b：回復期．指先からの膜様落屑
〔厚生労働省川崎病研究班作成：川崎病（MCLS，小児急性熱性皮膚粘膜リンパ節症候群）診断の手引き（改訂5版）[http://www.jskd.jp/info/pdf/tebiki.pdf]〕
[p.69]

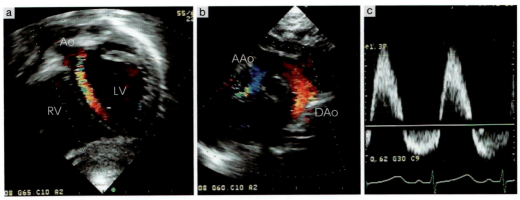

口絵 20 川崎病発症 3 か月後に認められた大動脈弁逆流(7 か月女児)
  a：剣状突起下からの左室長軸断面．大動脈弁逆流(AR)は心尖部近くにまで達する
  b：大動脈弓断面．胸部下行大動脈血流は拡張期に大動脈弓まで逆流している
  c：腹部下行大動脈内パルスドプラ所見．全拡張期逆流シグナルを認め，中等度以上の AR の存在を示す
Ao：大動脈，AAo：上行大動脈，DAo：下行大動脈
[p.94]

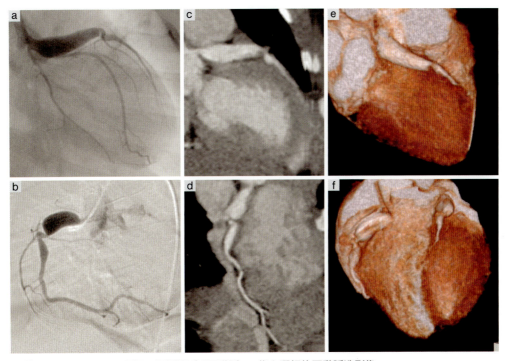

口絵 21 3 歳 7 か月，男児．超低被ばく冠動脈 CT 像と選択的冠動脈造影像
1 歳 10 か月時に川崎病を罹患し，左右冠動脈瘤(巨大)を生じた．鎮静・自発呼吸下の状態で，prospective ECG-gated mode 法を用い冠動脈 CT 撮影した．冠動脈造影像と同等の CAL を冠動脈 CT 像で描出した
管電圧 70 kV，DLP12 mGy・cm，実効線量 0.34 mSv，k 値 0.026，心拍数 82/分，体重 14 Kg
  a：選択的左冠動脈造影像，前下行枝に大きな冠動脈瘤を認める
  b：選択的右冠動脈造影像．#1 に大きく長い冠動脈瘤に屈曲した冠動脈を挟み #2 に中等冠動脈瘤の接合を認めた
  c：左冠動脈 CT 像(curved-MPR 像)
  d：右冠動脈 CT 像(curved-MPR 像)
  e：左冠動脈 CT 像(VR 像)
  f：右冠動脈 CT 像(VR 像)
[p.170]

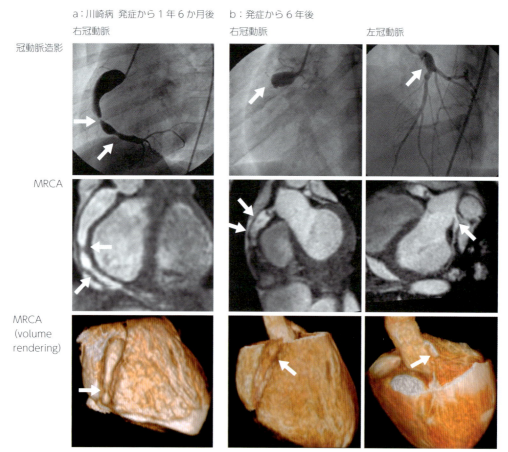

口絵 22 MRCA
a：冠動脈造影検査で確認される瘤，狭窄ともに MRCA で明瞭に描出されている
b：右冠動脈は閉塞をきたし，MRCA でも冠動脈造影と同様の所見が確認できる．左冠動脈は起始部に瘤を認める．MRCA でも同部位に瘤が確認できる

［p.177］

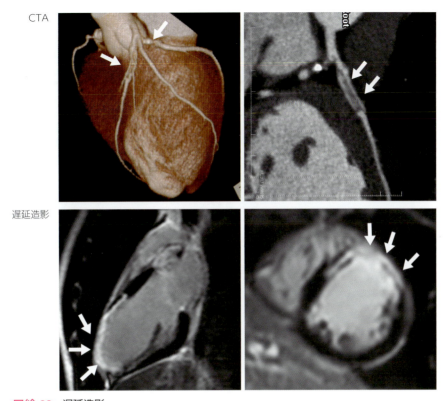

口絵 23　遅延造影
前下行枝の閉塞，再疎通が疑われた症例．川崎病の既往は明らかではないが，冠動脈病変から川崎病罹患歴が疑われた．遅延造影では心尖部，前壁〜側壁に陽性所見を認めた　　［p.178］

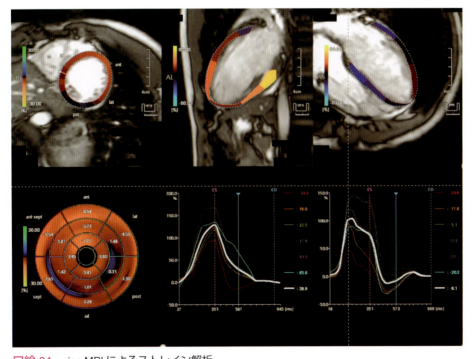

口絵 24　cine MRI によるストレイン解析
cine MRI から得られた画像を解析することでストレイン解析，dyssynchrony などの定量評価が可能である（キヤノンメディカルシステムズ画像処理ワークステーション Vitrea を使用）　　［p.179］

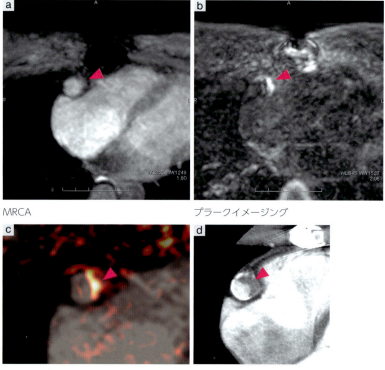

MRCA　　　　　　　　　　　プラークイメージング

MRCAとプラークイメージングのfusion画像

口絵 25　MRCAとプラークイメージングを用いた血管壁評価

MRCAでは描出困難であった瘤内血栓がプラークイメージングを用いることで明瞭に描出された症例

MRCA(a)では壁在血栓は心外脂肪の低信号と区別がつかず，検出は困難である．プラークイメージング(b)は血栓が明瞭な高信号に描出されるが，その他の構造が低信号で，解剖学的な位置関係を評価するのが困難となる．MRCAとプラークイメージングのスライス厚やfield-of-viewを揃え画像を重ねたfusion image(c)を作成すると，MRCAの解剖学的位置情報と，瘤内血栓の情報が重なり，冠動脈CTと遜色のない血管情報が得られた

[p.180]

口絵

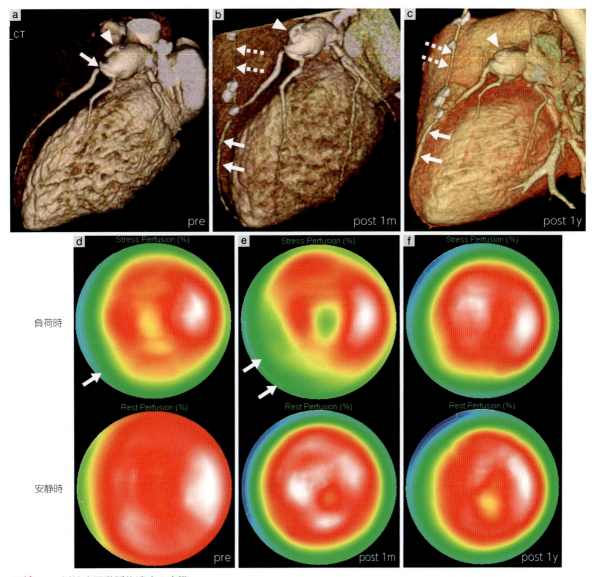

口絵 26　川崎病冠動脈後遺症の実際

7歳の男児．1歳5か月時に川崎病に罹患し，急性期から左前下行枝(LAD)に最大径11 mmの巨大冠動脈瘤の形成を認めた．6歳5か月時に施行した冠動脈CT造影でLAD近位部の90%狭窄と右冠動脈の完全閉塞，および ^{99m}Tc によるMPIで同領域の虚血所見を認めたために，検査施行後速やかに冠動脈バイパス術(coronary artery bypass grafting：CABG)を施行した．CABG前の冠動脈CT造影(a)，1か月後(b)および1年後の冠動脈CT造影(c)と同日検査の ^{99m}Tc によるMPI(d)，(e)および(f)を示す．いずれもCTとMPIの同日検査を施行し，両検査の所見は一致している

a～c：冠動脈CT造影
　　Volume rendering 像で，a：LAD 近位部の巨大冠動脈瘤(矢頭)と高度狭窄(矢印)，b：CABG(破線矢印)と発育不良な LAD 末梢(矢印)，c：CABG(破線矢印)と発育良好な LAD 末梢(矢印)を認める

d～f： ^{99m}Tc によるMPI
　　上段がエルゴメータによる運動負荷撮像所見および下段が安静時所見である．d/e：CABG 直前，直後の負荷撮像で中隔側の血流低下を認め，LAD 領域の心筋虚血(矢印)を認める．f：CABG 1 年後では，運動時の血流低下領域は消失している

[p.186]

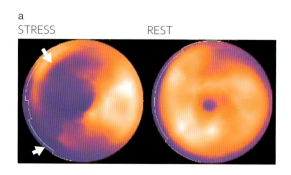

口絵 27 安静時血流心筋 SPECT と FDG-PET による心筋バイアビリティ診断
安静時血流 SPECT（a）では右冠動脈灌流域の下壁は完全欠損であり，SPECTのみでは心筋バイアビリティはないと判定されたが，FDG-PET（b）では下壁に軽度の集積として生存心筋が認められ，心筋バイアビリティが期待される
[p.190]

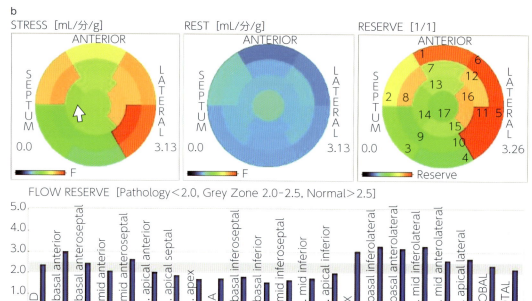

口絵 28 心筋血流 PET を用いた虚血評価の例
a：ブルズアイ，b：血流定量解析
生後5か月に川崎病に罹患した13歳の男児．右冠動脈にセグメント狭窄，左冠動脈前下行枝の巨大瘤に99％狭窄が指摘されている．視覚的評価では左前下行枝の灌流域である前壁中隔～心尖部，右冠動脈の灌流域である下後壁に虚血を認めた．血流定量でも視覚的評価に一致して MFR の低下を認める（d）
MFR：myocardial flow reserve
[p.192]

口絵

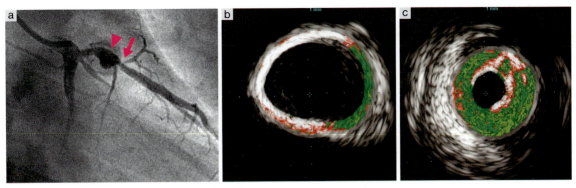

口絵 29 4か月時に川崎病を発症した17歳男児
a：左前下行枝に 11 mm の巨大冠動脈瘤を残した．心筋シンチグラフィで左室前壁中隔領域の虚血を認め，冠動脈造影を施行した．冠動脈瘤（▶）とその遠位部に狭窄（➡）を認めた
b：バーチャルヒストロジー IVUS でみると，残存冠動脈瘤（a；▶）の部位では一部に内膜の線維性肥厚と全周性の石灰化を認めた
c：瘤出口の狭窄（a；➡）に対するロータブレータを用いたカテーテル治療後の所見である．血管内腔に面して全周性に近い石灰化を認め，高度の内膜肥厚を認めた
fibrofatty area：黄色，fibrous area：緑色，necrotic core area：赤色，dense calcium area：白色
［p.194］

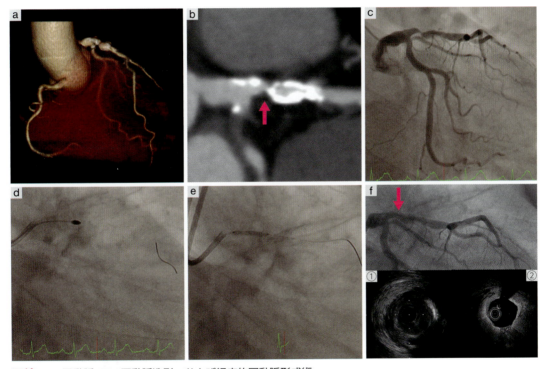

口絵 30 冠動脈 CT，冠動脈造影，および経皮的冠動脈形成術
冠動脈 CT（a：volume rendering 像，b：curved MPR 像）
冠動脈造影（c）および経皮的冠動脈形成術（d：ロータブレータ 2.0 mm の burr による切削，e：2.5 mm バルーンによる低圧拡張，f：最終冠動脈造影 ①最終 IVUS 像，②最終 OFDI 像）
〔Shiraishi J, et al.：Lipid-rich plaque in possible coronary sequelae of Kawasaki disease detected by optical frequency domain imaging. Cardiovasc Interv Ther 2015；30：367-371〕
［p.196］

序　文

本書は 2018 年に初版が出され，幸い好評をもって迎えられました．このたび，日本川崎病学会のご協力の下，改訂版を上梓することができました．この 3 年間，「川崎病学」に関して重大な出来事がいくつかありました．

まず，2020 年 6 月には，とても残念なことに最初の報告者である川崎富作先生が鬼籍に入られました．川崎先生は，晩年まで川崎病の疫学研究や原因究明などに取り組み，様々な学会に参加され後進を鼓舞されてきました．同年 9 月には，「川崎病の子供をもつ親の会」の代表であった浅井満様が急逝されました．浅井様は，会報や相談会を通じ川崎病の患者さんやご家族のために長年尽力されました．本書の出版にあたり，お二人の安らかなご冥福を心よりお祈り申し上げます．

悲しいことばかりではなく，2019 年 5 月には 17 年ぶりに「川崎病診断の手引き」，2020年 3 月には 7 年ぶりに「川崎病心臓血管後遺症の診断と治療に関するガイドライン」，同年 10 月には 8 年ぶりに「川崎病急性期治療のガイドライン」が改訂されました．本書では，米国心臓協会（AHA）の statement も取り上げ，日米の比較について記載しました．

また，2019 年 12 月に武漢で発生した新型コロナウイルスによる感染症（COVID-19）は，瞬く間に世界で流行し，今もなお大きな影響を受けています．軽症が多い小児にも，多系統炎症性症候群（MIS-C/PIMS）を起こすことがあり，一部に川崎病に似た症状を伴うことが話題になりました．本書でも，COVID-19 との関連性について言及しています．

日本では，少子化にもかかわらず川崎病の発生数は増加し，罹患率は世界最高です．ほとんどの小児科医は患者さんを経験し，年間数十例の入院がある施設も多いでしょう．症例報告・ケースシリーズや後ろ向き研究を初めて行う若手医師にも相応しい対象であり，本書はその発表にも役立つと確信いたします．

そして，読者の皆様には，本書を出発点として，川崎病の病態を解明する基礎研究やエビデンスを創出する臨床研究に挑んでほしいと思います．天国の川崎先生や浅井様のためにも，日本から新しい研究成果を世界に発信していこうではありませんか．

2021 年 11 月

編集者を代表して

東京都立小児総合医療センター

三浦　大

執筆者一覧

■ 編集委員長（肩書略）

三浦　大　　東京都立小児総合医療センター循環器科

■ 編集委員（50 音順・肩書略）

鮎沢　衛　　日本大学医学部小児科学系小児科学分野
尾内善広　　千葉大学大学院医学研究院公衆衛生学
小林　徹　　国立成育医療研究センター臨床研究センターデータサイエンス部門
鈴木啓之　　和歌山つくし医療・福祉センター小児科
髙橋　啓　　東邦大学医療センター大橋病院病理診断科
中村好一　　自治医科大学地域医療学センター公衆衛生学部門
野村裕一　　鹿児島市立病院小児科
深澤隆治　　日本医科大学付属病院小児科
三谷義英　　三重大学医学部附属病院周産母子センター

■ 分担執筆（執筆順・肩書略）

川崎富作　　日本川崎病研究センター
今田義夫　　日本川崎病研究センター
中村好一　　自治医科大学地域医療学センター公衆衛生学部門
牧野伸子　　自治医科大学地域医療学センター公衆衛生学部門
松原優里　　自治医科大学地域医療学センター公衆衛生学部門
阿江竜介　　自治医科大学地域医療学センター公衆衛生学部門
阿部　淳　　国立成育医療研究センター研究所高度先進医療研究室
原　寿郎　　福岡市立こども病院
尾内善広　　千葉大学大学院医学研究院公衆衛生学
髙橋　啓　　東邦大学医療センター大橋病院病理診断科
大原関利章　東邦大学医療センター大橋病院病理診断科
横内　幸　　東邦大学医療センター大橋病院病理診断科
池田和幸　　京都府立医科大学大学院医学研究科小児科学
菅沼栄介　　埼玉県立小児医療センター感染免疫・アレルギー科
本村良知　　九州大学大学院医学研究院成長発達医学分野
鮎沢　衛　　日本大学医学部小児科学系小児科学分野
益田君教　　大坪こどもクリニック
野村裕一　　鹿児島市立病院小児科
高月晋一　　東邦大学医療センター大森病院小児科
古野憲司　　福岡市立こども病院総合診療科
上野健太郎　鹿児島大学病院周産母子センター小児科

鎌田政博	広島市立広島市民病院循環器小児科（現 たかの橋中央病院小児循環器内科）
松原知代	獨協医科大学埼玉医療センター小児科
沼野藤人	新潟大学大学院医歯学総合研究科小児科学分野
小林富男	群馬県立小児医療センター循環器科
星合美奈子	山梨県立中央病院小児循環器病センター
水野由美	福岡市立こども病院小児感染免疫科
伊藤秀一	横浜市立大学発生成育小児医療学
清水正樹	東京医科歯科大学小児地域成育医療学講座
加藤太一	名古屋大学大学院医学系研究科成長発達医学
三浦　大	東京都立小児総合医療センター循環器科
松裏裕行	東邦大学医学部小児科学講座
土屋恵司	日本赤十字社医療センター小児科
小林　徹	国立成育医療研究センター臨床研究センターデータサイエンス部門
宮田功一	東京都立小児総合医療センター循環器科
鈴木啓之	和歌山つくし医療・福祉センター小児科
山村健一郎	九州大学医学部小児科
金井貴志	防衛医科大学校小児科
森　雅亮	東京医科歯科大学生涯免疫難病学講座
濱田洋通	千葉大学大学院医学研究院小児病態学
深澤隆治	日本医科大学付属病院小児科
上村　茂	ティー.エイチ.ピー.メディカルクリニック
麻生健太郎	聖マリアンナ医科大学小児科
小德暁生	国立循環器病研究センター放射線部
神山　浩	ひろ小児科ファミリークリニック
桐山智成	日本医科大学付属病院放射線科
須田憲治	久留米大学医学部小児科
白石　淳	京都第一赤十字病院心臓センター循環器内科
津田悦子	国立循環器病研究センター小児循環器内科
丸山雄二	日本医科大学付属病院心臓血管外科
廣野恵一	富山大学医学部小児科
三谷義英	三重大学医学部附属病院周産母子センター
八幡倫代	たんぽぽキッズクリニック
神谷千津子	国立循環器病研究センター産婦人科部

口　絵	iv
序　文	xix
執筆者一覧	xx

I 歴史と疫学

1 歴　史 … 2
- a 川崎病の歴史 … 2
- b 川崎富作先生の履歴 … 6
- c 川崎病診断の手引きの変遷 … 8

2 疫　学 … 12
- a 川崎病の記述疫学 … 12
- b 川崎病の分析疫学 … 18
- c 全国調査における川崎病治療法の変遷 … 20
- d 川崎病の同胞例・親子例 … 23

II 病因・遺伝・病理

1 病因論 … 26
- a 細菌説 … 26
- b ウイルス説 … 28
- c 自然免疫説 … 30

2 遺　伝 … 35

3 病理・病態 … 40
- a 冠動脈（急性期・遠隔期） … 40
- b 冠動脈以外の血管病変 … 44
- c リンパ節 … 48

4 川崎病疾患モデル … 51
- a ヒト細胞を用いた病態モデル … 51
- b *Candida albicans* 細胞壁由来糖蛋白誘導血管炎モデル … 53
- c *Lactobacillus casei* 細胞壁菌体成分誘導血管炎モデル … 55
- d Nod1リガンド誘導冠動脈炎モデル … 59

Ⅲ 診断と急性期の検査

1 主要症状 ………………………………………………………… 64

2 参考条項とその他の症状 ………………………………… 72
    a 参考条項 ………………………………………………… 72
    b 心血管以外の症状・合併症 ………………………… 74
    c バイタルサインと全身評価 ………………………… 76

3 血液検査・尿検査 ………………………………………… 80

4 胸部 X 線検査・心電図 ………………………………… 84

5 心エコー検査 ……………………………………………… 88

6 バイオマーカー …………………………………………… 96

7 特殊な病型の特徴および診断 ………………………… 99
    a 不全型川崎病の特徴 ………………………………… 99
    b 早期乳児例の特徴 …………………………………… 102
    c 年長児例の特徴 ……………………………………… 104
    d 重症川崎病の特徴 …………………………………… 105
    e 新型コロナウイルスとの関連 ……………………… 107

8 鑑別診断 …………………………………………………… 109
    a 発熱・発疹性疾患の鑑別 …………………………… 109
    b 頸部リンパ節腫脹の鑑別 …………………………… 113
    c 心疾患・冠動脈疾患の鑑別 ………………………… 115

Ⅳ 急性期治療

1 急性期治療総論 …………………………………………… 120

2 免疫グロブリン …………………………………………… 125

3 プレドニゾロン …………………………………………… 129

4 ステロイドパルス ………………………………………… 133

5 シクロスポリン …………………………………………… 137

6 インフリキシマブ ………………………………………… 142

7 ウリナスタチン …………………………………………… 146

8 血漿交換 …………………………………………………… 149

9 アスピリン ………………………………………………… 153

Ⅴ 遠隔期の検査・治療・管理

1 遠隔期診療総論 …………………………………………… 158

xxiii

2	冠動脈造影	164
3	冠動脈 CT	169
4	心臓 MRI	176
5	心筋シンチグラフィ	182
6	その他の検査	189
	a PET	189
	b 血管内エコー（IVUS）	193
	c 光干渉断層法（OCT）	195
7	内科的治療	199
8	カテーテル治療	203
9	外科的治療：冠動脈バイパス術	209
10	学校での管理	215
11	移行医療	220
12	成人期の管理	225
	a 成人になった川崎病患者をどう診るか	225
	b 動脈硬化との関連性	227
	c 妊娠・出産	233

索　引 237

1. 川崎による 1967 年の 50 例の論文（川崎富作：指趾の特異的落屑を伴う小児の急性熱性皮膚粘膜淋巴腺症候群：自験例 50 例の臨床的観察．アレルギー 1967：16：178-222）は，日本アレルギー学会のご厚意により日本川崎病学会の web サイト（http://www.jskd.jp/info/index.html）で英文対訳付きで公開している．本文中で文献として引用されている場合でも基本的には引用文献としては記載していない．
2. 川崎病全国調査成績はすべて web サイト（https://www.jichi.ac.jp/dph/inprogress/kawasaki/）で公開している．本文中で文献として引用する場合には，各節最後の引用文献一覧では「第○○回川崎病全国調査成績」とのみ記載する．なお，2019・2020 年の患者を対象とした第 26 回川崎病全国調査の結果も公表されている．上記 web サイトで閲覧できるので，こちらも参考にしていただきたい．
3. 川崎富作先生は歴史上の人物として，本文中では一部例外を除いて敬称を省略している．

本書における薬剤の用法・用量等の情報は執筆時点のものであり，その後，変更・更新されていることもあるので，十分な注意が必要である．本書に記載された薬剤の選択，使用法および治療法については必ず最新の添付文書を参照していただきたい．また，問題が生じたとしても，筆者・編者・学会・出版社はその責を負いかねることをご承知おき願いたい．さらに，診断・治療方法については各学会の web サイトなどによって最新のガイドラインや治療方針などを確認していただきたい．特に重要な学会としては日本川崎病学会（http://www.jskd.jp/），日本小児循環器学会（https://jspccs.jp/），日本循環器学会（https://www.j-circ.or.jp/）などがある．

I

歴史と疫学

　川崎病は川崎富作が 1961 年に最初の例に遭遇し，自験例 50 例をまとめて「アレルギー」誌に報告したところより歴史がはじまっている比較的新しい疾患である．川崎の 1967 年の論文は現在の evidence-based medicine（EBM）の世界では case-series として evidence レベルは低いとされているものだが，①疾患の概念も定まっていない状況では非常に大切な情報を提供していること，②臨床的観察の結果としては卓越した論文であること，の 2 点より，川崎病を診療する医療関係者，川崎病の研究者のみならず，すべての医学・医療に関係する者にとって必読の論文である．川崎の最初の報告から紆余曲折はあったものの，現在では「川崎病」という 1 つの疾患概念として確立している．

　川崎の論文公表から 3 年後の 1970 年に第 1 回川崎病全国調査が実施され，以降，2 年に 1 度の頻度でわが国における川崎病の疫学像が明らかにされてきている．全国調査を行うにあたって疾患の概念を明らかにし，報告患者を定義するために「診断の手引き」が作成され，今日に至るまで 6 回の改訂が行われ，現在は改訂第 6 版（2019 年）が使用されている．

　過去 3 回（1979 年，1982 年，1986 年）に全国的な流行が観察されたが，以降はこのような流行はないものの，1990 年代半ばより患者数・罹患率が上昇を続けている．男のほうが女よりもやや多く，罹患率は 0 歳後半にピークをもつ一峰性の年齢分布である．1 月に患者が多発し，夏場にもやや多く，秋口（10 月）に患者数が減少するという季節変動があるが，諸外国では別の時期に患者が多発している．

　かつてはさまざまな要因についての症例対照研究も実施されたが，いまだに原因不明の疾患である．しかし記述疫学像からは感受性がある宿主に対して微生物（複数？）がトリガーとなって発病すると推察されている．これまで提唱されたさまざまな原因論については（これから提唱されるものについても），記述疫学像を説明できるものでなければならない．

I　歴史と疫学

1　歴　史

POINT

- ・川崎病の歴史は 1961 年の最初の患者との遭遇，1967 年の 50 例をまとめた原著論文にはじまる．
- ・日本人により発見された新しい疾患で，日本での研究により急性期の治療法が発展した．
- ・わが国ではすでに 36 万人の患者が報告されているが，原因はいまだに不明である．
- ・現在の視点から振り返ると 1961 年以前にも川崎病と思われる症例は存在した．
- ・川崎病の診断の手引きは 1970 年の第 1 回川崎病全国調査にあたって作成された．2021 年現在使用の版は 2019 年に作成された「改訂 6 版」である．
- ・川崎病の実態が明らかにされるにつれて改訂されてきたが，基本的な部分の変更はなく，一貫して同一の病態を示している．
- ・2020 年 6 月 5 日，川崎富作は 95 歳で逝去した．

a 川崎病の歴史

ユニークな症状を呈する症例

1961（昭和 36）年 1 月，それまでに経験したことのないユニークな症状を呈する症例に出会った．これが川崎病の第 1 例目であった．

人間誰でも自分の仕事に興味と生き甲斐とを感じたときが，その人に潜在していた能力とエネルギーを一気に発揮するチャンスである．筆者はインターンで各診療科を廻って小児科こそ自分にもっとも適した専門領域と感じ，1949（昭和 24）年に千葉大学小児科に入局，翌 1950（昭和 25）年 1 月より日本赤十字社中央病院（現・日本赤十字社医療センター）に勤務し，よき指導医たちの下，毎日の臨床に興味と生き甲斐をもち，病室こそ臨床医の研究室と心得て，小児の疾患，特に特殊で尋常ではない臨床反応を呈した感染症例に興味と関心を抱くようになっていた．

日本赤十字社（日赤）中央病院小児科に赴任して 11 年が経った 1961 年 1 月 5 日，4 歳 3 か月の男児が入院してきた．暮れから 6 日間高熱が続き，食欲はなく，機嫌も悪かった．体温は 39.7℃，頸部リンパ節腫脹，両側眼球結膜の充血，口唇の亀裂と出血，口腔内のびまん性の充血（アフタや潰瘍は認められず），舌乳頭腫大（いちご舌），全身の不定形紅斑，掌蹠の紅斑，手足の硬性浮腫．回復期に指先より膜様落屑が起こり，手足全体に及んだ．入院直後の血液検査で体内での強い炎症が示唆されたため，当初は敗血症を疑い，病原菌を調べたが検出できなかった．脱水症状がひどかったため輸液を行い，数種類の抗菌薬を投与したが，全く効果はなかった．数日後に黄疸が出たため，Coombs 試験陽性の「溶血性黄疸」と診断した．本症例は入院後も高熱が継続したが，2 週後には平熱に戻り，2 月 9 日に退院した．退院時には最終的な診断は下せなかった．

そこで本症例を医局の症例検討会で提示し，他の医局員の意見を聞いた．ある医局員は「高熱，全身の紅斑，頸部リンパ節腫脹，いちご舌，指先からの落屑などの症状から，猩紅熱ではないか」と発言した．しかし，本症例の紅斑は不定形で猩紅熱のものとは明らかに異なり，A 群溶血性レンサ球菌は培養されず，ペニシリンがまったく効果がないという点から猩紅熱は否定的であると筆者は主張した．Stevens-Johnson（SJ）症候群の軽症ではないかとい

う意見もあったが，SJ症候群にみられるアフタや潰瘍が認められなかったことから，SJ症候群とも考えられず，最終的に「診断不明」とした．

本症例の症状は，それまでの10年間の小児科医としての経験のなかで遭遇したことのなかったものであり，最終的に診断がつけられなかったことから，「いったい何だったのだろう」という思いがずっと頭から離れなかった．数々の文献を調べ，他の小児科医にも相談したが，わからないまま1年が経過した．

翌1962年2月の当直の夜，敗血症が疑われる患者の入院依頼が近くの病院からあった．その2歳10か月の男児を急患室でみた途端，1年前に診断不明のまま退院させた症例と類似の症状を呈していることに，思わず「あっ」と声をあげた．すぐに入院させて，検査を行い，経過を観察したところ，1年前の症例と症状，検査所見，経過のすべてが類似していた．この2例目の症例を経験したことで，教科書にも記載されていないユニークなsymptom complexを呈する症例が少なくとも2例存在すると実感した．さらに同年9月までに同様の症状を呈する症例を5例経験した．そこで，最初の2例とあわせた7例の症例を「非猩紅熱性落屑症候群について」[1]としてまとめ，同年10月の日本小児科学会千葉地方会で報告したが，フロアからの反応は全くなかった．しかし，筆者は本症にますます熱心に取り組み，未知なるものへの挑戦がはじまった．

50例を集めた原著を発表

2年後の1963（昭和38）年には症例は20例まで集まった．そこで小児科部長の神前章雄からそれらを「眼皮膚粘膜症候群の20例」と題して同年10月の東日本・中部日本合同小児科学会で発表するようにと指示された．「眼皮膚粘膜症候群」は当時東京大学医学部眼科学教授の荻原朗の研究班が，SJ症候群，Behçet病，Reiter症候群の3疾患の複合であると定義づけ，報告していたものだった．筆者のまとめた20例はその定義に入っていないため，その病名は不本意ではあったが，部長の指示に従い長野県松本市で開かれた合同小児科学会で発表した．

その翌年（1964年），神前に呼ばれて部長室に行くと，神前は「君の言っている病気を自分の目で2例見て確かめた．眼皮膚粘膜症候群ではないね」と断言し，はじめてこの疾患が他にはない疾患であると認められた．

神前に認められてからは，日赤内では内科や皮膚科の専門医にこれらの患者を診せるようになった．皮膚科部長の垣内洋二が東京大学皮膚科の医局にまで出向いて，同科の医局員からこの分野のエキスパートである当時関東逓信病院皮膚科に勤務していた西山茂夫に相談するよう助言をもらってきてくれた．日赤に新しい患者が入院したときに西山に診てもらったところ，Behçet病でもSJ症候群でもないが，最近報告されたGianottli-Crosti症候群という新しい症候群に該当するかどうか調べてみるべきだという助言を受けた．西山が「われわれ臨床医は，このような未知の患者を診るのが一番の楽しみですよね」といってくれたのが，筆者にとって今でも忘れられない重みをもっている．早速，同症候群の論文を読んだが，本症例とはまったく異なっていた．神前からはすぐに論文を書いて投稿するようにいわれた．筆者は，その時点で集めていた50例を「指趾の特異的落屑を伴う小児の急性熱性皮膚粘膜淋巴腺症候群：自験例50例の臨床的観察」[2]と題した論文にまとめて日本アレルギー学会誌「アレルギー」に投稿した．同論文は1967（昭和42）年3月号に掲載された[2]．

この論文を作成するにあたり，本症の臨床症状の一つひとつを他の類似疾患と明確に区別し，異議の差し挟む余地のない記述を心がけたので，論文の完成までに多くの時間がかかった．このような努力は35年後の2002（平成14）年に米国のJane Burnsが日本人2人の小児科医と共同で全文を英訳し，「川崎病の論文は20世紀の臨床記述の傑作の1つ」と評価してくれた．このことは，たとえ日本語の論文でも内容が独創的で本物であれば，時間と空間を超えて世界に認められることを証明したといえよう．

小児科学会東京地方会で論争

「アレルギー」へ原著を発表した1967年1月から，日本小児科学会東京地方会で本症がSJ症候群か否かで論争がはじまっていた．すなわち，同年1月の第183回日本小児科学会東京地方会で自衛隊中央病院の松見富士夫らが「Stevens-Johnson syndromeの3症例」[3]と題した報告に対して，東京女子医科大学の草川三治および虎の門病院の皆川和から異議が出

た．草川は「本症例をSJ症候群とするのはおかしい．最近，川崎が報告した症候群ではないか」とコメントした．また，皆川は「これは若年性リウマチ様関節炎，つまりStill氏病である」とコメントして，本症に関する論争がはじまった．

3か月後の4月の第185回東京地方会で，「心炎を合併したSJ症候群の1例」と題して聖路加国際病院の木村順子が発表[4]したところ，再び皆川から異議が出された．これに対して同病院の山本高治郎は「本例をSJ症候群とよぶには若干の問題がある．近年，私たちが経験しつつある本例同様の症例をよぶに相応しい病名が見当たらないので，"SJ症候群"を拡張解釈して用いたものでSJ症候群なる病名を固執する意志はない」とコメントし，本症候群の臨床像の特徴を筆者とは別個にほぼ完全に記録に残している．

間もなく筆者の「アレルギー」の原著を入手した山本は，6月の第187回東京地方会で「急性熱性皮膚粘膜淋巴腺症候群の臨床知見について」と題して本症の23例を報告[5]した．誰よりも先駆けて筆者の原著をはじめて認める内容の発表であった．この地方会の席で，神前が「この新しい症候群は第一線の医師がしばしば遭遇しているものであるが，意見の違いがあるので，シンポジウム形式でもとって検討したいと思うので高津教授よろしくお願いします」と発言したところ，当時の東京大学小児科学教授の高津忠夫の「私どもの教室にもときどき入院してくるが，私どもではSJ症候群と診断している」との鶴の一声[5]で，以降5年間小児科学会での討論の場が閉ざされてしまった．

研究班の発足と疫学調査

1967年6月東京地方会で本症が否定されたにもかかわらず，さまざまな地方会で本症の症例報告が相次いでなされているのをみた神前は，1969（昭和44）年2月，厚生省（当時）に研究費の申請をするように筆者に指示した．しかしその年は失敗に終わった．

翌1970（昭和45）年2月再び申請するよう指示があり，そこで，責任者の加倉井駿一科学技術参事官に直接会って説明したところ，"疫学調査"について尋ねられ，国立公衆衛生院（当時）疫学部長の重松逸造を紹介された．そのお蔭で今度は申請が採用され，1970年度の厚生省科学技術研究助成補助金を得て，

研究班（班長：神前章雄）が結成され，第1回の川崎病全国実態調査が重松の指導で実施された．その結果，本症は全国的に存在すること，予後良好と考えられていたが突然死例の存在すること，などが明らかとなった．報告された10例の突然死例の死亡例検討会の結果，死亡例の臨床症状はすべて診断の手引きに合致し，剖検されていた4例はすべて両側冠動脈瘤＋血栓閉塞で死亡していたこと，および病理診断はすべて乳児結節性動脈周囲炎（infantile periarteritis nodosa：IPN）とされていて，本症が新しいタイプの血管炎症候群であることが判明した．

その後，厚生省研究班は2年ごとに全国調査を行い，重松逸造〔公衆衛生院疫学部長（当時）〕，柳川洋（自治医科大学名誉教授），中村好一（自治医科大学公衆衛生学教授）と受け継がれ，第24回川崎病全国調査では年間発生数が15,000人を超え，累計約36万人以上（2016年12月末）に及ぶことが報告された[6]．

疾病概念の成立

剖検により本症が全身の血管炎，特に心臓の冠動脈炎に基づく冠動脈瘤が主体であることが「証明」されたが，その後も多くの研究者により精力的な臨床研究が行われ，本症の血管病変の全貌が今日までに明らかにされてきた．

患者の日常の治療管理に大きく貢献したのは超音波断層心エコー法（2Dエコー）の応用で，今日，川崎病の日常臨床で患児の治療管理に不可欠な機器となった．

川崎病の治療に決定的な影響を与えたのは小倉記念病院の古庄巻史ら[7]の急性期の免疫グロブリン静注（IVIG）療法（体重1kgあたり400mg×5日間）のランダム化比較試験に関するLancetの論文である．この論文が嚆矢となり米国のJane Newburgerら[8]のIVIG 2g/kg単回法の一般化により川崎病急性期治療にIVIG療法＋アスピリンが定着し，2Dエコーの日常診療への応用とあいまって，冠動脈障害が大幅に軽減し，致命率が激減した．現在，約15%にみられるIVIG不応例の治療が臨床上の大きな課題の1つとして残っている．川崎病冠動脈瘤による虚血性病変に対して北村惣一郎ら[9]はinterthoracic artery（ITA）をグラフトに使い，患者のquality of life（QOL）を著しく向上させた．

前述のとおり，筆者は1967年に原著論文を報告し，既存の疾患のどれにも当てはまらない新しい臨床単位として報告した．1970年の第1回の川崎病全国調査で突然死例が報告され，従来米国から報告されてきたIPNと川崎病死亡例が一致したことから，1996（平成8）年Nelsonの教科書改訂15版からKawasaki Disease〔Mucocutaneous Lymph Node Syndrome（MCLS），Infantile Polyarteritis〕と記載されて，臨床像の特徴のMCLSと病理像のIPN血管炎をあわせて「川崎病の概念」となった．

川崎病 before 川崎病

では，筆者が1961年に最初の患者に遭遇する以前には，この疾患は存在しなかったのだろうか．文献的にもっとも古いのは19世紀末のCapps[10]が報告した2例の冠動脈瘤剖検例（成人）で川崎病の既往の可能性がある．その後も同様の論文が散見され，議論もされている[11~16]が，いずれも川崎病が疑われるだけで，当然のことながら「川崎病」という視点での臨床的観察ではない．わが国でも，藤川[17]，糸賀[18]，陳[19]らの症例で川崎病が疑われる．

現在の「川崎病」の視点から1926（大正元）～1965（昭和40）年の東京大学小児科の診療録をレビューした渋谷[20]の論文では，1950（昭和25）年以降は川崎病と推察される症例が少なくとも10例はあったが，それ以前は明らかに川崎病と判断できる症例はなかったとし，「昭和25年頃から徐々に出現し始め，昭和40年頃に全国的に広がっていったと推測された」と結論づけている．

日本の若き研究者への期待

筆者の経験のとおり，臨床の現場には未知なる問題が山積している．臨床的に未知なる問題に直面したとき，徹底的に追及する姿勢があれば，誰でも新しい疾患の発見者になれる可能性がある．しかし，発見から50年たった今でも本症の病因の端緒がいまだにつかめないのが残念である．日本の若き研究者に1日も早く病因を解明してもらうことを切望している．

編集委員会付記：文献2に示す川崎の原著論文は臨床観察の手本とすべき名論文である．日本アレルギー学会の承認を得てインターネット上でも公開されているので，川崎病の研究を志す者のみならず，すべての臨床医に一読を勧め

たい．

■ 文　献

1) 川崎富作：非猩紅熱性落屑症候群について．千葉医学雑誌 1962；38：279-280
2) 川崎富作：指趾の特異的落屑を伴う小児の急性熱性皮膚粘膜淋巴腺症候群：自験例50例の臨床的観察．アレルギー 1967；16：178-222［http://www.jskd.jp/info/pdf/kawasaki.pdf］
3) 松見富士夫，他：Stevens Johnson syndromeの3症例．小児科診療 1967；30：615-616
4) 木村順子：心炎を合併したStevens-Johnson症候群の1例．小児科診療 1967；30：1027
5) 山本高治郎，他：急性熱性皮膚粘膜淋巴腺症候群の臨床知見について．小児科診療 1967；30：1544
6) 第24回川崎病全国調査成績
7) Furusho K, et al.：High-dose intravenous gammaglobulin for Kawasaki disease. Lancet 1984；8411：1055-1058
8) Newburger JW, et al.：A single intravenous infusion of gamma globulin as compared with four infusions in the treatment of acute Kawasaki syndrome. N Engl J Med 1991；324：1633-1639
9) Kitamura S：The role of coronary bypass operation on children with Kawasaki disease. Coron Artery Dis 2002；13：437-447
10) Capps JA：Aneurysm of the coronary artery：a report of two cases. Am J Med Sci 1899；118：312-318
11) Packard M, et al.：Aneurysm of the coronary arteries. Arch Intern Med 1929；43：1-14
12) Scott EP, et al.：Periarteritis nodosa：report of two cases, one complicated by intrapericardial hemorrhage. J Pediatr 1944；25：306-310
13) Robinson HM Jr, et al.：Comparative analysis of the muco-cutaneous-ocular syndromes. Arch Dermatol Syphilol 1950；61：539-560
14) Crocker DW, et al.：Aneurysms of the coronary arteries：report of three cases in infants and review of the literature. Am J Pathol 1957；33：819-843
15) Munro-Faure H：Necrotizing arteritis of the coronary vessels in infancy：case report and review of the literature. Pediatrics 1959；23：914-926
16) Roberts FB, et al.：Polyarteritis nodosa in infancy. J Pediatr 1963；63：519-529
17) 藤川俊夫：フェール氏病の一症例．小児科診療 1953；16：281-283
18) 糸賀宜三，他：小児の粘膜・皮膚・眼症候群の下垂体副腎皮質ホルモンによる治療経験．治療 1960；42：1174-1179
19) 陳　維嘉，他：特に心冠血管に顕著な乳児の多発性結節性動脈周囲炎の1剖検例．日本病理学会雑誌 1962；51：541-542
20) 渋谷紀子：川崎病発見前の川崎病．小児科診療 2006；69：950-955

〔川崎富作〕

川崎富作は2020年6月5日，95歳で逝去した．本項の文章は川崎が最期に執筆したものである．この原稿執筆後の川崎病の歴史は2020年の新型コロナウイルス感染症にまつわる川崎病との関連説などがあるが，詳細は本書の他の部分で論じられているので，そちらを参照されたい．本項は歴史的文章として，初版のものに手を加えずに，そのまま本版でも掲載した．［編集委員会］

b 川崎富作先生の履歴

川崎富作は，数年来体調を崩され，入退院を繰り返していたが，薬石効なく，2020年6月5日逝去された．川崎は「自分の目の黒いうちに川崎病の原因を明らかにする」が口癖であり，病因解明を待たずの旅立ちで，どんなに心残りであったかと思うと，残念でならない．

筆者は1974年大学卒業とともに，日本赤十字社医療センター小児科に入局し，前年，部長に就任したばかりの，川崎の指導を受ける幸運を得た．その笑顔と大きな声，気取らない性格にすぐに魅了され，以来45年以上の長きにわたり人生の師として公私にお付き合いいただいた．ここでは，改めて川崎の履歴を紹介するとともに，偉大な業績を振り返ってみたい．

・1925年(大正14年)東京浅草生まれ

浅草をこよなく愛し，その生涯のほとんどを下町，浅草で過ごした．このためか，非常にあっさりした性格であったが，権威，権力，体制，学閥，世襲などを徹底的に嫌い，特に官僚(制度)を強く否定した．官僚批判は，特にアルコールが入ると，熱を帯び，話が長くなるため，皆少しずつ場を去り，要領の悪い筆者はいつも最後までお付き合いさせられた．また，病院も役所より官僚的であるとして，医局員には迷惑をかけると言いながら，病院上層部としばしば衝突していた．

・1948年(昭和23年)千葉医科大学医学専門部卒業

インターンを経て翌年同大学小児科入局．

・1950年(昭和25年)日本赤十字社中央病院(現・日本赤十字社医療センター)小児科入局

最初の印象は病院の古さと汚さであったらしく，大学との違いに驚いたらしい．筆者が入局した1974年(昭和49年)は，翌年に新築を控え，さらに凄さを増していた．当時の病院の一部が明治村に残っており，機会があればぜひ足を運んでいただきたい．このようにして日本赤十字社時代が始まるわけであるが，最初に受け持った百日咳脳症の児の白血球の核異常に気付き，わが国で4例目のPelger氏家族性白血球核異常症と診断し，上司と共著で症例報告した．このことは川崎に幾度となく聞かされたが，川崎にとってこの経験は川崎病発見へと繋がったのではないか．つまり，いつも強調していたのは，「臨床は教科書から教わるのではなく，患者から教わる」であり，「教科書より患者を見ろ」であった．この一貫した姿勢はこの時の経験が大きく，後の「川崎病」発見の原点ではないかと考えている．

・1961年(昭和36年)川崎病第1例目を経験

このことは本書に川崎自身により川崎病の歴史の中で詳しく論じられており，ここでは省略したい．いずれにせよ先に述べたように「解ったふり」をせず，無理に「既存の疾患に当てはめなかった」その姿勢が貫かれている．

・1967年(昭和42年)アレルギー誌に原著論文を発表「指趾の特異的落屑を伴う小児の急性熱性皮膚粘膜淋巴腺症候群：自験例50例の臨床的観察」

発表までのいきさつについても，本書に詳しい．しかし，この長い病名について，後年，川崎の当時の上司であり，この疾患の名付け親でもある神前章雄によれば，その本意は，本症は落屑を伴うことが最も特異的であることから，これを強調し，新しい症候群である特徴を出しておこうとの配慮からであった．

しかし，この論文は日本小児科学会雑誌ではなく，何故，アレルギー誌であったのであろうか．当時川崎は日本小児科学会の運営に疑問を持ち，未入会であった．日本アレルギー学会には入会しており(ちなみに川崎の学位論文のテーマは牛乳アレルギーであった)アレルギー誌に発表することとした．神前は多数のカラー写真を含む膨大な論文をアレルギー誌が掲載してくれたのはとても幸運であり，小児科学会誌では恐らく採用されなかったのではないかと後年述懐している．

・1973年(昭和48年)日本赤十字社医療センター小児科部長に就任

当院の歴史は古く，明治19年博愛社病院として開設され，小児科が明治43年に内科から独立してから，8代目の部長であった．

- 1974年（昭和49年）2代目厚生省研究班班長に就任

筆者はこの年に入局したが，当時，川崎は，朝から晩まで多くの患者の診察，講演，論文執筆，さらにはマスコミ対応とまさに多忙を極めていた．このようななかであっても，川崎を中心に，しばしば医局で夜遅くまで，ビールを片手に，大声での議論がなされ，時には議論ではなく口喧嘩？　に発展した．新入りの筆者は驚くばかりであったが，しばらくして，これは最も安上がりなストレス発散法であることに気づいた．今も当時の川崎の大声が懐かしく思い出される．

- 1979年（昭和54年）「ネルソン小児科学」に独立疾患として記載される

これも忘れられない出来事であり，当時の川崎の喜びは格別であった．これを機として「川崎病」の呼称が一般化したと考えられる．思えば1976年，恩師神前は同年発行された「川崎病（MCLS）研究のあゆみ」の序文に「川崎病研究の跡を顧みて」と題して，今後は川崎病という病名に統一することを提唱しており，やっと実現した．ささやかではあったが，医局員を中心に祝賀会を開き，喜びを皆で分かち合った．

ちなみに，川崎は自身では本症を川崎病と呼ぶことは稀で，MCLS と呼ぶことがほとんどであった．

- 1980年（昭和55年）第16回国際小児科学会（Ballabringa 会長，バルセロナ）においてはじめての川崎病のシンポジウムがもたれ，座長を務めた

これに合わせて英語力を磨くべく，海外での講演を多くこなし，自信をつけて臨んだとのことであった．シンポジウムは大成功で，終了後多くの聴衆が列をなしてサインを求めた．その後，国際川崎病シンポジウムなどでは見慣れた光景となっていった．

- 1986年（昭和61年）第4回 Behring・北里賞受賞
- 1987年（昭和62年）第33回武田医学賞受賞「川崎病の発見とその疫学・診断治療に関する研究」
- 1988年（昭和63年）日本医師会医学賞受賞「川崎病に関する研究」

- 1989年（昭和64年）朝日賞授賞「川崎病に関する研究」
- 1989年（昭和64年）米国心臓協会（AHA）学術集会で T. Duckett Memorial Lecture として講演

異例の全員のスタンディングオベーションを受けた．

- 1990年（平成2年）日本赤十字社医療センター定年退職
- 同年「川崎病研究情報センター」センター長就任

40年間に及ぶ勤務医生活であった．しかし，退職後も川崎病の原因究明への意欲はますます強く，早くも，同年7月には日本心臓財団内に川崎病研究室が発足し，同財団の助成を受けて神田小川町に「川崎病研究情報センター」が開設され，センター長となり，念願の原因究明に向かってスタートを切った．

- 1991年（平成3年）第81回日本学士院賞授賞「川崎病診断の確立・治療及び疫学に関する研究」
- 1992年（平成4年）日本心臓財団から独立し「日本川崎病研究センター」を設立
- 1996年（平成8年）第12回東京都文化賞受賞
- 1999年（平成11年）特定非営利活動法人日本川崎病研究センター理事長

定款は「この法人は，全ての子ども達に対して，川崎病の研究に関する事業を行うことにより，川崎病から子ども達を守り，人類の健康な生存基盤の確立と，健全な市民社会の育成に寄与することを目的とする」と，いかにも川崎らしい定款になっている．その後この定款に沿って例年川崎病の疫学研究や国際共同研究のサポート，国内の原因究明につながる研究を数多く支援し，3年ごとの国際川崎病シンポジウムを共催，親の会との連携を深めるなどの活動を開始し，現在に至っている．

- 2006年（平成18年）第1回日本小児科学会賞受賞

栄えある第1回の受賞は，多くの著名な先生方の中でも川崎以外考えられず，川崎病発表前後の経緯を考えると，川崎には特段の思いがあった．最もうれしい授賞であったに違いない

- 2010年（平成22年）東京都名誉市民
- 2015年（平成27年）日本心臓病学会栄誉賞授賞

図1 「医学は厳しく，医療は暖かく」

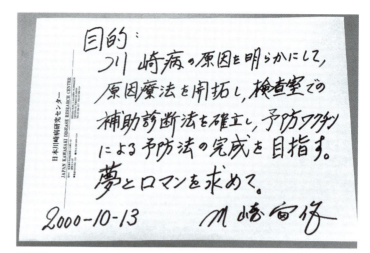

図2 川崎自筆の日本川崎病研究センター設立目的

・2020年（令和2年）6月5日逝去　95歳

　川崎が好んで揮毫された「医学は厳しく，医療は暖かく」（図1）を貫かれ生涯を終えられた．その後，川崎の机の整理中に自筆の書が発見された．そこには日本川崎病研究センター設立に際し，「目的：川崎病の原因を明らかにして，原因療法を開拓し，検査室での補助診断法を確立し，予防ワクチンによる予防法の確立を目指す．」，最後に「夢とロマンを求めて．」とあった（図2）．川崎75歳の時である．

合掌

〔今田義夫〕

C 川崎病診断の手引きの変遷

川崎病診断の手引き（初版）

　川崎病の歴史は川崎が最初の患者に遭遇した1961年，および50例をまとめた最初の原著論文を公表した1967年にはじまる．1970年に厚生省（当時）の研究班が発足した際に，最初の診断の手引きが作成された．その背景として，①原因不明の新しい疾患の研究を進める際に，研究者によって疾患の概念が異なることがないように，対象疾患に関する共通の考え方を明確にする必要があること，②疫学研究（実体解明のための全国調査）を進める際の「症例定義」が必要なこと，などがあった．

その後の改訂

　最初に公表された診断の手引き[*1]は表1に示すとおりである．川崎による1967年の論文およびその後の症例報告などをもとに作成されたが，現在の川崎病の臨床像とは異なる部分も多い．特に参考条項の最後の「後遺症を残さず，同胞発生をみない」については，この当時の認識ではそのとおりであったが，その後の症例の積み重ねや研究の進展により改められている．また，頸部リンパ節腫脹が主要症状（初版の表記は「必発症状」）ではなく，参考条項に入れられていることも興味深い．

　その後，6回にわたり診断の手引きは改訂され，現在は2019年の改訂6版が使用されている[*2]．その詳細は文献[1]としてまとめられており，現行の改訂

[*1] 「原因不明の疾患であり，当時新しい疾患ともいい切れなかったこともあって，診断基準とはせずに，"診断の手引き"とすることにした」という記載が文献1にある．

[*2] 最初の改訂（1972年）の際に改訂版を「改訂第1版」としたために，6回にわたる改訂を経た現行の診断の手引きが「改訂6版」（本来であれば「改訂7版」）と表記されている．

1. 歴　史

表1 川崎病診断の手引き（初版，1970）

小児急性熱性皮膚粘膜リンパ節症候群
(Muco-Cutaneoeus Lymphnode Syndrome, 略称 MCLS)
診断の手びき

昭和45年度厚生省医療研究助成補助金による MCLS 研究班（班長：神前章雄）作成

本症は主として4歳以下の乳幼児に好発する原因不明の疾患で，その症候は以下の必発症状と参考条項とに分けられるが，必発症状（5症状）のうち，1を含む4つ以上の症状を伴うものを本症として取扱う．

A．必発症状
　1．抗生物質に不応の5日以上続く発熱
　2．両側眼球結膜の充血
　3．四肢末端の変化：①硬性浮腫（急性期），②掌蹠紅斑または末端紅斑（急性期），③爪皮膚移行部からの膜様落屑（回復期）
　4．口唇，口腔所見：①口唇の乾燥，紅潮，き裂，②舌乳頭腫大（苺舌様変化），③口腔，咽頭粘膜のびまん性発赤
　5．体幹の不定形発疹（ただし，水疱，痂皮は伴わない）

B．参考条項（必発症状と併せて，診断上大切である）
　1．拇指頭大以上の急性頸部リンパ節腫張（ただし，決して化膿しない）
　2．下痢
　3．蛋白尿，尿沈渣中の白血球増多
　4．検査所見：①核左方移動を伴う白血球増多，②赤沈促進，③CPR 陽性など
　5．時にみられる症状：①無菌性髄膜炎，②軽度の黄疸，血中トランスアミナーゼ値軽度上昇，③心炎，心筋炎，④関節痛，関節炎
　6．4歳以下に好発し，後遺症を残さず，同胞発生をみない

〔https://www.jichi.ac.jp/dph/kawasakibyou/tebiki00.pdf〕

6版作成の際の留意点などもまとめられている[2]．診断の手引きの変遷についてはこれらの文献を参照されたいが，本項では過去の改訂について簡略にまとめる．

　前述のとおり，川崎病診断の手引きは1970年の初版から6回の改訂を経て，現在は2019年の改訂6版が使用されている．紙面の関係で本項では初版（**表1**）のみを提示しているが，現行の改訂6版（p.68，**表1**参照）まですべてを web サイトで公開（http://www.jichi.ac.jp/dph/kawasaki.html）しているので，そちらを参照されたい．

改訂の概要

　図3にそれぞれの改訂の要点をまとめた．また，初版から改訂5版までの診断の手引きの裏面には参考となる症例に関する写真をカラーで掲載しているが，それぞれの版での掲載写真のタイトル（説明）を**表2**にまとめた．

　改訂1版から改訂5版までの5回の改訂の詳細は

この図と表を参照されたい．

現行（改訂6版）への改訂作業と結果

　本書の初版刊行当時は「診断の手引き」の改訂5版を使用しており，初版には改訂5版の問題点（課題）を掲げていた．

　2017年より日本川崎病学会，非営利活動法人日本川崎病研究センター，厚生労働科学研究「難治性血管炎に関する調査研究」班の3者で改訂6版への改訂に向けての委員会を結成し，メール審議を含めた協議を重ね，2019年5月に現行の改訂6版が公表された．

　改訂5版からの修正点は**図3**に示すとおりである．改訂の際の重点事項として，「できるだけ早期に川崎病と診断して，急性期の免疫グロブリン静注（IVIG）療法の開始時期が遅れないようにする」ということがあった．このために，主要症状5項目以上，あるいは4項目＋心障害の「川崎病」に加えて，これまでにはなかった「不全型」の概念を導入し，主

9

図3 川崎病診断の手引き変遷の概要

要症状が4項目以下でも不全型川崎病と診断,あるいは考慮することが「主要症状」の下に追記された.これに加えて「参考条項」も4区分し,早期診断につながるように配慮している.

主要症状の「発疹」にはわが国に多い「BCG接種痕の発赤」が追加された.これにより「皮疹はないがBCG接種痕の発赤がある」患者は主要症状の1項目を満たすことになり,川崎病の診断がつきやすくなった.

改訂5版までは診断の手引きの裏面にカラーで写真が掲載されていたが,川崎病に関する知識の普及状況に鑑み,改訂6版からは廃止された.日本川崎病学会のwebサイト(http://www.jskd.jp/info/photo.html)では症例の写真が提示されており,必要な場合にはこちらを参照されたい.

1. 歴 史

表2 診断の手引き裏面の掲載写真一覧

診断の手引き（版）	掲載写真（説明）	備考
初版（1970年9月）	本症の全身像 手掌紅斑および硬性浮腫（急性期） 眼球結膜充血 定型的な指先の落屑 本症の熱型	患児の正面の全身 臨床チャート
改訂1版（1972年9月）	（すべて初版と同一）	
改訂2版（1974年4月）	MCLSの発疹（男10月，第4病日） 口唇の変化と眼球結膜の充血（女4歳，第5病日） 足の紅斑と硬性浮腫（女1歳6月，第6病日） 指先の落屑（男1歳，第11病日） MCLS罹患児の冠動脈撮影像：左冠動脈瘤と右冠動脈閉塞（男5歳，発病7月後に心筋梗塞様発作） 冠動脈の血栓性閉塞（男10月，第31病日に急性死）	患児の背面の全身 心臓の剖検所見
改訂3版（1978年8月）	MCLSの発疹（男10月，第4病日） 口唇の変化と眼球結膜の充血（男3歳，第5病日） 足の紅斑と硬性浮腫（女1歳6月，第6病日） 指先の落屑（男2歳，第12病日） MCLS罹患児の冠動脈撮影像：左冠動脈瘤と右冠動脈閉塞（男5歳，発病7月後に心筋梗塞様発作） 冠動脈の血栓性閉塞（男10月，第58病日に急性死）	2版と同一 2版とは異なる写真 2版とは異なる写真 心臓の剖検所見
改訂4版（1984年9月）	川崎病の発疹（男7月，第4病日） 口唇の変化と眼球結膜の充血（女2歳，第4病日） 手の紅斑と硬性浮腫（女1歳6月，第6病日） 指先の落屑（男3歳，第12病日） 左右冠動脈瘤の断層心エコー図所見（男2歳，第12病日） 右多発冠動脈瘤（男9月，第60病日） 左前下行枝の冠動脈瘤と狭窄性病変（男5歳，発病後3年）	首から下の背面 左右2枚の断層心エコー図 冠動脈造影写真 冠動脈造影写真
改訂5版（2002年2月）	眼球結膜充血 口唇の紅斑といちご舌 頸部リンパ節腫脹 発疹 手の紅斑 膜様落屑（回復期） BCG接種部位の発赤 冠動脈瘤の心エコー図	 4版と同一 4版と同一 両手の写真 断層心エコー図
改訂6版（2019年5月）	（写真なし）	

文 献

1) 柳川　洋，他：川崎病診断の手引きの変遷．柳川　洋，他（編），川崎病の疫学：30年間の総括．診断と治療社，2002：17-21

2) Kobayashi T, et al.：Revision of diagnostic guidelines for Kawasaki disease（6th revised edition）．Pediatr Int 2020；62：1135-1138

〔中村好一〕

Ⅰ 歴史と疫学

② 疫 学

POINT

・わが国の川崎病の疫学像は 1970 年から行われている全国調査で明らかにされている.
・過去 3 回(1979 年,1982 年,1986 年)全国的な流行があり,その後 1990 年代半ばより患者数は増え続けている.
・疫学像より川崎病の発生に,①微生物の関与および②宿主側の要因が推察される.

ⓐ 川崎病の記述疫学

疫学研究の目的は疾病の頻度分布,危険因子,自然歴を明らかにすることである.疾病の頻度分布に関するものがいわゆる記述疫学研究であり,罹患率,有病率,死亡率などの頻度を明らかにするだけでなく,人,場所,時間の 3 つの観点から疾病の発生状況を観察し,これらに基づいて病因に関する仮説を立てていくことが重要である.

わが国では,1970～2018 年までの 49 年間で 39 万人以上の川崎病患者が把握され,世界においても 60 を超える国・地域から患者が報告されているが,その病因はいまだに不明である.

本項では記述疫学の視点から,川崎病全国調査の結果をもとに川崎病の疫学像を概説した.なお,疾病の危険因子や自然歴を明らかにする症例対照研究やコホート研究については,別項にゆだねたい.

川崎病全国調査

1. 全国調査の実施

1967 年の川崎病のはじめての報告後,1970 年に第 1 回川崎病全国調査が実施された.その後,2020 年まで,2 年ごとに合計 26 回の全国調査が実施され,わが国における川崎病の記述疫学像が明らかにされてきた.診断の手引きは,2018 年までは改訂第 5 版が用いられているが,初版と基本項目はほぼ変更がなく,疫学調査の相互比較性には問題はないと考えられる(別項参照).対象は,小児科を標榜する 100

床以上の病院および小児科のみを標榜する 100 床未満の小児専門病院であり,回答率は第 18 回川崎病全国調査以降 70% を超えている.なお,2010 年日本川崎病学会「川崎病学会用語委員会草案」[1] から,免疫グロブリン静注(IVIG)療法不応例の定義が一部改訂され,さらに,その後,「通常,総量 2 g/kg の IVIG 投与終了後 24～36 時間以上持続する発熱,または 24～36 時間以内に再発熱が認められた場合とする.判定には発熱以外の急性期症状や検査結果の改善度も勘案する」となったため,第 21 回川崎病全国調査以降,IVIG 不応例のデータが収集されている.第 26 回川崎病全国調査は改訂第 6 版[2] を用いて行われた.

2. 第 25 回川崎病全国調査の実施[3,4]

第 25 回川崎病全国調査は,2017 年 1 月 1 日より 2018 年 12 月 31 日の 2 年間に受診した川崎病初診患者を対象に実施された.対象施設は 1,804 施設で,1,357 施設から回答を得た(回収率 75.2%).調査項目は,報告患者数,初診年月分布,性年齢分布,地域分布,診断,家族歴,再発例,死亡例,心障害(初診時の異常,急性期の異常,発病後 1 か月以降の後遺症),初診時病日,不全型の主要症状の数,IVIG(不応例の有無,ステロイド併用の有無と内容,初回 IVIG 投与施設),初回 IVIG 投与後の追加治療(追加 IVIG 投与,ステロイド投与,インフリキシマブ(IFX)投与,免疫抑制薬投与,血漿交換),初診前 1

12

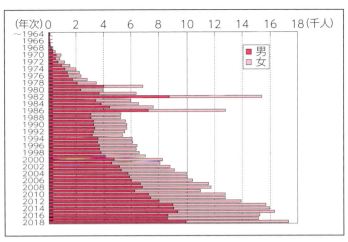

図1　年次別，性別患者数（第25回川崎病全国調査成績）

週間以内の抗生剤投与の有無および使用薬剤種別についてである．

3. 第25回川崎病全国調査結果の概要[3,4]

患者数は，2017年は15,164人（男8,635人，女6,529人），2018年は17,364人（男9,964人，女7,400人）であり，2年間の患者総数は32,528人，性比（男/女）1.34であった．0〜4歳の人口10万対罹患率は，2017年は313.6（男348.9，女276.5），2018年は359.1（男402.6，女313.4）であった．月別患者数は，2015年までの傾向とは異なり，1月のピークが目立たなかった．性・年齢別罹患率は，9〜11か月にピーク（人口10万対　2017年472.2，2018年502.2）がみられた．

家族歴に関して，同胞例ありは，696人（男386人，女310人）であった．両親のいずれかに川崎病の既往歴ありは419人（男231人，女188人）であった．

再発例は1,478人（男868人，女610人）であった．死亡例は2年間で6人（男3人，女3人）報告された．心障害のうち，「初診時の異常」は1,604人（4.9%）で，内訳は冠動脈の拡大（3.84%），弁膜病変（0.87%），瘤（0.36%），巨大瘤（0.03%），狭窄（0.01%），心筋梗塞（0%），「急性期の異常」は2,901人（8.9%）で，内訳は冠動脈の拡大（6.52%），弁膜病変（1.55%），瘤（0.95%），巨大瘤（0.11%），狭窄（0.02%），心筋梗塞（0.01%），「後遺症」は845人（2.6%）で，内訳は冠動脈の拡大（1.50%），瘤（0.63%），弁膜病変（0.50%），巨大瘤（0.11%），狭窄（0.02%），心筋梗塞（0.003%）であった．

患者の初診時病日は第4病日がもっとも多く（25.2%），第4病日までに受診した者は63.6%であった．

IVIG療法を受けた者は94.6%で，初回IVIGの投与開始時病日は第5病日がもっとも多かった（34.8%）．使用者のうち19.7%が不応例であった．初回IVIG投与時にステロイド併用ありの割合は13.2%であった．初回の1日あたりの投与量は1,900〜2,099 mg/kgの者がもっとも多く（95.7%），投与期間は1日がもっとも多かった（98.0%）．追加治療としては，初回IVIG使用例のうち，IVIG投与21.6%，ステロイド投与6.3%，IFX投与2.6%，免疫抑制薬投与1.5%，血漿交換0.6%であった．初回IVIG不応例についての追加治療はIVIG投与91.1%，ステロイド投与24.8%，IFX投与12.1%，免疫抑制薬投与6.5%，血漿交換2.6%であった．

わが国における川崎病疫学像の推移[3〜6]

年次別，性別患者数（図1）[3]をみると，2018年12月末までの合計患者数は，395,238人（男228,107人，女167,131人）になった．これまで過去に3回の全国規模の流行（1979年，1982年，1986年）があったが，その後は全国的な流行はみられていない．年次別，性別罹患率（図2）[3]をみると，0〜4歳の人口10万対年間罹患率は2018年には359.1になり，過去最高値を更新した．月別患者数（図3）[3]では，秋（9〜10月）は少なく，1月にピークが観察されるという季節変動が2015年までは特徴的にみられたが，2016年以

降1月の患者数のピークは目立たなくなっていた．年次別，性別，年齢別罹患率(図4)[3]では，男女とも9～11か月にピークがあり，2015～2016年のデータと，2017～2018年のデータでは，同様の傾向が観察された．

2015～2018年までの回収率で補正した4年間の年次別，都道府県別罹患率(図5)[3]をみると，罹患率の高い地域は，各年とも一致せず，2018年は関東甲信越地方，関西地方，九州地方で罹患率の高い都道府県が目立っている．一方で，過去3回の全国規模の流行(1979年，1982年，1986年)時の罹患率の都道府県別地域差を観察したところでは，流行波の移動が認められた．

心障害に関するデータで，性別，年齢別心障害の出現率(図6)[3]，心障害の出現割合の年次推移(図7)[3]をみると，第25回川崎病全国調査では初診時の異常の割合は4.9%，急性期の異常の割合は8.9%，後遺症の割合は2.6%であり，第24回川崎病全国調査に比べて微増した．冠動脈の評価方法の変化が心障害の診断に影響している可能性もあるが，近年初回IVIG不応例がやや増加傾向にあり，これに伴い心障害が増加傾向を示している可能性も考えられる．

図2　年次別，性別罹患率(第25回川崎病全国調査成績)

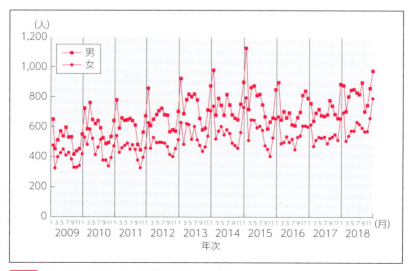

図3　年次別，月別，性別患者数(第25回川崎病全国調査成績)

心障害の有無および重症度が予後に大きく作用するため，今後も注意深く見守る必要がある．これまでの検討では，男児，5か月齢未満または5歳以上，初期 IVIG 不応例は，心障害を有する傾向があり[7]，男児，年長児，血小板数の増加，血清アルブミン値の低下，および CRP レベルの上昇がある場合，初期段階で心臓病変のリスクを評価する必要があることが明らかにされている[8]．さらに，入院時の血小板数の増加に加え，入院後の血小板数の減少が心障害のリスクを高めること[9]，ステロイドの併用療法や複数回投与が，リスクの高い特定の患者に有効であることを報告した[10]．さらに，心障害については，患者追跡調査などの手法を用いて，長期間にわたって疫学的な解析を行うべきであると考えられる．現在までに8回の追跡調査[11]を行い，初診後2か月以内の死亡率は人口動態統計と比較して有意に高いこと，その後は死亡率の上昇は認められないこと，心後遺症を残した群では人口動態統計の死亡率と比較して有意に死亡率が高いこと，心後遺症がない者では死亡率は若干低い傾向にあり，その背景として外因死の死亡率が低いことなどが明らかになっている．

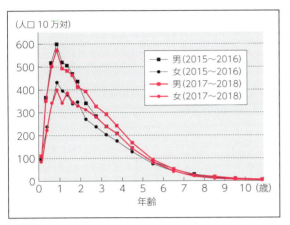

図4　年次別，性別，年齢別罹患率（2015〜2016年平均，2017〜2018年平均）（第25回川崎病全国調査成績）

諸外国の川崎病疫学研究の変遷

現在60以上の国と地域で川崎病の発生が報告されているが，川崎病の認知の問題も考えると，実際

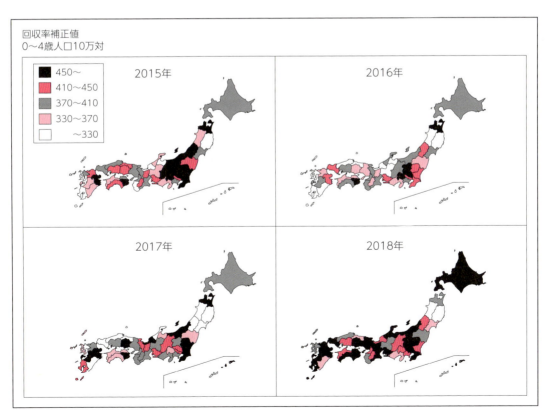

図5　年次別，都道府県別罹患率（第25回川崎病全国調査成績）

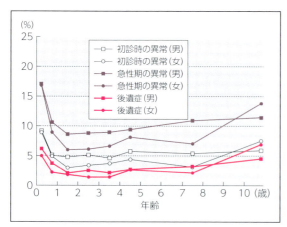

図6 性別，年齢別心障害の出現率（第25回川崎病全国調査成績）

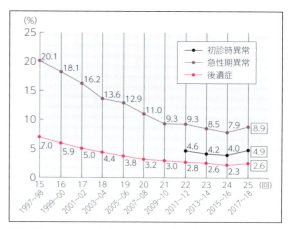

図7 心障害の出現割合の年次推移（第25回川崎病全国調査成績）

にはもっと多いことが推察される．

　中国では，1990年代半ばより，日中共同研究として，日本と同様の全国調査の様式を用いて，さまざまな地域で疫学調査が行われた．北京での2000～2004年までのデータ[12]では，川崎病の0～4歳人口10万対年間罹患率は40.9から55.1に増加した．発症年齢は1か月～13.8歳で，1歳が最も多かった．男女比は1.83：1であり，春と夏に2つのピークがあり，12月と1月の罹患数は低値を示した．上海[13]では，2013～2017年までを対象とし，川崎病患者4,452人が解析された．4年間の0～4歳人口10万対年間罹患率は68.8～107.3であった．発症年齢は15日～14.0歳（中央値1.8歳）で，月別患者数では夏と春に多かった．冠動脈病変（coronary artery lesions：CAL）の割合は9.1%であり，血小板数が多いこと，血漿アルブミン値が低いこと，男，不完全型，IVIG抵抗性，最初のIVIG投与が4病日以前または10病日より以降，の場合にCALのリスクが高かった．

　内モンゴル（中国）[14]では，2001年1月～2013年12月まで，川崎病患者518人の臨床データを分析した．0～4歳人口10万対年間罹患率は3.55±2.96であり，増加傾向にあった．発症年齢は49日～14歳で，春と夏の罹患が多かった．CALの割合は40.2%であった．

　韓国・台湾でも高い罹患率が報告されているが，季節変動については，同じアジアでも国によって異なったパターンを示すことが報告されている．韓国[15]では，2015～2017年の3年間で，168病院から合計15,378人（2015年5,449人，2016年5,171人，2017年4,758人）の川崎病患者が報告された．発症年齢は33.0±24.8か月で，男女比は1.41：1であった．0～4歳人口10万対年間罹患率は，196.9（2015年202.2，2016年197.1，2017年191.0）であった．月別患者数では，川崎病は年間を通じて発生し，5月と6月および12月と1月に罹患率が高かった．

　米国では川崎病の罹患率の人種差が報告されている．Ueharaら[16]は，アジア人と太平洋諸島人の間で罹患率がもっとも高く，次いで黒人，白人，アメリカンインディアンとアラスカ先住民の順に罹患率が低くなると報告した．1996～2018年にかけてのハワイでの調査[17]では，927人の患者が報告され，うち877人の調査が行われた．内訳は男479人（55%），女398人（45%）で，ハワイ在住日系人が最も多く（253人，29%），次いでハワイ在住フィリピン人（162人，19%）であり，ハワイ先住民または他の太平洋諸島系は（146人，17%）であった．ハワイに住む白人の罹患率は，アメリカ大陸の白人に似ていて，米国の調査[18]では人口10万対年間罹患率は1歳23.1，2歳32.6，3歳13.5，4歳10.6であり，罹患年齢の中央値は約1.5歳，男女比は1.5：1であった．

　北ヨーロッパ諸国[19]の1998～2008年までの疫学調査では，11年間で1,390人の川崎病患者が3つの北ヨーロッパ諸国（フィンランド，ノルウェー，スウェーデン）から報告された．0～4歳人口10万対年間罹患率は，フィンランド11.4，ノルウェー5.4，ス

ウェーデン 7.4 であった．全体として，日本の川崎病患者の 86% 以上が 5 歳未満であったのに対し，北ヨーロッパでは 68% であった．また，北ヨーロッパにおける川崎病罹患率は調査期間を通じて一定であり，日本よりもはるかに低かった．イタリア[20]における 2008〜2013 年までの疫学調査では，川崎病患者の 85.5% が 5 歳未満であり，男女比は 1.4：1，0〜4 歳人口 10 万対年間罹患率は 14.7 であった．春の罹患率が高く，5 歳未満の患者の 2.2% に冠状動脈瘤が認められた．

病因についての疫学的考察[21]

現在得られている記述疫学像からは，感受性のある宿主に対して複数の微生物が引き金となって川崎病を発症すると考えると説明がつくものが多い．

1. 感染因子の関与を疑う疫学像

過去 3 回全国規模の流行が発生し，さらに流行の地理的な移動や，小規模地域に集団発生[22]が認められた．また，季節変動が毎年同じような形で繰り返され，これらは微生物の関与を示唆するものと考えられる．前述のように，海外のさまざまな国によって異なる季節変動が報告されており，現在は，病原体が単一ではない可能性も考えられている．

また，6 か月未満児の罹患率が低く，0 歳後期にピークを有する一峰性の罹患率を呈し，5 歳未満に 9 割の患者が存在する傾向は，日本だけでなく海外でも認められる．このことは，川崎病を感染症が引き金となって発症する疾患であるという仮説を立てた場合，0 歳の前半では受動免疫の影響で罹患しづらいと考えることもできる．

2. 宿主因子の関与を疑う疫学像

複数の遺伝子多型の関与が報告され，ワクチン接種をしていない時代での麻疹や水痘より発病率が低いこと，人種間で発生率の違いが認められることなどは，宿主側の関与を疑わせるものである．

3. 親子例同胞例の問題

親子例[23]や同胞例[24]が存在し，発症リスクが高いことが認められている．これらのデータは感染因子，宿主因子（親子例）の双方を示唆するものであるが，詳細については，別項に譲る．

◎おわりに

現在まで半世紀にわたって，全国疫学調査が実施された．1986 年以降は全国規模の流行はみられていないが，患者数と罹患率の推移をみると，1994 年以降着実に増加している．心後遺症を残す患者の割合は低くなり，重症度も軽減したが，現在も患者発生は全世界で続いており，その病因・病態の解明が急がれる．

■ 文 献

1) 日本川崎病学会用語委員会：川崎病の用語に関する規定．平成 22 年 10 月 10 日［http://www.jskd.jp/info/pdf/yougo201007.pdf］
2) Kobayashi T, et al.：Revision of diagnostic guidelines for Kawasaki disease(6th revised edition). Pediatr Int 2020；62：1135-1138
3) 第 25 回川崎病全国調査成績
4) Ae R, et al.：Epidemiology, treatments, and cardiac complications in patients with Kawasaki disease：The nationwide survey in Japan, 2017-2018. J Pediatr 2020；225：23-29
5) Makino N, et al.：Nationwide epidemiologic survey of Kawasaki disease in Japan, 2015-2016. Pediatr Int 2019；61：397-403
6) Nakamura Y：Kawasaki disease：epidemiology and the lessons from it. Int J Rheum Dis 2018；21：16-19
7) Goto T, et al.：Time course of cardiac lesions due to Kawasaki disease in Japan：22nd nationwide survey(2011-2012). Pediatr Int 2016；58：1274-1276
8) Kuwabara M, et al.：Cardiac lesions and initial laboratory data in Kawasaki disease：a nationwide survey in Japan. J Epidemiol 2015；25：189-193
9) Ae R, et al.：Platelet count variation and risk for coronary artery abnormalities in Kawasaki disease. Pediatr Infect Dis J 2020；30：197-203
10) Ae R, et al.：Corticosteroids added to initial intravenous immunoglobulin treatment for the prevention of coronary artery abnormalities in high-risk patients with Kawasaki disease. J Am Heart Assoc 2020；9：e015308
11) Nakamura Y, et al.：Mortality among Japanese with a history of Kawasaki disease：results at the end of 2009. J Epidemiol 2013；23：429-434
12) Du ZD, et al.：Epidemiologic study on Kawasaki disease in Beijing from 2000 through 2004. Pediatr Infect Dis J 2007；26：449-451
13) Xie LP, et al.：Epidemiologic Features of Kawasaki disease in shanghai from 2013 through 2017. J Epidemiol 2020；30：429-435
14) Zhang X, et al.：Epidemiologic survey of Kawasaki disease in Inner Mongolia, China, between 2001 and 2013. Exp Ther Med 2016；12：1220-1224
15) Kim GB, et al.：Epidemiology of Kawasaki disease in South Korea：A nationwide survey 2015-2017. Pediatr Infect Dis J 2020；39：1012-1016
16) Uehara R, et al.：Epidemiology of Kawasaki disease in Asia, Europe, and the United States. J Epidemiol 2012；22：79-85
17) Dawson TJ, et al.：Mapping the trends of Kawasaki disease in Hawai'i from 1996 to 2018. Hawaii J Health Soc Welf

18) Holman RC, et al.：Hospitalizations for Kawasaki syndrome among children in the United States, 1997-2007. Pediatr Infect Dis J 2010；29：483-488

19) Salo E, et al.：Incidence of Kawasaki disease in northern European countries. Pediatr Int 2012；54：770-772

20) Cimaz R, et al.：Epidemiology of Kawasaki disease in Italy：surveillance from national hospitalization records. Eur J Pediatr 2017；176：1061-1065

21) 中村好一，他：疫学からみた川崎病の病因．小児科 2015；56：1099-1104

2020；79：104-111

22) 竹内せち子，他：沖縄県宮古島における川崎病の異常発生．日本小児科学会雑誌 1982；86：1965-1972

23) Uehara R, et al.：Parents with history of Kawasaki disease whose child also had the same disease. Pediatr Int 2011；53：511-514

24) Fujita Y, et al.：Kawasaki disease in families. Pediatrics 1989；84：666-669

〔牧野伸子〕

b 川崎病の分析疫学

分析疫学とは（記述疫学との関連）

疫学研究の目的は①「疾病の頻度分布を明らかにすること」，②「疾病の危険因子を明らかにすること」，③「疾病の自然史を明らかにすること」の3点である[1]．記述疫学では川崎病の発生の実態を調査し「人・場所・時間」の視点からこれらを解析することで，「疾病の頻度分布」を明らかにしている．これらの結果をもとに，疾病の原因や危険因子に関する仮説がつくられるが，分析疫学ではこれらの仮説を確かめ，因果関係を推定し危険因子を明らかにする．分析疫学には，症例対照研究・コホート研究・横断研究・生態学的研究などが含まれる．本項では，川崎病に関する症例対照研究とコホート研究，また，その他の研究について述べる．

症例対照研究

症例対照研究は，症例群（患者群）に対し適切な対照群を設定し，それぞれの群で過去の曝露状況を比較し，曝露と疾病の関連を明らかにする研究デザインである[2]．症例対照研究で得られた結果から，川崎病発生の危険因子として示されたものを**表1**に示す[1]．1980年代半ばまではじゅうたんのシャンプーや川や水塊の近くへの居住が危険因子として米国から指摘されていたが，1990年代半ば以降には立ち消えている．ダニについても同様に，ダニによる抗原が川崎病罹患と関係しているという説は否定されている．近年では，川崎病発症2か月前の，降水量が多いことや気温が低いことが川崎病罹患に関与しているとの報告もある[3]．いずれも，一貫して示され

たものはなく，確定した危険因子は存在しない．また調査票を用いた症例対照研究には限界があり，調査票以外の曝露把握状況を調査できる方法をあみ出すことが重要であるともいわれている[2,4,5]．

川崎病の危険因子に関する症例対照研究以外にも，巨大冠動脈瘤の発生要因に関する症例対照研究が報告されている．Nakamuraら[6]は，川崎病全国調査結果を用いて，第15回（1997年・1998年）と第16回の川崎病全国調査（1999年・2000年）から，巨大冠動脈瘤発生の危険因子を報告した．この研究では，症例群：105人の巨大冠動脈瘤患者と対照群：2,936人とが比較されている．解析では他のさまざまな因子の影響を考慮しても，「男」が「女」に対し1.99倍，「0歳」が「1〜2歳」に対し1.71倍，また，血液検査結果では白血球数1,000以上増加するごとに1.1倍，好中球10%以上増加するごとに1.6倍巨大冠動脈瘤発生の危険性が高くなると報告している．

同様の手法を用いて，Sudoら[7]は第19回の川崎病全国調査（2005年・2006年）から巨大冠動脈瘤をきたした症例を解析している．症例群：53人の巨大冠動脈瘤患者，対照群：1,760人の川崎病と診断され，巨大冠動脈瘤をもたない患者とし危険因子を評価している．Nakamuraらの報告と同内容の調査であるが，治療方法が時代とともに変化しており，第19回の時期には免疫グロブリン製剤2g/kg・1日投与が公的医療保険で認められるようになっている．この調査でも，「男」が「女」に対し1.55倍，「0歳」と「5歳以上」は「1〜2歳」に対しそれぞれ4.77倍，6.09倍巨大冠動脈瘤発生の危険因子が高いと報告されている．これらは時代の変化として捉えることに

2. 疫　学

表1　これまでに疫学的に検討された川崎病の危険因子候補

両親のアレルギー	ツベルクリン反応検査*	発症1か月前の旅行・行事参加
母乳栄養*	人工栄養	同胞の川崎病罹患
突発性発疹既往	妊娠中の母の抗菌薬・抗アレルギー薬・	ゴム製乳首
妊娠中の母のつわり止め服用	胃腸薬の服用	シャンプー・リンスの使用
風邪薬	家族の風邪罹患傾向	高い社会経済因子
口内炎	本人の風邪罹患傾向	じゅうたんのシャンプー
頸部リンパ節炎	解熱薬使用	上気道炎
アレルギー性鼻炎	麻疹の既往	水塊
結膜炎	慢性副鼻腔炎の既往	呼吸器・胃腸疾患
両親の扁桃腺炎	じゅうたん使用	室内のダニ

*川崎病のリスク軽減
〔中村好一：川崎病疫学とその変遷. 日本臨牀 2014；72：1536-1541 より一部改変〕

重要な意味がある.

コホート研究

　コホート研究は，「曝露から疾病発生」を取り扱い，疾病の自然史に沿った観察研究である[2]．特定の要因に曝露した集団と曝露していない集団を一定期間追跡し，研究対象となる疾病の発生率を比較することで，要因と疾病発生の関連を調べる．そのため，コホート研究は頻度の低い疾患には不適であり，川崎病はまさにこれに該当する．よって危険因子を明らかにするためのコホート研究は実施されていない．現在では，主に③の「疾病の自然史を明らかにすること」がコホート研究として行われている．

　川崎病患児の追跡研究の多くは医療機関ベースであり，医療機関を受診し続ける何らかの問題を抱えている場合と，受診が中断されると追跡が途絶えるという対象者の選択バイアスが存在する．そこで，Nakamuraら[8]はバイアスのない対象を追跡するため，52病院で1982年7月～1992年12月に川崎病と診断された患者を対象に，戸籍を使った生死の確認を行い，追跡している．観察期間は2009年12月31日まで，あるいは死亡までとしている．この研究では，6,576人の川崎病患者が対象となり，うち46人（男35人・女11人）が観察期間中に死亡していた（standardized mortality ratio：SMR＝1.00）．心後遺症を有する患者では，男13人・女1人が観察期間中に死亡し，SMRは高値であった（SMR＝1.86）．一方，心後遺症のない患者では，川崎病急性期のSMRは低値であった（SMR＝0.65）．つまり，川崎病で心後遺症がある場合の死亡率は，その年齢の一般人の死亡率よりも有意に高いが，心後遺症のない場合では男女ともに死亡率は上昇していないことが明らかとなった．川崎病があっても，心後遺症がなければ死亡率は一般人口と変わらないことを示している．この報告は，川崎病の既往が動脈硬化の危険因子となるかという仮説に大きく関係している．しかし，対象者の84%が観察終了時点で20歳代であり，動脈硬化に起因する脳血管疾患や虚血性心疾患の好発年齢に達しておらず，継続した調査が必要である．

　これに対し，医療機関をベースとした調査では，巨大冠動脈瘤をきたした26例の長期フォローの経過が報告されている[9]．この調査では，直径8mm以上の巨大冠動脈瘤をきたした26例（男17例，女9例・罹患後の経過の中央値は30年：3～49年）のうち，急性冠症候群は10例（38%）に発症し，冠動脈瘤バイパス術は13例（50%）に施行されている．

　これらの報告から考えると，死亡率は一般人口と変わらないとしても，虚血性心疾患の罹患率が上昇している可能性は否定できず，「発症」をターゲットとした調査も今後は必要になってくると考えられる．

　また，近年，川崎病の患児の母親の年齢や，周産期における情報を後方視的に分析をした後方視的コホート研究も行われており，母親の年齢が32歳以上では，心障害を患児が有する傾向が高くなり（オッズ比1.9），35歳以上ではIVIG療法に抵抗性であることが示されている（オッズ比4.4）[10].

その他の分析疫学

　その他の分析疫学として，累積罹患率を用いた研究が行われている[11]．川崎病全国調査では，各年齢

の川崎病発症者数（罹患率）が示されている．一方，累積罹患率とは，ある一定の期間までにどのくらいの患者が新規に川崎病を発症するかを示す．この研究では「10歳までに川崎病を発症する数：累積罹患率」を報告している．2014年では，10歳までの累積罹患率は男で1.53%・女で1.21%，言い換えれば，男は65に1人，女は82人に1人が10歳までに川崎病に罹患するということを意味する．さらに，それらを出生コホート別に解析すると，各年代に出生した児が，どの程度10歳までに川崎病を発症しやすいかがわかる．出生コホート別の累積罹患率では1991年生まれでは男は0.51%（197人に1人発症）・女は0.37%（273人に1人発症）であるが，2005年生まれでは男は1.04%（73人に1人発症），女は0.78%（128人に1人発症）と増加している．川崎病患者数の数が年々増加するなかで，さらに以前と比べて川崎病の発症しやすさも増加していることが示されている．

台湾でも別の手法を用いて出生コホート別の累積罹患率を算出している[12]．5歳までに川崎病を発症する累積罹患率は2000年生まれでは男女あわせて0.25%（397人に1人発症）で，2009年生まれでは0.37%（267人に1人発症）であった．日本よりも累積罹患率は低値であるが，年々上昇傾向であることは日本と同じである．人口1,000人では，2～3人が5歳までに川崎病に罹患することになる．

さらに，心臓後遺症を有する川崎病に関する累積罹患率の研究では，出生コホート別の累積罹患率では1997年生まれでは男は0.0478%（2,092人に1人発症），女は0.0213%（4,695人に1人発症）で，2007年生まれでは男は0.0339%（2,950人に1人発症），女は0.0169%（5,917人に1人発症）と減少していることが明らかとなった[13]．つまり，川崎病の発症のしやすさは増加しているが，心後遺症を有する川崎病患者は減少してきていることを意味する．

以上のようにさまざまな解析がされているが川崎病の原因を特定するものはいまだ発見されていない．今後も継続した調査が必要である．

📖 文　献

1) 中村好一：川崎疫学とその変遷．日本臨牀 2014；72：1536-1541
2) 中村好一：症例対照研究．楽しい疫学．第3版，医学書院，2017：58-65
3) Abrams JY, et al.：Increased Kawasaki disease incidence associated with higher precipitation and lower temperatures. Japan, 1991-2004. Pediatr Infect Dis J 2018；37：526-530
4) 中村好一：世界における川崎病疫学研究の変遷．柳川　洋，他（編），川崎病の疫学：30年間の総括．診断と治療社，2002：28-33
5) 重松逸造：川崎病疫学研究の意義と今後の課題．柳川　洋，他（編），川崎病の疫学：30年間の総括．診断と治療社，2002：2-4
6) Nakamura Y, et al.：Case-control study of giant coronary aneurysms due to Kawasaki disease. Pediatr Int 2003；45：410-413
7) Sudo D, et al.：Case-control study of giant coronary aneurysms due to Kawasaki disease：the 19th nationwide survey. Pediatr Int 2010；52：790-794
8) Nakamura Y, et al.：Mortality among Japanese with a history of Kawasaki disease：results at the end of 2009. J Epidemiol 2013；23：429-434
9) 草野　信，他：当院で追跡中の川崎病巨大冠動脈瘤患者の経過報告．Prog Med 2017；37：825-829
10) Huang WD, et al.：Association between maternal age and outcomes in Kawasaki disease patients. Pediatr Rheumatol Online J 2019；17：46
11) Nakamura Y, et al.：Cumulative incidence of Kawasaki disease in Japan. Pediatr Int 2018；60：19-22
12) Wu MH, et al.：Postnatal risk of acquiring Kawasaki disease：A nationwide birth cohort database study. J Pediatr 2017；180：80-86
13) Matsubara Y, et al.：Cumulative incidence of Kawasaki disease with cardiac sequelae in Japan. Pediatr Int 2020；62：444-450

〔松原優里〕

ⓒ 全国調査における川崎病治療法の変遷

わが国における川崎病急性期のIVIG療法の有効性がランダム化比較試験で確認されて以降[1]，IVIG療法の普及に伴い，IVIG療法に関する調査項目が川崎病全国調査（第12回：1991年）に加えられた．これ以降，川崎病全国調査は現在に至るまで，ガイドラインの改定や保険収載の状況にあわせて，川崎病の急性期治療に関する調査項目の見直しを繰り返してきた．本項では，川崎病治療の中心を担うIVIG療法をはじめ，RAISE Study[2]を背景とするIVIG＋ステロイド併用療法，さらには，インフリキシマブ（IFX），免疫抑制薬，血漿交換療法の使用状況について，川崎病全国調査のデータをもとに概観する．

IVIG 療法

わが国で1989年にIVIG療法（200 mg/kg×5日）が保険適用となり，これを受けて1991年以降の川崎病全国調査でIVIG療法の動向が継続的に観察されている．

第12回川崎病全国調査（1991～1992年）では，IVIG療法が全症例の80%（11,221例中8,958例）に施行されていたが，その後さらに症例数と投与割合は増加した．直近の第25回川崎病全国調査（2017～2018年）では，IVIG療法が全症例の94.6%（32,528例中30,784例）に施行されていた．

IVIG療法開始病日の年次推移を図8に示す．1991年には89%が第7病日以内にIVIG療法が施行されていたが，2018年にはその割合が95%まで増加した．わが国では2000年以降，川崎病の発症から第5病日（中央値）でIVIG療法が開始されている．

IVIGの1日投与量の年次推移を図9に示す．1990年代前半は，はじめて保険収載された用量（200 mg×5日）が25%程度を占める一方で，「その他の用量」が半数以上を占めた．当時，明確な基準用量が存在せず，主治医により独自に投与量が決められていたことが推察できる．その後，2,000 mg×1日の有用性を示す知見が蓄積され[3,4]，2000年以降はその割合が増加した．2003年に新たに公的医療保険の適用となり，ガイドラインの普及も影響した結果，直近の2018年では2,000 mg×1日が全体の93.6%を占めている．

IVIG＋ステロイド併用療法

2008年に開始したRAISE Studyにおいて，IVIG療法不応の可能性が高いと予測された重症川崎病の症例に対する初期治療に，IVIG＋プレドニゾロン併用療法がIVIG単独投与と比較してCAL合併の頻度と治療抵抗例を有意に減少させることが示された[2]．RAISE Studyの実施を受けて，第22回川崎病全国調査（2011～2012年）以降，IVIG単独療法に加えてIVIG＋ステロイド併用療法に関する調査項目が付与された．

IVIG＋ステロイド併用療法の年次推移を図10に示す．2011年以降，IVIG＋ステロイド併用療法（全体）の割合は増加傾向にあり，近年ではIVIG療法の13%程度にステロイドが併用されるようになっている．パルス療法以外のステロイド併用療法が主な増加要因とわかる．パルス以外の併用療法は，RAISE Studyで用いられた用法用量に基づいていると推察できる．2020年には，川崎病全国調査データを用いて，IVIG＋ステロイド併用療法が重症川崎病の症例におけるCAL後遺症リスクを47%減少させることが示された[5]．

IFX・免疫抑制薬・血漿交換

追加療法として，2007年以降にIFXおよび免疫抑制薬，2009年以降に血漿交換療法に関する調査項目が新たに川崎病全国調査に加えられた．このうち，血漿交換療法は2012年に保険適用となり，IFX

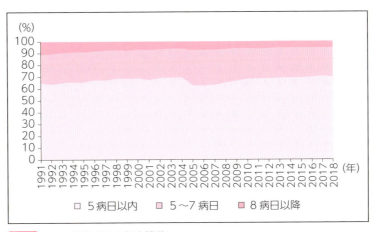

図8　IVIG開始病日の年次推移

は2015年に保険適用となった．IVIG不応例に対するこれら3つの療法の年次推移を図11に示す．

IFXは，調査開始時の2007年には年間28例（追加療法全体の0.2%）にすぎなかったが，その後増加し，直近の2018年には年間459例（2.7%）まで増加した．2015年に保険適用となった後から急激に増加しており，今後もさらに増加する可能性がある．一方で免疫抑制薬は，シクロスポリンAが2020年2月に新たに保険適用となり，今後もIFXと同様に増加する可能性がある．

血漿交換療法は，施行数が年間100例に満たず，2012年に保険適用された後も横ばい傾向が続く．血漿交換療法を施行できる医療機関が限定されることや，他の治療法よりも侵襲性が高いことがその要因と推察される．

文 献

1) Furusho K, et al.：High-dose intravenous gammaglobulin for Kawasaki disease. Lancet 1984；2：1055-1058
2) Kobayashi T：Efficacy of immunoglobulin plus prednisolone for prevention of coronary artery abnormalities in severe Kawasaki disease(RAISE study)：a randomised, open-label, blinded-endpoints trial. Lancet 2012；379：1613-1620
3) Newburger JW, et al.：The treatment of Kawasaki syndrome with intravenous gamma globulin. N Engl J Med 1986；315：341-347
4) Oates-Whitehead RM, et al.：Intravenous immunoglobulin for the treatment of Kawasaki disease in children. Cochrane Database Syst Rev 2003；4：CD004000
5) Ae R, et al.：Corticosteroids added to initial intravenous immunoglobulin treatment for the prevention of coronary artery abnormalities in high-risk patients with Kawasaki disease. J Am Heart Assoc 2020；9：e015308

〔阿江竜介〕

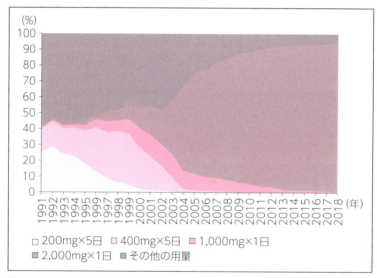

図9　IVIG 1日投与量の年次推移

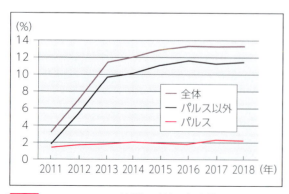

図10　IVIG＋ステロイド併用療法の年次推移

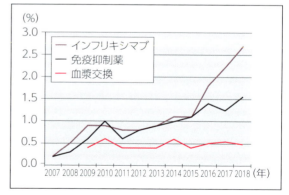

図11　IFX・免疫抑制薬・血漿交換療法の年次推移

d 川崎病の同胞例・親子例

　川崎病に同胞例や親子例が存在することはよく知られている．そして，種々のデータ解析の結果，同胞や親の川崎病の既往は川崎病の発症リスクを上昇させることも明らかになっている．このことは「感受性がある個体に対して微生物が引き金となって川崎病が発症する」という川崎病の発症仮説を支持するものである．

川崎病の同胞例

　本章「1. 歴史 c. 川崎病診断の手引きの変遷」で示したように(p.9, 表1 参照)，川崎病診断の手引きの初版では参考条項として「同胞発生をみない」とされていた．しかし，本手引きが公表された1970年には同胞例が報告されている[1]．また，外国でも1978年にジャマイカから報告されている[2]．その後，わが国および諸外国でも同胞例の報告は相次ぎ，現在では「同胞例」というだけでは症例報告の対象とはならない状況である．

　その後，体系的な観察として，今田[3]による216組435例(3人同胞例を含む)の観察や，「川崎病の子供をもつ親の会」の協力をもとに実施したFujitaら[4]の研究がある．Fujitaらは少なくとも1例の川崎病既往歴を持つ子どもがいる2,611家族のうち，37家族で複数の子どもが罹患したことを明らかにした上で，①1人の小児が川崎病に罹患するとその同胞の川崎病罹患のリスクは通常の約10倍程度に上昇すること，②同胞例の発症間隔は同日発症と1週間にピークが認められること，の2点を明らかにした．いずれも前述の川崎病発症仮説と矛盾しない結果であり，②については(a)同日発症は同時感染，(b)潜伏期間は1週間，と考えると説明がつく．また最近，これまでの同胞例の報告をまとめた総説[5]が刊行され，参考になる．

　図12に川崎病全国調査における同胞例の割合の年次推移を示す．1980年代は減少傾向にあり，1990年代は1%前後で推移していたが，今世紀に入ってから上昇傾向が認められる．川崎病罹患率自体の上昇，および少子化(出生率低下による小児がいる世帯数の減少)のために観察されている上昇傾向であろう．同胞例の男女差は認めない．

川崎病の親子例

　川崎が最初の川崎病患者を診療してから60年が経過し，初期の患者たちも還暦を迎える年齢となっている．1990年代後半より，学会などで川崎病の親子例(川崎病の既往がある者の子どもの川崎病罹患)が報告されるようになり，論文でも公表されるようになった[6~9]．

　川崎病全国調査では，1999~2000年の患者を対象とした第16回川崎病全国調査から個々の患者に対

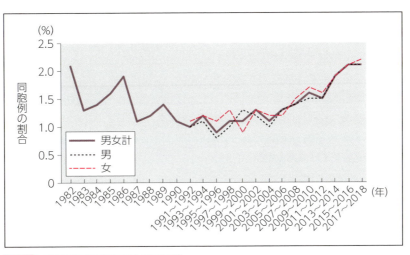

図12　川崎病同胞例の割合(年次別)

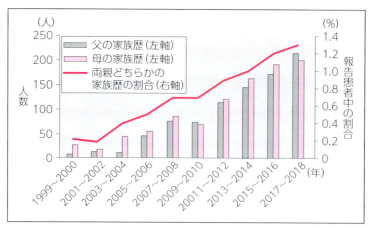

図13 川崎病親子例の割合

して親子例か否かを尋ねている．図13に結果を示す．近年は全体の1％を超える親子例が報告されている．父母別にみると，既往を持つ父を持つ例と母を持つ例がほぼ同数となっている．親子例の割合が上昇している背景には，①親子例の存在に関する知識の普及，②全国調査の項目に取り入れられたために主治医が積極的に問診するようになったことが推察される．父母がほぼ同数であることに関しては，患児の受診には母親が付き添い，自分(母)の既往歴は把握しているが父(夫)の既往歴については不明，という事情も考えられ，この結果から直ちに「母の既往の方が子どものリスクが高い」と判断するわけにはいかない．なかには両親とも既往を持つ例も報告されている．

全国調査の結果から「親に川崎病の既往があると子どもの川崎病のリスクが上昇するか」という問いに対して回答を出すのは容易ではない．過去の川崎病の罹患状況から，ある時点での川崎病既往者の性・年齢別人数を推定することは可能だが，このうち何人が子どもを持っているかはわからない．分母がない状態での分子(親子例の川崎病患者)の評価になるからである．しかし，第16回川崎病全国調査(1999～2000年)で報告された親子例33名に対して，一般人口における両親の既往者の期待値は16.1人で，2倍以上のリスクがあることが判明している[10]．

その他，全国調査における親子例の解析で，親子例の特性(同胞例が多い，再発例が多い，心障害を合併する例が多い，等)が明らかにされている[11,12]．

■文　献

1) 家坂　升：急性熱性皮膚粘膜リンパ節症候群(川崎)の同胞例．小児科臨床 1970；23：1595-1598
2) Lyen KR, et al.：Mucocutaneous lymph node syndrome in two siblings. Br Med J 1978；1：1187
3) 今田義夫：川崎病同胞例の臨床疫学的研究．昭和医学会雑誌 1984；44：605-625
4) Fujita Y, et al.：Kawasaki disease in families. Pediatrics 1989；84：666-669
5) Banday AZ, et al.：Kawasaki disease in siblings in close temporal proximity to each other-what are the implications? Clin Rheumatol 2021；40：849-855
6) Fujiwara M, et al.：Is Kawasaki disease frequent in the children of parents engaged in medical work? Pediatr Infect Dis J 2000；19：769-770
7) Mori M, et al.：Two-generation Kawasaki disease：Mother and daughter. J Pediatr 2001；139：754-755
8) 花井直美，他：子供の川崎病発症を契機に発見された川崎病親子例．日本小児科学会雑誌 2003；107：1375-1377
9) 伊藤忠彦：同時期に発症した川崎病の親子(母，姉妹)例．小児科臨床 2003；56：1117-1119
10) Uehara R, et al.：Kawasaki disease in patients and children. Acta Paediatr 2003；92：694-697
11) Uehara R, et al.：Clinical features of patients with Kawasaki disease whose parents had the same disease. Arch Pediatr Adolesc Med 2004；158：1166-1169
12) Uehara R, et al.：Parents with a history of Kawasaki disease whose child also had the same disease. Pediatr Int 2011；53：511-514

〔中村好一〕

病因・遺伝・病理

　川崎病の根本的な治療法や予防法を開発するためには，原因(なぜ川崎病が発症するのか)や，病理・病態(体内で何が起きているのか)を明らかにすることが不可欠である．発熱や発疹を主徴とする臨床像および乳幼児に多く，流行があるといった疫学的な特徴は，何らかの微生物の関与を想起させ，微生物の種類とその由来，病態形成の機序に関し現在までにさまざまな仮説が提唱されている．一方で，疫学データは集団や個人の間に遺伝的な罹患しやすさの違いがあることを示しており，その違いを生み出している遺伝子のバリアントが研究されている．

　病理・病態検索は，川崎病では全身の血管に炎症が生じ，なかでも冠動脈に拡大や瘤形成をもたらすことで虚血性心疾患が招来されることを明らかにした．また，リンパ節をはじめ血管以外の諸臓器にもさまざまな変化が惹起されることを示した．川崎病は起炎因子への曝露により異常に活性化された免疫担当細胞から爆発的に産生・放出された種々の分子が動脈をはじめとする全身臓器を傷害する self-limited な疾患である．本症における炎症発生機序の解析が進められている．

　細胞・動物モデルもまた病態の理解や治療法の開発に有用である．血管内皮細胞に注目し，初代培養あるいは iPS 細胞から作成した血管内皮細胞を用いた *in vitro* での病態解明の試みの他，自然免疫系の機序により川崎病類似の血管炎を発症する3種類のマウスモデルが研究されている．

　川崎病には依然謎とされる部分は多いが研究も日進月歩である．本章が川崎病の基礎研究の現状を読者諸氏が理解する際の一助となり，読者のなかから川崎病研究者が将来輩出されれば執筆者一同にとってこの上ない喜びである．

Ⅱ　病因・遺伝・病理

1　病因論

POINT
- 川崎病の発症には感染因子が関与する.
- 細菌, ウイルスなど多種多様な微生物による感染, 産生毒素, アレルゲンなどに注目した検索がなされてきたが, いまだに病因を同定できていない.
- 未知の細菌, ウイルスの可能性を含めたマイクロバイオーム解析が期待される.
- 近年, 自然免疫系の活性化による川崎病発症仮説が注目されている.

a 細菌説

川崎病は感染症か？

1. 感染症らしい点

　1967年の川崎富作による50例の報告以降, 川崎病の病因研究は感染性の病原微生物の探索に重点がおかれてきた. その理由は, ①急激な発症で発熱がほぼ全例にみられる, ②発熱以外の主要症状も感染症でよくみられる症状である, ③臨床経過は一過性のことが多く再燃はまれである, などの特徴から, 何らかの感染症が疑われたためである. その他に, ④1979〜1986年にかけての3回の全国的な流行をはじめとして地域的な小流行がみられる, ⑤発症が5歳未満の乳幼児期に集中している, ⑥上気道炎症状や胃腸炎症状が川崎病発症の数日前にみられることが多い, ⑦毎年冬から春にかけて発症の季節的なピークがある, などの疫学像も川崎病の感染症らしさを強める特徴である[1].

2. 感染症らしくない点

　一方, 川崎病が感染症らしくない点はヒトからヒトへの感染が明確に証明されないことである. 実際に, ①家族内での同時感染はまれであり, ②保育所での集団発症や入院した病室での院内感染もみられない. さらに, ③感染巣が見つからない, ④乳幼児期に多い突発性発疹症などと比べて罹患率が低い, ⑤成人の発症がほとんどみられない, なども感染症

らしくない知見といえよう.

川崎病の細菌説

　これまでに多くの病原菌やヒトの常在菌が川崎病の病因候補として提唱されてきた(**表1**). それらは, 大別すると, ①真正細菌や細胞内寄生体による感染, ②微生物に由来するスーパー抗原, 菌体毒素やアレルギー抗原, ③未知の病原微生物, の3つになる. 以下に概略するが, 個々の因子についての研究の詳細は日本川崎病学会病因検討小委員会の報告[2]などを参考にされたい.

1. 真正細菌および細胞内寄生体

　表1をみると, 緑色レンサ球菌や新型サンギス菌, プロピオニバクテリウムアクネ菌, 黄色ブドウ球菌など, 口腔・皮膚の常在細菌叢のメンバーが病原候補として多くあげられてきたことがわかる. これは, 頸部リンパ節腫脹が川崎病の主要症状であることから, 病原菌の侵入門戸として咽頭や口蓋扁桃が疑われたためである. 患児の咽頭スワブからこれらの細菌が多く分離されることを示した論文が多数あるが, 健常児からこれらの細菌が分離される率も高く特異性には疑問がもたれる.

　黄色ブドウ球菌, A群溶血性レンサ球菌, エルシニア偽結核菌は, 各々, 猩紅熱様紅斑, 猩紅熱, 泉熱の起因菌である. これらの疾患は, 発熱や皮膚粘

| | 1. 病因論 |

| 表1 | 川崎病の細菌感染仮説 |

1. 細菌感染
 リケッチア，A群溶血性レンサ球菌，緑色レンサ球菌，
 黄色ブドウ球菌，プロピオニバクテリウムアクネ菌，新
 型サンギス菌，エルシニア偽結核菌，肺炎マイコプラズ
 マ，クラミジアなど
2. スーパー抗原その他の微生物由来産物（PAMPs）
 ダニ抗原，カンジダ菌体成分，黄色ブドウ球菌スーパー
 抗原（TSST-1），A群溶血性レンサ球菌スーパー抗原
 （SPEA，SPEC），熱ショック蛋白（HSP），リポ多糖
 （LPS）など
3. 未知の病原微生物

膜の発赤や落屑，頸部リンパ節腫脹などの臨床症状
も共通することから，川崎の原著でも鑑別疾患にあ
げられている．しかし，実際にこれらの起因菌が川
崎病の患者から分離される頻度は低く，発症のトリ
ガーにはなるかもしれないが一元的な病因とは考え
にくい．マイコプラズマ感染症の経過中に川崎病を
発症したという症例報告も散見されるが，症例対照
研究はなく特異的な発症機序についての証明も十分
ではない．

2. 病原微生物に由来する毒素やアレルゲン

 ダニ抗原やカンジダの細胞壁成分，グラム陰性菌
の細胞膜成分（lipopolysaccharide：LPS）や熱ショッ
ク蛋白（heat shock protein：HSP），細菌性スー
パー抗原など，微生物に由来する多彩な成分が病因
候補としてあげられてきた．ヒト細胞の受容体を介
してさまざまな刺激を伝達するこれら微生物由来の
免疫活性化分子はPAMPs（pathogen-associated
molecular patterns）と総称される．近年，PAMPsが
川崎病において炎症を惹起するトリガーとして働く
のではないかという仮説が一部の研究者の支持を集
めている[3]．詳しくは別項を参照されたい．

 細菌性スーパー抗原は，黄色ブドウ球菌，A群溶
血性レンサ球菌，エルシニア偽結核菌などが産生す
る菌体外毒素であり，末梢血中のT細胞やマクロ
ファージを刺激して炎症性サイトカイン産生を促す
強力な炎症誘導物質である．スーパー抗原性疾患の
代表である毒素性ショック症候群やエルシニア感染
症では，川崎病と類似した症状がみられ，まれに心
膜液貯留や冠動脈病変が合併すること，また炎症性
サイトカインストームがこれらの症状発現に関与す
ることなど川崎病と共通する病態が明らかにされて

いる[4]．しかし，川崎病におけるこれらのスーパー
抗原の検出感度や特異度は，その産生菌の場合と同
じで高くない．

未知の病原微生物の可能性

 病原細菌を証明するゴールドスタンダードは病原
微生物の分離と同定であり，それを用いた感染実験
である（Kochの3原則）．川崎病の細菌説を証明す
るために，研究者たちはさまざまな方法を採用して
きた．細菌学的な菌株の分離や血清抗体価の測定，
さらに顕微鏡や電子顕微鏡による病理組織の検索な
どである．他にもリンパ球やマクロファージを刺激
培養する，その表面抗原や産生するサイトカインを
定量するなど多様な方法がとられてきた．しかし，
川崎病の病因となる微生物を同定することはいまだ
できていないのが現実である．

 ヒトの消化管や皮膚には標準的な培養法では生育
しない未知の細菌やウイルスが既知の種よりもはる
かに多数存在する．このような未知の微生物のなか
に川崎病の病原体を探す試みも行われてきた．その
1つが，細菌のリボソームRNA（16S rRNA）の塩基
配列を利用してPCR（polymerase chain reaction）法
で細菌だけがもつ核酸を増幅して検出する方法であ
る．いくつかの研究グループがPCR法による細菌の
検出を論文報告しているが，菌種の同定まで達成し
たという論文はいまだ発表されていない[5]．

 もう1つの方法は，PCR法の代わりに次世代シー
クエンサーを用いるものである．高速かつ大量に核
酸の塩基配列を解読できる次世代シークエンサーが
導入されて，ヒトの皮膚や臓器中に共棲する細菌叢
の構成菌種を網羅的に同定・定量することが可能に
なった（マイクロバイオーム解析）．ヒトの腸内細菌
叢の構成菌種が変化することにより，炎症性サイト
カインの産生が亢進したり，ウイルス感染に対する
抵抗力が増したりすることがこれまでに明らかにさ
れた．2015年にWylieら[6]は川崎病患者の病理組織
や血清，咽頭スワブから精製したRNAを用いてマ
イクロバイオーム解析を行ったが，対照検体と比べ
て患者検体に特異的なシークエンスは見出されな
かったと報告した．その後も，Kinumakiら[7]や
Chenら[8]により川崎病患者の便中のマイクロバイ
オームが急性期と回復期では変化することが報告さ

27

れている．川崎病の発症とどう関連するのか，今後の研究に期待したい．

文献

1) Nakamura Y, et al.：Monthly observation of the number of patients with Kawasaki disease and its incidence rates in Japan：chronological and geographical observation from nationwide surveys. J Epidemiol 2008；18：273-279
2) 日本川崎病学会病因検討小委員会（編）：川崎病の病因研究概論 2016［http://www.jskd.jp/about/research.html］
3) Hara T, et al.：Kawasaki disease：a matter of innate immunity. Clin Ex Immunol 2016；186：134-143
4) Leung DYM, et al.：Prevalence of superantigen-secreting bacteria in patients with Kawasaki disease. J Pediatr 2002；140：742-746
5) Rowley AH, et al.：Search for highly conserved viral and bacterial nucleic acid sequences corresponding to an etiologic agent of Kawasaki disease. Pediatr Res 1994；36：567-571
6) Wylie KM, et al.：Sequence analysis of the human virome in febrile and afebrile children. PLoS One 2012；7：e27735
7) Kinumaki A, et al.：Characterization of the gut microbiota of Kawasaki disease patients by metagenomic analysis. Front Microbiol 2015；6：824
8) Chen J, et al.：Altered gut microbiota correlated with systemic inflammation in children with Kawasaki disease. Sci Rep 2020；10：14525

〔阿部　淳〕

b ウイルス説

川崎病ウイルス説の小史

前項で述べたとおり，川崎病の病因研究は病原微生物の探索に重点がおかれてきた．なかでも，特定のウイルス感染が発症を惹起するという推測は**表2**に示したように，1970 年代から連綿と続いている．単一のウイルス感染を疑わせる根拠の1つは，1979年，1982 年，1986 年の3回にわたって日本国内でみられた大流行（p.14，**図2**参照）である．後年の川崎病全国調査により流行が時間的，空間的に波状に全国に拡がる様子が明らかになり，感染力の強い，あるいは浸透度の高い単一のウイルスが原因ではないかという疑いが強く持たれた．EB ウイルス，サイトメガロウイルス，ヒトヘルペスウイルス6などの持続感染をするヘルペスウイルス属や，乳幼児期に感染機会が多いノロウイルス，RS ウイルス，アデノウイルス，パラインフルエンザウイルスなどが病因候補として提唱されてきた．その論拠とされたのは主として症例対照研究であり，年齢や発症時期を整合させた発熱患者群と比べて川崎病患者群のほうがウイルスの抗体価や核酸レベルが高いという説明が多かった．しかし，世界中に散在する研究グループ間で，あるいは時代を隔てて同一のウイルスについて調べても，同じ結果を残すウイルスは見出されなかった．

単一のウイルスを検出する試みの失敗が続いた後に，特定の病原微生物に対象を絞り込むのではなく，患者から得られた検査材料中のウイルスを網羅的に検出しようとする研究が進められている（**表3**）[1~6]．方法としては，前項でも述べた次世代シークエンサーを用いてウイルス核酸を増幅し塩基配列を決定するもの，9千種類以上のウイルス由来ペプ

表2　川崎病との関連が報告されたウイルス（登場順）

1970 年代	パラインフルエンザウイルス，Epstein-Barr ウイルス
1980 年代	ロタウイルス，アデノウイルス，レトロウイルス
1990 年代	ヒトヘルペスウイルス6，パルボウイルスB19
2000 年代	水痘ウイルス，ヒトコロナウイルス，サイトメガロウイルス，麻疹ウイルス，デングウイルス，ボカウイルス 未知のウイルス（組織所見）
2010 年代	RS ウイルス，ヒトメタニューモウイルス，インフルエンザウイルスA H1N1/09，コクサッキーウイルスB3，トルクテノウイルス
2020 年代	SARS コロナウイルス2

チドを発現するファージライブラリーを用いてウイルス特異的抗体を検出するものなどである．しかし，検査できる患者数が限られる，適正な検体の種類や対照の選び方が未知である，など未解決の問題も多く発展途上の研究といえよう．

未知のウイルスを探す方法

すでに述べたように，川崎病のウイルス原因説の証明に用いられてきたのは，ウイルスの分離培養や迅速抗原検査，ウイルス由来核酸のPCR法や次世代シークエンサーによる定量，ウイルス特異抗体価の測定などである．いずれの方法も既知のウイルスの蛋白質や塩基配列についての知識があることを前提とする．それらの情報が全くない未知のウイルスを探す方法はあるだろうか．シカゴのノースウェスタン大学のRowleyらは，回復期の川崎病患者の抗体遺伝子情報を元に新規ウイルスを探すユニークな試みを続けている．

同グループの研究は，1997年に川崎病患者の動脈組織中にIgAを産生する形質細胞が多数浸潤していることを見出したことに始まる．同じ組織からクローニングしたIgA遺伝子の塩基配列を決定して人工のIgA抗体を作製し，この合成抗体が川崎病患者の病理組織（気管支上皮細胞）に存在するウイルス様の細胞質内封入体に特異的に結合することを見出した[7]．その後この細胞質内封入体の正体は長らく不明であったが，2020年に，新たに結合力の強化された合成抗体を作製しこの抗体が認識するペプチドのアミノ酸配列を決定することに成功した[8]．このペプチドが特定のウイルス由来の蛋白質である証拠は得られていないが，川崎病患者の回復期血清と反応することが示されている．今後，川崎病の病因探索のみならず診断面での武器になるかもしれない．

ウイルス説の今後の課題

川崎病の発症メカニズムについて現時点で多くの人の賛同を得ている仮説は，「遺伝的な感受性のある宿主に，何らかの感染あるいは環境因子が作用し免疫系が過大反応して生じる血管炎」というものであろう．ウイルス感染が免疫反応のトリガーとなる可能性は十分考えられるが，未解決の謎がいくつも残されている．まず，①遺伝が関与する疾患なのに，乳幼児期の一定期間に発症が集中し学童期以降成人に少ないのはなぜか？　トリガーとなる感染や環境因子への曝露が乳幼児期に限られるから，というのがこれまでの推測であった．しかし川崎病と同じような感染動態を示すウイルス感染症は多くの疫学調査にもかかわらずみつかっていない．次に，②免疫系が過大に反応する原因は何なのか？　制御系細胞の未成熟，環境が清潔になりすぎた（衛生仮説）から，といった理由が考えられてきたが証明はされていない．さらに，③なぜ，乳幼児期にだけこの免疫系の過大反応が一過性に表れるのか，という疑問がある．COVID-19では，乳幼児に感染者や重症者が少ない理由の1つとして，この時期の免疫系は新たな外敵（異物）に素早く対応する余力をもっているためと考えられている．その余力のメカニズムが川崎病では逆に働くことがあるのだろうか？　今後は感染ウイルスの探索だけでなく，それに対する免疫系の反応と合わせたシステムの解析が求められている．

表3 網羅的なウイルス検出の試み

検査材料	方法	結果	文献
冠動脈病理組織	RNAシークエンシング	NA	Rowley AH, et al. 2015[1]
末梢血，鼻咽腔スワブ，便	DNA，RNAシークエンシング	TTV7	Thissen JB, et al. 2018[2]
末梢血	DNA，RNAシークエンシング	TTV	L'Huillier AG, et al. 2019[3]
末梢血	DNA，RNAシークエンシング	HHV6	Torii Y, et al. 2020[4]
血清	ファージペプチドライブラリー	NA	Quiat D, et al. 2020[5]
血清	ファージペプチドライブラリー	NA	Consiglio CR, et al. 2020[6]

NA：not applicable，TTV7：torque teno virus 7，TTV：torque teno virus，HHV6：human herpesvirus 6

■ 文献

1) Rowley AH, et al.: The transcriptional profile of coronary arteritis in Kawasaki disease. BMC Genomics 2015；16：1076

2) Thissen JB, et al.: A novel variant of torque teno virus 7 identified in patients with Kawasaki disease. PLoS One 2018；13：e0209683

3) L'Huillier AG, et al.: Identification of viral signatures using high-throughput sequencing on blood of patients with Kawasaki disease. Front Pediatr 2019；7：524

4) Torii Y, et al.: Comprehensive pathogen detection in sera of Kawasaki disease patients by high-throughput sequencing：a retrospective exploratory study. BMC Pediatr 2020；20：482

5) Quiat D, et al.: High-throughput screening of Kawasaki disease sera for antiviral antibodies. J Infect Dis 2020；222：1853-1857

6) Consiglio CR, et al.: The immunology of multisystem inflammatory syndrome in children with COVID-19. Cell 2020；183：968-981

7) Rowley AH, et al.: Cytoplasmic inclusion bodies are detected by synthetic antibody in ciliated bronchial epithelium during acute Kawasaki disease. J Infect Dis 2005；192：1757-1766

8) Rowley AH, et al.: A protein epitope targeted by the antibody response to Kawasaki disease. J Infect Dis 2020；222：158-168

〔阿部　淳〕

C 自然免疫説

　川崎病の病因論としてさまざまなウイルス，細菌等との関連が報告されている．一方，*Candida albicans* water-soluble fraction(CAWS)，*Lactobacillus casei* cell wall extract(LCWE)やNod1リガンドなど代表的な川崎病マウスモデルでは，微生物そのものでなく微生物由来の物質で冠動脈炎が惹起されることが明らかになっている[1]．最近，自然免疫系では，病原微生物由来の病原体関連分子パターン(pathogen-associated molecular patterns：PAMPs)，自己細胞由来のダメージ関連分子パターン(damage-associated molecular patterns：DAMPs)という特定の分子パターンが，自然免疫パターン認識受容体(pattern recognition receptors：PRRs)によって認識され，炎症が惹起されるメカニズムが明らかになってきた[1]．

　2020年，新型コロナウイルス(SARS-CoV-2)によるCOVID-19に伴う血管炎として川崎病，川崎病様疾患が報告されている[2]．それに加え，日本で従来より再現性よく川崎病と関連するエルシニア感染症を例に挙げて自然免疫の関与を概説する．

抗原刺激後に特定の小児に引き続き起こる自然免疫系の過剰活性化

　SARS-CoV-2は通常はウイルス抗原として宿主に作用し，自然免疫・獲得免疫系が働き大部分の小児では無症状，軽症で回復する．しかし欧米で遺伝的要因を有するごく一部の小児(イタリアで1,000人のCOVID-19小児患者のうち1人以下)が，川崎病・川崎病様疾患を発症する．COVID-19に関連して小児で多臓器に過剰な炎症が起こる病態は，小児多系統炎症性症候群(multisystem inflammatory syndrome in children：MIS-C)とよばれている．COVID-19のなかのMIS-Cでは川崎病症状は通常，感染後2～4週間で現れるため，SARS-CoV-2感染の直接的な結果ではなく免疫介在性のメカニズムによると考えられている．MIS-Cの病態では獲得免疫は抑制されていること，自己抗体の関与が川崎病マウスモデルおよび通常の川崎病患者では明らかではないこと，などより自己免疫がMIS-C患者の川崎病様症状の発症に関与する可能性は低い．重度のCOVID-19患者やMIS-Cの患者では，high-mobility group box 1(HMGB1)やS100AなどのDAMPsの上昇が報告されているので，内皮細胞，免疫細胞等で細胞傷害性ウイルスSARS-CoV-2によって炎症誘発性細胞死(パイロトーシス)が引き起こされ，そのDAMPsが感染後数週間での自然免疫系の過剰活性化に関与している可能性が高い[3]．

　一方エルシニア(*Yersinia pseudotuberculosis*)は，胃腸炎に加えて，Far East scarlet-like fever(FESLF)と川崎病(一部)という2つの全身炎症性疾患に関連している．FESLFの患者では通常，スーパー抗原(*Yersinia pseudotuberculosis*由来マイトジェンA：YPMa)が関与し，抗YPMa抗体陽性を示し，異形リンパ球と活性化T細胞の増加がみられるが，川崎病の患者がそのような所見を示すことはまれである．さらに冠動脈病変はFESLFで報告さ

表4 川崎病における細胞死によるDAMPsの放出

DAMPs	機能	細胞死の種類	川崎病での変化	文献
ASC	lysosomal damage IL-1β activation	pyroptosis	増加	Jia C, et al. 2019[5]
calreticulin	"eat me signal" immunogenicity	apoptosis	増加	Abe J, et al. 2005[6]
defensin α	antimicrobial anti-inflammatory	apoptosis NCD	増加	Truong DML, et al. 2019[7]
HSP	monocytes and neutrophils attraction DC maturation	necroptosis NCD	増加	Takeshita S, et al. 1994[8]
HMGB1	DCs and macrophage activation cytokine activation	apoptosis necroptosis pyroptosis	増加	Hoshina T, et al. 2008[9]
IL-6	immune responses T cell differentiation	necroptosis NCD	増加	McCrindle BW, et al. 2017[10]
oxidized phospholipids	proinflammatory prothrombotic	necroptosis pyroptosis	増加	Nakashima Y, et al. 2021[11]
S100 proteins	leukocyte recruitment cytokine induction	necroptosis NCD	増加	Foell D, et al. 2003[12]

ASC：apoptosis-associated speck-like protein containing a CARD, DC：dendritic cell, HMGB1：high-mobility group box 1 protein, HSP：heat shock proteins, IL：interleukin, NCD：necrotic cell death

れていない．日本では，エルシニアに感染した小児は，川崎病の診断基準を満たす症状を12～35％の頻度で呈する．実際，日本の特定の地域に川崎病で入院した患者の9～10％は，エルシニア感染の血清学的証拠を示す．エルシニア感染は，*in vivo* でマクロファージおよびカスパーゼ-1の活性化を引き起こし，宿主細胞死の様式を非炎症性アポトーシスから炎症誘発性細胞死パイロトーシスに変換する[4]．

SARS-CoV-2およびエルシニア感染により惹起されるパイロトーシスは，DAMPsなどの炎症誘発性細胞内容物を放出する．Reactive oxygen species（ROS）は，損傷した細胞の膜リン脂質を含むこれらの分子を即座に酸化する．酸化リン脂質や酸化low density lipoprotein（LDL）を含むDAMPsは，内皮細胞と自然免疫細胞を活性化して，炎症誘発性サイトカインとROSをさらに生成する．これらのプロセスはnucleotide-binding oligomerization domain, leucine rich repeat and pyrin domain containing 3（NLRP3）インフラマソームの活性化を誘導し，内皮細胞と単球のパイロトーシスを加速させる．S100A，HMGB1，酸化リン脂質等はすべて細胞死関連分子として認識されている．これらの分子は，川崎病の患者の血清で上昇が報告されているので（表4），内皮細胞および自然免疫細胞の炎症誘発性細胞死（パイロトーシスおよび壊死）が川崎病血管炎の発症に重要な役割を果たしている可能性を示唆する．

川崎病の初期免疫病態は，トリガー（ウイルス，細菌等）に対する反応とそれに引き続く急性期の自然免疫系過剰活性化で構成されている．最初のトリガーに対する反応は，病原体に対する通常の自然免疫応答および獲得免疫応答（antigen-driven immune response）である．自然免疫系の過度の活性化は全身性炎症や組織損傷につながる可能性があるため，通常は厳しく抑制されている．川崎病の急性期の主な病態生理は，以下に示す自然免疫の過剰活性化，T細胞およびB細胞応答の強力な阻害，Th17細胞関連の免疫応答である．これにトリガー（病原体）に対する獲得免疫応答が時に部分的に混在するため病態を複雑化している[4]．

川崎病の急性期病態

1. 自然免疫系の過剰活性化

川崎病急性期では末梢血中に自然免疫に関与する好中球や単球/マクロファージが増加し，形態的にも変化している．好中球は，好中球細胞外トラップの形成を促進することにより，血管の炎症や細胞損傷に寄与する可能性がある．また冠動脈病変の主要な免疫細胞集団は，単球/マクロファージおよび好中球で，これらの自然免疫細胞は動脈壁の破壊への関与の可能性があるエラスターゼやマトリックスメタロプロテイナーゼなどのエフェクター分子を高発現している．また前述のように川崎病患者の急性期血清では炎症性細胞死に伴う HMGB1，酸化リン脂質など DAMPs の上昇が報告されている[4]（**表4**）．

川崎病関連遺伝子の1つである inositol-trisphosphate 3-kinase C（*ITPKC*）は，自然免疫系 NLRP3 インフラマソームの活性化に影響し interleukin（IL）-1β や IL-18 の産生を亢進すること，また，*ITPKC*遺伝子の特定の genotype により川崎病急性期の IL-1β や IL-18 の産生が亢進することが報告されている．血管内皮細胞を含む血管構成細胞は血中での自然免疫系センチネル（見張り）細胞として，病原体，PAMPs，内因性 DAMPs をいち早く検出する．ヒトでも川崎病モデルマウス（Nod1 リガンド，CAWS）と同様に，自然免疫リガンドにより活性化された血管構成細胞と自然免疫細胞（単球/マクロファージ等）が主体となって冠動脈炎を惹起すると考えられる．

川崎病は self-limited な疾患であり，急性期の T 細胞主体の浸潤，自己抗体産生や免疫複合体の沈着は明らかでなく，単球/マクロファージや好中球など自然免疫系の活性化が重要な役割を果たしていると考えられる[1,4]．

2. 獲得免疫の異常

川崎病急性期では末梢血 CD4 陽性 T 細胞，CD8 陽性 T 細胞が減少している．それに加えて川崎病患者で T 細胞受容体を介する抗原刺激に対する反応性の数か月にわたる低下，MMR ワクチンに対する抗体産生率の低下と抗体価の低下が報告されている．また，制御性 T 細胞・制御性 B 細胞の減少と Th17 細胞の増加がみられている．自然免疫細胞と血管内皮細胞の活性化，T 細胞アネルギーの誘導，Th17 細胞の増加，制御性 T 細胞の減少，という従来説明が困難であった免疫異常は，急性期患者血中で著しく増加する酸化リン脂質/LDL により説明可能である[4]．また川崎病患者の大部分で特定の T 細胞受容体を持つ αβT 細胞の活性化はみられないので，スーパー抗原による T 細胞の活性化は川崎病の発症にとって必要条件ではない．

3. 酸化ストレス

川崎病の急性期では，冠動脈に浸潤する細胞の大部分は，ROS の主要な供給源である好中球とマクロファージである．ROS は，炎症細胞自体および血管細胞などの隣接細胞への損傷を拡大する．活性化された好中球および単球は，ROS の産生を増幅するミエロペルオキシダーゼも大量に放出し，炎症の副産物として圧倒的な量の酸化ストレス関連分子が生成される（**表5**）．急性期川崎病の患者で上昇する脂質過酸化生成物には，マロンジアルデヒド，F2-イソプロスタン，酸化リン脂質/LDL 等が含まれる．酸化リン脂質・酸化 LDL は，ヒトの血管の炎症を引き起こし，血管内皮細胞のパイロトーシスを誘発する．実際，酸化ホスファチジルコリンと酸化 LDL の血中濃度は，それぞれ冠動脈炎の発症に関連している[11,20]．酸化ストレスと炎症が相互に作用して増幅し，川崎病を発症させると推定される．

川崎病の病因論

2020年4～5月の COVID-19 緊急事態宣言下では，飛沫・接触感染で起こる呼吸器・消化管感染症の入院患者数が激減したが，川崎病患者数は軽度の減少にとどまった．その後の6～12月で呼吸器感染の著減は持続したが川崎病は半分以下には減少しなかった．それゆえ，川崎病の病原体は，風との関連が従来より報告されているように，空気伝搬（airborne transmission）が関与している可能性が示唆された[21]．

以前われわれは川崎病患児血清を liquid chromatography-tandem mass spectrometry（LC-MS/MS）を用いて探索を行い川崎病関連物質を同定した．さらにこれらの川崎病関連物質と共通した構造を，エルシニアや空中浮遊の airborne bacteria のバイオフィルム中に確認した．微生物由来の病原体関連分子パターン PAMPs と，PAMPs が宿主に作用する

表5 川崎病と oxidative stress

oxidative stress-related molecules	意義と機能	川崎病での変化	文献
chemical molecules			
ROS/RNS	direct and indirect oxidation of various biomolecules	増加	Niwa Y, et al. 1984[13] Yahata T, et al. 2011[14] Straface E, et al. 2012[15]
pro-oxidant enzymes			
myeloperoxidase	promote the proinflammatory state	増加	Straface E, et al. 2012[15]
NO and related molecules			
NO production	Plasma level	増加	Wang CL, et al. 2002[16]
inducible NOS mRNA	NO synthesis	増加	
3-nitrotyrosine	oxidative post-translational covalent modification	増加	Straface E, et al. 2012[15]
asymmetric dimethylarginine	an endogenous inhibitor of NOS	減少	Huang YH, et al. 2014[17]
secondary products of ROS lipid peroxidation products			
malondialdehyde	end-product of lipid peroxidation	増加	Lebranchu Y, et al. 1990[18]
F2-isoprostanes	non-enzymatic oxidation product of arachidonic acid	増加	Takatsuki S, et al. 2009[19]
oxidized phospholipids	function as DAMPs	増加	Nakashima Y, et al. 2021[11]
oxidized LDLs	function as DAMPs	増加	He YE, et al. 2020[20]

DAMPs：damage-associated molecular patterns, F2-isoprostanes：8-isoprostaglandin F2α, LDL：low density lipoprotein, NO：nitric oxide, NOS：nitric oxide synthase, ROS/RNS：reactive oxygen species/reactive nitrogen species including superoxide anion, hydroxyl radicals, NO, hydrogen peroxide and peroxynitrite

ことにより産生されたDAMPsの両方が，自然免疫系のパターン認識受容体（PRRs）を介し主に非免疫細胞の血管組織と自然免疫細胞に作用し，自然免疫系の過剰活性化を起こし血管の炎症を惹起させると考えられる．

◎**おわりに**

COVID-19パンデミック後，マスク，手指消毒，物理的な距離の確保などCOVID-19に対する予防行動と社会経済活動の制限の結果，大気中の微生物（ウイルス，細菌，真菌）そのもの，あるいは微生物が付着する可能性があるPM$_{2.5}$およびPM$_{0.1}$などの減少によるためか，川崎病の発症が有意に減少した[21]．Airborne transmissionが主要な感染経路と考えられる以上，川崎病の病因は病原性が低い環境微生物が遺伝的素因を持つ小児に感染した後，まれに自然免疫の過剰活性化を惹起して川崎病を発症させる可能性が高い．自然免疫説は川崎病の疫学的特徴も説明可能である．

■ **文　献**

1) Hara T, et al.：Kawasaki disease：a matter of innate immunity. Clin Exp Immunol 2016；186：134-143
2) McGonagle D, et al.：COVID-19 vasculitis and novel vasculitis mimics. Lancet Rheumatol 2021；3：e224-e233
3) Liu PP, et al.：The science underlying COVID-19：Implications for the cardiovascular system. Circulation 2020；142：68-78
4) Hara T, et al.：The up-to-date pathophysiology of Kawasaki disease. Clin Transl Immunology 2021；10：e1284
5) Jia C, et al.：Endothelial cell pyroptosis plays an important role in Kawasaki disease via HMGB1/RAGE/cathespin B signaling pathway and NLRP3 inflammasome activation. Cell Death Dis 2019；10：778
6) Abe J, et al.：Gene expression profiling of the effect of high-dose intravenous Ig in patients with Kawasaki disease. J Immunol 2005；174：5837-5845
7) Truong DML, et al.：Next generation sequencing in Kawasaki disease：A pilot study. Circulation 2019；140：A15274
8) Takeshita S, et al.：Increased expression of human 63-kD heat shock protein gene in Kawasaki disease determined by quantitative reverse transcription-polymerase chain reaction. Pediatr Res 1994；35：179-183
9) Hoshina T, et al.：High mobility group box 1（HMGB1）and macrophage migration inhibitory factor（MIF）in Kawasaki disease. Scand J Rheumatol 2008；37：445-449
10) McCrindle BW, et al.：Diagnosis, treatment, and long-term management of Kawasaki disease：A scientific statement for health professionals from the American Heart Associa-

tion. Circulation 2017 ; 135 : e927-e999

11) Nakashima Y, et al. : Lipidomics links oxidized phosphatidylcholines and coronary arteritis in Kawasaki disease. Cardiovasc Res 2021 ; 117 : 96-108

12) Foell D, et al. : S100A12(EN-RAGE)in monitoring Kawasaki disease. Lancet 2003 ; 361 : 1270-1272

13) Niwa Y, et al. : Enhanced neutrophilic functions in mucocutaneous lymph node syndrome, with special reference to the possible role of increased oxygen intermediate generation in the pathogenesis of coronary thromboarteritis. J Pediatr 1984 ; 104 : 56-60

14) Yahata T, et al. : Dynamics of reactive oxygen metabolites and biological antioxidant potential in the acute stage of Kawasaki disease. Circ J 2011 ; 75 : 2453-2459

15) Straface E, et al. : Does oxidative stress play a critical role in cardiovascular complications of Kawasaki disease? Antioxid Redox Signal 2012 ; 17 : 1441-1446

16) Wang CL, et al. : Decreased nitric oxide production after intravenous immunoglobulin treatment in patients with Kawasaki disease. J Pediatr 2002 ; 141 : 560-565

17) Huang YH, et al. : Asymmetric and symmetric dimethylarginine are associated with coronary artery lesions in Kawasaki disease. J Pediatr 2014 ; 165 : 295-299

18) Lebranchu Y, et al. : Kawasaki disease and oxidative metabolism. Clin Chim Acta 1990 ; 187 : 193-198

19) Takatsuki S, et al. : IVIG reduced vascular oxidative stress in patients with Kawasaki disease. Circ J 2009 ; 73 : 1315-1318

20) He YE, et al. : Oxidised low-density lipoprotein and its receptor-mediated endothelial dysfunction are associated with coronary artery lesions in Kawasaki disease. J Cardiovasc Transl Res 2020 ; 13 : 204-214

21) Hara T, et al. : Assessment of pediatric admissions for Kawasaki disease or infectious disease during the COVID-19 state of emergency in Japan. JAMA Netw Open 2021 ; 4 : e214475

〔原　寿郎〕

Ⅱ　病因・遺伝・病理

2　遺　伝

POINT

- ・川崎病は多因子遺伝性疾患であり，ゲノムワイド関連解析などにより罹患感受性や重症化に関連する複数の遺伝的バリアントがみつかっている．
- ・Ca^{2+}/NFAT パスウェイの関与を示唆する遺伝学的研究の知見が後押しとなり，重症化予測例に対するシクロスポリン初期併用の有用性が証明された．
- ・免疫グロブリン重鎖の可変領域遺伝子内のバリアントと罹患感受性との関連が明らかになり，B 細胞受容体あるいは免疫グロブリン分子が病態形成に関与することが示唆されている．
- ・発症の契機となる感染因子や治療のターゲットとなる分子，パスウェイの特定，個々の患者に有効な治療法の選択の実現が期待される．
- ・川崎病の遺伝学的研究の多施設共同研究が組織され，オールジャパン体制での DNA および臨床情報の収集が進んでいる．

遺伝性疾患としての川崎病

　メンデル型の遺伝形式を想起させる家系は川崎病では通常みられないが，同胞例や親子例の割合は一般集団における罹患率からの予測より大きく，多因子遺伝性疾患の特徴である家族集積性がみられる．アジア人に多い理由も遺伝的な要因によると考えられ，川崎病への罹患や，重症化，治療への抵抗性などへのリスクに関連する遺伝的バリアント（以下バリアント）を特定しようという試みがなされている．

罹患感受性遺伝子（表1）[1~8]

　日本人において川崎病の発症しやすさと関連するバリアントが確認された遺伝子について解説する．

1.　ITPKC（inositol 1,4,5-trisphosphate 3-kinase C）

　ITPKC は細胞内でイノシトール 3 リン酸（IP3）をリン酸化する酵素である．IP3 が小胞体膜上の IP3 受容体に結合すると小胞体からの Ca^{2+} イオンの流出が促されるが，リン酸化の結果生じる IP4 にはこの作用がない．細胞への種々の刺激に応じて生じる IP3 により細胞質内の Ca^{2+} が上昇することで進行する細胞内シグナル伝達（Ca^{2+}/NFAT パスウェイ）を ITPKC は負に調節する役割を担っていると考えら

れる[1]．

2.　CASP3（カスパーゼ 3）

　カスパーゼは細胞内で働くプロテアーゼのファミリーであり，重要な役割の 1 つに細胞のアポトーシスの実行がある．中でもカスパーゼ 3（CASP3）は免疫細胞のアポトーシスに重要であるとされている．CASP3 が切断する基質として知られる分子に IP3 受容体や nuclear factor of activated T cell（NFAT）が含まれ，ITPKC 同様，Ca^{2+}/NFAT パスウェイの負の調節因子としての役割が川崎病の病態において意義を有するとみられている．

3.　FCGR2A（Fc fragment of IgG, low affinity IIa, receptor）

　好中球，マクロファージなどの細胞膜上に発現，免疫グロブリン G（IgG）分子の受容体として働く．IgG 抗体と抗原との複合体（免疫複合体）が FCGR2A 同士を架橋することで細胞内に活性化やサイトカインの産生を促すシグナルが伝えられる．1 番染色体長腕には発現や機能の異なる *FCGR* 遺伝子がクラスターを形成する領域があり，真に川崎病と関連する一塩基バリアント（single nucleotide variant：SNV）がどの遺伝子の機能に影響するか，完全には解明できていない[2]．

表1 川崎病罹患感受性遺伝子産物の機能とバリアントの感受性アレルによる病態への影響の予想

感受性遺伝子と染色体領域	分子の機能	感受性アレルの影響	感受性アレルの他疾患との関連の報告	予想される病態への寄与	文献
FCGR2A(1q23)	免疫複合体のIgG Fc部分の受容体	IgG_2との親和性上昇	潰瘍性大腸炎	好中球，マクロファージの活性化亢進	Khor CC, et al. 2011[2]
CASP3(4q34-q35)	種々の蛋白を切断しアポトーシスの進行に関与するプロテアーゼ	mRNA発現量低下	なし	活性化炎症細胞の寿命延長	Onouchi Y, et al. 2010[8]
HLA・非*HLA*等候補多数(6p21.3)	抗原提示等多岐にわたる	不明	不明	感受性遺伝子，責任多型未特定	Onouchi Y, et al. 2012[3]
BLK(8p23-p22)	B細胞受容体シグナル伝達に関わるSrcファミリーのチロシンリン酸化酵素	発現量低下	複数の自己免疫性疾患	B細胞の機能の変化	Onouchi Y, et al. 2012[3]，Lee YC, et al. 2012[4]
ORAI1(12q24)	細胞膜上のカルシウムチャンネル(カルシウム放出活性化カルシウムチャンネル)	不明	なし	炎症細胞の活性化亢進	Onouchi Y, et al. 2016[6]，Thiha K, et al. 2019[7]
IGHV3-66(14q32.33)	免疫グロブリン重鎖可変部(V，D，J)を構成するV遺伝子の1つ	免疫グロブリン重鎖におけるIGHV3-66利用率の増加	なし	抗体やB細胞受容体として川崎病の病態に促進的に関与	Johnson TA, et al. 2021[5]
ITPKC(19q13.2)	イノシトール3リン酸のリン酸化酵素	スプライシング効率低下による無効なmRNAの増加	なし	炎症細胞，血管内皮の活性化亢進	Onouchi Y, et al. 2008[1]
CD40(20q12-q13.2)	CD40Lの受容体	発現量上昇	複数の自己免疫性疾患	炎症細胞，血管内皮の活性化亢進	Onouchi Y, et al. 2012[3]，Lee YC, et al. 2012[4]

4. BLK(BLK proto-oncogene, Src family tyrosine kinase)

B細胞受容体シグナル伝達に重要なSrcファミリーのチロシンリン酸化酵素(LYN，FYN，BLK)の1つであり，B細胞に多く発現がみられる．B細胞受容体に抗原が結合した際に受容体複合体を構成するIgαおよびIgβ蛋白の細胞内ドメインにある免疫受容体チロシン活性化モチーフ(immunoreceptor tyrosine-based activation motif：ITAM)に生じるリン酸化を触媒する．

5. CD40(CD40 molecule)

TNF受容体スーパーファミリーに分類される細胞膜上の分子で，抗原提示細胞(樹状細胞，単球，マクロファージなど)，B細胞，血管内皮細胞，線維芽細胞などに発現する．活性化したT細胞や血小板の表面に発現するCD40Lが結合すると細胞内に分化，活性化を促すシグナルが伝達される．川崎病との関連は*CD40*遺伝子のプロモーター領域から遺伝子内にかけての複数のSNVにみられる[3,4]．

6. HLAクラス2(HLA class 2 molecule)

抗原提示細胞が細胞外から取り込んだウイルス感染細胞や細菌などに由来する分子は分解，断片化され，細胞膜上のHLAクラス2分子上に抗原として提示される．6番染色体短腕上には，*HLA*クラス1，*HLA*クラス2遺伝子群がクラスターを形成する領域があり，*TNF*や*LTA*といった非*HLA*遺伝子も領域内に存在する．川崎病とバリアントとの関連は*HLA*クラス2領域に広範囲に観察され[5]，領域内のどの*HLA*・非*HLA*遺伝子が実際の感受性遺伝子であるのか現時点では確定していない．

7. ORAI1（ORAI calcium release-activated calcium modulator 1）

Ca^{2+}/NFATパスウェイのシグナル伝達の過程で小胞体内のCa^{2+}イオン濃度の低下をきっかけに，細胞膜上のチャンネルが開き細胞外から大量のCa^{2+}が流入する機構（ストア作動性カルシウム流入）がT細胞などの免疫細胞の活性化や筋肉細胞の収縮のメカニズムに重要であることが知られている．ORAI1はこの機構における細胞膜上のカルシウムチャンネル（カルシウム放出活性化カルシウムチャンネル）の1つである．

8. IGHV3-66（immunoglobulin heavy variable 3-66）

免疫グロブリンの軽鎖と重鎖それぞれの可変部に生じる体細胞遺伝子再構成，体細胞超変異，さらには重鎖定常部のクラススイッチにより構造的，機能的に多様な抗体の産生が可能となっている．免疫グロブリン重鎖（IGH）遺伝子領域内の可変部（V）をコードする遺伝子の1つ（*IGHV3-66*遺伝子）のSNVと川崎病との関連が最近明らかとなった[5]．末梢血B細胞が発現する免疫グロブリン（IgM，IgD，IgG，IgA）におけるIGHV3-66の利用頻度にSNVのアレル間での顕著な違い（感受性アレル＞非感受性アレル）があることから，IGHV3-66が重鎖に用いられた免疫グロブリン分子が抗体，あるいはB細胞受容体として何らかの特性を有し，川崎病発症に促進的に作用していると考えられる．

＊＊＊

一部の感受性アレルは炎症性腸疾患や自己免疫性疾患との関連が知られており（**表1**），川崎病の病態形成にかかわる分子や細胞がこれらの疾患群とオーバーラップする部分がある可能性が示唆されている．一方，ITPKC，CASP3，ORAI1，IGHV3-66については，他疾患との確度の高いバリアントの関連は知られず，川崎病に特有な病態への関与が示唆される．ITPKC，CASP3，ORAI1が関与するCa^{2+}/NFATパスウェイを中心に，これまで明らかとなった罹患感受性遺伝子を**図1**[9]に示す．

遺伝要因の関連の人種差

表1に示したもの以外にもさまざまな罹患感受性遺伝子の候補が主に海外から多数報告されている

が，関連の再現性は確認されていないものが大部分である．しかし，他疾患においては遺伝要因の関連の有無や強さが人種，民族間で一致しないことが多く経験されており，川崎病においても*IGHV3-66*遺伝子，*HLA*クラス2遺伝子領域の関連は日本人以外では観察されない．遺伝要因と環境要因間の相互作用を考慮すれば，人種・民族間において遺伝要因に違いがあることは不思議ではなく，この違いを追究することで環境要因（病原体を含む）についての示唆が得られる可能性もある．

重症化関連遺伝子

罹患感受性の危険因子として特定された*ITPKC*および*CASP3*のSNVについては免疫グロブリン静注（IVIG）療法への応答性や，冠動脈病変（coronary artery lesions：CAL）の合併リスクとも関連し，特に両遺伝子のリスクアレルを同時に保有する場合に不応リスクとの関連がもっとも強いことが報告されている[10]．一方その他の罹患感受性バリアントでは重症化との関連は知られていない．疫学上強く示唆する知見は豊富ではないが，川崎病に罹患した際の重症化に遺伝的な素因が関与することは明らかといえる．

知見の応用

関連に再現性のある遺伝的な川崎病の罹患感受性危険因子が複数見出されているが，個々の遺伝要因の寄与は小さいものであり，それらを組み合わせて評価した場合でも川崎病の発症を高い感度・特異度で予測することはできない（**図2**）．Ca^{2+}/NFATパスウェイの活性化が川崎病の発症や重症化の背景にあることが遺伝学的研究の成果から強く示唆されることを受け，同パスウェイを標的とするシクロスポリンを標準治療に組み合わせた治療法の重症川崎病に対する優れた冠動脈病変抑制効果が医師主導治験により確認され，保険収載，ガイドラインに記載されている．

多施設共同による試料収集体制

多施設共同による川崎病の遺伝学的研究が日本国内ではじまっており（川崎病遺伝コンソーシアム；http://raise.umin.jp/jkdgc/），すでに約2,900人分の

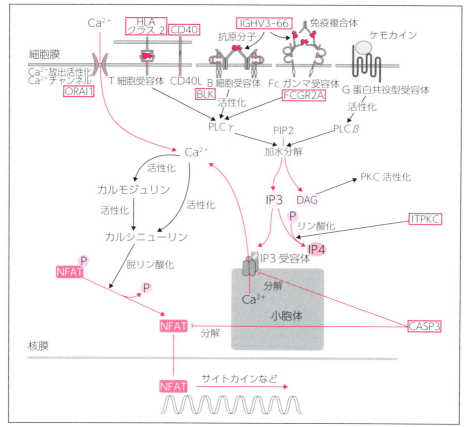

図1 Ca^{2+}/NFAT パスウェイと川崎病の罹患感受性遺伝子

日本人で遺伝子のバリアントと川崎病との関連が確認された蛋白を □ で囲い表示した．HLA クラス 2 については真の罹患感受性遺伝子が未確定，および，FCGR2A についてはゲノム上近傍に位置する別の遺伝子が真の罹患感受性遺伝子である可能性が残存する

〔Hata A, et al.：Susceptibility genes for Kawasaki disease：toward implementation of personalized medicine. J Hum Genet 2009；54：67-73 をもとに作成〕

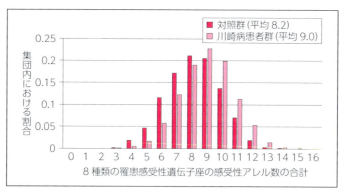

図2 川崎病患者群および対照群における罹患感受性遺伝子座の感受性アレル保有数の分布

8 つの罹患感受性遺伝子座（FCGR2A, CASP3, HLA クラス 2, BLK, ORAI1, IGHV3-66, ITPKC, CD40）の SNV との感受性アレル数（0，1，2）の合計を X 軸に，川崎病患者群（3,685 人），対照群（2,269 人）の各群における感受性アレル数ごとの保有者の割合を Y 軸にプロットした結果

川崎病患者 DNA と臨床情報の研究資源が構築され，収集が継続中である．遺伝子解析技術は日進月歩であり，他疾患ではすでに数万人規模の研究成果が報告されている．将来の研究のため継承可能となるよう提供者の同意を得た試料および臨床情報収集の取り組みは意義が大きく，川崎病の遺伝要因の全貌解明に向け，活用が期待される．

今後の課題・展望

Common disease common variant 仮説に基づく SNV を中心とした検索により川崎病への罹患感受性，罹患の際の患者の IVIG への反応性や CAL のリスクに遺伝要因が関与することが明らかとなった．Ca^{2+}/NFAT パスウェイの活性化の制御が治療戦略として理に適う可能性が確認されるなど，臨床上有益な情報も一部得られている．患者の発症時の年齢，発症した季節，受けた治療内容とそれに対する応答性などの臨床情報により患者を層別化し，詳細に遺伝要因の関与を検索することで，医療の個別化（personalized medicine）や精密医療（precision medicine）に資する知見が得られることが期待される．また，レアバリアントや個人的な遺伝子の変異を低コストに，かつ大規模に解析する手法が近い将来実現すれば，得られる知見が病因・病態の解明の鍵と

して大いに貢献するであろう．

■ 文 献

1) Onouchi Y, et al. : *ITPKC* functional polymorphism associated with Kawasaki disease susceptibility and formation of coronary artery aneurysms. Nat Genet 2008 ; 40 : 35-42
2) Khor CC, et al. : Genome-wide association study identifies *FCGR2A* as a susceptibility locus for Kawasaki disease. Nat Genet 2011 ; 43 : 1241-1246
3) Onouchi Y, et al. : A genome-wide association study identifies three new risk loci for Kawasaki disease. Nat Genet 2012 ; 44 : 517-521
4) Lee YC, et al. : Two new susceptibility loci for Kawasaki disease identified through genome-wide association analysis. Nat Genet 2012 ; 44 : 522-525
5) Johnson TA, et al. : Association of an *IGHV3-66* gene variant with Kawasaki disease. J Hum Genet 2021 ; 66 : 475-489
6) Onouchi Y, et al. : Variations in *ORAI1* Gene Associated with Kawasaki Disease. PLoS One 2016 ; 11 : e0145486
7) Thiha K, et al. : Investigation of novel variations of ORAI1 gene and their association with Kawasaki disease. J Hum Genet 2019 ; 64 : 511-519
8) Onouchi Y, et al. : Common variants in *CASP3* confer susceptibility to Kawasaki disease. Hum Mol Genet 2010 ; 19 : 2898-2906
9) Hata A, et al. : Susceptibility genes for Kawasaki disease : toward implementation of personalized medicine. J Hum Genet 2009 ; 54 : 67-73
10) Onouchi Y, et al. : *ITPKC* and *CASP3* polymorphisms and risks for IVIG unresponsiveness and coronary artery lesion formation in Kawasaki disease. Pharmacogenomics J 2013 ; 13 : 52-59

〔尾内善広〕

Ⅱ 病因・遺伝・病理

3 病理・病態

POINT

・川崎病は冠動脈がもっとも高頻度に侵襲されるが，小型から大型まで全身の血管に炎症が生じる．
・いずれの血管病変も同期した一峰性の急性炎症性経過を示し，マクロファージが主体の炎症である．
・組織学的特徴は，川崎病は外的な起炎因子に曝露することにより生じることを示唆する．
・リンパ節にも特異的ではないものの川崎病に特徴的な変化がもたらされる．

a 冠動脈（急性期・遠隔期）

系統的血管炎症候群としての川崎病

系統的血管炎の分類と疾患定義の作成を目指した 2012 Revised International Chapel Hill Consensus Conference Nomenclature of Vasculitides（CHCC 2012）[1]によると川崎病は中型血管炎に分類され（**図1**），「mucocutaneous lymph node syndrome に伴う通常乳幼児が罹患する動脈炎である．中小型動脈が優位に侵され冠動脈がしばしば侵襲されるが，大動脈などの大型動脈も侵され得る」と定義されている．

わが国における川崎病血管病変の病理組織像は，増田ら[2]，Naoe ら[3]，Amano ら[4,5]，濱島ら[6]の報告に詳しい．これらをもとに川崎病動脈炎の病理組織学的特徴を列記すると以下のとおりとなる．

・血管炎は冠動脈をはじめとする大動脈からの主要分岐筋型動脈に好発する．
・侵襲されるのは臓器外動脈であり，臓器内の動脈に汎血管炎が生じることはまれである．
・血管炎は全身同期して推移し一峰性の急性炎症の経過を示す．つまり，全身各所の血管炎はほぼ同時期にはじまり速やかにピークに達した後，徐々に消退し治癒する．
・血管炎は単球/マクロファージの異常集積からなる増殖性炎症であり，フィブリノイド壊死はまれである．
・抗好中球細胞質抗体（antineutrophil cytoplasmic antibody：ANCA）関連血管炎や IgA 血管炎，全身性エリテマトーデスなどのように腎糸球体や肺などの毛細血管に壊死性血管炎が生じることはなく，免疫複合体の沈着も証明されない．

急性期冠動脈炎

急性期川崎病の冠動脈炎は全経過およそ6週間の急性炎症性経過を呈する[2]．

1. 動脈炎の開始：発症後6〜8日

冠動脈炎のもっとも初期の変化は，動脈中膜の水腫性疎開性変化とよばれる（**図2a**）．第6〜8病日死亡例で観察され，平滑筋細胞の変性とともに中膜が水腫のために離開する．リンパ球や単球/マクロファージなどの炎症細胞浸潤は内膜と外膜に少数観察されるものの中膜にはみられない．

2. 汎動脈炎から動脈瘤形成

第8〜10病日頃，炎症細胞は内膜および外膜側から内・外弾性板を越え中膜に達し動脈壁全層の炎症，汎動脈炎に至る（**図2b**）．内弾性板は断裂するが動脈拡張に至るような動脈壁の傷害はみられない．この時期の血管病変内には単球/マクロファージに加えて好中球が相当数出現しており，病初期の動脈傷害には単球/マクロファージとともに好中球から産生，分泌される蛋白分解酵素や活性酸素などが大きく関与していると考えられる[7]．汎動脈炎は速やかに動脈全周に波及し，炎症はピークに達する（**図**

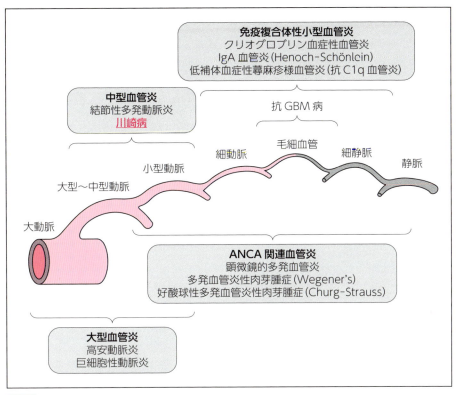

図1 2012 Revised International Chapel Hill Consensus Conference Nomenclature of Vasculitides の血管径別疾患分類

〔Jennette JC, et al.：2012 revised International Chapel Hill Consensus Conference Nomenclature of Vasculitides. Arthritis Rheum 2013；65：1-11 より改変〕

2c）．内弾性板や中膜などの成分が著しく傷害される結果，第10〜12病日に動脈の拡張が生じる．動脈瘤は風船が膨らむような遠心性拡張であり（図2d），球状，紡錘状の瘤として認識されるが，瘤が多発する場合には数珠状あるいはソーセージ状の拡張を示す．剖検例においてはその大多数に冠動脈瘤を認めるが，その1割が動脈瘤破裂で死亡していることにも注目すべきである[8]（図2e）．

一方，冠動脈瘤非形成症例においてもその多くに動脈壁構築破綻に至らない程度の炎症が観察されることから，後遺症なく治癒する川崎病罹患症例においても急性期にはさまざまな程度の冠動脈炎が生じている可能性がある．

3. 炎症極期から炎症の消退

単球/マクロファージを主とする高度な炎症細胞浸潤は約2週間継続した後，第26病日頃から徐々に消退していき，第40病日頃には動脈炎は瘢痕を残し終焉を迎える（図2f）．

冠動脈炎後遺病変

炎症細胞の消失後も炎症瘢痕は長期にわたって残存する．動脈瘤を形成するとさまざまな動脈炎後遺病変が生じ，内腔閉塞の危険がある．特に，巨大動脈瘤が残存した場合，瘤壁には広範な石灰化が生じ（図3a），瘤の流入・流出部では内腔狭窄がもたらされる．瘤内には新旧混在する血栓による内腔閉塞像が認められる．さらに，川崎病罹患後成人期に死亡した例では瘤部に一致して高度の粥状動脈硬化症を認めることがあり，瘤が残存した場合，川崎病後遺症は粥状動脈硬化症の危険因子になり得る[9]．一方，動脈瘤の血栓性閉塞後に再疎通が生じた場合，再疎通血管は蓮根のような割面を呈する（図3b）．再疎通血管も細胞線維性の新生内膜肥厚により狭窄する場合がある．

動脈瘤の退縮や一過性拡張を示したと推測される動脈の多くにおいても遠隔期には血管炎瘢痕が残存

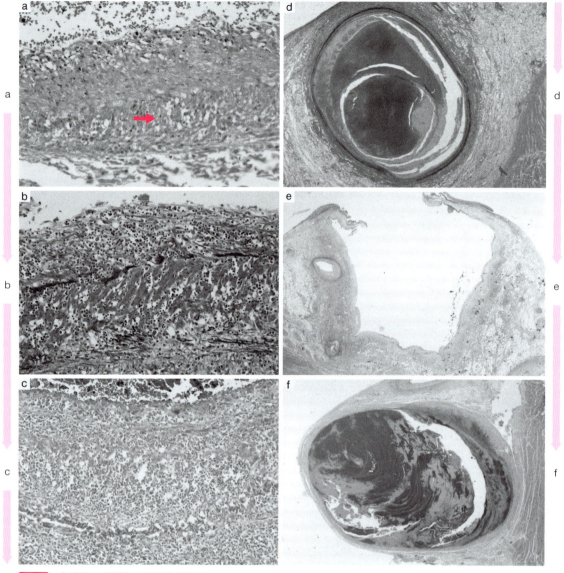

図2 急性期冠動脈炎の組織学的推移
a：中膜水腫性疎開性変化(第6〜8病日), b：汎動脈炎(第8〜10病日)
c：血管炎極期(増殖性炎症)(第10〜25病日), d：動脈瘤形成(第12病日頃)
e：動脈瘤破裂, f：炎症の消退(第26〜40病日)
[口絵1；p.iv]

することが確認されている[10]．

冠動脈炎の経時的推移を図4[11]にまとめて示す．

病理組織学的鑑別診断

中型動脈が優位に侵襲される血管炎には結節性多発動脈炎(polyarteritis nodosa：PAN)がある．PANにおいても冠動脈がしばしば侵襲されるが，この他に肝臓，胆嚢，膵臓，消化管，腎臓，骨格筋，中枢神経系などが侵襲される．PANでは実質臓器内外の動脈に血管炎が生じる．また，PANの急性期血管炎にはフィブリノイド壊死を伴う壊死性血管炎がもたらされる．そして，PANでは同一臓器，同一血管内においても新旧さまざまな病期の血管炎像(急性期と瘢痕期)が分節状に混在する．以上の組織学的特徴が川崎病血管炎とは大きく異なる(図5)．

乳児結節性動脈周囲炎(infantile periarteritis nodosa：IPN)と川崎病との関連についてこれまで議論されてきた．IPNとして報告された多くの症例

3. 病理・病態

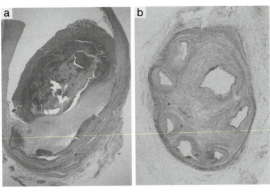

図3 遠隔期冠動脈後遺病変
a：動脈瘤残存動脈，瘤壁には層状の石灰化を認める
b：動脈瘤血栓閉塞後の再疎通血管
[口絵2；p.v]

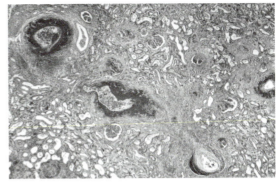

図5 結節性多発動脈炎（PAN）の組織像
腎臓．1本の弓状動脈にフィブリノイド壊死を伴う急性期炎症像と線維化に陥った瘢痕期像とが同時に観察される
[口絵4；p.v]

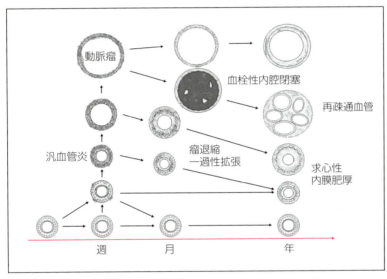

図4 川崎病冠動脈炎の経時的推移
〔高橋　啓，他：川崎病後遺病変における冠状動脈内膜肥厚の組織学的検討．脈管学 1991；31：17-25 より作成〕
[口絵3；p.v]

の病理組織像は川崎病のそれと酷似しており，臨床的概念である川崎病を病理学的観点から報告したものがIPNに相当すると考えることができる．しかしながら，注意すべきはIPNの中には川崎病とは病像が明らかに異なる疾患，たとえば小児のPANが含まれている可能性があり，さらにいえば"原因不明のあらゆる小児の血管炎"がIPNとして包括されている可能性がある点である．海外の川崎病の病理報告の中に，「急性期死亡例の約1/3の動脈に血管炎瘢痕像が存在し，さらに，遠隔期症例の約半数に急性炎症像がみられた」とするものがある[12]が，わが国の川崎病の病理報告にはこのような記載はない．時相の異なる血管炎の混在はむしろPANに特徴的な組織像であることからも，川崎病としての疾患概念が浸透していなかった頃，特に欧米においては川崎病以外の小児の血管炎疾患が川崎病として臨床診断あるいは病理診断されていた可能性がある．

文献

1) Jennette JC, et al.：2012 revised International Chapel Hill Consensus Conference Nomenclature of Vasculitides. Arthritis Rheum 2013；65：1-11
2) 増田弘毅，他：川崎病（MCLS）における冠状動脈の病理学的

検討—特に冠状動脈炎と動脈瘤の形態発生の関連について—. 脈管学 1981；21：899-912
3) Naoe S, et al.：Kawasaki disease with particular emphasis on arterial lesions. Acta Pathol Jpn 1991；41：785-797
4) Amano S, et al.：Pathology of Kawasaki disease：II. Distribution and incidence of the vascular lesions. Jap Circ J 1979；43：741-748
5) Amano S, et al.：General pathology of Kawasaki disease. On the morphological alterations corresponding to the clinical manifestations. Acta Pathol Jpn 1980；30：681-694
6) 濱島義博：川崎病. 日本病理学会会誌 1977；66：59-92
7) Takahashi K, et al.：Neutrophilic involvement in the damage to coronary arteries in acute stage of Kawasaki disease. Periatr Int 2005；47：305-310
8) Takahashi K, et al.：A half-century of autopsy results-inci-

dence of pediatric vasculitis syndromes, especially Kawasaki disease. Circ J 2012；76：964-970
9) Takahashi K, et al.：Pathological study of postcoronary arteritis in adolescents and young adults：with reference to the relationship between sequelae of Kawasaki disease and atherosclerosis. Pediatr Cardiol 2001；22：138-142
10) 高橋 啓, 他：他の原因にて死亡した川崎病罹患既往児の病理組織学的検討. Prog Med 1987；7：21-25
11) 高橋 啓, 他：川崎病後遺病変における冠状動脈内膜肥厚の組織学的検討. 脈管学 1991；31：17-25
12) Landing BH, et al.：Pathological features of Kawasaki disease（mucocutaneous lymph node syndrome）. Am J Cardiovasc Pathol 1987；1：218-229

〔髙橋　啓〕

b 冠動脈以外の血管病変

冠動脈以外の血管病変の概略

川崎病における病理組織学的解析の多くは，死因や患児の予後に直結する冠動脈に対してなされている．しかし，系統的血管炎である川崎病の病態や病因を考える際には，心臓だけでなく諸臓器の病変について理解しておくことが重要である．

心臓以外の臓器の病理学的報告は 1980 年代のものが多い．それ以後は，治療の進歩による死亡例の減少と川崎病の病理学的研究を行う研究者の減少により報告はまれになった．系統的血管炎としての川崎病の全身検索については，直江ら[1]，Amano ら[2]，濱島ら[3]，Landing ら[4]の報告に詳しい．いずれの報告においても冠動脈がもっとも高頻度に侵襲されるが，その一方で血管病変は全身各所に発生する．各報告における，全身各所の血管炎発生頻度を**表1**に示す．

腎　臓

腎臓の血管炎の発生頻度は冠動脈に次いで高い．浅地ら[5]は，発症後6日から11年で死亡した剖検例のうち73％に汎血管炎あるいは血管炎の瘢痕像がみられたと報告している．もっとも早期の動脈病変は第13病日例の中膜の水腫性疎開性変化である．汎動脈炎は第17～28病日死亡例で観察され，第30病日以降では炎症細胞浸潤は消退する．冠動脈炎と比較すると，動脈炎の開始時期は腎臓で数日遅く，炎症の程度は腎臓のほうが軽い．また，冠動脈で高度

表1　川崎病における全身各所の血管炎発生頻度

	直江	Amano	濱島	Landing
大動脈	＋	100％	82％	41％
頸動脈	＋	75％		23％
鎖骨下動脈	＋	71％	67％	
腸骨動脈	＋	100％	93％	
肺動脈	59％	71％	50％	32％
冠動脈	95％	100％	95％	100％
腎動脈	73％	80％	64％	55％
腹腔動脈	＋	79％	63％	
腸間膜動脈	＋	79％	86％	27％
肝動脈	＋	76％	44％	23％
肋間動脈	＋	58％	60％	
脾動脈	11％	50％		50％
消化管	10％			18％
傍気管	＋			36％
膵臓/膵周囲	31％			36％
副腎/副腎周囲	＋			32％
精索	＋			41％
精巣	15％		67％	18％
腟	＋			9％
子宮	＋			5％
骨格筋				27％
硬膜	1％		36％	5％
静脈系		59％	64％	

▢は中小レベルの動脈

の炎症が遷延する傾向がある．汎血管炎は腎葉間動脈と弓状動脈に限局し，小葉間動脈には血管周囲炎はみられるものの血管壁全層を侵襲する汎血管炎は生じない(図6)．腎動脈にも動脈瘤が生じることが知られているが，剖検例の検索では腎動脈瘤についての記載は乏しい．

糸球体病変としては，巣状/分節性または全節性の硬化[5]や巣状/分節性のメサンギウム細胞増殖の報告がある[6]が，前者は小児期における生理的変化と考えられている．われわれの検索では，管内増殖性糸球体腎炎の像を示した症例を1例経験した．糸球体への免疫複合体の沈着はみられない[5]．

肺

澁谷ら[7]は，川崎病発症後60日以内に死亡した34例中20例(59%)の肺動脈に汎血管炎がみられたと報告している．汎動脈炎は第4次分枝までの弾性型肺動脈に限局し，より末梢の筋型動脈では内皮細胞の腫大など，極めて軽微な変化にとどまる．もっとも早期の変化は第13病日例の中膜に生じた軽微な水腫性疎開性変化であり，汎動脈炎は第25～30病日例で観察される．動脈瘤や動脈拡張は認められないが，これは低圧系動脈であるためと推測されている．第30病日以降，炎症は徐々に消退し，3か月の症例では瘢痕が観察される．気管支動脈には外膜のリンパ球浸潤や内膜肥厚，水腫性疎開性変化が低頻度にみられるものの，汎動脈炎に至る症例はない．

濱島[3]は，肺に血管炎を生じることがPANと異なる川崎病血管炎の特徴の1つと述べている．

肝臓・胆嚢

川崎病急性期には，患児の5～10%に黄疸，約30%にトランスアミナーゼ上昇，5～20%に胆嚢腫大が認められる[8]．田中ら[9]は急性期川崎病19例に肝生検を行い，大部分に肝細胞の脂肪変性，水腫性変性，門脈域の高度の炎症細胞浸潤がみられるが，血管炎は明らかでないと報告している．一方，小川[10]は19例の肝生検の組織学的検索を行い，低頻度であるが門脈域の動静脈に血管炎がみられたと述べている．秦ら[11]は全身検索を施行した5例の剖検例中1例で肝門部門脈本幹に静脈炎がみられたと報告している．

増田ら[12]は，4例の急性期川崎病患児の胆嚢摘出検体を検索し，胆嚢壁に好中球，リンパ球，好酸球浸潤がびまん性にみられ，胆石を伴わないことが特徴であると述べている．多くは血管周囲性の炎症細胞浸潤にとどまるが，4例中1例では直径400 μmの漿膜下動脈に汎血管炎がみられた．

膵臓

安藤ら[13]は45剖検例の検討で31%に膵臓の血管病変がみられたと報告している．汎血管炎は，膵小葉間までの膵実質外動脈に発生する．動脈炎は第10病日例からみられ，第28病日前後の症例の炎症がもっとも高度である．その後，線維性内膜肥厚を残し治癒する．一方，吉岡ら[14]は，26剖検例を検索し，膵管および膵管周囲への炎症細胞浸潤および血

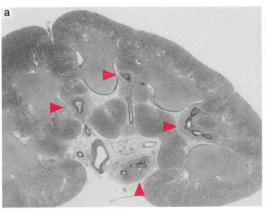 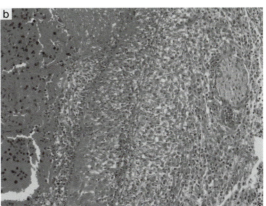

図6 腎臓大割切片のAzan Mallory染色標本のルーペ像(a)および汎動脈炎のHE染色，強拡大像(b)
a：腎動脈や葉間動脈に多発性に血管炎が認められる(▶)
b：血管壁の全層にわたる増殖性炎症が認められる．フィブリノイド壊死はみられない
[口絵5；p.v]

管炎が特徴的であり，膵管の炎症所見は第27病日までの急性期症例で顕著と報告した．

消化管

川崎病では下痢，腹痛，嘔吐などの消化器症状を伴うことが比較的多い．倉重ら[15]は31剖検例について検索し，動脈炎が3例にみられ，食道胃接合部，終末回腸，大腸の漿膜下層の径1 mm以下の小動脈に分布しており，消化管壁内には認められないことを報告している．また，3例で固有筋層までの潰瘍形成が食道や空腸，大腸にみられた．

皮　膚

皮膚変化は川崎病の6つの主要症状のうち2つ（発疹と四肢末端の変化）を占め，病理学的報告も比較的多い．これらの報告では，真皮乳頭層や浅層血管叢における血管拡張と著明な炎症性浮腫が川崎病急性期の組織学的特徴とされる[16〜18]．この浮腫性変化に比べて炎症細胞浸潤は軽度にとどまる．浸潤する炎症細胞の主体はマクロファージとCD4陽性Tリンパ球であり，好中球は少ない．表皮内への炎症細胞浸潤，細胞間浮腫[16]や表皮基底層の空胞変性[17]もみられる．BCG接種部位では，これらの変化がより目立つとされるが，肉芽腫性炎症を生じる場合もある[19]．このように皮膚では，血管透過性の亢進を反映する組織変化が中心であり，IgA血管炎のような白血球破砕型血管炎や免疫複合体の沈着はみられない．一方，皮下脂肪組織内では，小静脈壁への好中球浸潤を生じる場合もある[16]．

中枢神経

川崎病では低頻度ながら種々の神経系合併症が知られている．Amanoら[20]は，剖検例を用いた検討で14例中7例に無菌性髄膜炎/脈絡膜炎がみられたと報告している．病変部では，軽度から中等度のリンパ球，マクロファージ，少数の好中球を含む炎症細胞浸潤や線維芽細胞の増生が観察される．小動脈の外膜に軽度のリンパ球浸潤を伴う線維性肥厚や内膜への軽度の炎症細胞浸潤がみられるが，血管壁の全層に炎症が及ぶ汎動脈炎は認められない．

一方，脳実質内では血管周囲や神経細胞周囲の浮腫が大部分の症例にみられ，神経細胞の変性や虚血

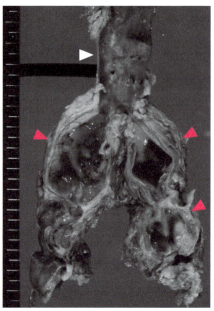

図7 総腸骨動脈瘤の肉眼像
左右総腸骨動脈に囊状の動脈瘤がみられる（▶）
▷は大動脈
［口絵6；p.vi］

性変化もしばしば観察される．小血管周囲や内膜にリンパ球，マクロファージの軽度の浸潤がみられるが，ここでも汎動脈炎は観察されない．

大型血管

表1に示すように剖検例を用いた全身の系統的検索では，大動脈や総腸骨動脈などの大型の弾性型動脈にも血管病変が高率に生じる（図7）．しかし炎症の程度は部位によって異なり，腸骨動脈では汎血管炎が比較的高頻度にみられるのに対して，大動脈では汎血管炎の頻度は低く，内皮細胞の変性や中膜の浮腫などの軽微な変化にとどまるものが多い[2]．表1に示した大型血管の血管炎発生率を参照する際には，汎血管炎だけでなく，軽微な血管病変も含まれている点に注意が必要である．Satoら[21]は38剖検例について検討し，急性期19例では全例でCD163陽性マクロファージの浸潤がみられること，代表的な大型血管炎である高安動脈炎とは組織学的特徴が異なることを報告した．炎症細胞浸潤の程度は冠動脈炎と比較して軽度であり，炎症による壁構造の破壊や動脈瘤は認められていない．一方，遠隔期18例では有意な炎症細胞浸潤は認められなかった．一ノ

瀬ら[22]の報告でも，腋窩と腹部の動脈の造影検査が可能であった616例のうち動脈瘤がみられたのは19例（3.1%）にとどまるという．これらの報告で示されるように，冠動脈と比較して大型血管では瘤形成に至るような激しい汎血管炎の発生頻度はかなり低い．Leeら[23]は，成人期に達した川崎病遠隔期の腋窩動脈瘤切除検体と大腿動脈の内膜剥離検体の免疫組織学的な検討により遠隔期のリモデリングにTGF-βが関与すると報告している．

一方，静脈系についても肺静脈や門脈本幹の他，腸骨静脈，下大静脈のような大型静脈に血管病変が生じる．多くは軽度〜中等度の内膜炎や血管周囲炎にとどまるが，血管壁の全層に炎症が及ぶ汎静脈炎を生じることもある[2,7,11]．

その他の臓器

冠動脈と同様に大動脈から直接分岐する肋間動脈では動脈起始部に病変が生じる[24]．血管炎の組織像も冠動脈と類似し，時に動脈瘤を形成する．

川崎病ではまれに精巣上体炎や精巣腫大をきたすことがある．剖検例の検討では，精巣の血管病変と被膜炎は急性期症例において観察されるが，精巣間質，実質の炎症は認められない[25]．

川崎病の主要症状の1つである結膜についてはBurnsら[26]が6例の結膜生検を検索し，血管拡張とリンパ球，形質細胞の軽度の浸潤などの非特異的変化があったと報告している．

◎おわりに

川崎病における冠動脈以外の血管病変について概説した．血管炎の代表的な国際分類であるCHCC2012では，川崎病はPANとともに中型血管炎に分類されている．確かに川崎病では，冠動脈をはじめとする中型動脈が高頻度に侵襲されるが，大動脈をはじめとする大型の弾性型動脈や小動脈も侵襲される．また，静脈系についても小静脈から下大静脈のような大型静脈にまで病変が生じる．このように侵襲される血管サイズの幅が広いことがPANとは異なる川崎病血管炎の特徴の1つと考えられる．

また，川崎病の動脈炎では好中球とマクロファージの浸潤が主体で急性一過性炎症としての経過をたどり，諸臓器の動脈炎の組織学的時相が均一である

ことも重要な特徴である．このような急性炎症としての定型的な経過は，川崎病が何らかの原因物質の曝露を受けることによって発症することを示すものであり，川崎病の病態解析に重要な示唆を与えてくれる．しかし，冠動脈をはじめとする中型動脈が侵襲されやすい理由はいまだ不明である．今後は，血管を構成する内皮細胞や中膜平滑筋細胞などの部位ごとの生物学的特性や流体/構造力学的な観点からの解析も必要になるだろう．

■ 文 献

1) 直江史郎：川崎病の病理（心臓を除く）．近畿川崎病研究会会誌 1987；9：1-3
2) Amano S, et al.：Pathology of Kawasaki disease：II. Distribution and incidence of the vascular lesions. Jap Circ J 1979；43：741-748
3) 濱島義博：川崎病．日本病理学会会誌 1977；66：59-92
4) Landing BH, et al.：Pathological features of Kawasaki disease（mucocutaneous lymph node syndrome）. Am J Cardiovasc Pathol 1987；1：218-229
5) 浅地 聡，他：川崎病における腎動脈の病理組織学的研究—冠状動脈との関連も考慮して—．脈管学 1989；29：453-460
6) Ogawa H：Kidney pathology in muco-cutaneous lymphnode syndrome. Jap J Nephrology 1985；27：1229-1237
7) 澁谷和俊，他：川崎病における肺血管病変の病理組織学的研究．脈管学 1987；27：293-304
8) 藤澤知雄：川崎病に伴う胆汁うっ滞や胆嚢腫大の特徴は何でしょうか．小児内科 2003；35：1519-1520
9) 田中智之，他：川崎病における肝障害 病理．小児内科 1984；16：2393-2397
10) 小川弘道：川崎病（MCLS）の肝病変．肝臓 1985；26：1393-1399
11) 秦 順一，他：急性熱性皮膚粘膜リンパ節症候群（MCLS）における動脈炎の病理学的検討．最新醫學 1977；32：964-971
12) 増田弘毅，他：川崎病における初期動脈病変の組織学的検討—とくに摘出胆嚢を中心として—．厚生省特定疾患系統的血管病変に関する調査研究班 1981 年度研究報告書. 1982；274-279
13) 安藤充利，他：川崎病剖検例の病理学的検討—膵，特にその血管病変を中心として—．厚生省特定疾患系統的血管病変に関する調査研究班 1985 年度研究報告書．1986；117-122
14) 吉岡秀幸，他：川崎病剖検例における膵病変の臨床病理学的検討．近畿川崎病研究会会誌 1986；8：30-33
15) 倉重真澄，他：川崎病 31 剖検例における消化管の臨床病理学的研究．脈管学 1984；24：407-418
16) Hirose S, et al.：Morphological observations on the vasculitis in the mucocutaneous lymph node syndrome. A skin biopsy study of 27 patients. Eur J Pediatr 1978；129：17-27
17) 三宅 健，他：急性熱性皮膚粘膜リンパ節症候群（MCLS）の皮膚病理組織学的所見．醫學のあゆみ 1984；128：805-806
18) Sugawara T, et al.：Immunopathology of the skin lesion of Kawasaki disease. Prog Clin Biol Res 1987；250：185-192
19) Kuniyuki S, et al.：An ulcerated lesion at the BCG vaccination site during the course of Kawasaki disease. J Am Acad Dermatol 1997；37：303-304
20) Amano S, et al.：Neutral involvement in Kawasaki disease. Acta Pathol Jpn 1980；30：365-373
21) Sato W, et al.：The pathology of Kawasaki disease aortitis：

a study of 37 cases. Cardiovasc Pathol 2021；51：107303
22）一ノ瀬英世，他：川崎病の末梢動脈瘤病変の検討．日本小児科学会雑誌 1986；90：2757-2761
23）Lee AM, et al.：Role of TGF-β signaling in remodeling of noncoronary artery aneurysm in Kawasaki disease. Pediatr Dev Pathol 2015；18：310-317
24）Masuda H, et al.：The intercostal artery in Kawasaki disease. A pathologic study of 17 autopsy cases. Arch Pathol Lab Med 1986；110：1136-1142
25）高　大成，他：川崎病における精巣の病理組織学的検討．近畿川崎病研究会会誌 1983；5：7-9
26）Burns JC, et al.：Conjunctival biopsy in patients with Kawasaki disease. Pediatr Pathol Lab Med 1995；15：547-553

〔大原関利章〕

C リンパ節

　川崎病急性期における非化膿性頸部リンパ節腫脹は，約70％の患者に認められ，川崎病の主要症状の1つである．しかし，急性期の乳幼児の患者から生検することは，侵襲が強く困難なため，その病理組織学的検討の報告は少ない．本項では，これまでに報告された症例報告と剖検例を含む自験例から得られた頸部リンパ節の病理組織像を述べる．他の部位のリンパ節に関する記載は乏しいが，頸部と同様の所見と考えられる．

頸部リンパ節の病理組織像

1．リンパ節の大きさ

　川崎病の経過中に生検された症例報告によると，リンパ節の大きさは4〜5 cm程度が多いが，8〜10 cm大の症例も存在する[1〜7]．個々のリンパ節自体が腫大するが，隣接するリンパ節間の結合織にも非化膿性炎症があり，そのためリンパ節が周囲結合織と癒着し一塊としてふれる場合もある（図8a）．

2．リンパ節内の変化

　川崎病急性期のリンパ節病変は，基本構築の破壊はなく，多くが傍皮質領域の拡大とリンパ洞の拡張による腫大である[8]．この所見は非特異的変化であり，ウイルス性リンパ節炎の一般的な病理所見と大きく変わらない．しかし，川崎病ではこれに加えて，壊死巣を有する場合があり，この点が本症の大きな特徴である（図8a，b）．

　壊死巣は，リンパ節被膜直下からはじまる境界明瞭な病変であり，巣状の小さなものから，リンパ節全体が壊死に陥る大きな病変まで，さまざまである．壊死巣には多数の核破砕像とマクロファージの集簇を認め，壊死巣に連なる細血管にはしばしば内皮細胞の腫大，内腔狭窄，壁の壊死，小さな線維素性血栓形成が認められる（図9a，b）．好中球はほとんど出現しない．壊死は発症後第3〜29病日例に認められる[1,2,4,5,8]．壊死の原因は，炎症の結果生じた壊死とする説と循環障害による壊死とする説がある[1,9]．

　壊死巣の周囲には，多数のマクロファージ，少数かつ散在性の好中球，部位によってはリンパ芽球様ないし免疫芽球様の大型細胞が多数出現するとの報

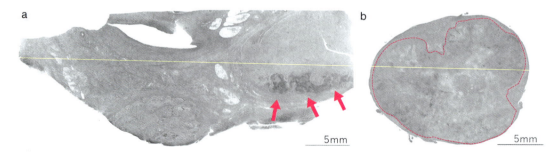

図8　頸部リンパ節のルーペ像
a：第13病日例．被膜直下に巣状の壊死が認められる（→）．隣接するリンパ節間の結合織には高度の非化膿性炎がみられる
b：第20病日例．リンパ節のほぼ全体が壊死に陥っている．リンパ節周囲に高度の非化膿性炎がみられる（　で囲んだ範囲はリンパ節）
［口絵7：p.vi］

3. リンパ節周囲の変化

　川崎病では，リンパ節の被膜や周囲結合織に高度の非化膿性炎症が生じる[6,8]．炎症細胞はリンパ球，形質細胞の他，マクロファージが多数認められるが，好中球はほとんど認められない．また，リンパ節周囲の血管に血管炎の所見が認められる症例がある．障害される血管の種類や太さは症例により異なり，細静脈を含む静脈系が優位な場合や筋型動脈の全層性炎を認める場合がある．

リンパ節腫脹をきたす他疾患との病理学的な鑑別点

　小児科領域における頸部リンパ節腫脹をきたす疾患として，ウイルス性リンパ節炎と化膿性リンパ節炎があげられる．病理学的鑑別点を表2に示す．ウイルス性リンパ節炎のうち，Epstein-Barr（EB）ウイルス感染疾患である伝染性単核球症では，リンパ節構造の乱れを伴う傍皮質の拡大とリンパ濾胞の過形成がみられ，異型性の強い免疫芽球や異型リンパ球が出現することから，悪性リンパ腫との鑑別を要することがある．さらに地図状の壊死がしばしば認められる．EBウイルス以外のウイルス感染症では，

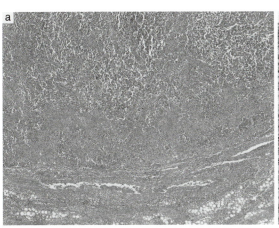 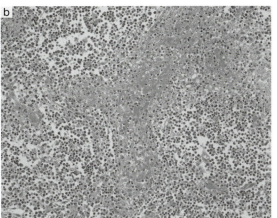

図9　壊死巣の組織像（第6病日例）
a：リンパ節の被膜側に不整形の壊死巣が認められ，被膜および被膜周囲にも炎症が及ぶ
b：小血管の線維素性血栓と核破砕像
［口絵8；p.vi］

表2　川崎病と他疾患のリンパ節病変の病理学的な鑑別点

		過形成の部位（濾胞/傍皮質）	浸潤細胞	壊死	血管病変	リンパ節被膜の炎症
川崎病		傍皮質	組織球，免疫芽球様細胞，好中球	＋	＋	＋
化膿性リンパ節炎		傍皮質	好中球，組織球	－	－	＋
ウイルス性リンパ節炎	伝染性単核球症（EBV感染症）	傍皮質＋濾胞	免疫芽球，異型リンパ球，組織球，形質細胞	＋	－	
	麻疹・風疹・水痘・ヘルペスウイルス感染症など	傍皮質	リンパ芽球，組織球	－（ただし，ヘルペスウイルスリンパ節炎では＋）	－	
組織球性壊死性リンパ節炎（菊池病）		傍皮質	大型化リンパ球，形質細胞様単球，組織球	＋	－	
SLEによるリンパ節病変		傍皮質	大型化リンパ球，組織球，形質細胞	＋	＋	＋

SLE：systemic lupus erythematosus

一般的に免疫芽球様細胞がリンパ球や組織球とともに虫食い状あるいはびまん性に増生することで傍皮質領域の拡大を示す．この所見は非特異的であるが，麻疹ウイルスリンパ節炎では桑実状の多核巨細胞（Warthin-Finkeldey巨細胞），単純ヘルペスウイルス，水痘－帯状疱疹ウイルス，サイトメガロウイルスリンパ節炎では核内封入体形成が認められる．いずれも壊死を伴うことはほとんどがないが，単純ヘルペスウイルスリンパ節炎ではしばしば壊死巣がみられる[10]．化膿性リンパ節炎は好中球浸潤がみられ，しばしば膿瘍を形成する．

　一方，壊死巣を伴うリンパ節病変という観点からは，組織球性壊死性リンパ節炎（菊池病）と全身性エリテマトーデス（systemic lupus erythematosus：SLE）によるリンパ節炎が鑑別疾患にあげられる[10]．組織球性壊死性リンパ節炎では，リンパ節は腫大しても直径2cm未満で，周囲との癒着は認められない．傍皮質領域に多数の大型化細胞と形質細胞様単球，組織球，核崩壊産物が認められる．好中球，好酸球，形質細胞は認められない．SLEによるリンパ節炎は傍皮質に組織球性壊死性リンパ節炎に類似した壊死巣を形成することが知られており，リンパ節周囲に結節性多発動脈炎様の壊死性血管炎を伴った症例の報告もある[11]．いずれも病理所見だけでは鑑別困難であり，年齢，症状，検査所見などの臨床所見から鑑別すべきである．

📖 文　献

1) Giesker DW, et al.：Lymph node biopsy for early diagnosis in Kawasaki disease. Am J Surg Pathol 1982；6：493-501
2) 鎌田　満：川崎病　病理学上の進歩　リンパ節の病理．小児内科 1990；22：1781-1785
3) 正木智之，他：頸部腫脹で発症し診断に苦慮した学童期発症の川崎病例．耳鼻咽喉科臨床 2009；102：67-71
4) Marsh WL Jr, et al.：Bone marrow and lymph node findings in a fatal case of Kawasaki's disease. Arch Pathol Lab Med 1980；104：563-567
5) Kegel SM, et al.：Cardiac death in mucocutaneous lymph node syndrome. Am J Cardiol 1977；40：282-286
6) Goldsmith RW, et al.：Mucocutaneous lymph node syndrome（MLNS）in the continental United States. Pediatrics 1976；57：431-435
7) Corbeel L, et al.：Kawasaki disease in Europe. Lancet 1977；1：797-798
8) Yokouchi Y, et al.：Histopathological study of lymph node lesions in the acute phase of Kawasaki disease. Histopathology 2013；62：387-396
9) 田中　昇，他：川崎病の生検所見―リンパ節，皮膚病変を中心として―．川崎富作，他（編），川崎病．南江堂，1988；94-104
10) 大島孝一，他：組織球性壊死性リンパ節炎（菊池病），木村病．中村栄男，他（編），リンパ腫アトラス．文光堂，2018；353-359
11) 本告　匡，他：反応性病変　リンパ節傍皮質のびまん性拡大とその原因疾患．病理と臨床 1999；17：555-561

〔横内　幸〕

Ⅱ　病因・遺伝・病理

4　川崎病疾患モデル

POINT

- ・血管内皮細胞，iPS 細胞を用いた研究では，血管炎発症機序のみならず，宿主側要因の解明も期待できる.
- ・細菌や真菌由来の分子あるいは細菌から放出された分子をマウスに接種することで冠動脈をはじめとする川崎病類似の血管炎が誘発される複数の動物モデルが存在する.
- ・いずれの動物モデルにおいても血管炎発症には自然免疫が強く関与していると推測される.
- ・動物モデルは，血管炎の発症機序解明や新規治療薬開発だけでなく，川崎病の病因を考える際にも貴重な情報を提供し得る.

ａ　ヒト細胞を用いた病態モデル

　川崎病は乳幼児に好発するいまだ原因不明の血管炎症候群であり，無治療の場合にはおよそ 25% の割合で冠動脈病変（coronary artery lesions：CAL）を併発する. およそ 15～20% の割合で存在する免疫グロブリン静注（IVIG）療法不応川崎病患者において CAL を高率に合併する. したがって，川崎病血管炎ならびに IVIG 不応のメカニズムを解明することは，患者の生命予後に直結するため極めて重要な課題である.

血管内皮細胞を用いた病態研究

　川崎病の血管炎のメカニズム解明を目指した *in vitro* 研究では，ヒト冠動脈内皮細胞（human coronary artery endothelial cells：HCAEC），ヒト臍帯静脈内皮細胞（human umbilical vein endothelial cells：HUVEC）が主として用いられており，最近では iPS 細胞由来血管内皮細胞を用いた研究も行われている.

1.　HCAEC や HUVEC を用いた川崎病の病態研究

　Ikeda ら[1]は，急性期川崎病患者末梢血単核球を用いてマイクロアレイ解析，定量 PCR 解析を行い，自然免疫関連分子が急性期川崎病の病態に深く関与していることを報告した. 自然免疫受容体リガンド

により HCAEC を刺激したところ，ICAM-1 の発現が有意に上昇し IL-8 の産生が著明に亢進した[2]. また，川崎病患者血清により HCAEC を刺激した場合にも，IL-8 産生が有意に亢進した[3]. さらに，自然免疫受容体 Nod1（nucleotide-binding oligomerization domain 1）の合成リガンドである FK565 の皮下投与により新たな血管炎マウスモデルが確立された[2].

　Ueno ら[4]は，川崎病患者血清を用いて HUVEC を刺激することにより，細胞傷害性，high mobility group box protein 1（HMGB1，細胞壊死に関連）やカスパーゼ 3/7（アポトーシスに関連）が著明に増加し，リン酸化 Akt/Akt 比（内皮細胞の恒常性維持に関与）が減少することを示した. 刺激した HUVEC に免疫グロブリン（IG）を投与したところ，細胞傷害性，HMGB1 やカスパーゼ 3/7 が著明に減少し，pAkt/Akt 比が増加した. さらに，CAL 合併川崎病患者血清で HUVEC を刺激した場合，IG 投与後，細胞傷害性レベルが高値であり，pAkt/Akt 比の増加が抑制されていた. IVIG 療法による細胞保護作用が，血管内皮細胞の恒常性を改善させることが示唆されている.

　シクロスポリン A（CsA）は，Ca^{2+}/nuclear factor

51

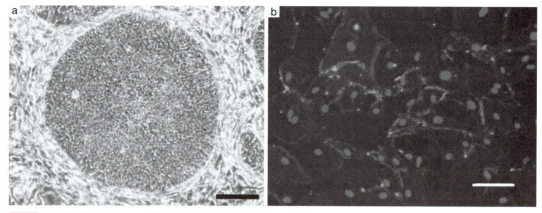

図1 川崎病患者由来iPS細胞の樹立と血管内皮細胞への誘導
a：川崎病患者由来iPS細胞のコロニー
b：血管内皮細胞表面マーカーであるCD31を用いた川崎病患者iPS細胞由来血管内皮細胞の免疫染色
青色：hoechst33342による核染色，緑色：血管内皮細胞，スケールバー：100μm
〔b：Ikeda K, et al.：Transcriptional analysis of intravenous immunoglobulin resistance in Kawasaki disease using an induced pluripotent stem cell disease model. Circ J 2016；81：110-118〕
〔口絵9；p.vii〕

of activated T-cells(Ca^{2+}/NFAT)シグナルパスウェイの下流にあるカルシニューリンに作用し免疫抑制を惹起させる[5]．この事象を基に，重症川崎病に対するIVIG＋CsAの初期併用療法の有用性が検証され，IVIG単独治療よりも冠動脈後遺症の発生頻度を有意に減少させることが判明した[6]．このように，Ca^{2+}/NFATパスウェイと川崎病の病態とには密接な関係があることが示されている．Wangら[7]によれば，川崎病患者血清によりHCAECを刺激したところ，血管内皮細胞(ECs)の増殖や血管新生の増多，さらにはNFATのisoformであるNFATc1，NFATc3や，Eセレクチン，VCAM-1，MCP-1などの炎症性分子の発現上昇，NFATc1，NFATc3の核内移行の増加が観察された．一方，川崎病患者血清によりHCAECを刺激後，CsAを投与することにより，ECsの増殖や血管新生の減少，NFATc1や炎症性分子の発現の低下が認められた[7]．

2. iPS細胞を用いた川崎病の病態解明

欧米と比較して日本での川崎病の罹患率が10〜20倍と非常に高いという疫学的な特徴から，川崎病の発症には宿主側の要因も関与していることが示唆されている．IVIG不応予測スコアにより初期治療を層別化した研究でも，治療前の遺伝子発現プロファイリングにおいて多様性を認めており[8]，宿主側の要因の関与が示唆される．患者体細胞より発症に関与する遺伝情報を有する川崎病血管炎モデルを作製することで，宿主側の要因の観点からも，IVIG不応のメカニズムの解明が可能になると考えられる．

1）川崎病患者由来iPS細胞の作製と血管内皮細胞への誘導

IVIG不応川崎病患者2例，IVIG反応川崎病患者2例を解析対象とし，患者由来皮膚線維芽細胞もしくは末梢血T細胞にエピソーマルベクターを用いて初期化6因子を導入しiPS細胞を作製した(図1a)．さらに，川崎病患者由来iPS細胞を血管内皮細胞へ誘導した(図1b)[9]．

2）川崎病IVIG不応に関連した病態関連候補分子としてのCXCL12

IVIG不応川崎病群，IVIG反応川崎病群，健常対照群の各iPS細胞由来血管内皮細胞の特徴を解析する目的で，RNA-seqデータを用いてgene ontology (GO)解析を行った．IVIG不応川崎病群とIVIG反応川崎病群の比較，およびIVIG不応川崎病群と健常対照群の比較解析において，CXCL12が有意な発現変動遺伝子として抽出された[9]．

3）iPS細胞研究のまとめ

川崎病患者iPS細胞由来血管内皮細胞を用いてRNA-seq解析を行うことにより，IVIG不応の病態や川崎病の重症度に密接に関与する病態関連分子であるCXCL12が抽出された．CXCL12は炎症時の血

管壁における白血球の遊走に密接にかかわっていることが報告されており，また重症川崎病症例ではより多くの単球，マクロファージが血管壁へ浸潤することからも，CXCL12がこれらの病態における key molecule であることが示唆された．

今後の展望

川崎病の炎症の主座が冠動脈であることから，川崎病の病態研究を進めるうえで，血管内皮細胞を用いた研究は今後も重要な位置を占めると考えられる．また，患者iPS細胞由来血管内皮細胞を用いることにより宿主要因を加味した病態解明研究が可能となった．今後は，川崎病患者におけるテーラーメイド治療を確立するための，研究の発展が望まれる．

📖 文　献

1) Ikeda K, et al.：Unique activation status of peripheral blood mononuclear cells at acute phase of Kawasaki disease. Clin Exp Immunol 2010；160：246-255
2) Nishio H, et al.：Nod1 ligands induce site-specific vascular inflammation. Arterioscler Thromb Vasc Biol 2011；31：1093-1099
3) Kusuda T, et al.：Kawasaki disease-specific molecules in the sera are linked to microbe-associated molecular patterns in the biofilms. PLoS One 2014；9：e113054
4) Ueno K, et al.：Disruption of endothelial cell homeostasis plays a key role in the early pathogenesis of coronary artery abnormalities in Kawasaki disease. Sci Rep 2017；7：43719
5) Onouchi Y, et al.：ITPKC functional polymorphism associated with Kawasaki disease susceptibility and formation of coronary artery aneurysms. Nat Genet 2008；40：35-42
6) Hamada H, et al.：Efficacy of primary treatment with immunoglobulin plus ciclosporin for prevention of coronary artery abnormalities in patients with Kawasaki disease predicted to be at increased risk of non-response to intravenous immunoglobulin（KAICA）：a randomised controlled, open-label, blinded-endpoints, phase 3 trial. Lancet 2019；393：1128-1137
7) Wang Y, et al.：The role of Ca^{2+}/NFAT in dysfunction and inflammation of human coronary endothelial cells induced by sera from patients with Kawasaki disease. Sci Rep 2020；10：4706
8) Ogata S, et al.：Clinical score and transcript abundance patterns identify Kawasaki disease patients who may benefit from addition of methylprednisolone. Pediatr Res 2009；66：577-584
9) Ikeda K, et al.：Transcriptional analysis of intravenous immunoglobulin resistance in Kawasaki disease using an induced pluripotent stem cell disease model. Circ J 2016；81：110-118

〔池田和幸〕

ｂ *Candida albicans* 細胞壁由来糖蛋白誘導血管炎モデル

モデル開発の経緯

村田ら[1]は川崎病において，①抗菌薬が無効であること，②定量培養にて糞便中の *Candida albicans*（*C. albicans*）が有意に多いこと，③抗 *Candida* 抗体価が猩紅熱患者よりも高いことを見出し，*C. albicans* が川崎病発症に関与しているとの仮説を立てた．川崎病患児糞便由来の *C. albicans* の菌体アルカリ抽出物（*C. albicans* derived substance：CADS）をマウス腹腔内に連続接種することで血管炎誘導に成功，その成果を1979年に報告した[2]．その後，Ohno[3]は培養上清中に溶出する *C. albicans* 標準株由来の糖蛋白（*C. albicans* water soluble fractions：CAWS）でも血管炎を高率に惹起可能なことを明らかにした．近年，*C. albicans* 以外の *C. krusei* や *C. dubliniensis* 由来の起炎物質でも血管炎を発症する一方，*C. glabrata* や *C. tropicalis* のように血管炎を発症しにくい菌種があることも報告された[4]．

血管炎の病理組織学的特徴

本モデルは，全身の中型〜大型動脈を侵襲するマウス系統的血管炎誘発モデルであり，病変分布と組織像の点で川崎病血管炎に類似する．もっとも高率に侵襲されるのは冠動脈起始部である[5]．組織学的には，マクロファージや好中球主体の炎症が誘導され，これに線維芽細胞や血管内皮細胞の増殖性変化が加わる（図2，3）．Tリンパ球は外膜に少数みられるが，Bリンパ球の浸潤は極めて乏しい．炎症によって内弾性板や中膜平滑筋などの血管壁の既存構造が傷害を受けると冠動脈の内腔拡張が生じる．冠動脈以外では，腎動脈や総腸骨動脈，肋間動脈などの中型動脈の分岐部および近傍の大動脈が侵襲される．結節性多発動脈炎（polyarteritis nodosa：PAN）のようなフィブリノイド壊死はまれであり，ANCA

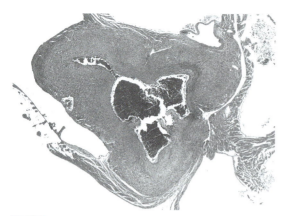

図2 左右冠動脈分岐部と心基部大動脈に生じた全層性炎症
HE染色，弱拡大
[口絵10：p.vii]

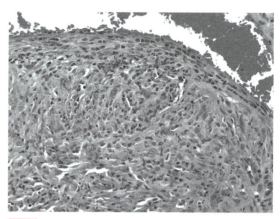

図3 冠動脈炎の強拡大
マクロファージや好中球の浸潤と線維芽細胞増生からなる増殖性炎症（HE染色，強拡大）
[口絵11：p.vii]

関連血管炎でみられる半月体形成性壊死性糸球体腎炎や肺胞出血などの毛細血管病変は生じない．

汎動脈炎が完成する時期はマウス系統によって多少の差異がある．C57BL/6Nでは，CAWS投与終了後1日から微小な内膜炎が生じ，時間の経過とともに内膜炎が拡大する．さらに外膜炎が加わり，接種後14日目頃に汎動脈炎が完成する．内膜と外膜に生じた炎症が中膜に波及して汎動脈炎が成立するという組織像の推移も川崎病動脈炎と類似する．

本モデルの炎症は，急性一過性炎症としての経過をたどる．遠隔期には炎症細胞浸潤が消退し，血管炎瘢痕や血栓再疎通，心筋の虚血性病変がみられる．諸臓器の病変の組織学的時相は一致しており，結節性多発動脈炎のような新旧病変の混在はない．

マウスの系統と血管炎感受性

本モデルでは，マウスの系統によって血管炎発生率に大きな差異がみられる[5,6]．C3H/HeNやC57BL/6Nは血管炎感受性が高く，BALB/cNやCBA/Jは感受性が低い．C3H/HeNとCBA/Jの交配マウスを用いた染色体マッピングでは，第1染色体と第4染色体上にそれぞれ血管炎感受性領域と血管炎抵抗性領域の存在が指摘されている[7]．遺伝子の特定には至っていないが，本モデルの血管炎が単一遺伝子に支配されるものではなく，複数の遺伝子の影響を受けている可能性が推測される．

血管炎発症のメカニズム

近年，川崎病発症と自然免疫との関連が注目されている．本モデルにおいても獲得免疫系が欠如したヌードマウスやSCIDマウスで血管炎が惹起され，血管炎発生に対する自然免疫系の関与が推測される．CADSおよびCAWSは，*C. albicans*の細胞壁由来のマンナン，βグルカン，蛋白からなる複合体である．培養条件によってマンナンの構造が変化し，血管炎誘発活性に影響を及ぼす[8]．特に起炎物質中のαマンナンがPAMPs（pathogen-associated molecular patterns）として血管炎発症に関与している可能性が高い[9]．自然免疫受容体の1つであるデクチン2（αマンナン受容体）欠損マウスでは血管炎が発生しない[10]．αマンナンがデクチン2に結合するとSykやCARD9の活性化を介して種々のサイトカインが産生されるが，本モデルにおいてもSykやCARD9が血管炎発症に影響を及ぼしている可能性が指摘されている[11]．また，自己炎症性疾患に関連するNLRP3が血管炎発症に重要な役割を果たしていることも報告されている[12]．

治療実験への応用

本モデルは治療実験にも応用可能である．ヒト免疫グロブリン製剤を用いた治療実験では，特定のタイミングで薬剤を投与した場合に血管炎発生率の低下や炎症の軽減化がみられる[13]．また抗TNF-α製

剤は，本モデルの血管炎に対して極めて強力な抑制効果を発揮する[14]．本モデルの血管炎発症にはデクチン2やSyk，CARD9等の分子が関与することを前述したが，これらを標的とする薬剤が血管炎に対する新規治療薬となる可能性があり，動物モデルを利用した解析が期待される．

◎おわりに

　C. albicans 細胞壁由来糖蛋白誘導血管炎モデルについて概説した．川崎病では何らかの微生物の関与が疑われており，微生物由来の生理活性物質を用いた本モデルは，川崎病の病態解明に重要な示唆を与えてくれる．一方，次項に記載されるように Candida 以外の微生物である Lactobacillus casei や人工PAMPsであるFK565でも血管炎を誘導することができる．これら3つのモデルの起炎物質を認識する受容体はそれぞれ異なっているが，惹起される血管炎の組織像は類似する点が多い．今後は，個々のモデルにおける血管炎発症機構の解析とともに3つのモデルで共通するメカニズムの有無についても明らかにしていくことが重要であろう．

■文　献

1) 村田久雄：川崎病の実験モデル．日本臨牀 1983；41：2075-2079
2) Murata H：Experimental Candida-induced arteritis in mice. Relation to arteritis in the mucocutaneous lymph node syndrome. Microbiol Immunol 1979；23：825-831
3) Ohno N：Chemistry and biology of angitis inducer, Candida albicans water-soluble mannoprotein-beta-glucan complex（CAWS）. Microbiol Immunol 2003；47：479-490
4) Tanaka H, et al.：Coronary vasculitis induced in mice by cell wall mannoprotein fractions of clinically isolated Candida species. Med Mycol J 2020；61：33-48
5) Takahashi K, et al.：Histopathological features of murine systemic vasculitis caused by Candida albicans extract—an animal model of Kawasaki disease. Inflamm Res 2004；53：72-77
6) Nagi-Miura N, et al.：Induction of coronary arteritis with administration of CAWS（Candida albicans water-soluble fraction）depending on mouse strain. Immnopharmacol Immunotoxicol 2004；26：527-543
7) Oharaseki T, et al.：Susceptibilitiy loci to coronary arteritis in animal model of Kawasaki disease induced with Candida albicans-derived substances. Microbiol Immunol 2005；49：181-189
8) Tada R, et al.：The influence of culture conditions on vasculitis and anaphylactoid shock induced by fungal pathogen Candida albicans cell wall extract in mice. Microb Pathog 2008；44：379-388
9) Hirata N, et al.：β-mannosyl linkages inhibit CAWS arteritis by negatively regulating dectin-2-dependent signaling in spleen and dendritic cells. Immunopharmacol Immunotoxicol 2013；35：594-604
10) Oharaseki T, et al.：Recognition of alpha-mannan by dectin 2 is essential for onset of Kawasaki disease-like murine vasculitis induced by Candida albicans cell-wall polysaccharide. Mod Rheumatol 2020；30：350-357
11) Miyabe C, et al.：Dectin-2-induced CCL2 production in tissue-resident macrophages ignites cardiac arteritis. J Clin Invest 2019；129：3610-3624
12) Anzai F, et al.：Crucial role of NLRP3 inflammasome in a murine model of Kawasaki disease. J Mol Cell Cardiol 2020；138：185-196
13) Takahashi K, et al.：Administration of human immunoglobulin suppresses development of murine systemic vasculitis induced with Candida albicans water-soluble fraction：an animal model of Kawasaki disease. Mod Rheumatol 2010；20：160-167
14) Oharaseki T, et al.：The role of TNF-α in a murine model of Kawasaki disease arteritis induced with a Candida albicans cell wall polysaccharide. Mod Rheumatol 2014；24：120-128

〔大原関利章〕

⒞ Lactobacillus casei 細胞壁菌体成分誘導血管炎モデル

　川崎病に合併する冠動脈瘤の病理像や病態生理に関しては，近年の治療法の革新的な進歩による致死率の低下からわずかな剖検例による情報に限られている．川崎病に類似した冠動脈炎の動物モデルは，冠動脈炎病理の自然歴の把握，血管炎の発生機序の解明，新規治療法の開発を目的とした川崎病研究の発展に大きく貢献してきた．本項では川崎病疾患モデルのなかで Lactobacillus casei 細胞壁菌体成分（Lactobacillus casei cell wall extract：LCWE）誘導血管炎モデルの歴史，病理像や炎症メカニズムに加え川崎病患者との比較について解説する．

Lactobacillus casei 細胞壁菌体成分誘導血管炎モデルの概要

1.　開発の歴史

　1985年に Lehman ら[1]は，マウスの腹腔内に

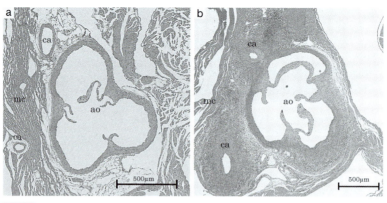

図4 LCWE 誘導大動脈炎，冠動脈炎
PBS(a)，LCWE 投与 28 日後(b)の HE 染色．両側冠動脈分岐部を含む大動脈起始部の横断面を示す
ao：大動脈，ca：冠動脈，mc：心筋
(Suganuma E, et al.：A novel mouse model of coronary stenosis mimicking Kawasaki disease induced by *Lactobacillus casei* cell wall extract. Exp Anim 2020；69：233-241 より抜粋)
[口絵 12：p.viii]

LCWE を単回投与することで高率に冠動脈炎が誘導できることを初めて報告した．マウスの系統によって血管炎の頻度が異なり，C57BL/6J マウス(70%)は最多であり，A/J マウス(54%)，C3Heb/FeJ マウス(53%) Balb/c マウス(47%)の順に高かった．しかし，C3H/HeJ マウスでは血管炎は全く誘導されなかった．C3H/HeJ マウスは LPS(リポ蛋白，エンドトキシン)への低応答性を示し，マクロファージからの炎症性サイトカイン産生能が欠如するという特徴を有する．したがって，本モデルの病態形性にはマクロファージによる炎症制御が重要な役割を果たすと考えられている．一方，SCID マウスやヌードマウスでも血管炎を生じる点や LCWE による B 細胞や T 細胞の増殖活性がみられない点から獲得免疫系の関与が少ないと考えられている．また興味深いことに，ラットに LCWE を投与すると多関節炎が誘発される[2]．

2. LCWE 誘導血管炎の病理像

筆者らが使用している本モデルマウスの病理組織学的特徴について解説する．5 週齢の C57BL/6J マウスに LCWE(1,000 μg)腹腔内投与後 7 日目に，冠動脈の外膜側から好中球やマクロファージを中心とした炎症細胞の浸潤が始まり，14 日後には内膜と外膜へと拡大する．さらに 28 日後には大動脈と冠動脈の全層に炎症が急激に拡大する(図4)[3]とともに血管中膜の弾性線維の断裂も急速に進行する(図5)[3]．

また炎症拡大と同時に血管平滑筋細胞の増殖と内膜への遊走により冠動脈狭窄をきたし，増殖した内膜の大部分は，紡錘形をした *α*-smooth muscle actin (*α*-SMA)陽性の筋線維芽細胞であり，その多くは増殖期にある proliferating cell nuclear antigen (PCNA)陽性細胞であった(図6)[3]．これは冠動脈瘤を合併している川崎病患者の遠隔期でみられた特徴的病理所見である luminal myofibroblastic proliferation(LMP)と類似していた[4]．本モデルは冠動脈炎以外にも冠動脈狭窄の機序の解明，新規薬剤の開発に利用できるモデルといえる．冠動脈，大動脈炎以外には，心外膜炎や心筋炎[1,5]，さらには腹部大動脈瘤，腎・腸骨動脈瘤[6]などいわゆる系統的の血管炎を起こすモデルである．

3. LCWE による血管炎の誘導メカニズム

Lactobacillus casei は，グラム陽性球菌に属し，健常人の腸内細菌叢の 1 つとして知られている．これらグラム陽性球菌は，主に糖鎖で構成される厚い細胞壁を持ち，ペプチドグリカン，タイコ酸，蛋白質などから構成されている．近年の研究により，グラム陽性球菌の細胞壁成分が，感染した宿主に自然免疫反応を導くことが報告されている．上皮細胞や免疫担当細胞は，乳酸菌に存在する病原体関連分子パターン(pathogen-associated molecular patterns：PAMPs)を認識する．そして PAMPs の認識に重要な役割を果たすのが，パターン認識受容体(pattern

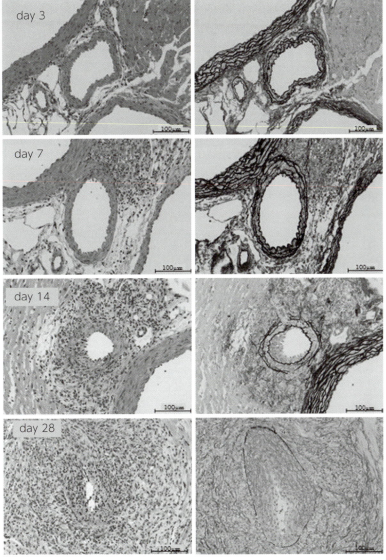

図5 LCWE投与による冠動脈炎の経時的変化
LCWE投与，3，7，14，28日後のマウス冠動脈のHE染色（左），EVG染色（右）
(Suganuma E, et al.：A novel mouse model of coronary stenosis mimicking Kawasaki disease induced by *Lactobacillus casei* cell wall extract. Exp Anim 2020；69：233-241 より改変)
［口絵13：p.viii］

recognition receptors：PRRs)である．PRRsは細菌に共通する特定の分子パターンを認識することにより，細胞内シグナル伝達の活性化を介してサイトカイン，ケモカインなどの炎症調節物質が産生されるものと考えられている[7]．そして代表的なPRRsとしてTLRs(Toll-like receptors：Toll様受容体)があげられる．実際にLCWE血管炎の誘導にも自然免疫受容体であるTLR-2/MyD88の関与が報告されている[8]．

さらにNOD様受容体(NOD-like receptor：NLR)とインフラマソームとして知られるinterleukin(IL)-1βシグナルが本モデルの血管炎の誘導に重要とされる．IL-1βまたはcaspase-3遺伝子欠損マウスではLCWEによる冠動脈炎の誘導が抑制され，IL-1β受容体拮抗薬の投与が冠動脈炎の予防効果を持つことからIL-1βをターゲットとした新規治療薬の開発に近年注目が集まっている[9]．

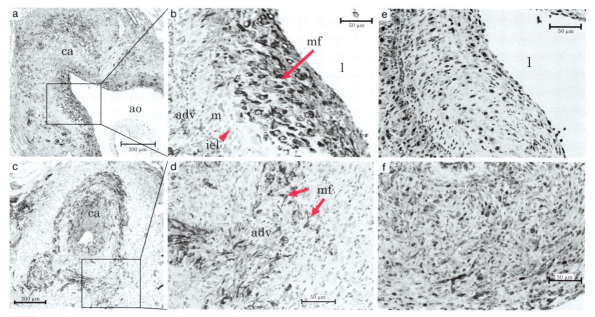

図6 筋線維芽細胞増殖による内膜肥厚と冠動脈狭窄

LCWE 投与 28 日後のマウス冠動脈のα-SMA 染色（a〜d），PCNA 染色（e, f）．紡錘形のα-SMA 陽性の筋線維芽細胞が肥厚した内膜に多数観察される．多くは PCNA 陽性細胞である

ao：大動脈，m：中膜，adv：外膜，mf：筋線維芽細胞，l：内腔

（Suganuma E, et al.：A novel mouse model of coronary stenosis mimicking Kawasaki disease induced by *Lactobacillus casei* cell wall extract. Exp Anim 2020；69：233-241 より抜粋）

[口絵 14：p.ix]

4. 新規治療薬への応用

　IL-1βをターゲットとしたIL-1β受容体拮抗薬（アナキンラ）の臨床試験が米国で開始されている[10]．さらに筆者らは，LCWE 誘導冠動脈炎に対して，標準的治療薬である免疫グロブリン静注（IVIG）に加えてアンジオテンシン受容体拮抗薬（ARB）を投与したところ，上部心臓組織での IL-6 mRNA 発現，血清 IL-1β，MCP-1 値を有意に抑制することで，冠動脈周囲炎，心筋炎を抑制することを示した[5]．新規治療薬の臨床応用へむけた研究の発展が期待される．

ヒト川崎病冠動脈瘤との比較

　川崎病の血管炎は，①主に中型の筋型血管，時として小型〜大型まで全身のさまざまな血管に炎症が生じる，②全身各所の血管炎はほぼ同時期にはじまり速やかにピークに達し，徐々に沈静化する（一峰性の経過），③血管炎は，単球/マクロファージの異常集積からなる増殖性炎症でありフィブリノイド壊死はまれといった特徴をもつ[11]．

　組織学的に最も早期の変化は，第6〜8病日の中膜にみられる水腫性疎開性変化である．さらに第8〜9病日になると動脈の内膜側および外膜側から炎症細胞浸潤が生じる．第10病日を過ぎると血管壁全層にわたる炎症細胞浸潤が起こり汎血管炎の状態となる．炎症細胞の浸潤とともに線維芽細胞や血管平滑筋細胞の増殖性変化が加わり，これらの炎症は第25病日頃まで持続し徐々に消退していく[12]．

　本マウスモデルでみられる大動脈起始部や冠動脈分岐部に全層性の血管炎を有する点は川崎病と共通している．また冠動脈炎の線維芽細胞や血管平滑筋細胞の増殖に伴う新生内膜の形成，狭窄病変を認める点，さらには心筋炎や心外膜炎を合併する点は川崎病の特徴といえる．しかし，本モデルでは大動脈や冠動脈の周囲への炎症細胞浸潤が3〜4か月間程度持続することが確認されており（未公開データ），炎症が長期に遷延した．これは self-limiited な経過として特徴づけられる川崎病患者の冠動脈炎とは異なる．一方で Orenstein ら[4]は，持続する冠動脈炎の存在を指摘しており，川崎病に起因する慢性持続性

炎症が狭窄性病変へと進展する可能性を示しており，本モデルマウスとの大きな共通点といえる．

Lehmanら[1]の報告によると，冠動脈の炎症部位で，しばしば嚢状動脈瘤の形成を認めるとされているが，われわれの作製したモデルでは確認できなかった．明らかな原因は不明だが，冠動脈外膜側の炎症細胞浸潤が冠動脈内膜側に比べ強いため，弾性線維の断裂の中心が外弾性板に留まり瘤の形成に直接関連する内弾性板の断裂が起こりにくい点，血圧がヒトと比べ低い点などの要因が推察される．また冠動脈瘤の合併する川崎病患者の急性期でみられる冠動脈の血栓性閉塞も本マウスモデルでは観察できなかった[3]．

◎おわりに

本項ではLCWE誘導血管炎モデルについて組織学的特徴を中心に解説した．LCWEをマウス腹腔内に単回投与することでマウス大動脈，冠動脈に激しい炎症を誘導することが可能である．炎症の惹起には自然免疫系の活性化，特にIL-1βが深く関与する．さらに，冠動脈炎に続発する狭窄病変の病理像は，冠動脈瘤を合併した川崎病患者の剖検例と多くの共通点を有していた．新たに見出された冠動脈狭窄モデルは，狭窄メカニズムの解明や狭窄の抑制に焦点をあてた新規治療法の開発に有用なモデルとして期待される．

■文献

1) Lehman TJ, et al.：Coronary arteritis in mice following the systemic injection of group B *Lactobacillus casei* cell walls in aqueous suspension. Arthritis Rheum 1985；28：652-659

2) Lehman TJ, et al.：Polyarthritis in rats following the systemic injection of *Lactobacillus casei* cell walls in aqueous suspension. Arthritis Rheum 1983；26：1259-1265

3) Suganuma E, et al.：A novel mouse model of coronary stenosis mimicking Kawasaki disease induced by *Lactobacillus casei* cell wall extract. Exp Anim 2020；69：233-241

4) Orenstein JM, et al.：Three linked vasculopathic processes characterize Kawasaki disease：A light and transmission electron microscopic study. PLoS One 2012；7：e38998

5) Suganuma E, et al.：Losartan attenuates the coronary perivasculitis through its local and systemic anti-inflammatory properties in a murine model of Kawasaki disease. Pediatr Res 2017；81：593-600

6) Wakita D, et al.：Role of interleukin-1 signaling in a mouse model of Kawasaki disease-associated abdominal aortic aneurysm. Arterioscler Thromb Vasc Biol 2016；36：886-897

7) 加地留美：乳酸菌の免疫調節作用に関わる細胞内シグナルとその制御．化学と生物 2012；50：182-187

8) Rosenkranz ME, et al.：TLR2 and MyD88 contribute to *Lactobacillus casei* extract-induced focal coronary arteritis in a mouse model of Kawasaki disease. Circulation 2005；112：2966-2973

9) Lee Y, et al.：Interleukin-1β is crucial for the induction of coronary artery inflammation in a mouse model of Kawasaki disease. Circulation 2012；125：1542-1550

10) Tremoulet AH, et al.：Rationale and study design for a phase Ⅰ/Ⅱa trial of anakinra in children with Kawasaki disease and early coronary artery abnormalities（the ANAKID trial）. Contemp Clin Trials 2016；48：70-75

11) 髙橋 啓：Ⅱ．病因・遺伝・病理 3．病理 a．冠動脈（急性期・遠隔期）．川崎病学会（編），川崎病学．診断と治療社，2018：37-41

12) 増田弘毅，他：川崎病（MCLS）における冠状動脈の病理学的研究─特に冠状動脈炎と動脈瘤の形態発生の関連について─．脈管学 1981；21：899-912

〔菅沼栄介〕

---

d Nod1 リガンド誘導冠動脈炎モデル

Nod1は細胞質内にある自然免疫受容体であり，細菌のペプチドグリカンの一部を感知する．本モデルは，川崎病発症に自然免疫が関与しているという臨床知見から開発されたマウスモデルであり[1,2]，マウスにNod1リガンドを投与すると川崎病類似冠動脈炎を発症する[3]．それまでの川崎病類似冠動脈マウスモデルはすべて細菌抽出物質によるものであったが，本モデルは純粋な自然免疫リガンドによるものであり，川崎病病因論に一石を投じた．

▶ Nod1 リガンド

Nod1はペプチドグリカンのiE-DAP（γ-D-グルタミルジアミノピメリン酸）を認識部位の最小構成単位とする（図7）．Nod1リガンドは細菌が分裂・増殖する際に環境中に放出され，Nod1に認識されて炎症反応を惹起する．そのNod1リガンドのうちFK565が冠動脈に炎症反応を惹起する．Nod1欠損マウスでは冠動脈炎は起こらず，Nod1特異的な反

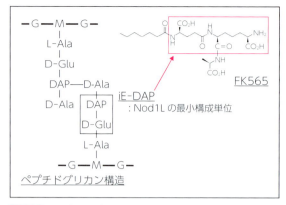

図7 ペプチドグリカンの構造とFK565
G：GlcNAc（N-アセチルグルコサミン），M：MurNAc（N-アセチルムラミン酸），L-Ala：L-アラニン，D-Glu：D-グルタミン，DAP：ジアミノピメリン酸，iE-DAP：γ-D-グルタミルジアミノピメリン酸

応である．FK565は合成Nod1リガンドで分子量502.6 Daのアシルペプチドであり，極少物質により冠動脈炎が発症するのは興味深い．

特　徴

FK565を皮下注あるいは口腔内投与することで川崎病類似冠動脈炎を引き起こす（図8）．冠動脈以外の血管では炎症細胞浸潤はなし〜軽度で，冠動脈特異的炎症モデルといえる[3]．単一受容体に作用して冠動脈炎が発症するため，発症病態を解析しやすいモデルであり，他のモデルと比べ，冠動脈により特異的に炎症を引き起こし，病理像が川崎病剖検例の所見に近いのが特徴である[4]．

投与量・投与期間で重症度を調節でき，さらに，

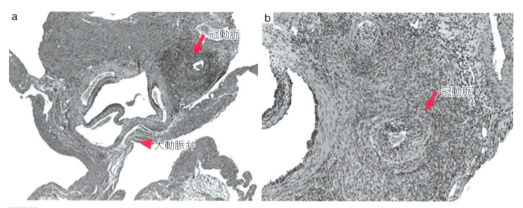

図8 Nod1リガンド誘導冠動脈炎マウスモデル
a：大動脈弁周囲組織（弱拡大，HE染色），b：冠動脈炎（強拡大，HE染色）
〔口絵15：p.ix〕

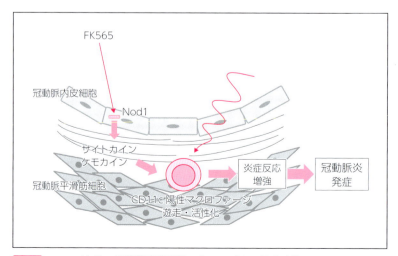

図9 Nod1リガンド誘導冠動脈炎マウスモデルの発症病態
〔西尾壽乗，他：川崎病の動物モデル．臨床免疫・アレルギー科 2017；68：629-635〕

さまざまな自然免疫リガンド，構成物質や薬剤〔リポ多糖(lipopolysaccharide：LPS)，ザイモサンなど〕との共投与により冠動脈炎の発症頻度や重症度が増悪することから，川崎病病因の多様性を説明できる．また，FK565の投与を中止すると，1週間程度で冠動脈炎が自然軽快するのも川崎病との類似点である．マウス系統での発症率の差はない．

発症機序

重症複合免疫不全(SCID)マウスでも冠動脈炎を発症するため，獲得免疫は必須ではない．骨髄キメラマウスでの検討により，血球系ではなく，非血球系つまり冠動脈のNod1に直接作用して炎症反応が始まることがわかった．Nod1リガンドは冠動脈組織(冠動脈内皮細胞，平滑筋細胞など)に作用し，そこで放出されたケモカインがCD11c陽性マクロファージを冠動脈に遊走させ，冠動脈炎を発症することを示した(図9)[5,6]．

川崎病でなぜ冠動脈に炎症が発症するかは未解明であるが，本モデルで検討したところ，Nod1の発現が冠動脈に多いというわけではなかった．しかし，FK565に対する反応性を遺伝子発現で解析したところ，冠動脈のサイトカイン，ケモカインの遺伝子発現が他の血管と比較して高かった．さらに，血管組織を摘出し培養刺激実験を行ったところ，大動脈弁周囲組織は他の血管と比較してFK565刺激によりサイトカイン，ケモカインの産生が強かった．以上から，冠動脈炎という部位特異性は冠動脈のNod1リガンドに対する反応性によるものと考えられる[3]．

◎おわりに

川崎病は原因を含めて明らかになっていないことが多い．それを解明するための1つの手段がモデルマウスであるが，Nod1リガンド誘導冠動脈炎モデルは特に病態をシンプルに解析できるのが特徴である．今後さらなる解析に期待したい．

■文献

1) Ikeda K, et al.：Unique activation status of peripheral blood mononuclear cells at acute phase of Kawasaki disease. Clin Exp Immunol 2010；160：246-255
2) Hara T, et al.：Kawasaki disease：a matter of innate immunity. Clin Exp Immunol 2016；186：134-143
3) Nishio H, et al.：Nod1 ligands induce site-specific vascular inflammation. Arterioscler Thromb Vasc Biol 2011；31：1093-1099
4) Ohashi R, et al.：Characterization of a murine model with arteritis induced by Nod1 ligand, FK565：A comparative study with a CAWS-induced model. Mod Rheumatol 2017；27：1024-1030
5) Motomura Y, et al.：Identification of pathogenic cardiac CD11c＋macrophages in Nod1-mediated acute coronary arteritis. Arterioscler Thromb Vasc Biol 2015；35：1423-1433
6) 西尾壽乗, 他：川崎病の動物モデル. 臨床免疫・アレルギー科 2017；68：629-635

〔本村良知〕

診断と急性期の検査

　川崎病は6つの主要症状の有無を確認することにより診断される．血液検査は診断を補助するための参考にとどまり，確定診断に必須の項目はない．したがって，それぞれの主要症状を正しく評価できるかどうかが診断における重要なポイントである．川崎病は一目見ただけで診断できる例もあるが，症状の程度も軽微な例から典型的な例まであり，さらに主要症状の出現数も診断に必要な5つ以上がそろうとは限らず，診断に苦慮する例がある．また，主要症状が出現するタイミングも必ずしも同時にそろうとは限らず，経過を観ながら判断しなければならない場合も少なくない．そのような主要症状を「正しく評価する」ことは「川崎病学」における根本的課題といえる．現実問題として，発熱以外の主要症状は簡単に数値化できるものはなく，その評価には経験の関与が大きい．川崎病の経験豊富な医師には容易に評価できても，経験が少ない医師には主要症状としてカウントすべきか，症状とは考えないほうがよいのか，判断できないことも多くあるだろう．川崎病の診断に迷う場合に，その診断を補助する検査・マーカーが追求されながらいまだ決定的なものはないが，種々の臨床検査が診療上多くの情報を与え，参考にされている．以上のことから，川崎病の診断は主要症状や急性期の検査の特徴を理解し，総合的に行うことが肝要である．

　川崎病診断におけるもう1つの重要な問題として，時間的制約があることがあげられる．診断の遅れは冠動脈後遺症のリスクを高める．診断に迷いながらいたずらに時間が経過してしまい，冠動脈後遺症を合併してしまったという後悔を避けるために，本章の内容は大いに参考となるはずである．

　川崎病の診断に経験は重要であるが，「経験が少ない医師が普遍的に診断できる」ように，少ない経験を補うもの，少ない経験値の価値を高めるよう，筆者には多面的に関係する知識が正しく理解されるように示していただいた．本章が川崎病診断に関する共通した知識の習得・理解に役立ち，川崎病の正しく適切なタイミングでの診断，さらには川崎病の冠動脈後遺症の完全な抑止ができることを期待する．

Ⅲ　診断と急性期の検査

1　主要症状

POINT

- 川崎病の6つの主要症状は，すべての医師にとって必須の知識である．
- 主要症状の出現する順序は決まっておらず，また同時期に出現するとは限らない．
- 発熱はほぼ全例にみられるが，他の症状は年齢によって頻度が異なる．
- 非化膿性頸部リンパ節腫脹は2歳以下では頻度が低いが，3歳以上では80%以上の患児に認められる．
- 冠動脈障害を抑止するために第7病日までに診断し治療開始できることが望ましい．

本書の第Ⅰ章「歴史と疫学」の中でも述べられているように，川崎病の診断の手引きは，1970年の初版以降，改訂を重ねてきた．最新版は，本書の初版刊行直後，2019年5月に約15年ぶりの改訂6版として発行され使用されることになった．そのためこの項では，改訂5版からの変更点について主要症状と診断方法の部分を解説する．

診断の手引き初版から改訂5版までの「主要症状」の変遷

1967年に川崎富作が，50例を，「小児の急性熱性皮膚粘膜淋巴腺症候群（略称MCLS）」としてアレルギー誌に発表し，1970年に全国調査を行うことになった．その際に，のちに「川崎病」と称されるこの疾患の診断基準を決めるため，診断の手引きの初版が作成された(p.9，**表1**参照)．

初版では，のちに現在の主要症状となる「必発症状」は5つで，頸部リンパ節腫脹は，他の症状に比べて頻度が低く，「必発」ではないため，参考条項の最初に「拇指頭大以上の急性頸部リンパ節腫脹（ただし決して化膿しない）」として別掲された．参考条項の最後には「後遺症を残さず，同胞発生をみない」とされた．しかし全国調査の結果，本疾患に一致する症例の中に死亡例が発生しており，病理所見で冠動脈瘤とその血栓性閉塞による心筋梗塞が認められた．それに伴い，1972年には改訂1版として死亡例の存在が示された．

1974年4月に発行された改訂2版では，「非化膿

性頸部リンパ節腫脹」が必発症状に加えられ，6項目の「主要症状」とし，そのうち5つ以上を満たすことで確定診断とした．さらに参考条項の最初に心血管系異常を記載し，その後も症例の経験が増えるにしたがって，心血管系に限らず多くの臓器や検査所見に特徴的な異常所見が生じることが判明し，参考条項に追記されていった．

改訂3版では日本語の疾患名を川崎病と定めた．冠動脈障害の合併への注意が重要視され，心エコーによる検査が普及するとともに，主要症状が4つ以下の例にも冠動脈瘤の合併が報告され，1984年発行の改訂4版では，主要症状が4項目でも冠動脈瘤の合併が認められれば川崎病と診断されることとなった．この改訂により，全国調査では，主要症状が5または6症状そろった例を定型例（確実A），4症状で冠動脈障害の合併による川崎病を非定型例（確実B）として集計するようになった．

改訂5版による川崎病診療への影響

改訂4版はその後18年間と長く使用されたが，1990年代後半から，第一選択薬の免疫グロブリン静注（IVIG）療法について，2g/kgの単回大量投与が最も効果的であることが認められ[1]，第5病日を待たずに早期治療し，翌日には解熱する早期診断，早期治療例が徐々に増えてきた．

そのため2002年に発行された改訂5版では，発熱の表記は「5日以上続く発熱（ただし治療により5日未満で解熱した例も含む）」とされた．この定義に

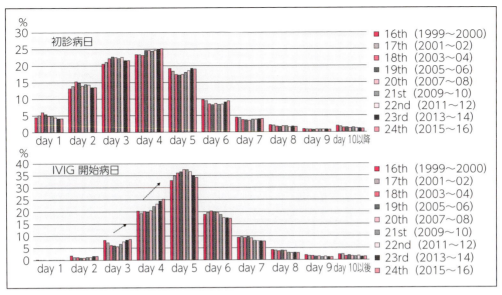

図1 初診日と治療開始日の推移（第1〜10病日）
（第16〜24回川崎病全国調査成績より）

よって，診断の手引きの中に治療介入の要因が加わる形になった．

同時に備考の最後に「主要症状を満たさなくても，他の疾患が否定され，本症が疑われる容疑例が約10%存在する．この中には冠動脈瘤（いわゆる拡大を含む）が確認される例がある」と記述され，診断の手引きではじめて不全型川崎病の存在を明記した．

さらに症状数が満たされない場合にも冠動脈病変を認める例を「容疑例」として定義した．これは，現在の不全型川崎病にあたるもので，診断の手引きでははじめて，その存在が記載された．一方で参考条項は改訂5版では変更しなかったため，改訂4版のまま使用され，改訂6版で35年ぶりに改訂された．

改訂5版による診療面への影響を川崎病全国調査成績からまとめ直して図1〜3に示した．まず，診断の早期化に伴い，第3，4病日での治療開始例の割合は，図1に示したように，2015〜2016年発症例を対象とする第24回全国調査では，第3，4病日の治療開始例がそれぞれ8.6%，25.2%まで増加しており，全体の約3分の1の例では第5病日未満にIVIG療法が開始されている．また診断分類における不全型川崎病（容疑例）の割合は経年的に増加し，同調査では川崎病全体の約20%が不全型川崎病として報告されていた（図2）．その状況で冠動脈瘤を中心とする心臓合併症の発生率は図3のように経年的に減少し，最近10年間は急性期（第30病日未満）で10%未満になり，発病1か月以降の後遺症は3%未満まで改善しており，改訂5版での変更に伴う早期診断と早期治療開始，不全型の積極的診断の効果と考えられる[2]．

このような状況において臨床現場からの要望としては，改訂5版では不全型の存在への注意喚起にとどまっていたので，改訂6版ではその判断を明確にし，早期診断と早期治療開始を迷うことなく進められるような変更を目指した．その結果，主に以下のような変更を行うことになった．

各主要症状の特徴と改訂6版における変更点

それぞれの主要症状は，非特異的な症状として解釈される可能性があるが，典型的な川崎病の例では，十分な観察によって特徴的な所見があり，診断の手引きにはそれらを他の疾患では使われない表現が用いられてきた．それらの表現を中心に解説する．2017年から日本川崎病学会などで委員会を組織し，上記のような点について度重なる検討を加え作成された診断の手引き改訂6版を表1[3]に示した．

1. 発　熱

診断の手引き初版での発熱は，「抗生物質に不応

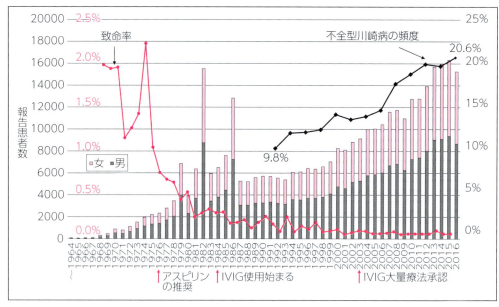

図2 全国調査による患者数，致命率，不全型（容疑例）頻度の推移

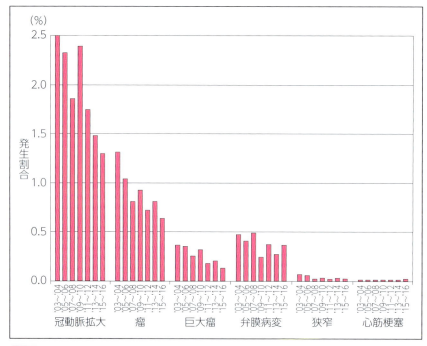

図3 川崎病の心臓血管後遺症発生率の年次推移

の5日以上続く発熱」とされていた．また，この症状は診断に必須とされており，American Heart association（AHA）の statement[4] では，現在でも同様に診断に必須の症状としている．日本では発熱のない症例で，他の主要症状が5つ揃った例が報告され，冠動脈障害も認められた報告[5,6]があることも考慮し，6症状中の1つとして現在は扱っているが，ほぼすべての症例に認められる症状であり，発熱は必発の症状としている施設も多いと思われる．

その後，改訂3版では「抗生物質に不応の」は「原因不明の」5日以上続く発熱，となり，改訂4版では「原因不明の」を削除し，「5日以上続く発熱」と

1. 主要症状

表1 川崎病診断の手引き 改訂第6版

日本川崎病学会，特定非営利活動法人日本川崎病研究センター，厚生労働科学研究 難治性血管炎に関する調査研究班
初版 1970 年 9 月，改訂 1 版 1972 年 9 月，改訂 2 版 1974 年 4 月，改訂 3 版 1978 年 8 月，
改訂 4 版 1984 年 9 月，改訂 5 版 2002 年 2 月，改訂 6 版 2019 年 5 月

本症は，主として 4 歳以下の乳幼児に好発する原因不明の疾患で，その症候は以下の主要症状と参考条項とに分けられる．

【主要症状】
1. 発熱
2. 両側眼球結膜の充血
3. 口唇，口腔所見：口唇の紅潮，いちご舌，口腔咽頭粘膜のびまん性発赤
4. 発疹（BCG 接種痕の発赤を含む）
5. 四肢末端の変化：
    （急性期） 手足の硬性浮腫，手掌足底または指趾先端の紅斑
    （回復期） 指先からの膜様落屑
6. 急性期における非化膿性頸部リンパ節腫脹
    a. 6 つの主要症状のうち，経過中に 5 症状以上を呈する場合は，川崎病と診断する．
    b. 4 主要症状しか認められなくても，他の疾患が否定され，経過中に断層心エコー法で冠動脈病変（内径の Z スコア＋2.5 以上，または実測値で 5 歳未満 3.0 mm 以上，5 歳以上 4.0 mm 以上）を呈する場合は，川崎病と診断する．
    c. 3 主要症状しか認められなくても，他の疾患が否定され，冠動脈病変を呈する場合は，不全型川崎病と診断する．
    d. 主要症状が 3 または 4 症状で冠動脈病変を呈さないが，他の疾患が否定され，参考条項から川崎病がもっとも考えられる場合は，不全型川崎病と診断する．
    e. 2 主要症状以下の場合には，特に十分な鑑別診断を行ったうえで，不全型川崎病の可能性を検討する．

【参考条項】
以下の症候および所見は，本症の臨床上，留意すべきものである．
1. 主要症状が 4 つ以下でも，以下の所見があるときは川崎病が疑われる．
    1) 病初期のトランスアミナーゼ値の上昇
    2) 乳児の尿中白血球増加
    3) 回復期の血小板増多
    4) BNP または NT pro BNP の上昇
    5) 心臓超音波検査での僧帽弁閉鎖不全・心膜液貯留
    6) 胆嚢腫大
    7) 低アルブミン血症・低ナトリウム血症
2. 以下の所見がある時は危急度が高い．
    1) 心筋炎
    2) 血圧低下（ショック）
    3) 麻痺性イレウス
    4) 意識障害
3. 下記の要因は免疫グロブリン抵抗性に強く関連するとされ，不応例予測スコアを参考にすることが望ましい．
    1) 核の左方移動を伴う白血球増多
    2) 血小板数低値
    3) 低アルブミン血症
    4) 低ナトリウム血症
    5) 高ビリルビン血症（黄疸）
    6) CRP 高値
    7) 乳児
4. その他，特異的ではないが川崎病で見られることがある所見（川崎病を否定しない所見）
    1) 不機嫌
    2) 心血管：心音の異常，心電図変化，腋窩などの末梢動脈瘤
    3) 消化器：腹痛，嘔吐，下痢
    4) 血液：赤沈値の促進，軽度の貧血
    5) 皮膚：小膿疱，爪の横溝
    6) 呼吸器：咳嗽，鼻汁，咽後水腫，肺野の異常陰影
    7) 関節：疼痛，腫脹
    8) 神経：髄液の単核球増多，けいれん，顔面神経麻痺，四肢麻痺

【備考】
1. 急性期の致命率は 0.1% 未満である．
2. 再発例は 3〜4% に，同胞例は 1〜2% にみられる．
3. 非化膿性頸部リンパ節腫脹（超音波検査で多房性を呈することが多い）の頻度は，年少児では約 65% と他の主要症状に比べて低いが，3 歳以上では約 90% に見られ，初発症状になることも多い．

〔日本川崎病学会，他：川崎病診断の手引き 改訂第6版 〔http://www.jskd.jp/info/tebiki.html〕〕

なった．これはおそらく症例の増加に伴い，抗生物質で解熱したようにみえる例や，何らかの感染症など，発症の契機になったと思われる疾患を合併した例を経験することが増えたためと思われる．逆にこれらの条件を削除していったことで，発熱の経過や性質の特徴をあまり重視しなくなってきた可能性がある．

改訂5版発行の翌年(2003年)には，急性期治療のガイドラインが発行され，IVIG 2 g/kg 単回投与の治療成績が良好であることが記載され，薬事承認を得て保険適用となった．これにより，この治療法とアスピリン(ASA)30 mg/kg 内服が標準的治療とされ，以後は川崎病患者全体の90%以上に行われている．

同時に全国調査のデータからは，IVIGの開始病日は図1のように年々第3，4病日に開始されることが多くなり，以前のように発熱が5日間持続するまで待つことは少なくなっていると考えられた．

近年は迅速診断が普及し，溶連菌感染，アデノウイルス感染症などが容易に鑑別されるようになった．川崎病の発熱の特徴を記載しないことについては議論があると思われるが，早期診断と早期治療を進めるために改訂6版ではこれらの経緯を踏まえ，発熱の日数の記載を削除し，単に「発熱」の記載のみに変更した．

これにより不全型の診断例が今後も増加し，過剰診断の問題が起こる可能性についての検証を要する．

2. 両側眼球結膜充血(図4)

両側の眼球結膜の血管が充血，怒張して，結膜全体がピンクないしは赤くみえる．急性結膜炎のように眼脂を伴わず，通常は疼痛や痒みはほとんどない．典型的所見が出現すれば，他の疾患にみられない特有の充血所見であり，とくに溶連菌感染症との鑑別点として重要である．必ずしも発病時にはなく，数日してから認められることが少なくなく，治療後に解熱し全身状態が改善後も軽度に長く残ることがある．改訂6版では変更されていない．

3. 口唇・口腔の所見(図5)

口唇の典型的所見としては，全体に腫脹し強い赤みを呈し，時にひび割れ出血や痂皮化を認める．口腔粘膜は全体に発赤するが，決してびらんや潰瘍を形成しないことがStevens-Johnson症候群との鑑別点である．舌は全体に発赤し，舌乳頭肥大がみられ，溶連菌感染症と共通した症状であるが，扁桃や周囲粘膜に白苔や膿，点状出血を認めないことで鑑別される．改訂6版では変更されていない．

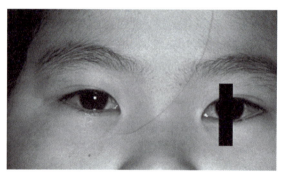

図4 両側眼球結膜の充血
[口絵16 ; p.x]

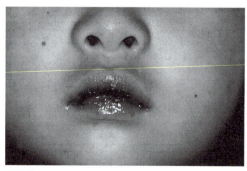 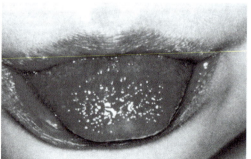

図5 口唇，口腔の変化(発赤，腫脹，いちご舌)
〔厚生労働省川崎病研究班作成：川崎病(MCLS，小児急性熱性皮膚粘膜リンパ節症候群)診断の手引き(改訂5版)
[http://www.jskd.jp/info/pdf/tebiki.pdf]〕
[口絵17 ; p.x]

4. 発疹(図6)

診断の手引き初版では，「体幹の不定形発疹(ただし，決して水疱，痂皮を伴わない)」とされていたが，改訂5版までに「不定型発疹」のみの記述となっており，四肢末端以外の腕や脚の発疹が含まれることと，水疱形成，痂皮もまれながらありうることになっている．川崎の原著では，最も多い発疹の形状は，多形滲出性紅斑様で，次いで麻疹，風疹様で，猩紅熱様の例もあるとされる．

体幹では時に臍周囲，陰股部にも多く出現し，おむつをはずして観察が必要である．指趾末端の発赤に連続するように上下肢にも認められる．

この項目には，改訂6版でこれまで参考条項とされていたBCG接種痕の発赤を追加記載し「発疹(BCG接種痕の発赤を含む)」と変更を行った．この所見は川崎の原著では急性期症状としては記述されておらず，BCG接種が本疾患の原因としての関与は明らかでないことのみ述べていた．BCG接種対象者は，1974年から4歳未満であったが，2003年から生後6か月未満になり[7]，当時は乳児共通の所見ではなかったと思われる．さらにこの所見は接種後1～2年間しかみられないこと，欧米では定期接種にされていないため改訂5版までは参考条項にとどまっていた．

日本のBCG接種が乳児期前半に全例接種となるに伴い，川崎病の初発症状として，発熱とともに接種痕の発赤が特徴的であることが第一線の小児科医から強調されるようになった．Ueharaら[8]は日本では生後6か月から20か月までの川崎病では70％以上に認められ，他疾患にはほとんど認められない所見であると報告し，その疾患特異性がアジア諸国[9,10]や中南米[11,12]からも川崎病の診断例数が増加するともに早期診断，不全型の診断に有用であると報告され，今回，主要症状に記した．

5. 四肢末端の変化(図7)

手足の所見は，手掌および足底に紅斑が広がり，全体に浮腫んだように腫れて，川崎の表現によれば「テカテカ・パンパン」といった外観を呈するのが典型的である(図7a)．そのような状態は第5，6病日頃に最も顕著になることが多い．診断の手引きの初版から，圧迫しても指圧痕を残さないことを意味する「硬性浮腫」の表現が使われている．この症状は，AHAのstatement[4]で，主要症状の中で特異性の高い所見とされており，症状の中に手足の発赤腫脹があれば，発熱日数が4日目，あるいはまれには経験豊富な医師が発熱3日目で川崎病と診断することもありえると記述されている．

もう1つ本項の所見である，回復期の膜様落屑も，典型的な所見はきわめて本疾患に特徴的である．特に手足の指尖端の発赤腫脹が強い例では，解熱して回復期に入ると，爪と指腹部の移行部から指の形に沿って表皮が浮き上がり，そのまま指の形に沿って剥けてくる現象で，溶連菌感染症にみられる粃糠様落屑と区別される(図7b)．

6. 非化膿性頸部リンパ節腫脹

典型的には頸部の片側に直径1.5 cm以上で，可動性を失った状態に腫脹し，触れると激しく痛がるこ

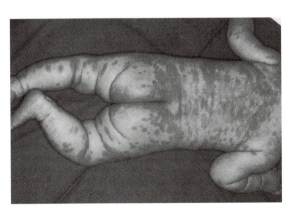

図6 不定形発疹
〔厚生労働省川崎病研究班作成：川崎病(MCLS，小児急性熱性皮膚粘膜リンパ節症候群)診断の手引き(改訂5版)[http://www.jsdk.jp/info/pdf/tebiki.pdf]〕
〔口絵18；p.x〕

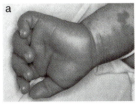 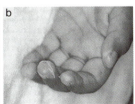

図7 四肢末端の変化
a：急性期．手足の硬性浮腫，掌蹠ないしは四肢先端の紅斑
b：回復期．指先からの膜様落屑
〔厚生労働省川崎病研究班作成：川崎病(MCLS，小児急性熱性皮膚粘膜リンパ節症候群)診断の手引き(改訂5版)[http://www.jsdk.jp/info/pdf/tebiki.pdf]〕
〔口絵19；p.x〕

とが特徴的である．自発痛については動くと有痛性のため，しばしば頸部を痛みの少ない位置に固定して，斜頸の状態から動かさないことがある．程度が強いと，環軸亜脱臼を合併し，急性期を過ぎても，頸部を cock-robin position に固定してしまう患者（Grisel 症候群）がみられるが，痛みへの不安を減らすように心理的ケアも加えつつ，時間をかけて徐々に改善する[13]．

改訂5版では，この所見は2歳以下の患児での頻度は約60％と主要症状の中では少ないことを備考に記載していた．改訂6版ではそれに加えて，この所見はエコーで観察すると，腫大した多数のリンパ節からなっており，単房性で内部に液状の膿が貯留した化膿性リンパ節炎と鑑別されること，3歳以上では90％近くに増加することと，しばしば3歳以上では，発熱とともに初発症状になることを，備考に記載した．

改訂6版における診断方法の変更点

川崎病の診断は，典型例では確立されたものがあるため，改訂6版では不全型川崎病をいかに診断するかという判断基準が求められた．原因が不明である現在，検査による診断は不可能で，これまで同様に6つの主要症状で認められる症状数と，改訂4版から取り入れた冠動脈病変（coronary artery lesions：CAL）の有無の判断が，本疾患では最も重要と考えられたので，委員に症状数と冠動脈病変の有無による診断を確認したところ，主要症状3項目に加えてCALが認められたときは不全型川崎病として診断・治療すべきということで全員の意見が一致した．また，4項目ある場合は冠動脈病変がまだ認められなくても不全型川崎病としてよいという意見が大多数であった．そこで表1のような記載で，a～eの場合に分けて，診断を行う方法を明記することとした．今後，診断方法の変更による影響として，川崎病以外の疾患を過剰診断する可能性があり，十分な鑑別診断を行うことと，以下に述べる参考条項の改訂が意義を示すことを期待する．

また，CALが認められるとする基準については，これまで1983年の旧厚生省班会議での暫定基準（周辺冠動脈の1.5倍以上，または5歳以下3mm以上を拡大とする）が用いられていたが，改訂5版以後に

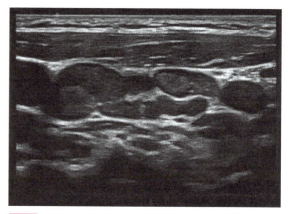

図8 非化膿性頸部リンパ節腫脹のエコー所見
（日本川崎病学会，編：川崎病診断の手引きガイドブック 2020. 診断と治療社，2020）

日本人小児の冠動脈内径標準値が研究されZスコアによる評価が可能となった[14]ため，Zスコア≧＋2.5をCALの基準とすることを明記した．移行期であり，実測値による旧基準も記載は残している．この記述によって，CALの頻度が変化する可能性がある．

厳密には，厚生省研究班の基準とZスコアの基準は完全に一致しない部分があること，冠動脈のどの分枝についてZスコアを評価すべきかを明記しなかった点に不明確さが残るが，今後，それによる変化を検証し，調整していく必要がある．AHA statement[4]ではZスコアは右冠動脈径と左前下行枝での評価に使用するよう述べられている．

備　考（表1）

本疾患の疫学的事項を記載しており，0.1％未満ではあるが死亡例があること，再発率，同胞発症もあることを説明するよう記載した．男女比はやや男児に多いが，診断時に必要はないと考え，今回は削除した．主要症状の1つである非化膿性頸部リンパ節腫脹が，年少児では約65％と頻度が低いことを改訂5版に追記したが，今回は，不全型川崎病の早期診断に有用であるよう，3歳以上では同症状が90％以上にみられることや，発熱とともに初発症状である例が多いこと，およびエコー所見が多房性である（図8）ことなどを記載し，早期診断上での注意を喚起した．

◎おわりに

　川崎病の主要症状について約15年ぶりに改訂した「川崎病診断の手引き　改訂6版」の変更点を含めて解説した．今回の改訂によって，これまで診断がつけられず，急性期川崎病の治療を行う機会を逸したために心合併症を残したような例が，1例でも多く適切な時期に診断され治療を受けて，合併症なく回復できることを期待したい．

■ 文　献

1) Newburger JW, et al. : A single intravenous infusion of gamma globulin as compared with four infusions in the treatment of acute Kawasaki syndrome. N Engl J Med 1991 ; 324 : 1633-1639
2) 日本循環器学会, 他 : 2020年改訂版 川崎病心臓血管後遺症の診断と治療に関するガイドライン〔https://www.j-circ.or.jp/cms/wp-content/uploads/2020/02/JCS2020_Fukazawa_Kobayashi.pdf〕(最終閲覧 2021.4.13)
3) 日本川崎病学会 : 川崎病診断の手引き 改訂第6版〔http://www.jskd.jp/info/tebiki.html〕
4) McCrindle BW, et al. : Diagnosis, treatment, and long-term management of Kawasaki disease : A Scientific Statement for Health Professionals From the American Heart Association. Circulation 2017 ; 135 : e927-e999
5) 吉田寿雄, 他 : 発症時有意な発熱と炎症所見を認めなかったが, 冠動脈瘤を形成した1例. Prog Med 2006 ; 26 : 1545-1548
6) 東田有加, 他 : 発熱を認めず冠動脈拡大を来した不全型川崎病の1例. Prog Med 2012 ; 32 : 1407-1411
7) 戸井田一郎 : BCGの歴史 : 過去の研究から何を学ぶべきか. 呼吸器疾患・結核 資料と展望 2004 ; 48 : 15-40
8) Uehara R, et al. : Kawasaki disease patients with redness or crust formation at the Bacille Calmette-Guérin inoculation site. Pediatr Infect Dis J 2010 ; 29 : 430-433
9) Lai CC, et al. : Reaction at the Bacillus Calmette--Guérin inoculation site in patients with Kawasaki disease. Pediatr Neonatol 2013 ; 54 : 43-48
10) Lin MT, et al. : Clinical implication of the C allele of the ITPKC gene SNP rs28493229 in Kawasaki disease : Association with disease susceptibility and BCG scar reactivation. Pediatr Infect Dis J 2011 ; 30 : 148-152
11) Garrido-Garcia LM, et al. : Reaction of the BCG scar in the acute phase of Kawasaki disease in Mexican children. Pediatr Infect Dis J 2017 ; 36 : e237-e241
12) Diniz LMO, et al. : Diagnostic value of the reaction at the Bacillus Calmette-Guérin vaccination site in Kawasaki disease. Rev Paul Pediatr 2021 ; 39 : e2019338
13) Nozaki F, et al. : Grisel syndrome as a complication of Kawasaki disease : a case report and review of the literature. Eur J Pediatr 2013 ; 172 : 119-121
14) Kobayashi T, et al. : A new Z score curve of the coronary arterial internal diameter using the Lambda-Mu-Sigma method in a pediatric population. J Am Soc Echocardiogr 2016 ; 29 : 794-801. e29.
15) 第23回川崎病全国調査成績
16) Harada K : Intravenous gamma-globulin treatment in Kawasaki disease. Acta Paediatr Jpn 1991 ; 33 : 805-810
17) Kobayashi T, et al. : Prediction of intravenous immunoglobulin unresponsiveness in patients with Kawasaki disease. Circulation 2006 ; 113 : 2606-2612
18) 第22回川崎病全国調査成績

〔鮎沢　衛〕

Ⅲ 診断と急性期の検査

2 参考条項とその他の症状

POINT
・参考条項には川崎病としての全身の症候・所見が含まれ，川崎病の診断に苦慮する場合に有益な情報となる.
・川崎病は全身の血管炎に伴い多彩な合併症がみられる. 脳炎・脳症や無菌性髄膜炎，関節炎をきたすことがあることに注意が必要である.
・川崎病急性期のバイタルサインの変化を把握することは重要であり，予後不良となる重症例早期診断の端緒ともなる.

a 参考条項

川崎病診断の手引き改訂第6版では参考条項が大きく改訂された. これまで臓器別に列記されていた所見を，川崎病に特徴的な所見が抽出され列記されている. 合併症や検査所見の詳細については別項に譲り，本項では各項目について主にどのように診断や治療に役立てるかを解説する.

以下の症候および所見は，本症の臨床上，留意すべきものである.

主要症状が4つ以下でも川崎病が疑われる所見

1. 病初期のトランスアミナーゼ値の上昇

トランスアミナーゼ高値は各種免疫グロブリン静注（IVIG）療法不応予測スコアの項目になっている. 急性期に高値になる症例が多いが，その他の疾患とは異なり数日で軽快することが多く[1]，診断の一助となる.

2. 乳児の尿中白血球増加

乳児だけとは限らないが，無菌性膿尿が多く，川崎病の炎症軽快とともに尿中白血球も軽快する. しかし尿路感染症を合併していた例も報告されている[2]. 特にIVIG不応例やステロイド・免疫抑制薬使用例では鑑別として尿路感染症などの細菌感染症も念頭におく必要がある.

3. 回復期の血小板増多

感染源不明の炎症反応高値例で血小板が増加傾向にある場合には，川崎病も疑う必要がある.

4. BNP または NT-proBNP の上昇

川崎病の急性期では，他の発熱性疾患と比較し高値を呈することが多い. また不全型でも上昇し，診断の一助となる[3].

5. 心エコー検査での僧帽弁閉鎖不全・心膜液貯留

急性期に僧帽弁閉鎖不全や心膜液の貯留を認めることがあるが，一過性のことが多い. また回復期にも心膜液が貯留することがある. 発症1か月前後に発症することが多く治療を要することもあるが，症状を訴えることは少ないことから，経過良好な症例でも発症1か月前後には心エコー検査を行う必要がある[4].

6. 胆嚢腫大

急性期にγ-GTP値，ビリルビン値の上昇を認め，腹部エコーで胆嚢腫大を呈することがあるが，川崎病症状の軽快とともに自然軽快する.

7. 低アルブミン血症・低ナトリウム血症

低アルブミン血症は炎症が持続するほど顕著となる. 全身状態が悪化した症例にはアルブミン補充も考慮されるが，その有効性にはまだ議論の余地があ

2. 参考条項とその他の症状

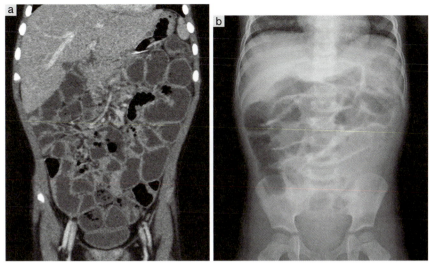

図1　第3病日の腹部CT像(a)と第5病日の腹部X線像(b)
5歳男児．第3病日に近医小児科から急性腹症の診断で小児外科に紹介され麻痺性イレウスと診断された．第5病日に当院に紹介され川崎病と診断した際の腹部X線でも著明なガス像を認めていた．IVIGにより川崎病症状とともに腹部症状も速やかに軽快した

る．急性期の低ナトリウム血症はIVIG抵抗性に関連することも知られている．

危急度が高い所見

急性期に心不全を呈することがあり，治療を開始するにあたり必ず心機能検査を行う必要がある．まれではあるが川崎病ショック症候群[5]を呈することがあり，その場には集中治療管理が必要となる．急性期には下痢・嘔吐(4.4%)[6]や腹痛などの消化器症状を呈する症例が多く，虫垂炎症状や重度の麻痺性イレウスを合併し，急性腹症と診断されることもある(図1)．ステロイドを併用する際には消化管出血への注意が必要である[7]．

IVIG抵抗性に強く関連するとされ，不応例予測スコアを参考にすることが望ましい要因

核の左方移動を伴う白血球増多，血小板数低値，低アルブミン血症，低ナトリウム血症，高ビリルビン血症(黄疸)，CRP高値．乳児はIVIG不応例予測スコアの項目でもあるが，川崎病症状が明らかでなくても上記項目が複数認められる症例では常に川崎病の鑑別を念頭に経過をみていく必要がある．

その他，特異的ではないが川崎病でみられることがある所見(川崎病を否定しない所見)

・心音の異常：心雑音，奔馬調律，微弱心音．
・心電図変化：PR・QTの延長，異常Q波，低電位差，ST-Tの変化，不整脈．
・末梢動脈瘤：腋窩動脈や腸骨動脈などにも動脈瘤を形成することがある．特に巨大冠動脈瘤形成例では注意が必要である．
・発症1.5～2か月後に爪の横溝が出現するが，その後数か月で自然軽快する．爪先の肥厚を認めることもある(図2)．
・咳嗽や鼻汁の気道症状を合併する症例が多いが軽微な場合が多い．胸部X線写真では肺野全体に間質性肺炎を思わせる所見を認めることがあるが，血管炎が原因であるとされている．一方，川崎病全国調査では気管支炎や肺炎の合併が2.6%と報告されており[6]，必要に応じて抗菌薬の併用も考慮する．
・関節症状は急性期および回復期どちらにも起こり，関節症状を認める症例では若年性特発性関節炎との鑑別が必要な場合がある．interleukin(IL)18値が鑑別に有用と報告されている[8]．急性期の

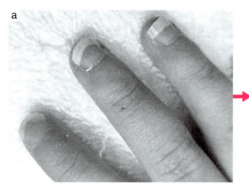
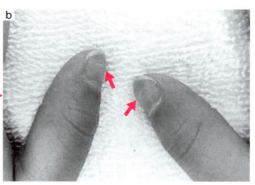

図2 回復期の爪の変化
a：第25病日，爪先の肥厚
b：発症後2か月，爪の横溝．爪先の肥厚は軽快した

関節症状は川崎病症状とともに軽快することが多く，IVIG療法が主体となってからは減少している．回復期関節症状は反応性関節炎が多いが，ステロイドや免疫抑制薬使用時には化膿性関節炎も鑑別する必要がある[9]．

・神経症状ではけいれんが多い．8%にけいれんを合併し乳児期早期がけいれんで発症する例が多かったとの報告がある[10]．まれではあるが急性脳症を合併する症例もある[11]．

おわりに

参考条項には主要症状以外の全身性の症候や所見について記載されている．川崎病の主体は全身性血管炎であり，主要症状以外にも全身にさまざまな症状を呈する．そのため診断においては常に全身の症候・所見を把握することが大切であり，参考条項は不全型の診断の一助となる．急性期の川崎病を見逃さないことにより，冠動脈病変（coronary artery lesions：CAL）の発生を少しでも減らすことが可能となる．

文　献

1) 末永智浩，他：高度に肝逸脱酵素の上昇を来した川崎病急性期症例の臨床的検討．日本小児科学会雑誌 2008；112：1543-1547
2) 安部昌宏，他：大腸菌による尿路感染症が先行した川崎病乳児例．心臓 2015；47：1473-1474
3) 福留啓祐，他：川崎病191例によるNT-proBNPのバイオマーカーとしての有用性．日本小児科学会雑誌 2015；119：813-819
4) 原田明佳，他：ガンマグロブリン治療にて軽快退院後1カ月の心エコーで初めて大量心嚢液貯留が認められた川崎病の1例．Prog Med 2007；27：1529-1534
5) Kanegaye JT, et al.：Recognition of Kawasaki disease shock syndrome. Pediatrics 2009；123：e783-e789
6) 第21回川崎病全国調査成績
7) 高橋　健，他：ステロイド療法後に消化管出血を認めたガンマグロブリン不応川崎病の1例．小児科臨床 2003；56：2194-2196
8) 江口　郁，他：川崎病の診断基準を満たした若年性特発性関節炎の1例：インターロイキン18値測定の有用性．小児科臨床 2014；67：1173-1176
9) 石丸紗恵，他：ステロイド療法中に股関節炎を合併した川崎病の1例．小児科臨床 2010；63：2143-2146
10) 島川修一，他：川崎病経過中に発症したけいれん症状の検討．脳と発達 2008；40：289-294
11) 黒川愛恵，他：インフリキシマブが著効した可逆性脳梁膨大部病変を有する軽症脳炎・脳症を合併した川崎病の幼児例．日本臨床免疫学会会誌 2017；40：190-195

〔益田君教〕

b 心血管以外の症状・合併症

川崎病の合併症としてはCALを含む心血管合併症が重要である．ただ，川崎病は全身の中動脈を中心とする血管炎であることから，血管炎に関連するさまざまな症状・合併症が多くみられる．それらは診断の手引きの参考条項にも多く示されるように，川崎病診断に関する有意義な情報ともなる．その多くは川崎病そのものの治療により軽快するが，一部に後遺症を残す場合や特別な管理を要する場合もあり注意が必要である．

消化器系

腹痛や嘔吐，下痢は急性期に高頻度にみられる症状である[1]．重篤な消化管の合併症はまれであるが，イレウスが初期症状の例や腸切除を含む外科的な介入が行われた例の報告もある．川崎病と診断され治療が開始されると，消化器症状も速やかに改善し予後は良好である．発熱と腹部症状があり経過が一般的ではない例では，川崎病症状の有無を確認することが重要であり，病日が早期の例では川崎病症状の出現に注意して経過をみる必要がある（「2．参考条項とその他の症状 a．参考条項」の項参照）．

肝機能異常や黄疸，腹部エコー検査での胆嚢腫大が川崎病の病初期にみられ，重症度にも関連する．病日が早く川崎病主要症状が少ない例で，異常がなかった AST，ALT やビリルビン値が発疹などの症状出現後に異常高値となることもまれではない．

呼吸器系

咳嗽，鼻汁がみられる例は多く，急性期の胸部X線像では 14.7% に網状顆粒状陰影等の異常陰影を認めたと報告されている[2]．頸部 CT 検査での咽後水腫は川崎病に特徴的な所見であり診断の参考ともなる（「8．鑑別診断」の項参照）．

筋骨格系

急性期に指趾などの小関節の疼痛腫脹はよくみられる．急性期に関節腫脹や可動障害を伴い関節炎と診断される例は 7.5%，あるいは 8.7% との頻度の報告がある[3,4]．膝・足関節の大関節に多く川崎病治療で速やかに軽快する．また，回復期に膝関節や股関節の障害から歩行に支障をきたす例も散見される．アスピリン（ASA）などの消炎鎮痛薬で比較的速やかに軽快するが，化膿性関節炎や大腿骨頭壊死などとの鑑別が必要な場合もあり，症例によってはMRI等の画像による精査の考慮が必要である（図3）．ステロイドやインフリキシマブ（IFX）などが使用された例では特に注意を要する．

主要症状の1つである頸部リンパ節腫脹が関与して炎症性斜頸をきたす例がまれに存在する．比較的年長児にみられ，頸部から後頭部にかけての自発痛と可動域制限を伴う強い他動痛があり，回旋を伴っ

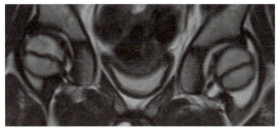

図3 川崎病後の股関節炎をきたした例の MRI 所見
5歳女児．アスピリン（ASA）と IVIG 療法に加えプレドニゾロン（PSL）を併用した治療で速やかに解熱し，CAL もなく軽快退院した．PSL 漸減中止後に左股関節痛が出現し，その3日後には痛みが悪化し歩行不能となった．発熱や他の川崎病主要症状の出現もなく，血液検査で白血球数の上昇は認めなかったが，CRP 値が 1.3 mg/dL と軽度上昇していた．MRI では左股関節優位に液体貯留を認めた．MRI 所見と経過から川崎病後の股関節炎と診断し，ASA を 30 mg/kg/日へ増量し安静で治療開始後に疼痛は軽減し3日後には歩行可能となった

た首をかしげる特徴的な斜頸位，cook-robin position を呈する．斜頸発症後1週間未満ではネックカラー固定のみで回復するが，それ以上経過した例では牽引や観血的治療が必要になる例もある[5]．川崎病の治療で速やかに改善するが，川崎病治療開始が遅くなってしまった例や川崎病治療後の改善が不十分な例においては，速やかに整形外科と連携する必要がある．

神経系

急性期の神経系の症状・合併症としては易刺激性や熱性けいれんに加え，無菌性髄膜炎，急性脳症・脳炎などがあり，急性期以降には顔面神経麻痺や感音難聴などがある．1,582 例の後方視的研究によると，けいれんが 14 例（0.9%），傾眠傾向 40 例（2.5%），異常な易刺激性 21 例（1.3%），顔面神経麻痺1例（0.1%）であり，感音難聴はみられなかった[6]．これらの症状を伴う例の多くは川崎病自体も重症の傾向があり，川崎病血管炎に伴う可能性が考えやすい．

急性脳症・脳炎の頻度は第21回の川崎病全国調査では 0.1% と報告されている[7]．けいれん重積・群発や意識障害があり，脳波所見は多くで全般性徐波がみられるが異常がない例もある[8]．MRI 所見で脳梁膨大部の一過性の異常信号を認める例も少なくない．IVIG 療法やステロイドによる治療でほとんどは神経学的後遺症なく軽快する．けいれん重積などで入院し，急性脳症として管理開始後に川崎病の症

状が出現する例もあり，川崎病の診断が遅れることがないように注意する必要がある．

顔面神経麻痺は乳児に多くみられるまれな合併症であり，中央値第16病日で発症し3か月以内に回復する[9]．ほとんどは片側であるが，まれに両側の例も報告されている[9]．

感音難聴は，高頻度（40%）に一過性の軽度聴力低下（20〜35 dB）がみられたとの前方視的研究が報告されているが[10]，その多くはASAによる聴毒性が関与する可能性が考えられている．川崎病治療におけるASA投与量が米国の半分以下であるわが国でも感音難聴の例は報告されているが，IVIG療法が行われるようになってさらに少なくなっている．以上のことから川崎病の感音難聴には川崎病血管炎が関与することが考えやすい．その低頻度から全例における聴力検査の必要性は考えにくいが，炎症が遷延した例においては考慮すべき合併症である．

📕 文　献

1) Colomba C, et al.：Intestinal involvement in Kawasaki dis-
ease. J Pediatr 2018；202：186-193
2) Umezawa T, et al.：Chest X-ray findings in acute phase of Kawasaki disease. Pediatr Radiol 1989；20：48-51
3) Gong GW, et al.：Arthritis presenting during the acute phase of Kawasaki disease. J Pediatr 2006；148：800-805
4) Peng Y, et al.：Prevalence and characteristics of arthritis in Kawasaki disease：a Chinese cohort study. Clin Exp Med 2019；19：167-172
5) 篠塚俊介，他：環軸椎回旋位固定26症例30機会の検討．小児科臨床 2012；65：1907-1913
6) Liu X, et al.：Neurological involvement in Kawasaki disease：a retrospective study. Pediatr Rheumatol 2020；18：61
7) 第21回〜第25回川崎病全国調査成績
8) 富樫勇人，他：脳症を合併しガンマグロブリン療法のみで軽快した川崎病の1例．小児科臨床 2018；71：1127-1132
9) Zhang B, et al.：Kawasaki disease manifesting as bilateral facial nerve palsy and meningitis：a case report and literature review. J Int Med Res 2019；47：4014-4018
10) Knott PD, et al.：Sensorineural hearing loss and Kawasaki disease：a prospective study. Am J Otolaryngol 2001；22：343-348

〔野村裕一〕

Ⓒ バイタルサインと全身評価

川崎病とSIRS

川崎病は炎症性サイトカインによる全身性炎症反応症候群（systemic inflammatory response syndrome：SIRS）の1つである．サイトカインはリンパ球や単球などから産生される微量な蛋白で，interleukin（IL），インターフェロン，ケモカインなどが含まれ，組織損傷を引き起こすものを炎症性サイトカインとよぶ．急性期川崎病ではこの炎症性サイトカインが上昇しており，そのなかでも血管内皮傷害活性をもつtumor necrosis factor（TNF）-αが重要な役割をもっていると考えられている．一方，感染症による敗血症でも，活性化されたマクロファージなどの免疫担当細胞から過剰な炎症性サイトカインが産生されSIRSが惹起される．つまりSIRSとは感染の有無によらず外傷，熱傷などの全身へのストレスが契機となり高サイトカイン血症をきたした状態である．川崎病の診断にあたっては，不全型川崎病が全体の約20%を占めており，特に主要症状がそろいにくい生後6か月未満の乳児で全身状態が不良な症例では，敗血症との鑑別が問題となってくる．

SIRSの概念の変遷

SIRSはもともと敗血症（sepsis）の定義を明確にするために，1992年に米国集中治療医学会と米国胸部疾患学会で提唱された概念である．そこでは敗血症とは感染症に伴うSIRSと定義された（Sepsis-1）．ここではSIRSは，体温の異常（高体温または低体温），頻拍，頻呼吸，白血球数の異常（高値または低値）の4項目のうち2項目以上陽性を満たすものとされ，この概念は世界的に広く浸透した．また，臓器障害や低血圧を伴う場合には「重症敗血症」とし，これに十分な輸液負荷を行っても低血圧が改善しない状態を「敗血症性ショック」と定義した．その後，2001年に臨床所見や検査所見を概念に加えたSepsis-2を

2. 参考条項とその他の症状

表1 小児の SIRS 診断基準（Goldstein らの基準）

年齢	体温	心拍数（回/分）		呼吸数（回/分）	白血球数（×10³μL）	収縮期血圧（mmHg）
		頻拍	徐拍			
生後1週	38℃以上または36℃未満	>180	<100	>50	>34.0	<65
1週～1か月		>180	<100	>40	>19.4または<5.0	<75
1か月～1歳		>180	<90	>34	>17.5または<5.0	<100
2～5歳		>140	なし	>22	>15.5または<6.0	<94
6～12歳		>130	なし	>18	>13.5または<4.5	<105
13～18歳		>110	なし	>14	>11.0または<4.5	<117

上記の2項目以上を含み，かつ体温と白血球数の基準を満たすものを SIRS と診断する
〔Goldstein B, et al. : International pediatric sepsis consensus conference : definitions for sepsis and organ dysfunction in pediatrics. Pediatr Crit Care Med 2005；6：2-8 より引用〕

経て，2016年に欧米の集中治療学会から新しい敗血症の定義である "Sepsis-3" が発表された[1]．新しい定義では，敗血症とは「感染症によって致死的な臓器障害が引き起こされた状態」とされ，従来の重症敗血症の定義とほぼ同義となり，従来の SIRS の概念を含まなくてよいことになった．ここでいう臓器障害は SOFA（sequential organ failure assessment）スコアの合計が2点以上急上昇したことよって判断される．

一方小児の敗血症は，2016年に改訂されたわが国の敗血症診療ガイドラインにおいて「感染症に惹起された SIRS」または「感染症による臓器障害が引き起こされた状態」と定義されている[2]．しかし実際には，小児用の SOFA スコアがまだ確立されていないことから臓器障害の有無が評価できないため，2005年に提唱された Goldstein による小児 SIRS の基準（**表1**）[3]を用いて判断されている．その結果として，小児においては敗血症と SIRS の概念が切り離されておらず，敗血症と川崎病における SIRS は厳密に区別されない状況になっている．しかし，この2つの疾患における SIRS ではサイトカイン動態や病態において異なり，同一の概念のなかで議論することは難しいため今後の検討が有用である．

急性期のバイタルサイン

急性期川崎病における血圧，心拍数，体温，意識状態の4つの項目について述べる．入院時には高熱であるため血圧や脈拍数が基準値を超えていることが多く，緊急を要する状態かの判断が難しいことは少なくない．しかし，バイタルサインの急激な変動がある場合には治療介入が必要な状態であるため，経時的なモニタリングが極めて重要である．

1. 血圧

川崎病で多い乳児においては，明確な血圧の基準値がないため経時的な血圧の変動によって判断する．高血圧の基準は，わが国の高血圧治療ガイドラインで性別や年齢別の血圧測定値から設定されている（**表2**）[4]．高熱がある場合には頻拍に伴って血圧が高くなるため，治療不応例で CAL 形成のリスクが高い症例では特に血圧の変動には注意が必要である．既に CAL が形成されている症例では，血圧の急激な変動が破裂のリスクになる可能性があり，より厳重な血圧管理が必要となってくる．高血圧をきたす他の原因として，ステロイドパルス（intravenous methylprednisolone pulse：IVMP）療法によるものや急性糸球体腎炎の合併があげられ，体重変化，尿量，浮腫などの有無をモニタリングすることが重要である．低血圧の基準は表3に示すもので判断されるが[5]，絶対値だけでなく急激に収縮期血圧が20%以上低下する場合には，ショックの可能性を考える必要がある．低血圧をきたす原因として，IVIG 療法に対するアナフィラキシーショック，IFX 治療による infusion reaction，心筋炎合併，CAL の破裂，川崎病ショック症候群があげられ，いずれも緊急度が高い状態である．

2. 心拍数

頻拍は高熱でも生じるが，ショック状態に至っていないかの評価を行う．小児では代償性ショックに

表2 小児高血圧の基準（日本高血圧学会高血圧治療ガイドライン2019）

年齢		収縮期血圧（mmHg）	拡張期血圧（mmHg）
幼児		≧120	≧70
小学生	低学年	≧130	≧80
	高学年	≧135	
中学生	男	≧140	≧85
	女	≧135	≧80
高校生		≧140	≧85

〔日本高血圧学会高血圧治療ガイドライン作成委員会（編）：高血圧治療ガイドライン2019. 日本高血圧学会, 2019：164-167 より引用〕

表3 小児低血圧の基準（PALS プロバイダーマニュアルの基準）

年齢	収縮期血圧（mmHg）
新生児	＜60
乳児	＜70
1〜10歳	＜70 mmHg＋（2×年齢）
11歳以上	≦90

〔Kleinman ME, et al.：Part 14：Pediatric Advanced Life Support：2010 American Heart Association Guidelines for Cardiopulmonary Resuscitation and Emergency Cardiovascular Care. Circulation 2010；122（18 Suppl 3）：S876-908 より引用〕

なることが多く，通常血圧は維持される．組織需要に対する血流と酸素供給を保つため，その代償機転として頻拍になり末梢血管抵抗が上昇して血圧を維持するように働く．心拍数だけでなく，末梢冷感や毛細血管再充満時間の遅延（2秒以上）をきたしていないかの確認は重要である．代償不全に至れば頻拍にもかかわらず血圧の低下をきたすため，ショックへの対応が必要になる．血圧が維持されていて徐拍になることがあり，これは心筋炎による房室ブロックの合併や，プレドニゾロン併用治療やIVMP治療後の洞性徐拍などが原因としてあげられる．また，急性期に不整脈の合併も報告されており，上室および心室期外収縮や頻拍発作が合併することがあるため心電図のモニタリングは重要である．

3. 体温

厳密には直腸などの深部体温によるが，一般には腋下温度で代用される．体温は視床下部および自律神経によって調節されているが，日内変動があり朝方は低く夕方に高くなる．特に小児では環境温に影響を受けやすいので注意が必要である．通常は37.4℃を超えることはないため，発熱の定義は腋下体温で37.5℃以上（または深部体温で38.0℃以上）とされており，これを基準に川崎病の治療不応例が判定される．治療後に腋下体温で37.5〜38℃以内の微熱が続くことがあり，これは治療によって高サイトカイン血症が改善していない"くすぶり"の状態で，CAL合併も高率に生じるため，微熱であっても治療介入が不要ではない．

4. 意識状態

意識障害の評価は小児用の Japan Coma Scale または Glasgow Coma Scale を用いる．多くの川崎病患者は入院時に不機嫌であり神経学的な診察が難しい．意識レベルを含めた神経学的所見の評価は，入院後も繰り返し患者を診察する必要がある．意識障害がある場合，その原因として川崎病の中枢神経症状によるものと，低ナトリウム血症によるものを考える必要がある．中枢神経合併症としては，脳炎（急性散在性脳脊髄炎など），髄膜炎（IVIG療法によるものも含む），Guillain-Barré症候群，脳症（mild encephalitis/encephalopathy with a reversible splenial lesion：MERSなど）の報告があり[6〜8]，嘔吐や他の神経所見を伴う場合には，腰椎穿刺や頭部MRIなどによる評価が必要になる．低ナトリウム血症は高率に遭遇する異常であるが，その原因としては低張性脱水，抗利尿ホルモン不適切分泌症候群，腎尿細管のNa再吸収障害によるものが考えられている[9,10]．

全身評価の重要性

初期治療不応のリスク層別化は，病日や年齢，検査値によって判断されるが，意識障害やショックバイタルが存在する重症例については加味されていない．まれではあるが川崎病のなかで脳炎・脳症，心不全，CALの破裂などの報告があり，CAL合併以外で予後不良となる重症例が存在する．そのためには早期に異常を発見し治療介入を行う必要性があり，日々の全身評価とバイタルサインの変化を見逃さないことが重要である．

■ 文 献

1) Singer M, et al.：The Third International Consensus Definitions for Sepsis and Septic Shock（Sepsis-3）. JAMA 2016；315：801-810

2) 西田　修, 他：日本版敗血症診療ガイドライン 2016. 日本集中治療医学会雑誌 2017；24：S1-S232

3) Goldstein B, et al.：International pediatric sepsis consensus conference：definitions for sepsis and organ dysfunction in pediatrics. Pediatr Crit Care Med 2005；6：2-8

4) 日本高血圧学会高血圧治療ガイドライン作成委員会（編）：高血圧治療ガイドライン 2019. 日本高血圧学会, 2019

5) Kleinman ME, et al.：Part 14：Pediatric Advanced Life Support：2010 American Heart Association Guidelines for Cardiopulmonary Resuscitation and Emergency Cardiovascular Care. Circulation 2010；122（18 Suppl 3）：S876-908

6) 川合玲子, 他：川崎病にけいれん・意識障害を合併した 4 例. 日本小児科学会雑誌 2020；124：539-544

7) 森　秀洋, 他：可逆性脳梁膨大部病変を有する軽症脳炎・脳症を合併した川崎病に対する血漿交換療法. 日本小児科学会雑誌 2020；124：1514-1519

8) Furui S, et al.：A case of Kawasaki disease complicated by acute disseminated encephalitis. Pediatr Int 2020；62：872-873

9) 金子一成：急性期の電解質. 石井正浩, 他（編）：川崎病のすべて（小児科臨床　ピクシス 9）. 中山書店, 2009；80-81

10) 中林佳信, 他：川崎病に合併する低ナトリウム血症. 日本小児腎臓病学会雑誌 2002；15：83-87

〔高月晋一〕

Ⅲ 診断と急性期の検査

3 血液検査・尿検査

POINT
- 血算の特徴は，好中球を主体とした白血球数増多と貧血である．
- 生化学検査では，アルブミンが下がり，AST/ALT・T-Bil と CRP が上昇する．
- ステロイドを併用したときは，CRP よりも SAA の方が病勢を反映する．
- 尿中白血球がみられるときは，尿路感染症の鑑別を忘れない．
- 一般的な血液・生化学検査を組み合わせることで，免疫グロブリン静注(IVIG)療法不応や CAL 合併の予測が可能ではある．ただし，感度・特異度を意識する．

血液検査や尿検査は，川崎病が疑われるほぼすべての児に対して行われる．その特徴は，好中球を主体とした白血球数増多，低アルブミン血症，肝逸脱酵素やビリルビンと CRP の上昇，無菌性膿尿である．主要症状がそろっていないような場合に，これらの異常から川崎病を強く疑うこともある．最近では，急性期の血液検査データを用いて患者を層別化し，治療戦略を立てる試みがなされ，一定の成果を上げている．冠動脈病変(coronary artery lesions：CAL)合併例をさらに減らすためには，血液検査・尿検査以外のパーツも必要である．

血　算

1. 白血球

川崎は，1967 年の自験例 50 例の報告のなかで，血算の特徴を白血球数の増多(年長児にその傾向が強い)，核の左方移動，好酸球の減少，単球は正常かむしろやや増多，リンパ球減少とまとめている．白血球数は，約 8 割の症例で 10,000/μL を超え，1 割弱では 22,000/μL 以上に増多する[1]．この増多の主体は好中球であり，桿状核球や分葉数の少ないものから複数に分葉した分葉核球までさまざま存在する．急性期の血中に granulocyte-colony stimulating factor(G-CSF)などさまざまな好中球刺激因子が増加していることや好中球のアポトーシス遅延が複雑に絡み合っていることが原因と考えられる[2]．好中球数や好中球割合の増加は免疫グロブリン静注

(IVIG)療法不応や CAL 合併と関連することが報告されている[3]．これは，好中球を増加させるような刺激によるものか，好中球表面に発現する vascular endothelial growth factor(VEGF)や好中球が産生する活性酸素，好中球エラスターゼなどによる血管内皮刺激によるものかはわかっていない．

好中球以外では，リンパ球数は軽度減少傾向を示し[4]，好酸球数は減少する症例と増加する症例の両者が存在する[5]．

2. 赤血球

急性期に，80% の症例でヘモグロビン値の Z スコアが−3 以下となる貧血を認める[6]．多くは正球性正色素性である．他の炎症性疾患でみられる貧血と同様，肝臓由来の鉄代謝制御ホルモンであるヘプシジンを中心とした生体の鉄代謝制御機構が関与している．IVIG によるヘプシジンレベルの減少度は，IVIG 不応や CAL 合併に関連があることが示されている[7]．

経過中に気をつけなければならないのは，免疫グロブリン製剤による溶血性貧血である．製剤中に含まれる抗 A・抗 B IgM 抗体や抗 Rh IgG 抗体が原因となって引き起こされる．現在使用が認められている製剤は高度に精製されており，また日本人の Rh−の頻度は 0.5% 程度と低いため，問題となることは少ないものの，まれに輸血を必要とするような重症例の報告もあり，注意が必要である．

3. 血小板

　血小板数は，経過中に大きく変動する．初診時は30～40万/μL で，第5～9病日に最低値（20～30万/μL）となり，第10～14病日に最高値（50～60万/μL）となることが多い[8]．このような変動の原因は明確ではないが，血小板産生にトロンボポエチン，inter-leukin（IL）-6，IL-11 などのさまざまなホルモンやサイトカインが関係し，血小板は巨核球とともに自然免疫や組織の細胞修復に重要な役割をはたしていることが報告されている．川崎病においても病態と密接にかかわっていると推察される．第24回川崎病全国調査のデータを用いた検討では，発症から1週以内の入院時に血小板数が異常高値の症例，または入院後の血小板数が異常低値の症例では，CAL 合併リスクが高いことが示された[9]．

4. 好中球・リンパ球比，血小板・リンパ球比

　好中球・リンパ球比（neutrophil/lymphocyte ratio：NLR）や血小板・リンパ球比（platelet/lym-phocyte ratio：PLR）の上昇が，IVIG 不応や CAL 合併を予測するとの報告がある．もともと冠動脈疾患やがんの領域で炎症の程度や予後を予測するツールとして利用されており，炎症性疾患である川崎病でも有用である可能性は高い．Kawamura ら[10]は，川崎病急性期（IVIG 前）に NLR≧3.83 かつ PLR≧150 が IVIG 不応例の予測因子となり，日本でよく使用されている江上スコア[11]，小林スコア[3]，佐野スコア[12]と同等か，それ以上に有用であると報告した．その後，複数の追試が行われているが，導き出されるカットオフ値に幅があるためか，広く使用されるまでには至っていない．血球検査は，ほぼすべての施設で簡便かつ高精度に結果を得ることができることから，最適なカットオフ値が示されることに期待したい．

生化学検査

1. 蛋白・アルブミン

　急性期には，低蛋白血症・低アルブミン血症がみられ，炎症が終息すると回復する．臓器レベルでは，病初期より浮腫性病変が各臓器に存在することが知られており，血管外にアルブミンなどの血漿蛋白の漏出がみられることから，川崎病における浮腫は vascular leakage による非心臓性浮腫と考えられる．

同様の現象は，糖尿病性網膜症の網膜病変，関節リウマチの関節病変などでもみられ，VEGF の関与が証明されている．VEGF は，ヒスタミンの5万倍といわれる力で血管透過性を高め，血漿蛋白，特にアルブミンを血管外に漏出し，低蛋白血症，低アルブミン血症を引き起こす．このことから低蛋白血症・低アルブミン血症は，川崎病の主たる炎症の場である血管の透過性を反映し，病勢の指標や予後予測因子として重要な役割を果たすと考えられる．

2. 肝・胆道系

　急性期には，しばしば総ビリルビン（T-Bil）値や血清トランスアミナーゼ値の上昇がみられる．T-Bil 値の上昇は直接型優位でアルカリホスファターゼ値や総コレステロール値の上昇を伴い，胆汁うっ滞パターンを示すことが多い．ビリルビンは，酸化ストレスや炎症性サイトカインにより，産生が増加することが知られている．Post RAISE study で，T-bil 高値が IVIG＋プレドニゾロン（PSL）不応を予測することが示され[13]，より一層強い抗炎症療法が必要な一群を抽出できる可能性がでてきた．今後，心後遺症ゼロを目指す戦略を考える上で，重要な知見である．

　血清 ALT 値については，Uehara らが第16回川崎病全国調査の結果を詳細に検討している[14]．それによると，定型例の初診時 ALT の平均値は94 IU/L で，14% の症例では200 IU/L を超えていた．年齢別にみると1歳未満では66% が50 IU/L 未満で，200 IU/L 以上が7% であったのに対し，3歳以上では200 IU/L 以上が17% と年齢により分布が異なっていた．また，診断病日が早いほど ALT 値が高いことも示されている．彼らは，ALT 50 IU/L 以上で1.48倍，200 IU/L 以上で1.91倍，CAL 合併リスクが高いと見積もっている．血清 AST 値もピークこそずれるものの ALT と同様の傾向を示す．両者は炎症の強さを反映していると推測され，IVIG 不応や CAL 合併を予測するモデルの因子として採用されている[3,10,11]．

　解熱後に，肝逸脱酵素やビリルビン値の再上昇がみられたときは注意が必要である．川崎病の再燃の可能性とアスピリン（ASA）や IVIG の副作用の可能性もあわせて考えなければならない．

3. 血清ナトリウム

急性期には，低ナトリウム血症をきたすことが多い．第23回川崎病全国調査では，初診時に全体の32.2%が血清Na 134 mEq/L未満であった[15]．Mutaら[16]は，第17回川崎病全国調査の結果を検討し，定型例で年齢が高いほど，病日が早いほど血清Na値が低く，血清Na 135 mEq/L以下は発症1か月以降のCAL合併の危険因子であると報告している（オッズ比1.79，95%信頼区間1.42-2.26）．また治療前の最低血清Na値が133 mEq/L以下を初回IVIG不応例の予測因子の1つとする小林スコア[3]が，臨床の場で広く使用されている．

低ナトリウム血症をきたす理由は諸説ある．川崎病急性期にtumor necrosis factor（TNF）-α，IL-1β，IL-6などの炎症性サイトカインが増加することはよく知られているが，これらが不適切な抗利尿ホルモン分泌刺激となり低ナトリウム血症を呈するとする説が有力である[17]．Miuraら[18]は，低ナトリウム血症を呈している川崎病患者の体液量は，不変または過剰で，非浸透圧性抗利尿ホルモン分泌と尿からの塩分喪失が起きていることを証明した．川崎病患者の水分管理・輸液設計が難しい理由である．

4. 炎症マーカー

急性期，炎症マーカー〔赤血球沈降速度（ESR），CRP，血清アミロイドA（SAA）〕の値は高い．CRP，SAAの上昇はIL-1βやIL-6の上昇を反映している．ESRは，前述した貧血や低アルブミン血症の影響も受けるため，急性期の炎症の強さを包括的に反映する有用な検査であり，American Heart Association（AHA）のstatement[19]では不全型川崎病の鑑別アルゴリズムの最初の血液検査値としてCRPと並んで記載されている．しかしながら，血算・生化学検査用とは別の採血管や機材が必要なこと，投与された免疫グロブリンによって赤血球沈降が亢進するために治療効果の指標としては解釈が難しいことなどから，実施している施設は多くない．

CRP値は，ほぼすべての川崎病患者で測定されている．第22回川崎病全国調査では，CRPは99.2%の患者で測定されており，5.0～10.0 mg/dLの患者がもっとも多い（39.4%）．年齢層によって，値の分布に違いがあり，2歳未満の場合は43.2%の患者がCRP 5.0 mg/dL未満で，年齢が高くなるにつれて10.0 mg/dLを超える患者の割合が増えてくる[1]．AHA statement[19]では，不全型の鑑別アルゴリズムで，症状がそろっていない場合に，CRP値3.0 mg/dL以上を次のステップに進む基準に設定しているが，主要症状がそろわない場合に，CRP 3.0 mg/dL未満を示す例も少なくない．経過観察されている途中でCALに気づかれることもあり，このCRPの基準値にも問題がある．一方で，Koyanagiら[20]がCAL合併リスクのカットオフ値を10.0 mg/dLと報告したり，CRPと他の項目とあわせたスコアリングでCAL合併例やIVIG不応例を予測したりするように[3,10,11]，CRP値が高い場合には，治療不応・CAL合併のリスクが高い患者としてより注意深い管理が必要である．

SAAもCRPと似た動きをする急性期蛋白質であり，急性期に上昇し，CAL合併例では持続的に高値を示すことが知られている．保険収載もされている検査ではあるが，日常的に測定可能な施設は限られており，広く利用されるには至っていない．ただし，CRPに比べてステロイドの影響が少ないことが知られており[21]，ステロイドを併用する機会が増えてきている中，SAAの有用性が見直されている．

尿検査

病初期の尿沈渣に白血球増多（無菌性膿尿）を認めることがある．その頻度は，30～80%と報告により大きく異なる．川崎病患者の尿について，Watanabeら[22]が詳細に検討し報告している．尿中に認める白血球は好中球ではなく，単球が主体で，炎症の強さと関係する．古くは血管炎に続発した尿道炎に由来すると考えられていたが，尿素窒素，血清クレアチニン，尿中β_2ミクログロブリンなどとともに検討した結果，軽度腎実質障害を伴った腎由来のこともあり得ると結論づけている．川崎病患者の尿を用いたプロテオミクス解析も行われており，診断や予後予測につながる因子が発見されることに期待したい．

臨床的には，川崎病主要症状がしっかりそろっていないときに，尿中白血球の存在が診断の参考になることがある．尿路感染症を見逃さないように細菌培養検査や腎エコー検査を忘れてはいけない．また，低ナトリウム血症の原因鑑別のために，尿中Na・K・尿酸・浸透圧も測定する．

3. 血液検査・尿検査

文献

1) 第 22 回川崎病全国調査成績
2) Abe J, et al.：Elevated granulocyte colony-stimulating factor levels predict treatment failure in patients with Kawasaki disease. J Allergy Clin Immunol 2008；122：1008-1013
3) Kobayashi T, et al.：Prediction of intravenous immunoglobulin unresponsiveness in patients with Kawasaki disease. Circulation 2006；113：2606-2612
4) Matsubara T, et al.：Immunological profile of peripheral blood lymphocytes and monocytes/macrophages in Kawasaki disease. Clin Exp Immunol 2005；141：381-387
5) Terai M, et al.：Peripheral blood eosinophilia and eosinophil accumulation in colonary microvessels in acute Kawasaki disease. Pediatr Infect Dis J 2002；21：777-781
6) Tremoulet AH, et al.：Evolution of laboratory values in patients with Kawasaki disease. Pediatr Infect Dis J 2011；30：1022-1026
7) Kuo H-C, et al.：Inflammation-induced hepcidin is associated with the development of anemia and coronary artery lesions in Kawasaki disease. J Clin Immunol 2012；32：746-752
8) 第 24 回川崎病全国調査成績
9) Ae R, et al.：Platelet count variation and risk for coronary artery abnormalities in Kawasaki disease. Pediatr Infect Dis J 2020；39：197-203
10) Kawamura Y, et al.：The combined usefulness of the neutrophil-to-lymphocyte and platelet-to-lymphocyte ratios in predicting intravenous immunoglobulin resistance with Kawasaki disease. J Pediatr 2016；178：281-284
11) Egami K, et al.：Prediction of resistance to intravenous immunoglobulin treatment in patients with Kawasaki disease. J Pediatr 2006；149：237-240
12) Sano T, et al.：Prediction of non-responsiveness to standard high-dose γ-globulin therapy in patients with acute Kawasaki disease before starting initial treatment. Eur J Pediatr 2007；166：131-137
13) Miyata K, et al.：Risk factors of coronary artery abnormalities and resistance to intravenous immunoglobulin plus corticosteroid therapy in severe Kawasaki disease：An analysis of post RAISE. Circ Cardiovasc Qual Outcomes 2021；14：e007191
14) Uehara R, et al.：Serum alanine aminotransferase concentrations in patients with Kawasaki disease. Pediatr Infect Dis J 2003；22：839-842
15) 第 23 回川崎病全国調査成績
16) Muta H, et al.：Serum sodium levels in patients with Kawasaki disease. Pediatr Cardiol 2005；26：404-407
17) Shin JI, et al.：Kawasaki disease and hyponatremia. Pediatr Nephrol 2006；21：1490-1491
18) Miura K, et al.：Nonosmotic secretion of arginine vasopressin and salt loss in hyponatremia in Kawasaki disease. Pediatr Int 2020；62：363-370
19) McCrindle BW, et al.：Diagnosis, treatment, and long-term management of Kawasaki disease：A Scientific Statement for Health Professionals from the American Heart Association. Circulation 2017；135：e927-e999
20) Koyanagi H, et al.：Serum C-reactive protein levels in patients with Kawasaki disease：from the results of nation-wide surveys of Kawasaki disease in Japan. Acta Paediatr 1997；86：613-619
21) 〆谷直人，他：C 反応性蛋白（CRP）低濃度域における血清アミロイド A 蛋白（SAA）および IL-6 の変動について．臨床病理 1996；44：669-675
22) Watanabe T, et al.：Pyuria in patients with Kawasaki disease. World J Clin Pediatr 2015；4：25-29

〔古野憲司〕

Ⅲ　診断と急性期の検査

4　胸部X線検査・心電図

POINT

・急性期の胸部X線では，肺門部辺縁気管支血管周囲の不明瞭像や肺野の異常陰影（主に網状顆粒状陰影）を認める．
・急性期に心筋炎，心外膜炎を発症した症例では，胸部X線で心陰影拡大がみられることがある．
・急性期の心電図異常所見は軽微な場合が多いが，回復期の心電図と比較することで明確になることもある．
・重症例では，心筋炎，心膜炎，冠動脈病変（CAL）に伴う心筋障害や心筋虚血を判別するうえで，心電図検査は有用である．

胸部X線検査

1. 急性期の胸部X線検査所見

　川崎病の患者は発熱を主症状とすることが多いが，鼻汁，咳嗽など呼吸器症状を伴うことも少なくない．胸部X線検査は，気管支炎，肺炎など呼吸器感染の鑑別目的で実施されることが多く，川崎病に特化した検査としては一般的には注意を払われていない．しかし川崎病急性期の胸部X線検査は，肺野の異常陰影の鑑別のみならず，血管炎，心不全に伴う胸水の有無，心陰影拡大の発見にも有用であり，その重要性は高い．

1）肺野の異常所見

　川崎病急性期の胸部X線検査における肺野の異常陰影として，網状陰影や網状顆粒状陰影などの間質陰影がもっとも多く報告されている．Umezawaら[1]は，発症10日以内の川崎病患者129例中19例（14.7%）に胸部X線で異常陰影が認められたと報告しており，内訳として網状顆粒状陰影（89.5%）がもっとも多く，次いで気管支周囲肥厚像（21.1%），胸水（15.8%），無気肺（10.5%），エアトラッピング（5.3%）をあげている．西村ら[2]は，胸部CTを撮像した川崎病急性期患者67例において，42例（62.7%）に肺野の異常陰影を認め，間質陰影が多かったことを報告しており，胸部X線での肺野の異常陰影所見を裏づけている．胸部X線で肺野に異常陰影を示し

た患者群では，異常陰影を示さなかった患者群と比較して，CRP値が高値であり，発熱期間やCRP値陽性期間が長く，また冠動脈病変（coronary artery lesions：CAL），心膜液貯留，麻痺性イレウスや神経学的異常所見を合併する頻度が有意に高いことが報告されている[1]．

　Moriyaら[3]は，川崎病患者69例中57例（82.6%）の胸部X線所見で，肺門部辺縁の気管支血管周囲の不鮮明化を確認し，急性期に心エコーで異常を指摘される割合（42.0%）より高かったと報告している．続いて網状顆粒状陰影（34.8%）をあげているが，これら急性期の肺野の異常陰影は一過性であり，回復期には86%の症例が改善していると報告している．

　また単施設の研究ではあるが，川崎病患者602例中11例（1.8%）で川崎病診断時に肺実質の浸潤影を認め，肺炎と診断されている[4]．まれではあるが，肺野の異常陰影の1つとして結節陰影も報告されている[2,5]．

　組織学的には，IgA形質細胞が気道の免疫組織染色で多数検出され，特に気管・太い気管支の粘膜下腺周囲および肺の中枢部で著明であったと報告されている[6,7]．肺結節影は肺胞とその周囲の小～中動脈にリンパ球，マクロファージ，好中球からなる炎症性細胞の集積がみられ，宿主の免疫反応が関与した炎症性変化であることが考えられる[5,7]．

　図1，2に川崎病急性期における肺野異常の所見

4. 胸部X線検査・心電図

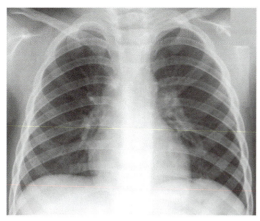

図1 3歳10か月川崎病男児（第3病日）
肺野の網状顆粒状陰影，気管支周囲肥厚像および肺門部の気管支周囲の不明瞭像（peribronchovascular haze）を認める

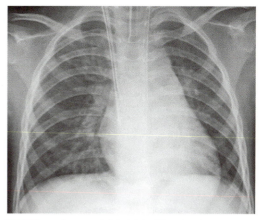

図2 2歳1か月川崎病女児（第7病日）
IVIG療法不応例であり，気管挿管，呼吸管理下で血漿交換療法を行った．肺門部に気管支周囲の不明瞭像（peribronchovascular haze），両肺野に網状顆粒状陰影を認める

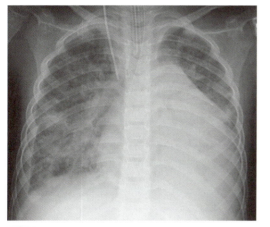

図3 7歳2か月川崎病男児（第9病日）
心陰影の拡大，肺うっ血，胸水貯留を認め，急性心筋炎と診断した．IVIG療法不応例であり，集中治療室管理で人工呼吸管理，血漿交換療法，持続血液濾過透析療法を必要とした

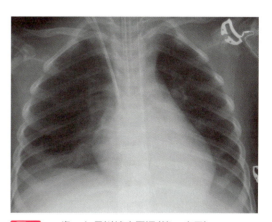

図4 3歳3か月川崎病男児（第7病日）
心陰影の拡大，胸水貯留を認めた．急性心筋炎と診断し，集中治療管理を行った

を示す．

2）心陰影の異常所見

急性期でみられる胸部X線検査での心陰影拡大は約20％にみられる．無症候性を含めると51〜67％の川崎病急性期患者が心筋炎を合併していると報告されている．川崎病急性期に心筋炎，心外膜炎を発症した症例では，一過性の心機能低下，乳頭筋不全による房室弁逆流から，うっ血性心不全，胸水貯留，心膜液貯留を合併するため，胸部X線で心陰影拡大がみられる．また巨大冠動脈瘤を合併した症例では，胸部X線で異常陰影として示されることもある．

図3〜5に川崎病急性期における心陰影の異常を示す．

心電図

1. 急性期の心電図検査所見

川崎病急性期の心電図変化は軽微な場合が多く，回復期の心電図と比較することで明確になることも多い．一方で，重症例では川崎病急性期の心筋炎や心膜炎，CALに伴う心筋障害や心筋虚血に関連した種々の心電図変化がみられる．

川崎病治療における免疫グロブリン静注（IVIG）療法が確立する以前は，急性期に何らかの心電図異常を認める症例の頻度は，43〜100％とされていた[8,9]（表1）．

剖検例における組織学的研究では，川崎病急性期

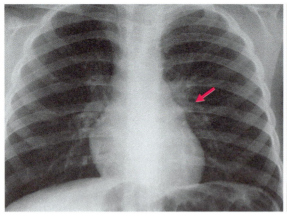
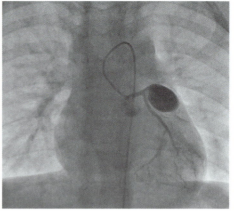

図5 3歳0か月川崎病女児(第12病日)
第8病日に巨大冠動脈瘤を認めた. 胸部X線で➡先端部分に突出した心陰影を認めた. 発症から2か月後の心臓カテーテル検査で, 左前下行枝に巨大冠動脈瘤を確認し, 胸部X線の異常陰影と合致した

表1 川崎病急性期の心電図異常(頻度)

心電図異常	頻度(%)
PR延長	14～59
QT延長	11～52
QTc増大	19～88
相対的低電位	17～43
ST変化	4～56
T波平低化	15～64

に洞房刺激伝導系と房室刺激伝導系に炎症細胞の浸潤や浮腫性変化に伴う病変が存在していることが確認されている.

ただし, これらは報告により心電図異常の定義が異なること, 川崎病急性期の初期治療として, アスピリン(ASA), IVIG療法が確立する前の報告で, 急性期とされる期間あるいは急性期の状態も異なる可能性があることに留意する必要がある. 第24回川崎病全国調査[10]によると, 急性期の心障害例は7.9%, うち急性期の冠動脈拡大5.6%, 弁膜病変1.5%, 冠動脈瘤0.8%, 心筋梗塞0%と報告されており, 現在では急性期の心電図異常の多くは軽微な変化である可能性が高い.

川崎病急性期の不整脈として, IVIG療法が導入される前は, 不整脈発生頻度は1～6%で, 上室期外収縮, 心室期外収縮, 発作性上室頻拍, 心室頻拍, WPW症候群, 房室ブロック(II, III度)と報告され

ている[11]. またIVIG療法導入後は, 急性期にWenckebach型II度房室ブロックや心室期外収縮, 心室頻拍を一過性に認めた報告がある[12,13]. 日本における川崎病急性期の頻拍性不整脈の合併症は, 0.07%と報告されている[14].

図6, 7に川崎病急性期の心電図異常を示す.

文 献

1) Umezawa T, et al.: Chest x-ray findings in the acute phase of Kawasaki disease. Pediatr Radiol 1989; 20: 48-51
2) 西村謙一, 他: 急性期川崎病における胸部CT所見の検討. 日本小児科学会雑誌 2015; 119: 299
3) Moriya S, et al.: Peribronchovascular haze: a frequently observed finding on chest X-rays in the acute phase of Kawasaki disease. Jpn J Radiol 2014; 32: 38-43
4) Singh S, et al.: Pulmonary presentation of Kawasaki disease-A diagnostic challenge. Pediatr Pulmonol 2018; 53: 103-107
5) 五十嵐梨紗, 他: 両肺野にびまん性肺結節陰影を認めた川崎病の1例. 小児感染免疫 2016; 28: 265-270
6) Rowley AH, et al.: IgA plasma cell infiltration of proximal respiratory tract, pancreas, kidney, and coronary artery in acute Kawasaki disease. J Infect Dis 2000; 182: 1183-1191
7) Freeman AF, et al.: Inflammatory pulmonary nodules in Kawasaki disease. Pediatr Pulmonol 2003; 36: 102-106
8) 浅井利夫: 急性熱性皮膚粘膜リンパ節症候群(MCLS)の心臓障害に関する研究-1-心電図変化について. 日本小児科学会雑誌 1976; 80: 60-67
9) Hiraishi S, et al.: Clinical course of cardiovascular involvement in the mucocutaneous lymph node syndrome. Relation between clinical signs of carditis and development of coronary arterial aneurysm. Am J Cardiol 1981; 47: 323-330
10) 第24回川崎病全国調査成績
11) 播磨良一, 他: 川崎病の不整脈. 小児内科 1981; 13: 1043-1051

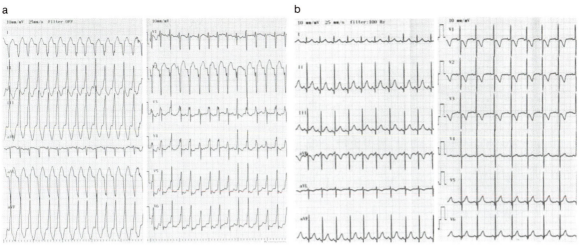

図6 1歳川崎病女児（第5病日）
a：第5病日，b：第9病日
第4病日に川崎病と診断され，IVIG療法を施行した．治療後は解熱傾向であったが，第5病日に頻拍発作を合併した．心電図で融合収縮を認め，左脚ブロック型＋下方軸を呈し，心室頻拍と診断した．抗不整脈薬を使用し洞調律に改善した．家族歴，既往歴に特記すべき所見なく，不整脈の再燃もみられなかったことから，川崎病心筋炎に伴う一過性の心室頻拍と診断した

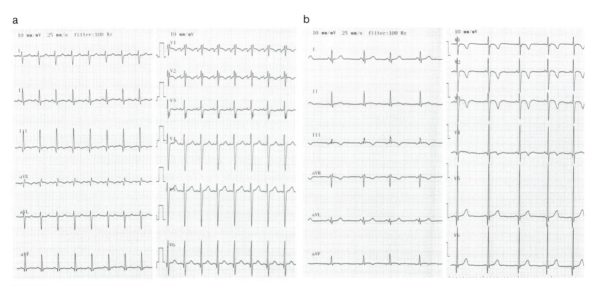

図7 7歳川崎病女児（第8病日）
a：第8病日，b：第12病日
第5病日に川崎病と診断され，IVIG療法を施行した．解熱傾向であったが，第8病日に胸部X線でCTR 64％と心陰影の拡大を認め，心エコー検査で心駆出率40％と低下，房室弁逆流が出現し，川崎病心筋炎に伴う心不全と診断した．集中治療管理下で血漿交換療法を3日間施行し，循環呼吸状態は改善した．心電図で不完全右脚ブロックを認めたが，第12病日には洞調律に改善した

12) Haney I, et al.：Ventricular arrhythmia complicating Kawasaki disease. Can J Cardiol 1995；11：931-933
13) Mahant S, et al.：Heart block during the acute phase of Kawasaki disease. Acta Paediatri 2006；95：628-629
14) 第21回川崎病全国調査成績

〔上野健太郎〕

III 診断と急性期の検査

5 心エコー検査

> **POINT**
> - 冠動脈病変（CAL）の評価に際しては，冠動脈の正常解剖，CAL の好発部位について熟知しておく必要がある．
> - CAL の重症度評価には，冠動脈内径の絶対値のみならず Z スコアが重要視されるようになった．
> - 心筋炎や心膜炎，大動脈弁逆流や僧帽弁逆流など，川崎病には CAL 以外にも留意すべき心合併症がある．

　心エコー検査は今や小児科医にとって極めて身近な検査法となった．2020年の人口動態調査によれば日本の出生数は 84 万 832 人にまで減少した．先天性心疾患の発生率を出生数の 1% とすれば，年間の先天性心疾患発生数は 1 万人弱と計算される．一方，川崎病の発症数は増加の一途をたどっており，2013年以降年間 15,000 人を超えている．このことは小児科医が行う心エコー検査の中で，川崎病がいかに重要な位置を占めているかを示している．本項では，検査を行う前に周知しておくべき冠動脈の正常解剖と川崎病における心血管病変の特徴，心エコーによる心病変の描出方法について概説する．

冠動脈の正常解剖

　冠動脈の病変部位は American Heart Association（AHA）の segment 分類[1]で表されることが多い（図1）．右冠動脈 segment 1 と 2 の境界は，右冠動脈起始部から鋭縁部（acute margin）までを二等分した点にあり，右室枝の起始部に一致することが多い．そして鋭縁部から後下行枝までを segment 3，後下行枝以降を segment 4 とよんでいる．左冠動脈については左前下行枝と左回旋枝分岐部までが segment 5

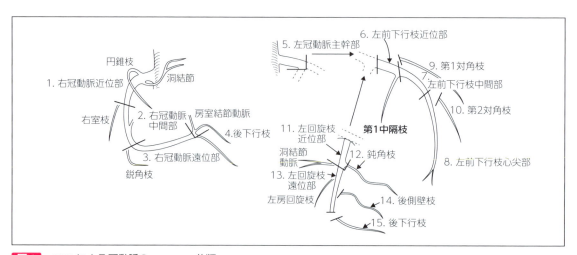

図1 AHA による冠動脈の segment 分類
図内の数字は segment の番号を示す
〔Austen WG, et al.：A reporting system on patients evaluated for coronary artery disease. Report of the Ad Hoc Committee for Grading of Coronary Artery Disease, Council on Cardiovascular Surgery, American Heart Association. Circulation 1975；51(4 Suppl.)：5-40 より改変〕

(左冠動脈主幹)で，以後，左前下行枝の第1中隔枝までが segment 6，第2対角枝までが segment 7，その末梢が segment 8 となる．左回旋枝は鈍角枝(segment 12)の分岐部までが segment 11，後壁枝(segment 14)分岐部までが segment 13 に相当する．

冠動脈の優位性も重要である．優位性は心室中隔背面が，左右どちらの冠動脈で灌流されるかで決定される．右冠動脈優位でも心筋の約54%は左冠動脈によって灌流されており[2]，右冠動脈が左冠動脈より太いとは限らない．

心エコーによる冠動脈の描出

まず，プローブは冠動脈を描出できる範囲でできるだけ周波数の高いものを使用し，冠動脈径はエコーゲインを必要最低限に抑えてその最大内径を計測する．

CT像で基本的な冠動脈走行を理解しておくと，各 segment を長軸方向に描出するためには，どのよ

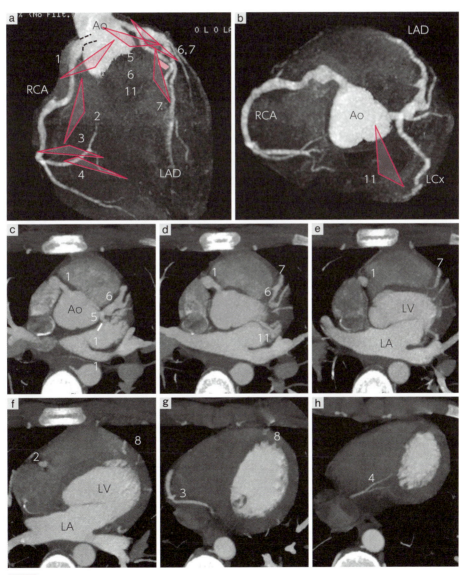

図2 CT像からみるエコー断面
a：正面像，b：水平断面像．図中の数字は冠動脈の segment 番号を示す．赤の三角形は各 segment を観察するためのエコー断面を示す
c～h：水平断面像で頭側から足側に表示．図中の数字は該当する segment の番号に一致
Ao：大動脈，LA：左房，LAD：左前下行枝，LCx：左回旋枝，LV：左室，RCA：右冠動脈

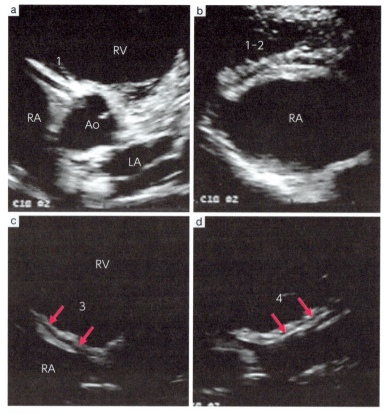

図3 右冠動脈(segment 1～4)の描出
それぞれの segment を長軸方向に描出するように，プローブの向きを変えていく
a～d はそれぞれ segment 1～4 を描出する断面である
Ao：大動脈，LA：左房，RA：右房，RV：右室

うにプローブを当てるべきか見当をつけやすい(図2).

1. 右冠動脈

　Segment 1の起始部は大動脈基部短軸断面から，プローブをやや上方(頭側)・反時計方向に回転させると観察できる．Segment 2を長軸方向に観察するには，プローブをより反時計方向，すなわち体軸(長軸)方向に回転させる．Segment 2は胸骨の下に隠れてみえにくいため，右側臥位で観察する．右側後房室間溝を走る segment 3は通常の四腔断面像から，三尖弁輪背側域をみるようにプローブを傾けると描出される．Segment 4は segment 3の描出断面から，心臓下面を削ぐように後心室間溝を観察する．Segment 4には後室間静脈が並走するが，カラードプラを用いると血流の向きで鑑別できる(図3).

2. 左冠動脈

　左側臥位で観察する．通常の大動脈基部短軸断面，大動脈弁がみえる位置からやや上方にプローブ

を向けると segment 5, 6が，さらにプローブを時計方向に回転させながら下方を覗き込むと segment 6, 7境界部が描出できる．Segment 7以降は，プローブを図4のように逆長軸方向(エコー画面右が足側)かつやや外側に向けて描出する．Segment 5～7の連続画像を図5に示したが，segment 7の描出は難しい場合もある．

3. 左回旋枝(segment 11)

　通常の大動脈基部短軸断面の他，さまざまな断面で観察を試みる．房室間溝を走行する左回旋枝を比較的長く描出するには，剣状突起下からの観察が最良である(図6)．Segment 6と segment 11の分岐角は，segment 5の長さ(成人で2～40 mm：平均13 mm[3])，そしておそらく分岐部周囲の冠動脈瘤にも影響されてさまざま(鋭角～直角に分岐)である．しばしば，segment 9, 高位側壁枝(high lateral)などとの鑑別が必要であるが，左房室間溝を走るのが

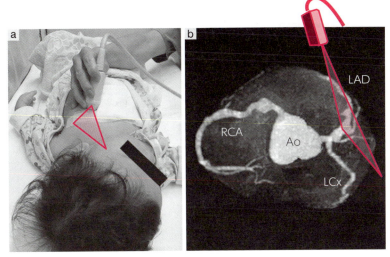

図4 左冠動脈 segment 7/8 の観察
a：segment 7 (8 近位) を観察するプローブの向きを示す．心臓長軸断面から，やや左方を覗き込み心室間溝を描出していく
b：CT 画像で断面を表示したもの
Ao：大動脈，LCx：左回旋枝，LAD：左前下行枝，RCA：右冠動脈

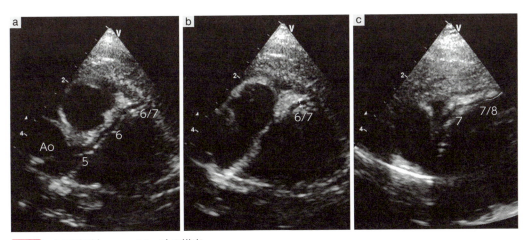

図5 左冠動脈 (segment 5〜8) の描出
a・b：segment 5, 6, 6/7 境界，c：segment 7〜7/8 境界
図中の数字は segment の番号を示す
Ao：大動脈

segment 11 である．高位側壁枝とは segment 5 が 3 本に分岐する症例において，左前下行枝と左回旋枝に挟まれた枝を指しており，20〜30% 前後の症例に認められる[2]．その他，左前下行枝と左回旋枝が左冠動脈洞内で別々に起始する症例も，少数（約 1%）ながら認められる．

冠動脈瘤描出に際しての留意点

1. 冠動脈瘤の好発部位

川崎病の冠動脈瘤は冠動脈近位部，特に分岐部を中心に好発するが，右冠動脈では segment 3, 4 移行部など末梢側にも少なくない．一方，左冠動脈瘤は segment 5, 6 移行部，segment 6, 7 移行部に多く，末梢に認める症例はまれである．したがって，

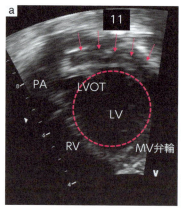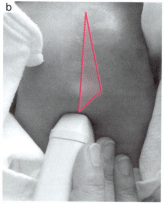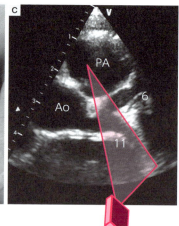

図6 剣状突起下からの左回旋枝の描出
a：segment 11 を剣状突起下から観察した断面（upside down 像で観察）．segment 11～13 にかけての拡張病変が描出されている
b・c：a の断面を描出するプローブの方向を示す．まず剣状突起下からプローブのマーカー部分を下側（足側）にして，upside down 像で左室短軸断面を描出し，そのまま左房室間溝が描出されるまでプローブの向きを調整する
Ao：大動脈，LV：左室，LVOT：左室流出路，MV：僧帽弁，PA：肺動脈，RV：右室

右冠動脈は segment 3, 4 移行部まで，左冠動脈は segment 6, 7 移行部，segment 11 までは描出するように努力する．なお，左冠動脈起始部周囲の Valsalva 洞が，円錐状に拡大してみえることがあるが，川崎病で冠動脈開口部の拡大はまれである．右冠動脈 segment 1 は起始後すぐに方向を変えて走行するため，屈曲部を斜めに切ると瘤様に誤認する．さまざまな方向から観察して確認する．

冠動脈病変の重症度評価（Z スコア導入）

従来，冠動脈径拡張病変の重症度は冠動脈内腔の絶対値をもって，ランク付けされてきた．しかし，この方法では患者の体格や冠動脈枝本来の太さの違いが考慮されないため，Z スコアを用いての評価が提唱されるようになった．AHA では冠動脈内径の Z スコアが，①+2 以上 +2.5 未満を拡大，②+2.5 以上 +5 未満を小瘤，③+5 以上 +10 未満かつ 8 mm 未満を中等瘤，④+10 以上または 8 mm 以上を巨大瘤と定義されている[4]．わが国においても，日本川崎病学会により男女別正常小児の冠動脈内径 Z スコア曲線が作成され[5]，Z スコアによる判定が推奨されている．実際の Z スコア算出は，小児冠動脈内径 Z スコア計算アプリを利用して行っている．性別，身長，体重，各冠動脈（segment 1, 5, 6, 11）の内径を入力すれば，Z スコアと中央値が表示され便利である（web サイト raise.umin.jp/zsp2 参照）．Segment 2・7 の Z スコアは，それぞれ計算アプリの segment 1・6 を代用して求めている．「川崎病心臓血管後遺症の診断と治療に関するガイドライン」（2020 年改訂）[6]では，前述した AHA の定義から①の拡大を除いた形で，小瘤・中等瘤・巨大瘤が定義され，5 歳未満では 3 mm 以上 4 mm 未満を小瘤，4 mm 以上 8 mm 未満を中等瘤，8 mm 以上を巨大瘤と実測値データによる評価も併記されている．

冠動脈狭窄病変との関連では，内径 5～6 mm 以上の冠動脈瘤，特に長さの長い症例（左冠動脈瘤で 15 mm 超，右冠動脈瘤で 30 mm 超）が，ハイリスクと考えられている[7]．また，近年，川崎病急性期の重要な死亡原因として，冠動脈破裂があげられている．第 15～23 病日にかけて，冠動脈が 5.0 mm から 14.2 mm へと，8 日間で 9 mm 以上拡大した後に破裂した症例[8]や，全身麻酔下に血漿交換，降圧療法を併用し冠動脈破裂を阻止しえた 30 mm 大の超巨大瘤例も報告されている[9]．冠動脈拡張病変の拡大速度や血圧にも留意しながらエコー所見を観察する．

冠動脈内径のZスコア導入後変化

川崎病では他の熱性疾患と異なり，初回診断時すでに冠動脈が拡張している症例が少なくないこと[10,11]，Zスコアによる評価が不全型川崎病の診断に有用である可能性[11]，免疫グロブリン静注（IVIG）療法前・初回投与2日以内のZスコア2.0以上でその後の冠動脈瘤発生率が高率であることなどが，報告されるようになってきた[12]．さらには，Zスコアで評価した冠動脈瘤の重症度とその後の冠動脈イベントの関連についても調査されている．その結果，10年冠動脈イベント回避率は，小瘤（Zスコア5未満），中等瘤（Zスコア5以上10未満，かつ<8 mm），巨大瘤（Zスコア10以上，or≧8 mm）の順に，男性：100％，94％，52％，女性：100％，100％，75％であり，巨大瘤，男性で低かった（$p<0.001$）．さらにIVIG不応例も冠動脈イベント発生のハイリスク群と評価され，Zスコアによる冠動脈瘤の重症度評価が，将来の冠動脈イベント発生予測に有用であることが示された[13]．

また「川崎病診断の手引き」（改訂第6版）でも，Zスコアによる冠動脈拡張病変の定義（2.5以上）が明記された[14]．世界的な風潮からみても，今後はZスコアによる冠動脈評価が求められるようになるが，拡張病変の発生率，小瘤・中等瘤の評価基準などに関して，これまでに蓄積された膨大な情報との間にずれが生じることは否めない．過去のデータと比較検討する際には，これらの点にも留意する必要がある．また，Zスコア算出方法が異なれば，各Zスコア間にずれが生じ，診断・治療方針や文献の解釈に影響が出てくる可能性も指摘されている[15]．

成人の心後遺症群ではCT，冠動脈造影所見を参考に[16]

川崎病後遺症例では，巨大瘤，狭窄病変（局所性狭窄，閉塞，セグメント狭窄），石灰化，瘤内血栓など，種々の病変が混在する．特に巨大瘤がsegment 5からsegment 6，11にわたって存在する場合，①石灰化病変がアコースティックシャドーを引く，②巨大瘤が重なり相互の位置関係が不明瞭になる，③巨大瘤に挟まれた狭窄病変の描出は不明瞭になるなど，複数の因子が関与して病変の評価は難しい．過

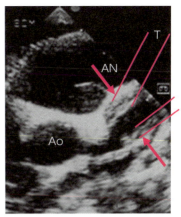

図7 巨大冠動脈瘤と瘤内血栓（5歳男児）

巨大瘤を心エコーで観察する場合，血栓も見逃さないようエコーゲインを調整する．冠動脈瘤内血栓はウロキナーゼ投与で溶解した
Ao：大動脈，AN：瘤，T：血栓

去に行われた冠動脈造影，CT検査などの所見を参考にしながら心エコー検査を行っていく．また巨大瘤の観察においては，瘤内に血栓が形成されている場合もあり，エコーゲインを調節しながら，通常より高輝度で観察することも必要になる（図7）．

冠動脈以外の心合併症

1．心筋炎

心筋炎は早期に発症するため，心機能の変化には初診時から留意する（図8）．左室内径短縮率[16]では20％例で，TEI index[18]による検討では約半数例で，川崎病急性期に一過性の左室機能低下を認めたと報告されている．多くは浮腫を伴った間質の炎症で，心筋細胞の壊死を伴う重症度の高いものはまれである（第21回川崎病全国調査では治療を要した心筋炎の発症率0.16％）．しかし，川崎病診断時の左室内径短縮率Zスコア−2未満の症例では冠動脈拡張病変（Zスコア>2）の発生が高率であったとの報告[17]や，1993～2004年の死亡52例（0.059％）中，22例（0.02％）が巨大瘤を有さずに，心筋炎・心不全により死亡したとの報告[19]もあり，心筋炎は川崎病の合併症として重要な位置を占めている．

2．弁逆流

僧帽弁逆流は「川崎病診断の手引き」（改訂第6版）

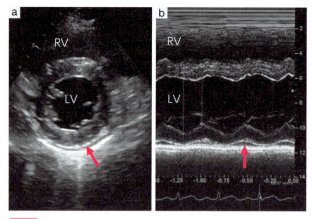

図8 心筋炎合併例：15歳川崎病，第4病日
a：左室(LV)拡張末期短軸断像，b：心室のMモード所見
左室拡張末期径44.8 mm（正常平均の95%大），拡張末期の心室中隔壁厚12.4 mm，左室後壁厚9.4 mmと左室壁厚は腫大，左室駆出率42%と低値であった．少量の心膜液貯留も認められる（➡）．IVIG療法後，第7病日には左室拡張末期径（48.8 mm），左室駆出率も65%，心室中隔壁厚8.0 mm，左室後壁厚7.4 mmと正常化した
LV：左室，RV：右室

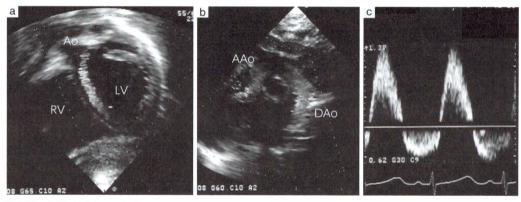

図9 川崎病発症3か月後に認められた大動脈弁逆流（7か月女児）
a：剣状突起下からの左室長軸断面．大動脈弁逆流(AR)は心尖部近くにまで達する
b：大動脈弓断面．胸部下行大動脈血流は拡張期に大動脈弓まで逆流している
c：腹部下行大動脈内パルスドプラ所見．全拡張期逆流シグナルを認め，中等度以上のARの存在を示す
Ao：大動脈，AAo：上行大動脈，DAo：下行大動脈
［口絵20；p.xi］

でも，心膜液貯留とともに川崎病を疑う参考条項として取りあげられている．川崎病診断時の僧帽弁逆流は25%前後に認められ，合併群で冠動脈径（Zスコア1.99 vs. 1.51）が大きかったと報告されている[17]．多くは軽症であるが，乳児僧帽弁腱索断裂の11%は川崎病[20]に合併しており注意を要する．大動脈弁逆流は1.0%前後[17]に合併するが，遠隔期に急に増悪する症例があり（図9），定期検診が必要な一因

となっている．

3．心膜炎

川崎病急性期に心膜液貯留を認めることは少なくない．ほとんどは軽症で治療対象とならないが，心膜液貯留が急速に進行し，心タンポナーデに陥る症例もまれながら認められる[21]．貯留量が多い場合，また貯留速度が速い場合，B・Mモードで左右心房の圧迫所見や右室流出路の奇異性運動，左室拡張末

期径などの変化を追跡する．パルスドプラ法による僧帽弁流入血流のE/A比，E波の減速時間（deceleration time），肺静脈血流速度波形パターン，組織ドプラを組み合わせたE/E'など，左室拡張障害の評価も心タンポナーデを予測するうえで重要である．

◎おわりに

心エコー検査を行う前に，冠動脈の走行，segment分類，優位性など，冠動脈の解剖を理解しておく．検査に際しては適切な検査体位を設定し，できるだけ高周波数のプローブで観察する．エコーゲインは必要最低限にとどめ，各segmentを長軸方向に描出するように心がける．成人の心後遺症群では過去のCT，冠動脈造影所見などを参考にしたうえで検査を行う．その他，急性期には心筋炎，弁炎などの合併にも留意すべきで，心臓関連の合併症を最小限に抑え込むためには，心エコーによる経時的かつ正確な診断が必須である．

■文 献

1) Austen WG, et al.：A reporting system on patients evaluated for coronary artery disease. Report of the Ad Hoc Committee for Grading of Coronary Artery Disease, Council on Cardiovascular Surgery, American Heart Association. Circulation 1975；51（4 Suppl.）：5-40
2) 延吉正清：解剖．新冠動脈造影法．医学書院，1990；41-89
3) 梶谷文彦，他：冠動脈の解剖と生理．井村裕夫，他（編）：最新内科学大系．中山書店，1990；41-89
4) McCrindle BW, et al.：Diagnosis, treatment, and long-term management of Kawasaki disease. A scientific statement for health professionals from the American Heart Association. Circulation 2017；135：e927-e999
5) Kobayashi T, et al.：A new Z score curve of the coronary arterial internal diameter using the Lambda-Mu-Sigma method in a pediatric population. J Am Soc Echocardiogr 2016；29：794-801
6) 日本循環器学会，他：川崎病心臓血管後遺症の診断と治療に関するガイドライン（2020改訂版）［http//:www.j-circ.

or.jp/guideline/pdf/JCS2020_Fukazawa_Kobayashi.pdf］
7) Suzuki A, et al.：Fate of coronary arterial aneurysm in Kawasaki disease. Am J Cardiol 1994；74：822-824
8) 池田健太郎，他：冠動脈瘤破裂をきたした乳児川崎病の1例．関東川崎病研究会レポート 2009；24：16-18
9) Moritou Y, et al.：Importance of blood pressure control in Kawasaki disease with expanded multiple giant coronary aneurysms with a 32-mm maximum diameter：A case report. Eur Heart J Case Rep 2021；5：1-7
10) Muniz JC, et al.：Coronary artery dimensions in febrile children without Kawasaki disease. Circ Cardiovasc Imaging 2013；6：239-244
11) Fuse S, et al.：On what day of illness does the dilatation of coronary arteries in patients with Kawasaki disease begin? Circ J 2018；82：247-250
12) Son MBF, et al.：Predicting coronary artery aneurysms in Kawasaki disease at a North American center：an assessment of baseline z scores. J Am Heart Assoc 2017；6：e005378
13) Miura M, et al.：Association of severity of coronary artery aneurysm in patients with Kawasaki disease and risk of later coronary events. JAMA Pediatr 2018；172：e180030
14) 日本川崎病学会，他：川崎病診断の手引き 改訂第6版．2019 ［www.jskd.jp/info/pdf/tebiki201906.pdf］
15) Lopez L, et al.：Pediatric heart network echocardiographic Z scores：comparison with other published models. J Am Soc Echocardiogr 2021；34：185-192
16) 鎌田政博：心エコー検査：川崎病における歴史と冠動脈病変の描出法．川崎富作（総監修）：川崎病の基本．協和企画，2015；39-51
17) Printz BF, et al.：Noncoronary cardiac abnormalities are associated with coronary artery dilation and with laboratory inflammatory markers in acute Kawasaki disease. J Am Coll Cardiol 2011；57：86-92
18) Ajami G, et al.：Evaluation of myocardial function using the Tei index in patients with Kawasaki disease. Cardiol Young 2010；20：44-48
19) 鮎沢 衛：疫学調査と臨床：川崎病死亡例の検討．小児科診療 2006；69：967-973
20) Shiraishi I, et al.：Acute rupture of chordae tendineae of the mitral valve in infants：a nationwide survey in Japan exploring a new syndrome. Circulation 2014；130：1053-1061
21) Dahlem PG, et al.：Pulse methylprednisolone therapy for impending cardiac tamponade in immunoglobulin-resistant Kawasaki disease. Intensive Care Med 1999；25：1137-1139

〔鎌田政博〕

Ⅲ　診断と急性期の検査

6 バイオマーカー

POINT
- 炎症性サイトカインや血管障害などを反映した種々のバイオマーカーがある.
- 診断,免疫グロブリン不応例,冠動脈病変の予測因子として確定的なバイオマーカーはなく,複数を組み合わせて判定する.

バイオマーカーには,①川崎病診断のためと,②免疫グロブリン静注(IVIG)療法不応例や冠動脈病変(coronary artery lesions:CAL)合併例の予測因子として検討したものがある.現時点では,川崎病診断に特異的なものも重症予測因子として確定的なバイオマーカーもなく,複数を組み合わせて判定する.炎症性サイトカインや血管障害などを反映した種々のバイオマーカーが多く報告されているが,保険適用があって病院内検査室や委託検査機関で測定でき,結果がすぐに出て臨床的に有用なものはまだ少ない.本項では代表的なものを記載する(**表1**).

サイトカイン以外のバイオマーカー

1. Dダイマー

安定化フィブリンがプラスミンによって分解されて生じる産物であるDダイマーが,血栓形成と二次線溶系亢進を反映して上昇する.川崎病でIVIG不応例で高値を示す[1].

2. プロカルシトニン

カルシトニン前駆蛋白として甲状腺C細胞において生成されるペプチドで,tumor necrosis factor(TNF)-α などの炎症性サイトカインによって産生される.敗血症などの重症感染症で高値を示し,川崎病でも同様に上昇がみられる[2].IVIG不応例の予測因子となるとの報告がある.

3. 血清アミロイドA(SAA)

アミロイド前駆体の低分子蛋白で,CRPと同様に肝細胞で産生される急性期相蛋白の1つ.炎症を反映して高値を示す[3].

表1　川崎病で有用なバイオマーカー

サイトカイン以外		サイトカイン関連	
Dダイマー	○	TNF-α/sTNF-R	
プロカルシトニン	○	sIL-2R	○
血清アミロイドA	○	IL-6	
BNP/NT-proBNP	○	IFN-γ	
ペントラキシン3		IL-8	
テネイシンC		IL-10	
血管内皮微小粒子		IL-17	
HMGB1		G-CSF	
LRG1とLBP		MCP-1	
		sICAM-1	
		VEGF	
		CXCL10/IP-10	
		IL-18	

○現時点で日常診療で測定できるもの
略語は本文参照

4. ヒト脳性ナトリウム利尿ペプチド(brain natriuremic peptide:BNP)とヒト脳性ナトリウム利尿ペプチド前駆体N端フラグメント(NT-proBNP)

BNPは主として心室から分泌されて,血管拡張作用と利尿作用で体液量や血圧の調整に重要な役割を果たしている.健常人の血漿中BNP濃度は極めて低く,心不全患者で重症度に応じて上昇する.川崎病では心エコー上の心不全がなくても急性期に上昇している.NT-proBNPはBNP前駆体で半減期が長

表2 川崎病診断の NT-proBNP カットオフ値

年齢	カットオフ値 (pg/mL)	中央値 (pg/mL)
1～11 か月	1,000	140
1 歳	900	130
2 歳	800	110
3 歳	700	90
4～5 歳	600	80
6～7 歳	500	60
8～9 歳	400	50
10～15 歳	300	30

〔Shiraishi M, et al.：N-terminal pro-brain natri-uretic peptide as a useful diagnostic marker of acute Kawasaki disease in children. Circ J 2013；77：2097-2101 より改変〕

くより安定しているが，腎臓代謝のために腎機能の影響を受けることに注意が必要である．川崎病の診断および CAL 予測に有用と報告されている（**表2**）[4,5]．

5．ペントラキシン3(pentraxin 3：PTX3)

急性炎症性蛋白であり，血管内皮細胞，マクロファージ，線維芽細胞，平滑筋細胞などで発現して炎症刺激依存的に発現が増強することから，心筋梗塞，動脈硬化などの虚血性心疾患のマーカーとして期待されている．川崎病で炎症性サイトカイン上昇を反映して高値を示し，IVIG 不応例や CAL 併発予測因子となりうる[6]．

6．テネイシンC(tenascin C：TNC)

創傷（炎症）治癒や組織再生などに伴って一過性に発現する細胞外基質糖蛋白の 1 つである TNC は，血中に高値を示して IVIG 不応例や CAL 併発の予測因子となる[7]．さらに冠動脈組織にも沈着していることが明らかになった[8]．

7．そのほか

血管内皮細胞が障害されたときに分泌される血管内皮微小粒子（endothelial microparticle：EMPs）や，炎症刺激により活性化された単球から産生される誘導体である high mobility group box 1 (HMGB1)が，IVIG 不応例予測バイオマーカーとして有用であると報告されている[9,10]．さらに，プロテオミクス解析により同定されたロイシンリッチ $a2$-グリコプロテイン 1(leucine-rich $a2$ glycoprotein

1：LRG1）とリポ多糖結合蛋白質（lipopolysaccha-ride binding protein：LBP）の組み合わせで川崎病診断の精度が高くなるとの報告もみられ[11]，今後の研究が期待される．

サイトカイン

主要な炎症性サイトカインである interleukin (IL)-1，IL-2 および TNF-a は川崎病で上昇しているが，血中半減期が短いため血清中高値をとらえることが難しく，産生亢進を反映し血中で安定して存在する可溶性レセプターを検出する．川崎病血管炎の中心的なサイトカインは TNF-a[12]と可溶性 TNF レセプター(sTNF-R)は高値を示す[13]．T リンパ球の活性化や分化に関するサイトカインである IL-2 産生亢進を反映する可溶性 IL-2 レセプター(sIL-2R)も高値を示す[14]．血中 sIL-2R の正常値は年齢により異なる．小児は成人より高値で，2 歳未満は 2 歳以上に比べて高い．Interferon(IFN)-γ は重症例でのみ高値を示す[15]．IL-6 の作用は肝細胞での急性期相蛋白産生や血小板増加で，川崎病急性期に高値を示し CRP 値や最大血小板数と正の相関がみられる．抗炎症作用を有する IL-10 も同様に上昇しており川崎病が自然治癒することと関連している[16]．血管炎のリモデリングに関与する transforming growth factor beta(TGF-β)(潜在型)は急性期に低下する[17]．

CAL 合併例は非合併例と比べて，IL-6，IL-8，IL-10，IL-17，TNF-a，sTNF-R，sIL-2R，granulo-cyte colony stimnlating factor(G-CSF)，monocyte chemoattractant protein(MCP)-1 が高値を示し，CAL 併発に炎症性サイトカインが関与していることが報告されている[14,18,19]．血管内皮細胞表面上の接着分子である intercellular adhesion molecule (ICAM)-1 は活性化により血清中に可溶化し，CAL 合併例で高い[20]．川崎病急性期にみられる心膜液貯留合併例では sTNF-R が高値を示す[21]．血管内皮増殖因子である vascular endothelial growth factor (VEGF)[22]，ケモカインである単球に関連する MCP-1[23]および IFNγ により誘導される CXCL10/IP-10[24]などの著明な上昇が報告されている．

鑑別すべき疾患の検討では，全身型若年性特発性関節炎では IL-18 の上昇がみられるが川崎病ではみられない[25]．麻疹では IL-6 と sIL-2R が上昇するが，

TNFα は上昇しない．IgA 血管炎では TNFα のみの上昇がみられる．

測定について

院内検査室や委託検査機関で測定可能で保険適用があるバイオマーカーは，D ダイマー，プロカルシトニン，尿中 β_2 ミクログロブリン，SAA および BNP/NT-proBNP であり，迅速または数日以内に結果が判明するため有用である．プロカルシトニンは敗血症（細菌性），BNP/NT-proBNP は心不全が保険適用疾患である．

主なサイトカインについては，委託検査機関やキットを使用して研究室で血清/血漿中の蛋白質レベルおよび mRNA レベルの測定が可能である．血清中 sIL-2R だけは保険適用があり，数日以内に結果が判明するが，診療報酬の対象疾患は成人 T 細胞性白血病，非 Hodgkin リンパ腫およびメトトレキサート使用中リンパ増殖性疾患である．

◎おわりに

川崎病の病因解明とともに，診断，IVIG 不応例の予測，CAL 併発予測因子となりうるバイオマーカーを確定することが重要な命題である．バイオマーカーが確定した際には，保険適用をとって病院内検査室で迅速に測定できて初めて日常診療に役立つ．

文 献

1) Masuzawa Y, et al.：Elevated D-dimer level is a risk factor for coronary artery lesions accompanying intravenous immunoglobulin-unresponsive Kawasaki disease. Ther Apher Dial 2015；19：171-177

2) Nakamura N, et al.：Procalcitonin as a biomarker of unresponsiveness to intravenous immunoglobulin for Kawasaki disease. Pediatr Infect Dis J 2020；39：857-861

3) Cabana VG, et al.：Serum amyloid A and high density lipoprotein participate in the acute phase response of Kawasaki disease. Pediatr Res 1997；42：651-655

4) Shiraishi M, et al.：N-terminal pro-brain natriuretic peptide as a useful diagnostic marker of acute Kawasaki disease in children. Circ J 2013；77：2097-2101

5) Yoshimura K, et al.：N-terminal pro-brain natriuretic peptide and risk of coronary artery lesions and resistance to intravenous immunoglobulin in Kawasaki disease. J Pediatr 2013；162：1205-1209

6) 鬼頭敏幸：川崎病の臨床　川崎病の検査・診断　冠動脈病変マーカー（PTX3，sLOX-1，MMP）．日本臨牀 2016；74（Suppl. 6）：513-517

7) Okuma Y, et al.：Serum Tenascin-C as a novel predictor for risk of coronary artery lesion and resistance to intravenous immunoglobulin in Kawasaki disease-A multicenter retrospective study. Circ J 2016；80：2376-2381

8) Yokouchi Y, et al.：Expression of tenascin C in cardiovascular lesions of Kawasaki disease. Cardiovasc Pathol 2019；38：25-30

9) Nakaoka H, et al.：MicroRNA-145-5p and microRNA-320a encapsulated in endothelial microparticles contribute to the progression of vasculitis in acute Kawasaki Disease. Sci Rep 2018；8：1016

10) Eguchi T, et al.：An elevated value of high mobility group box 1 is a potential marker for poor response to high-dose of intravenous immunoglobulin treatment in patients with Kawasaki syndrome. Pediatr Infect Dis J 2009；28：339-341

11) Kimura Y, et al.：Identification of candidate diagnostic serum biomarkers for Kawasaki disease using proteomic analysis. Sci Rep 2017；7：43732

12) Furukawa S, et al.：Peripheral blood monocyte/macrophages and serum tumor necrosis factor in Kawasaki disease. Clin Immunol Immunopathol 1988；48：247-251

13) Furukawa S, et al.：Serum levels of p60 soluble tumor necrosis factor receptor during acute Kawasaki disease. J Pediatr 1994；124：721-725

14) Matsubara T, et al.：Serum levels of tumor necrosis factor, interleukin 2 receptor, and interferon-gamma in Kawasaki disease involved coronary-artery lesions. Clin Immunol Immunopathol 1990；56：29-36

15) Furukawa S, et al.：Kawasaki disease differs from anaphylactoid purpura and measles with regard to tumour necrosis factor-alpha and interleukin 6 in serum. Eur J Pediatr 1992；151：44-47

16) Katayama K, et al.：CD14$^+$CD16$^+$ monocyte subpopulation in Kawasaki disease. Clin Exp Immunol 2000；121：566-570

17) Matsubara T, et al.：Decrease in the concentrations of transforming growth factor-beta 1 in the sera of patients with Kawasaki disease. Scand J Rheumatol 1997；26：314-317

18) Matsubara T, et al.：Immunological profile of peripheral blood lymphocytes and monocytes/macrophages in Kawasaki disease. Clin Exp Immunol 2005；141：381-387

19) 阿部　淳：川崎病の病因・病態　川崎病とサイトカイン．日本臨牀 2014；72：1548-1553

20) Furukawa S, et al.：Increased levels of circulating intercellular adhesion molecule 1 in Kawasaki disease. Arthritis Rheum 1992；35：672-677

21) Okada S, et al.：Acute pericardial effusion representing the TNF-α-mediated severe inflammation but not the coronary artery outcome of Kawasaki disease. Scand J Rheumatol 2015；44：247-252

22) Terai M, et al.：Vascular endothelial growth factor in acute Kawasaki disease. Am J Cardiol 1999；83：337-339

23) Asano T, et al.：Expression of monocyte chemoattractant protein-1 in Kawasaki disease：the anti-inflammatory effect of gamma globulin therapy. Scand J Immunol 2000；51：98-103

24) Ko TM, et al.：CXCL10/IP-10 is a biomarker and mediator for Kawasaki disease. Circ Res 2015；116：876-883

25) Takahara T, et al.：Serum IL-18 as a potential specific marker for differentiating systemic juvenile idiopathic arthritis from incomplete Kawasaki disease. Rheumatol Int 2015；35：81-84

〔松原知代〕

III 診断と急性期の検査

7 特殊な病型の特徴および診断

POINT
- 川崎病主要症状が4症状で冠動脈病変(CAL)がある場合は不定型例とし、それ以外の4症状以下の例で川崎病が考えられる例を不全型川崎病と定義する.
- 川崎病主要症状数が少なくてもCALをきたす可能性があるという認識は重要であり、川崎病が考えられる場合は積極的に心エコー検査を行う必要がある.
- 早期乳幼児の川崎病には不全型川崎病が多く、CALの合併頻度が高いことが特徴である.
- 年長児発症の川崎病は、頸部リンパ節腫脹の頻度が高く化膿性リンパ節炎との鑑別が必要になる例や、麻痺性イレウス、関節痛などの症状を呈する場合があり、診断に注意が必要である.
- 川崎病では、循環破綻をきたす川崎病ショック症候群やマクロファージ活性化症候群、脳炎/脳症をきたすことがあり、その徴候を見逃さずに診断・治療を行う必要がある.

a 不全型川崎病の特徴

不全型川崎病の定義

川崎病(Kawasaki disease：KD)は、①発熱、②両側眼球結膜の充血、③口唇、口腔所見、④発疹(BCG接種痕の発赤を含む)、⑤四肢末端の変化、⑥急性期における非化膿性頸部リンパ節腫脹の6主要症状をもとに診断する(診断の手引き6版). 川崎病全国調査では5症状もしくは6症状を認めた例を定型例と定義し、4症状で冠動脈拡大を認めた場合を不定型例と定義する[1]. 定型例や不定型例の定義を満たさないが、他の疾患が除外され川崎病と考えられる例を不全型川崎病(incomplete KD)と定義する[1](診断の手引き5版). American Heart Association (AHA) statementでは発熱があり、②～⑥の症状の4,5症状がある場合をtypical KDと定義し、typical KDの定義を満たさない例をincomplete KDと定義している[2]. 以上のように不全型川崎病とincomplete KDが同義ではない点は論文・報告の結果を検討する場合に注意が必要である. また、診断の手引き5版と6版では扱いが異なる.

疫 学

第25回の川崎病全国調査[1](2017～2018年)では、定型例が78.9%であり、不定型例が1.7%, 不全型川崎病例が19.3%だった(図1). 年齢別不全型川崎病の

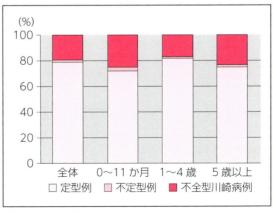

図1 不全型川崎病の割合
第25回の川崎病全国調査で不全型川崎病が占める割合は19.3%だった. 年齢別の不全型川崎病の割合は低年齢と高年齢では不全型川崎病の割合が多かった
〔第25回川崎病全国調査の結果より作成〕

図2 不全型川崎病の割合の推移

不全型川崎病の割合は増加傾向がみられていたが，第25回は19.3%とわずかな低下がみられた．不定型例は第21回は2.6%であったが第22回以降は2%以下で推移していた
〔第21回〜第25回川崎病全国調査の結果より作成〕

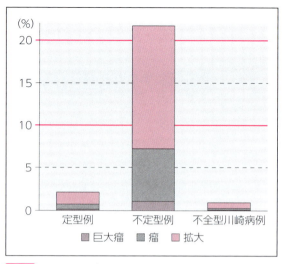

図3 CALの頻度

不全型川崎病におけるCALの頻度は定型例のCALの頻度とほとんど同程度であった．巨大瘤の頻度は定型例では0.11%，不全型川崎病例では0.02%であったが，不定型例では1.06%と多く，瘤や拡大も突出して多かった
〔第25回川崎病全国調査の結果より作成〕

割合は1〜4歳では17.0%だが，1歳未満では25.1%，5歳以上では23.0%と低年齢と高年齢ではその割合が高かった．不全型川崎病例の呈する川崎病主要症状は4症状の例が70.9%，3症状の例が23.4%であり，3〜4症状の例で94.3%とほとんどを占めていた．

不全型川崎病の頻度は第21回川崎病全国調査[1]では18.6%であり，その後はわずかな増加傾向にあり，第24回には20.6%となっていたが，第25回は19.3%と低下していた(図2)．一方，不定型例は第21回調査の2.6%から第25回調査の1.7%へ低下し，incomplete KDとしては21〜22%で推移していた(図2)．この理由としては，不全型川崎病の認識が高まり不全型川崎病として治療され不定型例とならなかった例が増加したことが推察されるが[3]，さらなる詳細の解明が必要である．

冠動脈異常・後遺症

第25回の川崎病全国調査[1]における不全型川崎病の冠動脈病変(coronary artery lesions：CAL)の頻度は巨大瘤が0.02%，瘤0.22%，拡大0.68%であり，定型例の頻度(それぞれ0.11%，0.61%，1.41%)とほとんど同程度であった(図3)．CALをもとに診断される不定型例のCALは高頻度であり，巨大瘤が1.06%，瘤6.19%，拡大14.51%であった．

CALは定型例以外での高頻度が報告されている．Sonobeら[4]は第17回川崎病全国調査結果(2001〜2002年)を解析し，川崎病主要症状が4症状以下の例でのCALが5.9%(急性期異常18.4%)と5症状以上例の4.4%(急性期異常14.2%)より多いことを報告した．また，1，2症状でも急性期のCALをそれぞれ25.0%と23.2%に認めた．以上の結果から，主要症状が少なくてもCALをきたす可能性があることの認識が必要と述べている．Sudoら[5]は第20回川崎病全国調査結果(2007〜2008年)を解析し，4症状以下のCALは3.5%(急性期異常13.1%)であり，5症状以上の2.5%(急性期異常8.8%)より多かったことを報告している．1〜2症状におけるCALも7.4%(急性期異常15.1%)と5症状以上の例より有意に高頻度だった．以上のように4症状以下の例，すなわちincomplete KDにおけるCALの頻度が高いことが確認された．この理由としては，症状が少なく診断が困難であり川崎病治療が遅れることの関与が考えられる．ただ，不全型川崎病のCALの頻度は定型例とは差がなく，incomplete KDにおけるCAL高頻度に関与するのは不定型例であることが理解される．しかし，4症状である不定型例だけではなく，主要症状が1〜2症状と少ない例でもCALをきたすという認識は必要であり，タイミングを失することなく適切に不全型川崎病を診断することが重要である．

7. 特殊な病型の特徴および診断

表1 不全型川崎病が疑われる場合に検討する検査項目および心エコー所見

A．臨床検査所見（3項目以上ある場合に川崎病治療を推奨）
①年齢にそぐわない貧血　②第7病日以降の血小板数45万/μL以上 ③アルブミン値3.0 g/dL以下　④ALT上昇 ⑤白血球数15,000/μL以上　⑥尿中白血球10/hpf以上

B．心エコー所見（所見がある場合に川崎病治療を推奨）
①左前下行枝か右冠動脈のZスコアが2.5以上　　②冠動脈瘤 ③a～dの4項目のうちの3項目以上を認める 　　a）左室壁運動低下　　b）僧帽弁閉鎖不全　　c）心膜液 　　d）左前下行枝か右冠動脈のZスコアが2.0～2.5

〔McCrindle BW, et al.：Diagnosis, treatment, and long-term management of Kawasaki disease：A scientific statement for health professionals from the American Heart Association. Circulation 2017；135：e927-e999 より改変〕

不全型川崎病の診断

　原因不明の小児の発熱においては，川崎病の可能性を検討することが診断の第一歩であり，主要症状を確認することが必要である．ただ，川崎病主要症状が少ない例や症状自体が軽微な場合があり，診断に苦慮することも少なくない．川崎病の可能性を検討する際の心エコー検査は重要であり，疑った場合には躊躇なく心エコー検査を行うことが肝要である．川崎病の冠動脈異常は第2病週から変化がはじまることから[6]，川崎病が疑われた例で繰り返し心エコー検査を行うことは当然であるが，急性期だけでなく第10～14病日にも確認することも必須である．また，参考条項の検討も診断の一助となり，軽度の貧血，低アルブミン血症，胆嚢腫大，軽度の黄疸，血清トランスアミナーゼ値の上昇などにも注意が必要である．

　2017年のAHA statement 2017[2]では不全型川崎病を疑う際の対応についてのアルゴリズムが示されている．本アルゴリズムは，5日を超える発熱がある小児が（乳児では7日）川崎病主要症状（発熱を除く）を2～3項目認める場合を想定している．CRP値が3.0 mg/dL（もしくは赤沈値が40 mm/時）以上の場合に，特徴的な臨床検査所見（貧血や血小板数上昇，低アルブミン血症，ALT高値，高白血球数）や心エコー所見を検討する．**表1A**の6項目の臨床検査所見の3項目以上を認める場合や，**表1B**の3項目の心エコー所見がある場合に川崎病の治療が推奨

されている．第25回川崎病全国調査[1]では8割以上の例で第5病日までに川崎病治療が行われていることを考えると，本アルゴリズムは日本の実情にそぐわないかもしれない．ただ，発熱日数やCRP値は別としても，アルゴリズムを参考に川崎病の可能性を検討することも診断の一助となる．

◎おわりに

　不全型川崎病を見逃さずに診断し冠動脈異常をきたさないために，発熱の持続する小児・乳児においては川崎病の可能性を検討することが重要である．川崎病主要症状を確認し，心エコー検査を積極的に行うことや，参考条項や不全型診断のアルゴリズムを参考にすることが肝要である．

■ 文　献

1）第21回～第25回川崎病全国調査成績
2）McCrindle BW, et al.：Diagnosis, treatment, and long-term management of Kawasaki disease：A scientific statement for health professionals from the American Heart Association. Circulation 2017；135：e927-e999
3）野村裕一，他：不全型川崎病の増加には積極的診断が関与する．日本小児科学会雑誌 2019；123：1634-1639
4）Sonobe T, et al.：Prevalence of coronary artery abnormality in incomplete Kawasaki disease. Pediatr Int 2007；49：421-426
5）Sudo D, et al.：Coronary artery lesions of incomplete Kawasaki disease：a nationwide survey in Japan. Eur J Pediatr 2012；171：651-656
6）髙橋　啓，他：冠動脈病変：病理．石井正浩（専門編集），小児科臨床ピクシス9　川崎病のすべて．中山書店，2009；124-127

〔野村裕一〕

III 診断と急性期の検査

b 早期乳児例の特徴

背 景

　川崎病は主に乳幼児に生じる疾患であり，川崎病診断の手引きにも「4歳以下の乳幼児に好発」とあるように好発年齢は6か月～2歳で，6か月未満の早期乳児は好発年齢とは認識されていない。第25回川崎病全国調査[1]でも0～2か月児の罹患率および3～5か月児の罹患率はそれぞれ91.2，295.7（人口10万対）であり，6か月以上児から2歳未満児の罹患率370.8～487.2に及ばない。しかしながら，原田スコア[2]では「12か月未満の発症」が免疫グロブリン静注（IVIG）療法の適応を測る項目の1つであり，小林スコア[3]では「発症月齢12か月以下」が，江上スコア[4]でも「6か月以下」がIVIG不応を予測する危険因子の1つであることからも，早期乳児例の川崎病が「罹患率が低いから軽症」ではないことを示している。

　そのような背景から，①不全型川崎病が多く診断に苦慮する，②CALの合併頻度が高い，という2点が川崎病早期乳児例の特徴として議論されている。

不全型川崎病との関連

　第25回川崎病全国調査[1]では6か月未満で川崎病を発症した児（以下，早期乳児例）の5.0%は不定型（確実B：4つの症状しかないが，冠動脈瘤・拡大を伴う）であり，24.9%は不全型であった。これは罹患児全年齢では不定型1.7%，不全型19.6%であることに比べて多く，早期乳児例の不全型川崎病の主要症状の数は3個以下の割合が31.3%とかなりの割合を占めることからも，主要症状の出現数も頻度も少ないことは明確である。第24回川崎病全国調査では死亡例の2例はそれぞれ5か月，8か月発症の不全型川崎病であり，第25回川崎病全国調査で報告された6か月の死亡例は急性期冠動脈瘤の破裂で，死亡後に不全型川崎病と診断されている。2017年のAmerican Heart Association（AHA）statement[5]でも，「不全型川崎病は幼児に多く，症状も発熱のみか，あっても少数で短期間であることが多いため，CALの強力なリスクである」と記述している。近年の海外からの報告では，早期乳児例における不全型川崎病の頻度は，19～88%と幅があるが，年長の川崎病よりも頻度は高い[6~9]。Salgadoら[6]の報告では早期乳児例における主要症状の出現頻度は，口腔粘膜所見85%，頸部リンパ節腫脹5.7%，四肢末端の変化66%であり，これらはどれも年長児の出現頻度より有意に低い。3か月未満児でも同様に，口腔粘膜所見67%，頸部リンパ節腫脹25%，四肢末端の変化58%と，年長児の出現頻度より有意に低い[7]（表2）。

心血管後遺症との関連

　1986年の米国からの報告[10]では6か月未満の川崎病罹患児8例のうち6例はCALを形成し，2例は冠動脈炎が原因で死亡しており，川崎病早期乳児例は最重症の川崎病であると考えられていた。その後，IVIGに続く2nd line，3rd line治療の確立によりCAL合併率や死亡率は低下したが，早期乳児例では好発年齢である幼児例より高い。第25回川崎病全国調査[1]では，年齢別の初回IVIG使用の割合は6か月未満で95.1%ともっとも高率にもかかわらず，年齢別のCAL出現率は，「初診時の異常」「急性期の異常」「後遺症」のどの部門でも性別にかかわらず6か月未満の群でもっとも高いことが示された（p.16，図6参照）。第14～16回川崎病全国調査のまとめでも，生後180日以下で川崎病に罹患した場合のCALの発症頻度はそれ以上の年齢よりも高かった[11]。それからおよそ20年を経てIVIGに続く追加治療が増えたにもかかわらず，早期乳児例ではCALの合併頻度が高いという事実は変わっていない。

　過去の報告では早期乳児例は主要症状の出現頻度が低いことから診断が遅くなる傾向にあり，診断の遅れがCALにつながっていると考えられていた。しかしSalgadoら[6]の報告では，早期乳児例の診断日は第6病日（中央値）にもかかわらず，50%以上にCALを認め，18.5%で冠動脈瘤もしくは巨大瘤をきたしていた。早期乳児例では治療開始時期が適切でも心血管後遺症を認めることがあるため，この月齢層での川崎病罹患自体がCALのリスクであり，慎重で頻回の心エコー検査が必要であると強調してい

7. 特殊な病型の特徴および診断

表2 近年の川崎病早期乳児例報告の比較

文献	地域	患者数	不全型川崎病	CAL	IVIG 不応例	主要症状の特徴
Yoon YM, et al. 2016[8]	韓国	6か月以下 26 例（10.8%）, 全患者数 239 例	6か月以下群 19.2% vs. 7か月以上群 4.2%	6か月以下群 30.8% vs. 7か月以上群 12.2%	IVIG 追加, メチルプレドニゾロンパルス施行症例の割合は 6か月以下群と 7か月以上群で有意差なし	・6か月以下群では主要症状の出現率は 7か月以上群に比べて, 5つとも有意に少ない
Singh S, et al. 2016[9]	インド	6か月以下 17 例（13.7%）, 全患者数 460 例	88%（15 例/17 例中）	35%（6 例/17 例中）	17.6%（3 例/17 例中）	・口腔粘膜所見 64% ・頸部リンパ節腫脹 17% ・四肢末端の変化 64% ・眼球結膜充血 47% ・不定形発疹 53%
Salgado AP, et al. 2017[6]	米国	6か月未満 88 例（12.2%）, 全患者数 720 例	6か月未満群 48.9% vs. 6か月以上群 20.1%	初回エコーでの CAL 6か月未満群 43.4% vs. 6か月以上群 19.4%	6か月未満群 13% vs 6か月以上群 16.6% で有意差なし	・口腔粘膜所見, 頸部リンパ節腫脹, 四肢末端の変化の出現が, 6か月以上群に比べて有意に少ない
Satoh K, et al. 2018[7]	日本	3か月未満 24 例（5.8%）, 全患者数 386 例	3か月未満群 79% vs. 3か月以上群 36%	3か月未満 21% vs. 3か月以上 3.4%	IVIG 追加, PSL 併用, インフリキシマブ使用症例の割合は, 3か月未満群と 3か月以上群で有意差なし	・口腔粘膜所見, 頸部リンパ節腫脹, 四肢末端の変化の出現が, 3か月以上群に比べて有意に少ない

太字は有意差あり. IVIG：免疫グロブリン静注療法

III 診断と急性期の検査

る. 同様に Satoh ら[7]は, 3か月未満の早期乳児例できたした症例は, 全例 4 病日以前に CAL を認めていたことから, 早期乳幼児に 3 日間発熱が持続した場合には川崎病を念頭に心エコー検査を行うべきである, と結論づけている.

また, IVIG 不応例の割合や追加治療を要した症例の割合は, 早期乳児例とそれ以上の年齢の間に差はなく（**表2**）[6〜9], 早期乳児例における CAL の頻度の高さは IVIG 不応が原因とはいえず, 後遺症発生までの早さが指摘されている.

Satoh ら[7]は, 早期乳児に対して IVIG は第 6 病日より前に行われていたにもかかわらず 29% が治療前から CAL をきたしていたことから, 早期からの追加治療を求めている. Salgado ら[6]も同様に早期乳児例では初回のエコーで 43.4% に CAL が認められていることから, 追加治療の必要性を述べている.

◎おわりに

川崎病早期乳児例は主要症状の出現頻度が低く不全型川崎病が多いため, 注意深い観察の他, 頻回の心エコーによりできるだけ早期に川崎病と診断することが必要である.

診断病日と IVIG 開始時期が適切でも, 診断時にすでに CAL を合併していることがあるため, 早期からの追加治療が求められる.

■ 文 献

1) 第 25 回川崎病全国調査成績
2) Harada K：Intravenous gamma-globlin treatment in Kawasaki disease. Acta Paediatr Jpn 1991；33：805-810
3) Kobayashi T, et al.：Prediction of intravenous immunoglobulin unresponsiveness in patients with Kawasaki disease. Circulation 2006；113：2606-2612
4) Egami K, et al.：Prediction of resistance to intravenous immunoglobulin treatment in patients with Kawasaki disease. J Pediatr 2006；149：237-240
5) McCrindle BW, et al.：Diagnosis, treatment, and long-term management of Kawasaki disease：A scientific statement for health professionals from the American Heart Association. Circulation 2017；135：e927-e999
6) Salgado AP, et al.：High risk of coronary artery aneurysms in infants younger than 6 months of age with Kawasaki disease. J Pediatr 2017；185：112-116

7) Satoh K, et al.：Risk of coronary artery lesions in young infants with Kawasaki disease：need for a new diagnostic method. Int J Rheum Dis 2018；21：746-754
8) Yoon YM, et al.：Clinical characteristics of Kawasaki disease in infants younger than six months：A single-center study. Korean Circ J 2016；46：550-555
9) Singh S, et al.：Kawasaki disease in infants below 6 months：a clinical conundrum? Int J Rheum Dis 2016；

19：924-928
10) Burns JC, et al.：Clinical spectrum of Kawasaki disease in infants younger than 6 months of age. J Pediatr 1986；109：759-763
11) 上村　茂：年少例の特徴. 石井正浩（専門編集）, 小児科臨床ピクシス 9　川崎病のすべて. 中山書店, 2009；18-19

〔沼野藤人〕

Ｃ 年長児例の特徴

背　景

　川崎病は小児に特異的な疾患で発症年齢は 1 歳前後にピークがあり, 5 歳以上の年長児発症は好発年齢から外れていることや年少児発症と異なる臨床症状を示し, 診断や治療開始が遅れる傾向にある. そのため, 川崎病年長児発症は CAL の独立した危険因子と報告されている[1].

発症年齢

　川崎病全国調査によると川崎病の 5 歳以上の年長児発症は 1999〜2000 年では全年齢の 10.4% であったが, 年々増加傾向にあり 2017〜2018 年では 13.2% に, 10 歳以上の発症は 0.45% から 1.2% に増加している[2].

主要症状

　主要症状が 5 症状以上の定型例の頻度は, 第 25 回川崎病全国調査によると 2 歳, 3 歳発症が 84% 台で最高で 10 歳以上の発症は 68.5% で, 年齢とともに減少し不全型が増加する傾向にある[2]. 第 17 回川崎病全国調査[2]によると主要 6 症状のうち頸部リンパ節腫脹の頻度は, 他の主要症状に比較して最低で全年齢では 68.6% だが, 5 歳以上の年長児では 87.6% と高値である. また, 年長児においては頸部リンパ節腫脹の出現時期が他の症状より早いため, 化膿性リンパ節炎との鑑別が必要になる[3〜6]. 川崎病の頸部リンパ節腫脹と化膿性リンパ節炎の鑑別には頸部エコー検査が有用であり, 川崎病の場合は多くの腫脹したリンパ節が集簇し多房性の像を呈するが, 化膿性リンパ節炎では境界明瞭な 1 つの大きく腫脹したリンパ節の周囲に正常径のリンパ節が複数みられる

像を呈する. また, 頸部症状が強い場合は, 咽頭後リンパ節が腫脹し病初期より臨床所見や画像所見が咽後膿瘍様の所見を呈することがあるため注意が必要である[7]. 鑑別診断には頸部 CT が有用で双方とも造影 CT では低吸収域を認めるが, 川崎病の場合は造影効果を認めず咽後膿瘍では辺縁増強効果（ring enhancement）を認める.

不全型川崎病

　不全型川崎病は乳児と年長児発症に多く, 第 25 回川崎病全国調査[2]によると 1 歳未満では 25.1%, 1〜4 歳で 17.0%, 5 歳以上では 23.0% で特に 10 歳以上では 27.2% と高値である.

主要症状以外の症状

　腹痛, 嘔吐, 下痢などの腹部症状の頻度は比較的高いが, 麻痺性イレウスや関節炎・関節痛など比較的まれな合併症が年長児に多く診断を困難にしている[8]. 麻痺性イレウスは全年齢で 0.45% に対し 10 歳以上では 4.5%, 関節痛・関節炎は全年齢で 1.1% に対し 5 歳以上では 3.3% に認められる[2]. 初発症状が腹痛のため急性虫垂炎の診断で開腹術に至った報告もある[8].

診断病日と IVIG 投与開始病日

　年長児発症例は主要症状がそろうのが遅く, 主要症状が 4 症状以上そろう時期は 50% の症例で第 6 病日以降であったと報告されている[9]. また, 第 7 病日以降の IVIG 療法開始は年長児発症例において有意に多いと報告されている[1,10]（図 4）. 年長児発症例は主要症状の出現時期が遅く, 非典型的な症状・経過を示すことがあり診断が遅れるため, 結果的に

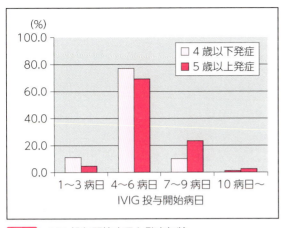

図4 IVIG投与開始病日と発症年齢
〔第24回川崎病全国調査データより作図〕

IVIGの投与開始が遅れると思われる.

文献

1) Muta H, et al.：Older age is a risk factor for the development of cardiovascular sequelae in Kawasaki disease. Pediatrics 2004；114：751-754
2) 川崎病全国調査成績
3) 大木いずみ，他：川崎病全国調査に基づく主要症状の出現状況に関する初期と現在の比較　日本小児科学会雑誌 2005；109：484-491
4) 齋藤　潤，他：川崎病の発症年齢と臨床，検査所見の差異の検討．Prog Med 1999；19：1635-1640
5) 小池大輔，他：5歳以上で発症した川崎病の臨床像の検討．小児科臨床 2011；64：949-953
6) Cai Z, et al.：Characteristics of Kawasaki disease in older children. Clin Pediatr（Phila）2011；50：952-956
7) 友森あや，他：咽後膿瘍との鑑別を要した川崎病の5例．小児科臨床 2014；67：2159-2164
8) 坂田園子，他：腹部症状により発症し小児外科に紹介となった川崎病．Prog Med 2012；32：1421-1425
9) 中田利正：川崎病年長発症例の検討．小児科臨床 2013；66：2116-2121
10) 阪上尊彦，他：川崎病年長例の検討─第16回全国調査より．日本小児科学会雑誌 2004；108：1043-1046

〔小林富男〕

d 重症川崎病の特徴

　重症川崎病を一概に定義することは難しい．一般的にはIVIG療法不応例やCAL合併例を指すことが多いが，これらについては別項で詳述されておりそちらを参照されたい．本項では，川崎病急性期の生命予後にかかわる重症合併症についてまとめた．

急性期川崎病における重症合併症

1．川崎病ショック症候群

　川崎病急性期に，同年齢の健常児の正常値に比べて収縮期血圧20％以上の低下が持続，あるいは末梢循環不全の症状を呈している症例を川崎病ショック症候群と診断する[1]．本病態は他の原因によるショック症候群と比べて，乳幼児やIVIG不応例が多く，CALなどの心合併症が多くみられることが特徴である[2]．本病態は多臓器不全を惹起する可能性があり，早期に診断し川崎病への治療介入を優先する必要がある．

2．急性心筋炎

　川崎病急性期には，心エコー検査で軽度から中等度の左室収縮力低下が比較的多くみられる．これは間接的な全身炎症による場合もあるが，無症候性を含めると急性心筋炎が50％以上にのぼるとも報告されている[3]．まれに劇症化する場合があり，注意が必要である．

3．マクロファージ活性化症候群（macrophage activating syndrome：MAS）

　MASは炎症性疾患や自己免疫疾患に伴う二次性血球貪食リンパ組織球症（hemophagocytic lymphohistiocytosis：HLH）で，マクロファージおよびT細胞の活性化や増殖により炎症性サイトカインの異常産生が引き起こされることに起因する．小児では全身型若年性特発性関節炎（systemic juvenile idiopathic arthritis：sJIA）で合併頻度が高く，川崎病急性期での合併頻度は1％程度と報告されている[4]．高熱，肝脾腫，リンパ節腫脹や非特異的な皮疹等の臨床症状があり，血小板数の急速な減少，凝固線溶系が活性化から播種性血管内凝固症候群（DIC）や多臓器不全に至る予後不良な病態である．2016年にsJIAにおけるMASの診断基準が発表され（表3）[5]，これが川崎病に合併したMASをより鋭敏に診断で

表3	2016 sJIA に合併した MAS の診断基準

フェリチン	>684 ng/mL
かつ，以下のうち2項目を満たす	
血小板数	≦181,000/μL
AST	>48 IU/L
TG	>156 mg/dL
フィブリノーゲン	≦360 mg/dL

自己免疫性血小板減少症，感染性肝炎，内臓リーシュマニア症，家族性高脂血症などの他疾患を除外する
〔Ravelli A, et al.：2016 classification criteria for macrophage activation syndrome complicating systemic juvenile idiopathic arthritis：A European League Against Rheumatism/American College of Rheumatology/Paediatric Rheumatology International Trials Organisation Collaborative Initiative. Arthritis Rheumatol 2016；68：566-576 より改変〕

きると考えられている[6]．MAS 合併例は，IVIG 不応で炎症所見が遷延するため sJIA との鑑別が難しい．川崎病では血清 IL-6 濃度が高く，血清 IL-18 濃度は低いが，sJIA の MAS 合併例では血清 IL-18 濃度が異常高値となる．このため，治療開始前の保存血清による IL-6，IL-18 濃度測定が鑑別診断に役立つと考えられる[7]．

川崎病の MAS 合併例に対する治療は確立されていないが，MAS の一般的な治療はパルス療法を含めたステロイド投与であり，ステロイドが無効な場合はシクロスポリン（CsA）が有効とされている[8]．しかし川崎病では炎症が遷延している時期のステロイド投与による CAL 増悪の可能性もあり，慎重に検討する必要がある．また tumor necrosis factor（TNF）-α が MAS 発症に関与していることからインフリキシマブ投与が奏効する場合もあるが，抗 TNFα 製剤が MAS を誘発するとの報告もあるので注意を要する[8]．難治例では，時期を逃さず血漿交換療法を検討すべきである．

4. 脳炎/脳症

2011 年の第 21 回川崎病全国調査では，川崎病における脳炎/脳症合併は 0.09％とまれであり 8 歳以上の年長児に多かった．可逆性脳梁膨大部病変を伴う軽症脳炎/脳症（clinically mild encephalitis/encephalopathy with a reversible splenial lesion：MERS）合併例では，頭部 MRI の異常所見は 1 週間程度で消失し予後良好であったと報告されている[9]．MERS の発症機序は明らかでなく川崎病の重症度と MERS の関連も不明であるが，急性期に神経症状を伴う症例では CAL のリスクが高いとも報告されている[9]．一方，けいれん重積型二相性急性脳症（acute encephalopathy with biphasic seizures and late reduced diffusion：AESD）合併例が日本から報告された[10]．AESD は，多くは発熱 24 時間以内にけいれん重積で発症し，いったん意識は改善傾向となるが，4～6 病日頃にけいれんや意識障害が再現する．頭部 MRI では 3～14 病日の拡散強調画像で高信号域が出現し，以降でも病変残存あるいは脳萎縮となり脳血流が低下する．川崎病における AEDS の病態は詳細不明であるがその神経学的予後は不良であり[10]，脳炎/脳症合併例ではこれを念頭におく必要がある．

いずれも川崎病に対する治療と一般的な脳炎/脳症に対する治療を速やかに開始し，早急に炎症の鎮静化を図ることが重要と考えられる．

川崎病重症合併症に対する血漿交換療法（plasma exchange：PE）

重症川崎病では投薬治療に反応せずに PE を要する場合も少なくない．PE が有効な作用機序として，IL-6 などの炎症性サイトカインが直接除去されることに加え，活性化された $CD14^+CD16^+$ 単球の抑制，炎症抑制に関与する Treg 細胞の上昇による Treg/Th17 細胞比の正常化が示された[11]．重症合併症では多臓器不全回避のために炎症抑制が急がれる場合も多く，PE 施行を常に念頭におく必要がある．

重症川崎病，特に乳幼児に対する PE は，循環動態が変動しやすい侵襲的な治療である．小泉らは，重症川崎病では持続的血液濾過透析を併用した緩徐な PE が有用な方法であると報告している[12]．循環動態が不安定な症例や乳幼児に PE を行う際は，安全性に十分配慮し，経験を有する施設で集中治療管理のもと施行することが望ましいと考えられる．

◎おわりに

急性期川崎病における重症合併症についてまとめた．それぞれ発症頻度は低いが予後を左右する病態であり，早期に診断し有効な治療を適宜行うことが求められる．

■ 文　献

1) Kanegaye JT, et al.：Recognition of Kawasaki disease shock syndrome. Pediatrics 2009；123：e783-e789

2) Lin YJ, et al.：Early differentiation of Kawasaki disease shock syndrome and toxic shock syndrome in a pediatric intensive care unit. Pediatr Infect Dis J 2015；34：1163-1167

3) Rowley AH, et al.：Kawasaki syndrome. Clin Microbiol Rev 1998；11：405-414

4) Wang W, et al.：Macrophage activation syndrome in Kawasaki disease：More common than we thought? Semin Arthritis Rheum 2015；44：405-410

5) Ravelli A, et al.：2016 Classification criteria for macrophage activation syndrome complicating systemic juvenile idiopathic arthritis. A European League Against Rheumatism/American College of Rheumatology/Paediatric Rheumatology International Trials Organisation Collaborative Initiative. Arthritis Rheumatol 2016；68：566-576

6) Han SB, et al.：Should 2016 criteria for macrophage activation syndrome be applied in children with Kawasaki disease, as well as with Kawasaki disease, as well as with

systemic-onset juvenile idiopathic arthritis? Ann Rheum Dis 2016；75：e44

7) 清水正樹：全身性若年性特発性関節炎に合併するマクロファージ活性化症候群　-サイトカインプロファイリングから-．小児感染免疫 2010；22：52-58

8) 駒形嘉紀：マクロファージ活性化症候群と血球貪食症候群．日本内科学会雑誌 2013；102：2639-2644

9) 黒川愛恵，他：インフリキシマブが著効した可逆性脳梁膨大部病変を有する軽症脳炎・脳症を合併した川崎病の幼児例．日本臨床免疫学会会誌 2017；40：190-195

10) Shiba T, et al.：Acute encephalopathy with biphasic seizures and late reduced diffusion in Kawasaki disease. Pediatr Int 2017；59：1276-1278

11) Koizumi K, et al.：Plasma exchange downregulates activated monocytes and restores regulatory T cells in Kawasaki disease. Ther Apher Dial 2019；23：92-98

12) 小泉敬一，他：重症川崎病における持続的血液濾過透析併用緩徐血漿交換療法の有効性と安全性について．日本小児循環器学会雑誌 2015；31：246-253

〔星合美奈子〕

---

❷ 新型コロナウイルスとの関連

　2019 年 12 月に始まった新型コロナウイルス感染症（COVID-19）は，2020 年 3 月，全世界でパンデミックとなった．成人では重症肺炎の合併と高い致命率が報告されたが，小児は成人に比較して軽症で重症例が少ないといわれた．4 月には英国で COVID-19 感染に関連した小児の川崎病と類似する症状がある重症例が報告され[1]，英国王立小児保健協会（Royal College of Paediatrics and Child Health：RCPCH）から，pediatric inflammatory multisysytem syndrome temporally associated with SARS-CoV-2 infection（PIMS-TS）と名付けられた．5 月にはイタリア，フランス，米国からも小児の COVID-19 で川崎病の症状あるいは毒素性ショック症候群（toxic shock syndrome：TSS），hyperinflammatory ショックの症例が報告され，川崎病との関連が論争の的になっている．5 月中旬に小児多系統炎症性症候群（multisysytem inflammatory syndrome in children：MIS-C）として，米国疾病管理予防センター（CDC）と世界保健機関（WHO）からそれぞれ，症例定義と警告が発表された[2,3]．MIS-C と川崎病の関連についての知見を述べる．

MIS-C，PIMS-TS の診断基準

　RCPCH，WHO，CDC からの 3 つの診断基準は異なる点はあるが，共通していることは小児で，持続する発熱，炎症所見，多臓器にわたる症状，新型コロナウイルス感染（PCR，抗原，抗体陽性，あるいは濃厚接触歴）があることである．

症　状

　MIS-C は新型コロナウイルス感染から 2〜6 週間後に発症し，主な臨床症状は持続する発熱，著明な腹痛，心筋の機能障害，左心室の機能障害による心原性ショック，サイトカインストームがあり，多くは ICU での治療を必要とする．眼球結膜充血，口腔粘膜の変化，発疹があり，時に冠動脈拡大があり，TSS と不全型川崎病の症状と重なっている．

　Hoste らの systemic review[4] による 69 の文献の，953 人の PIMS-TS/MIS-C についての報告によると，年齢の中央値は 8 歳，男性が 58.9%，黒人が 37%，白人 29.2%，アジア系 8.7%，その他・不明 22.3% で，基礎疾患として肥満が 25.3% あった．発熱は 99.4%，消化器症状 85.6%，心臓循環器症状 79.3% で，循環器症状のうち多くみられたのは頻脈 76.7%，心原性

ショック 59.9%, 心筋炎 41.4%, 心駆出率低下 40.4%, 冠動脈拡大 11.6%, 冠動脈瘤 10.3% だった. 川崎病様の症状としては多形紅斑 54.9%, 非化膿性結膜炎 49.8% で川崎病の診断基準を満たすものが 23.3%, 不全型川崎病にあてはまるのは 24.1% だった. 致命率は 1.9% で, 死亡例の 72.3% は男性, 62.5% は黒人だった.

SARS-CoV-2 の PCR 陽性例は 37.5%, IgG 抗体陽性が 63.6% だった.

冠動脈拡大は川崎病に比較して MIS-C では軽度で一時的で, 瘤を残すことは少なく, sJIA の CAL と類似している. 川崎病の患者の年齢の中央値は 2.8 歳で, 後遺症は 10〜12 か月の乳児で最も重症だが, MIS-C の年齢の中央値は 9 歳で, 乳児では比較的少ない. 川崎病と異なり, MIS-C の検査所見でリンパ球減少が一般的である. MIS-C は米国では黒人とヒスパニックで多いが, 川崎病は日本をはじめとした東アジアで多い[5〜7].

病　態

SARS-CoV-2 感染 2〜6 週後に起こる発熱, 全身の臓器障害, 炎症マーカーの著明な上昇があり, 明らかな原因は不明だが, 血管炎, 自己免疫の関与が示唆されている. MIS-C の免疫応答は重症の急性 COVID-19 のサイトカインストームとは異なっている. 炎症性バイオマーカーの CRP, フェリチン, IL-6, NT-proBNP は, 一般的な川崎病や MIS-C 以外の COVID-19 よりも高値だった. 川崎病の T 細胞 subset, IL-17A, 動脈障害のバイオマーカーとは異なる. 川崎病の冠動脈障害が中膜・内弾性核であるのに対し, MIS-C では心臓を含む多臓器の血管内膜・内皮障害が, 病態にかかわっている. 自己抗体の解析で, MIS-C の病態に既存の疾患関連自己抗体 (anti-La) と新規の内皮細胞, 胃腸管細胞, 免疫細胞の抗原を認識する多様な自己抗体の関与が示唆され

ている[8〜10].

治　療

IVIG, ステロイド, 血栓の予防にアスピリン (ASA), ヘパリンが使用される. IL-1 受容体アンタゴニスト, IL-6 阻害薬, TNF-α 阻害薬, レムデシビルも少数だが使用されている.

73.3% が集中治療を要し, 3.8% は体外式膜型人工肺(extracorporeal membrane oxygenation : ECMO)を使用した[4].

📕 文　献

1) Ripagen S, et al. : Hyperinflammatory shock syndrome in children during COVID-19 pandemic. Lancet 2020 ; 395 : 1607-1608
2) Vogel TP, et al. : Multisystem inflammatory syndrome in children and adults(MIS-C/A) : Case definition & guidelines for data collection, analysis, and presentation of immunization safety data. Vaccine 2021 ; 39 : 3037-3049
3) Loke YH, et al. : Multisystem inflammatory syndrome in children : Is there a linkage to Kawasaki disease? Trends Cardiovasc Med 2020 ; 30 : 389-396
4) Hoste L, et al. : Multisystem inflammatory syndrome in children related to COVID-19 : a systematic review. Eur J Pediatr 2021 ; 180 : 2019-2034
5) Rowley AH, et al. : Immune pathogenesis of COVID-19-related multisystem inflammatory syndrome in children. J Clin Invest 2020 ; 130 : 5619-5621
6) Kabeerdos J, et al. : Severe COVID-19, multisystem inflammatory syndrome in children, and Kawasaki disease : immunological mechanisms, clinical manifestations and management. Rheumatol Int 2021 ; 41 : 19-32
7) Rowley AH : Multisystem inflammatory syndrome in children and Kawasaki disease : two different illnesses with overlapping clinical features. J Pediatr 2020 ; 224 : 129-132
8) Carter MJ, et al. : Peripheral immunophenotypes in children with multisystem inflammatory syndrome associated with SARS-CoV-2 infection. Nat Med 2020 ; 26 : 1701-1707
9) Consiglio CR, et al. : The immunology of multisystem inflammatory syndrome in children with COVID-19. Cell 2020 ; 183 : 968-981
10) Gruber CN, et al. : Mapping systemic inflammation antibody responses in multisystem inflammatory syndrome in children(MIS-C). Cell 2020 ; 183 : 982-995

〔水野由美〕

Ⅲ　診断と急性期の検査

8 鑑別診断

POINT

- ・川崎病の診断は症候診断と除外診断に基づくため，鑑別診断に関する知識が不可欠である．
- ・主要症状の判断において，各部位で川崎病では否定的な所見を理解しておくことも重要である．
- ・頸部リンパ節腫脹は年長児に多く乳児では少ない．鑑別診断には頸部のエコー検査やCTが有用である．
- ・CALや僧帽弁閉鎖不全，心筋炎，心膜液貯留は他疾患でもみられるため，その鑑別が必要である．

a 発熱・発疹性疾患の鑑別

　川崎病の診断は症候診断と除外診断に基づいて行われる．川崎病に特異的なバイオマーカーが未発見であることもあり，類似疾患の鑑別は川崎病の診断確定に不可欠である．また，不全型の割合が年々増加し，2017〜2018年の全国調査では約20%に達していることもあり，鑑別診断は，さらに重要性を増しているともいえる．発熱と発疹を伴い，川崎病と鑑別を要する疾患として，感染症および関連合併症，リウマチ性疾患，薬剤の副作用などがあげられる．これらのなかには緊急の診断・治療を要するものもある．川崎病の診療に際しては，初診時はもちろん，免疫グロブリン静注(IVIG)療法不応時にも，目の前の患者が本当に川崎病であるかという疑問を常にもつことが大切である．

川崎病における発疹，発熱の特徴

　川崎病の診断には，各症状の特徴および川崎病では一般的に認めない所見の理解が重要である(**表1**)．主要症状の中では，手指の硬性浮腫，手掌・足底・四肢先端の紅斑，その後の爪先の指尖の移行部から剥けはじめる膜様落屑は，川崎病に特異的であり，他疾患ではほとんど観察されない所見である．また，BCG接種部位の発赤，腫脹も川崎病を強く疑わせる．

　発疹は定型例の94%に，不全型の65%に認められる[1]．川崎病の発疹は第3〜5病日頃までに，体幹

表1 川崎病が否定的な所見

症状部位	川崎病が否定的な所見
発熱	平熱化を伴う弛張熱，間歇熱，1か月以上持続する熱
皮疹	水疱，びらん，紫斑，Nikolsky現象，Köbner現象
眼	膿性眼脂，偽膜形成，眼瞼結膜の著明な充血・発赤
口唇・口腔	扁桃の著明な白苔，アフタ，潰瘍，びらん，偽膜形成
頸部リンパ節	単房性の腫脹，膿瘍形成，自壊，疼痛なし

や四肢の不定形紅斑として出現することが多い．紅斑の大きさは猩紅熱様，斑状，多形紅斑様とさまざまである．病初期には，会陰部から紅斑が出現することも多く，乳幼児では必ずおむつや下着を外して観察すべきである．頻度は高くないが，発赤腫脹を伴った無菌性小膿疱，乾癬様の鱗屑を伴った紅斑を呈することもあり注意を要する．また頸部リンパ節腫脹が強いときは同部の皮膚の発赤や熱感を認めることがある．一方で，川崎病の発疹は，水疱・小水疱，びらん，紫斑，Nikolsky現象，Köbner現象は認めない．BCG接種部位の発赤腫脹は感染症でもまれに観察されるが，本症に特徴的である．

　口唇・口腔所見では，扁桃の白苔(少量の扁桃滲出物は除く)，アフタ，潰瘍，びらん，偽膜形成は川

表2 川崎病との鑑別が必要な皮疹と発熱を呈する疾患

疾患群		病原体・疾患名
感染症関連	ウイルス	麻疹，風疹，突発性発疹，伝染性紅斑，アデノウイルス，ヒトパレコウイルス3型，デング熱，EBウイルス（＋ペニシリン），Gianotti病/Gianotti-Crosti症候群
	細菌	溶連菌，エルシニア，猫ひっかき病，レプトスピラ，マイコプラズマ，チフス・パラチフス，リケッチア（日本紅斑熱，ツツガムシ病，ライム病）
	その他	toxic shock syndrome，ブドウ球菌性熱傷様皮膚症候群（SSSS），小児多系統炎症性症候群（multisystem inflammatory syndrome in children：MIS-C）
リウマチ性疾患関連		全身型若年性特発性関節炎（sJIA），リウマチ熱，クリオピリン関連周期熱症候群，TNF-α関連周期性症候群，高IgD症候群，Blau症候群，高安動脈炎
薬疹関連		Stevens-Johnson症候群，中毒性表皮壊死症（TEN），薬剤性過敏症症候群（DIHS），急性汎発性発疹性膿疱症（AGEP）

崎病ではまれな所見である．眼・結膜所見では膿性眼脂，偽膜形成，眼瞼結膜の著明な充血・発赤は川崎病では認めない．CTでは咽後水腫を認めることもまれではない．

発熱は，主要症状の中でももっとも頻度が高く（94〜97％以上），初発症状であることが多い．発熱を伴わずに冠動脈瘤を形成した患者報告もあるが，例外的である．「5日以上続く発熱」が本来の診断基準であったが，早期治療介入が一般的になったために，川崎病診断の手引き改訂6版では，「ただし，治療により5日未満で解熱した場合も含む」の語句が削除され，発熱の日数は問わなくなった．熱型は弛張熱（1日の最高と最低体温の差が1℃以上）もしくは稽留熱であり38.5〜40℃の発熱が多い．平熱化を伴う弛張熱，間欠熱，1か月以上持続する発熱は川崎病以外を疑うべきである．再発熱を認めた場合は，川崎病の炎症の遷延以外に，薬剤熱，感染症の合併，関節炎の合併などを疑うべきである．また，乳幼児における不機嫌や活気不良は，川崎病らしい所見である．各主要症状について川崎病が否定的な所見を**表1**に示した．これらの所見を認める場合は鑑別診断を進めるべきであり，安易なIVIGやステロイドの使用は慎むべきである．

川崎病らしさを示す検査所見として，核の左方移動を伴う好中球増加，CRP上昇，赤沈亢進，低アルブミン血症，低ナトリウム血症，肝機能障害，高ビリルビン血症，補体上昇（血清補体価，C3，C4），フィブリノーゲン増加，FDP/Dダイマーの上昇，BNP/NT-proBNPの上昇，回復期の血小板増多，無

菌性膿尿，無菌性髄液細胞数増多，胆嚢腫大などがあげられる．これらの検査所見も，川崎病の診断の参考にする．

川崎病の鑑別診断

感染症および関連合併症，リウマチ性疾患，薬剤の副作用などが川崎病の鑑別診断としてあげられる．それらの疾患を**表2**に示した．

1. 感染症関連疾患

さまざまなウイルス性疾患，細菌性疾患，その他感染症に起因する疾患が鑑別にあげられる．**表2**には一般的な感染症からまれな感染症まで列記したが，それらの発疹は紅斑や丘疹を特徴とし，水疱・びらん，紫斑などは呈さない．また，感染症を疑ううえで，患児の成育環境や周囲の流行についての問診も重要である．アデノウイルス，A群溶血性レンサ球菌（group A *Streptococcus*：GAS）などは頻度の高い感染症であり，迅速診断や培養により否定すべきである．ヒトパレコウイルス3型は新生児・早期乳児においては，高熱と輸液への反応性が乏しい頻拍・末梢循環不全徴候などを伴う．まれに脳症で発症し，一部の患者は手掌・足底や体幹部に一過性の紅斑を呈することがある．手掌・足底に紅斑が生じる場合，川崎病との鑑別を要するが，白血球数は正常範囲内か軽度低下が多く，CRPなどの炎症マーカーは上昇しない．アデノウイルス，GAS感染症は，明らかな白苔を伴う扁桃炎を呈することも多く，川崎病とは所見が異なる（**表1**）．川崎病では軽度の滲出物を扁桃に認めることはあっても，明らか

な白苔の形成は比較的まれである．一方，アデノウイルスやGASの迅速検査や培養が陽性であっても，常在菌や併発症，あるいは川崎病の発症契機となった可能性を否定しきれない[2]．したがって，アデノウイルスやGASなどの検査が陽性であっても，その後の経過が典型的ではなく，かつ川崎病の主要症状を呈してくる場合は，川崎病の疑いをもつべきである．

川崎病の主要症状すべてがそろう感染症はまれである．しかし *Yersinia pseudotuberculosis* は感染者の約1割が川崎病様症状を呈し，治療は川崎病に準じる．本菌は急性間質性腎炎をきたすことも多い[3,4]．

その他のピットフォールとしては，猫ひっかき病があげられる．年長児の川崎病は頸部リンパ節腫脹と発熱を主とし，その他の主要症状の発現が軽い，もしくは欠く場合が少なくない．本症のリンパ節腫脹は，上肢と頸部に多い．皮疹を呈する患者は10%以下であるが，結節性紅斑，小丘疹，紫斑などを呈する[5]．頸部リンパ節炎と皮疹を合併する場合は，川崎病不全型と誤診されることもある．

マイコプラズマは多形滲出性紅斑を合併する感染症であり，時にStevens-Johnson症候群の原因にもなりうる．

Toxic shock syndromeは黄色ブドウ球菌の外毒素であるtoxic shock syndrome toxin 1（TSST-1）とよばれるスーパー抗原が，Tリンパ球を異常活性化させ，その結果生じるサイトカインストームにより，高熱，発疹，下痢，低血圧，多臓器不全などを呈する疾患である．びまん性斑状紅皮症を特徴とし，発症後1〜2週間に，手掌や足底に落屑を生じる．診断はTSST-1を産生する黄色ブドウ球菌の検出によるが，末梢血中にT細胞受容体 $V\beta2$ 陽性T細胞が増加することも診断の補助になる．また，GASでもtoxic shock syndromeを生じる．小児では外傷や火傷の創部からの感染が多い．

小児多系統炎症性症候群（multisystem inflammatory syndrome in children：MIS-C）あるいは新型コロナウイルス（SARS-CoV-2）と一時的な関連を示す小児多系統炎症症候群（pediatric inflammatory multisystem syndrome：PIMS-TS）は，2020年の新型コロナウイルス感染症（COVID-19）のパンデミックの際に報告された新たな疾患である[6]．MIS-Cは

SARS-CoV-2の感染後4週間以内に発症し，患者の一部は川崎病の診断基準を満たし，冠動脈瘤を合併する．MIS-Cは川崎病類似症状を呈する患者に加え，発熱と炎症所見のみの軽症患者から，心原性ショックを伴い多臓器不全に進展する重症患者まで臨床像と重症度は幅広い．川崎病との差は，東アジア人にはまれでありヒスパニックや黒人に多いこと，発症年齢も学童以降が多く中央値8〜10歳であること，腹痛・下痢・嘔吐などの消化器症状が多く（70%以上）かつ，しばしば先行すること，心不全の合併が多いこと（川崎病ショック症候群との鑑別が必要），リンパ節腫脹や落屑を含む手指の変化は比較的少ないことなどである[6,7]．患者のほとんどは抗SARS-CoV-2抗体陽性であるが，MIS-Cが感染の急性期を過ぎて発症することが多いため，RT-PCR陽性患者は半数以下に留まる．日本を含む東アジア人での報告はまれであるが，今後は鑑別診断の1つになるであろう．詳細は本書の「7．特殊な病型の特徴および診断 e．新型コロナウイルスとの関連」の項目を参照されたい．

その他の感染症としては，極めてまれではあるが，レプトスピラ，チフス・パラチフス，リケッチア（日本紅斑熱，ツツガムシ病，ライム病），デング熱などが川崎病との鑑別を要する．Weil病，秋やみなどに代表されるレプトスピラ症（leptospirosis）は人獣共通の細菌（スピロヘータ）感染症である．病原性レプトスピラは保菌動物（ネズミなど）の腎臓に保菌され，尿中に排出される．ヒトは，保菌動物の尿で汚染された水や土壌から経皮的あるいは経口的に感染する．沖縄県では河川でのレジャーや遊びを介した散発，集発事例が多く報告されている．感冒様症状のみで軽快する軽症型から，黄疸，出血，腎障害を伴う重症型（Weil病）まで多彩な症状を示す．5〜14日間の潜伏期を経て，発熱，悪寒，頭痛，筋痛，腹痛，眼球結膜充血などが生じ，第4〜6病日に黄疸や出血傾向も増強する．本症は眼球結膜充血と発熱がほぼ必発であるが，発疹の出現頻度は10%程度である．レプトスピラ症の臨床診断は，汚染された水との接触の機会，流行地域への旅行歴などが手がかりとなる．

リケッチア感染症は高熱，発疹，頭痛，倦怠感などを呈する疾患であるが，わが国ではツツガムシ病

がもっとも多く，次いで日本紅斑熱であり，両疾患で毎年500〜700人の患者が発生している．ライム病は，わが国では年間10〜20人でありまれである．マダニやツツガムシの「刺し口」を探すとともに，ダニなどの媒介生物に刺されていないか，山林・草地・藪などに入っていないかについて問診する．また，チフス・パラチフス，デング熱などの発熱性発疹疾患については渡航歴の問診も重要である．

2. リウマチ性疾患

全身型若年性特発性関節炎(systemic juvenile idiopathic arthritis：sJIA)は，発熱，関節炎に加え，リウマトイド疹，全身性リンパ節腫脹，肝腫大または脾腫大，漿膜炎などの症状を呈するが，発症時に川崎病と誤診されることが非常に多い[8]．川崎病も本症も，弛張熱であるが，典型的なsJIAでは1日1回のspiking feverを認め，同時に最低体温は平熱か微熱に下がる特徴的な熱型を示す．発熱時にリウマトイド疹とよばれる軽度に隆起したサーモンピンクの皮疹を認め，解熱とともに消退・減弱する．発熱に際し筋肉痛や咽頭痛，大関節を主とする関節痛を訴えることが多い．血液検査では白血球の増加やCRPの上昇を認め，川崎病に類似するが，血清フェリチン値の上昇が鑑別に有用である[9]．保険外検査ではあるが，急性期に血清interleukin(IL)-18の著増を認め，確定診断における価値が高い[10]（保険適用外だがSRLで実施可能）．sJIAにはマクロファージ活性化症候群を合併することがあり，時に，致死的な経過をとるため，早期の鑑別診断が重要な疾患である[11]．IVIG抵抗性，短期間に再発を繰り返す，関節炎が遷延する川崎病においては，本症も疑うべきである．また，川崎病の治療としてステロイドを併用している患者においては，本症の鑑別が困難となる場合や診断が遅れる場合もあり，注意すべきである．

急性リウマチ熱は，GAS感染2〜3週後に続発する全身性炎症性疾患である．GAS感染への迅速検査，抗菌薬の普及によりわが国では極めてまれな疾患になった．5〜15歳に好発しJones診断基準改訂版では，心炎，舞踏病，輪状紅斑，多関節炎，皮下結節を主症状とし，発熱，関節痛，赤沈亢進またはCRPの上昇，心電図のPR間隔延長が副症状となっている．皮疹は輪状紅斑，有縁性の紅斑を特徴とす

る．

自己炎症症候群は周期性の発熱や皮疹を呈する疾患が多く，例としてクリオピリン関連周期熱症候群，TNF-α関連周期性症候群，高IgD症候群などがあげられる．TNF-α関連周期性症候群は発熱，皮疹に加え結膜炎や眼瞼浮腫を合併する．解熱後も血液検査では炎症が遷延することが多い．

3. 薬疹関連

重症薬疹である，Stevens-Johnson症候群(SJS)/中毒性表皮壊死症(toxic epidermal necrolysis：TEN)，薬剤性過敏症症候群(drug-induced hypersensitivity syndrome：DIHS)，急性汎発性発疹性膿疱症(acute generalized exanthematous pustulosis：AGEP)などの疾患は，緊急性が高い鑑別疾患である．SJS/TENの発疹は，水疱形成を伴う紅斑〜紫紅色斑，粘膜のびらん，Nikolsky現象を特徴とする．川崎病の発疹との鑑別点は水疱形成である．眼病変は眼脂に富み偽膜形成，眼表面上皮(角膜上皮，結膜上皮)のびらん(上皮欠損)を認め，口腔粘膜にもびらんを認める．DIHSの薬疹は，病初期は散在性の紅斑であるが，次第に増加，融合し，紅斑には出血が混じるため鮮紅色から紫紅色を呈する．AGEPは全身性に急速に出現する多数の5mm大以下の小膿疱を有する浮腫性紅斑あるいは小膿疱を有するびまん性の紅斑を呈する．川崎病の皮疹でも，まれに発赤腫脹を伴った無菌性小膿疱，乾癬様の鱗屑を伴った紅斑を呈することもあり鑑別を要する．上記の発疹の特徴を理解し，川崎病では非典型的な発疹で薬疹の鑑別が必要な際には，皮膚科医に積極的に併診するべきである．小児のSJSはマイコプラズマ感染やマクロライドの服用によるものが多く，DIESにおいては，ヒトヘルペスウイルス6型，サイトメガロウイルス，EBウイルスなどの再活性化を認める．また，DIESやAGEPは抗菌薬や抗てんかん薬の服用に起因することが多い．先行感染や薬剤の服用歴を詳細に聴取すべきである．

薬疹はIVIG不応時の鑑別診断としても重要である．IVIG不応で発熱や発疹が遷延する際には，治療薬，特に非ステロイド性消炎鎮痛薬(NSAIDs)に対する薬疹，薬剤熱の可能性についても考慮すべきである．

文献

1) Sonobe T, et al.：Prevalence of coronary artery abnormality in incomplete Kawasaki disease. Pediatr Int 2007；49：421-426

2) Fukuda S, et al.：Simultaneous development of Kawasaki disease following acute human adenovirus infection in monozygotic twins：A case report. Pediatr Rheumatol Online J 2017；15：39

3) 武田修明：エルシニア感染症の多彩な症状と合併症. 小児感染免疫 2017；29：67-72

4) Tahara M, et al.：Analysis of Kawasaki disease showing elevated antibody titres of *Yersinia pseudotuberculosis*. Acta Paediatr 2006；95：1661-1664

5) Mazur-Melewska K, et al.：Cat-scratch disease：a wide spectrum of clinical pictures. Postepy Dermatol Alergol 2015；32：216-220

6) Henderson LA, et al.：American College of Rheumatology Clinical Guidance for Multisystem Inflammatory Syndrome in Children Associated With SARS-CoV-2 and Hyperinflammation in Pediatric COVID-19：Version 2. Arthritis Rheumatol 2020；73：e13-e29

7) Ahmed M, et al.：Multisystem inflammatory syndrome in children：A systematic review. EClinicalMedicine 2020；26：100527

8) Dong S, et al.：Diagnosis of systemic-onset juvenile idiopathic arthritis after treatment for presumed Kawasaki disease. J Pediatr 2015；166：1283-1288

9) Mizuta M, et al.：Serum ferritin levels as a useful diagnostic marker for the distinction of systemic juvenile idiopathic arthritis and Kawasaki disease. Mod Rheumatol 2016；26：929-932

10) Takahara T, et al.：Serum IL-18 as a potential specific marker for differentiating systemic juvenile idiopathic arthritis from incomplete Kawasaki disease. Rheumatol Int 2015；35：81-84

11) Kumar S, et al.：Systemic onset juvenile idiopathic arthritis with macrophage activation syndrome misdiagnosed as Kawasaki disease：case report and literature review. Rheumatol Int 2013；33：1065-1069

〔伊藤秀一〕

ｂ 頸部リンパ節腫脹の鑑別

　小児では川崎病の好発年齢である幼児期にリンパ組織の発達がピークを迎えるため，正常でもリンパ節を触知しうる．頸部の場合，1 cm以上をリンパ節腫脹と考える．頸部リンパ節腫脹は日常診療でしばしば認められる症状の1つであり，その原因は，川崎病の他，化膿性頸部リンパ節炎，猫ひっかき病，伝染性単核症のような感染症，悪性リンパ腫を代表とする腫瘍性疾患，sJIAや組織球性壊死性リンパ節炎のようなリウマチ性疾患，先天代謝異常症など多岐にわたる（表3）．このなかで川崎病は，化膿性頸部リンパ節炎，EBウイルスによる伝染性単核症と並んで頻度が高く，適切に診断し治療を開始する必要がある．本項では川崎病における頸部リンパ節腫脹の特徴とともに，日常経験する頻度が高い化膿性頸部リンパ節炎および咽後膿瘍との鑑別のポイントについて述べる．

川崎病の頸部リンパ節腫脹の特徴

　頸部リンパ節腫脹は川崎病の主要症状の1つであり，1.5 cm以上を有意な腫大とする．他の主要症状がすべて80%以上に認められるのに対して，頸部リンパ節腫脹は69%とその発現頻度は低く，年長児では比較的多く認められる一方で，乳児では少なく，所見を欠くことも多い[1]．多くは一過性の経過で，

大きさは拇指頭大から鶏卵大に及ぶこともある．多くは有痛性で，斜頸を呈したり[2]，環軸椎回旋位固定をきたす症例も報告されている[3]．片側性のことが多いが両側性のこともあり，左右差はない．出現時期は発熱と同時のことが多いが，発熱より早く頸部痛や頸部腫脹を呈することもある．リンパ腫大の部位は下顎角の胸鎖乳突筋の起始部の下がもっとも多い．もっとも特徴的なこととして，川崎病にお

表3　小児の頸部リンパ節腫脹を呈する疾患

感染症	先天代謝異常症
細菌感染	Gaucher病
黄色ブドウ球菌	Niemann-Pick病
溶血性レンサ球菌	リウマチ性疾患
猫ひっかき病	川崎病
結核	組織球性壊死性リンパ節炎
ウイルス感染症	全身型若年性特発性関節炎
EBウイルス	全身性エリテマトーデス
サイトメガロウイルス	PFAPA症候群
単純ヘルペスウイルス	periodic fever
アデノウイルス	aphthous stomatitis
風疹ウイルス	pharyngitis
腫瘍性疾患	adenitis
悪性リンパ腫	
Hodgkinリンパ腫	
非Hodgkinリンパ腫	
転移性腫瘍	
神経芽腫	
横紋筋肉腫	

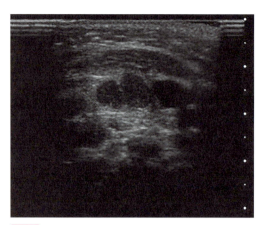

図1 川崎病患児の頸部リンパ節腫脹のエコー所見

多くの腫大したリンパ節が集簇し、ブドウの房状に観察される

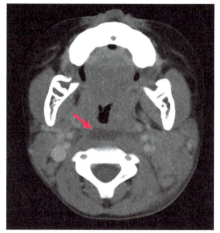

図2 造影CT検査での川崎病患児の咽頭後間隙の浮腫性肥厚

両側頸部に複数の腫大したリンパ節を認める。咽頭後間隙の浮腫性肥厚を伴う(➡)

いて認められる頸部リンパ節腫脹においては、どんなに大きく腫大しても決して化膿しないことがあげられる。組織学的には炎症細胞浸潤と限局性の壊死所見を呈する[4]。

頸部リンパ節腫脹は川崎病の重症度とも関連し、頸部リンパ節腫脹を有する症例ではIVIG療法不応の頻度が高く、CALの頻度も高いと報告されている[5]。発熱と頸部リンパ節腫脹を初発症状として発症する症例もあり、このような症例は、年長であり、炎症所見が強く、入院病日も早く、川崎病自体の重症度が高いことに加え、入院当初は頸部リンパ節炎と診断されることで、川崎病の診断が遅れ、IVIG療法の開始時期も遅れてしまうことが重症化につながる可能性も考えられている[6~8]。したがってこのような症例に対しては、川崎病の可能性を念頭におき、その他の主要症状の出現の有無について見逃さずになるべく早く診断し、治療を開始することが必要である。

化膿性頸部リンパ節炎との鑑別のポイント

化膿性頸部リンパ節炎は、圧痛を伴った頸部腫瘤を初発症状とすることが多く、病状が進行すると皮膚の発赤、熱感がみられるようになる。炎症のピークをすぎると膿瘍が形成され、波動が触知されるようになり自壊する。両側性の場合は扁桃炎から進展する症例が多く、高熱を伴い、強い炎症所見を呈する。

化膿性頸部リンパ節炎と川崎病による頸部リンパ節腫脹の鑑別には頸部エコー検査が有用である。川崎病でみられる頸部リンパ節腫脹は、腫大した複数のリンパ節が集簇した多胞性のブドウの房状の所見を呈する(図1)一方で、化膿性頸部リンパ節炎では、単一のリンパ節が腫大し、周囲に小さなリンパ節を複数認める所見を呈することから鑑別が可能となる。しかしながら、化膿性頸部リンパ節炎においても、大きなリンパ節腫脹を認めない場合もあり、エコー所見のみでは鑑別が困難な場合も少なくない。エコー所見の他、両者の鑑別には、①年齢が5歳以上、②好中球数が10,000/μL以上、③CRP値が7.0 mg/dL以上、④AST値が30 IU/L以上の4項目のうち3項目以上陽性である場合は川崎病を考慮すべきとされている[9]他、入院時の血小板数が川崎病では化膿性頸部リンパ節炎と比較し有意に低く、320,000/μLをカットオフ値とすると鑑別が可能であると報告されている[10]。

川崎病と咽後膿瘍との鑑別

発熱と頸部リンパ節腫脹を呈した症例に対して精査のために造影CT検査を施行すると、その原因が川崎病の場合、後咽頭に低吸収域を認め、咽後膿瘍との鑑別に苦慮する場合がある(図2)。両者の鑑別

点として，川崎病では5歳以上の比較的高年齢のこ
とが多いのに対し[11]，咽後膿瘍は4歳未満の乳幼児
に多く[12]，年齢層が異なっていることがあげられ
る．また画像所見では，咽後膿瘍では後咽頭の低吸
収域とその周囲の辺縁造影効果を呈する一方，川崎
病では辺縁造影効果を認めない点が鑑別点とな
る[11,12]．川崎病ではこの咽頭後間隙の浮腫性肥厚と
咽頭後リンパ節病変の存在がその診断を示唆する所
見として重要になる．しかしながら実際には鑑別が
困難な場合も多く，CT検査で後咽頭の低吸収域を
呈し，咽後膿瘍の診断で治療をする場合，5歳以上
の年長児においては，川崎病の主要症状の出現には
十分注意する必要がある．また，咽後膿瘍を合併す
る川崎病の症例報告も散見される．

■ 文　献

1) 大木いずみ，他：川崎病全国調査に基づく主要症状の出現
   状況に関する初期と現在の比較．日本小児科学会雑誌
   2005；109：484-491
2) 松橋一彦，他：斜頸を伴った両側副咽頭間隙感染症の1例．

小児科臨床 2010；63：975-978
3) 小田裕造，他：川崎病に発症した環軸椎回旋位固定の1例．
   整形・災害外科 2009；52：1563-1565
4) Giesker DW, et al.：Lymph node biopsy for early diagnosis
   in Kawasaki disease. Am J Surg Pathol 1982；6：493-501
5) Nomura Y, et al.：Kawasaki disease patients with six prin-
   cipal symptoms have a high risk of being a non-responder.
   Pediatr Int 2012；54：14-18
6) Stamos JK, et al.：Lymphadenitis as the dominant manifes-
   tation of Kawasaki disease. Pediatrics 1994；93：525-528
7) April MM, et al.：Kawasaki disease and cervical adenopa-
   thy. Arch Otolaryngol Head Neck Surg 1989；115：512-
   514
8) Kao HT, et al.：Kawasaki disease presenting as cervical
   lymphadenitis or deep neck infection. Otolaryngol Head
   Neck Surg 2001；124：468-470
9) Yanagi S, et al.：Early diagnosis of Kawasaki disease in
   patients with cervical lymphadenopathy. Pediatr Int
   2008；50：179-183
10) 五十嵐　浩，他：発熱と頸部リンパ節腫脹のみが先行する
    川崎病と化膿性リンパ節炎の早期鑑別．日本小児科学会雑
    誌 2012；116：849-853
11) 米田真紀子，他：急性咽後膿瘍と類似の画像所見を示した
    不全型川崎病の1例．小児科臨床 2011；64：1871-1875
12) 林　達哉：扁桃周囲膿瘍・咽後膿瘍．小児科 2013；54：
    1201-1206

〔清水正樹〕

C 心疾患・冠動脈疾患の鑑別

概　要

川崎病の急性期には冠動脈の拡張や冠動脈瘤，僧
帽弁閉鎖不全，心筋炎，心膜液貯留などの心臓の症
状を認める．本項では，心臓症状からあげられる，
川崎病の診断時に検討すべき鑑別疾患と鑑別のポイ
ントについて概説する（表4）．

冠動脈拡大性心疾患

1. 小児多系統炎症性症候群

COVID-19感染に関連するpediatric inflammatory
multisystem syndrome temporally associated with
severe acute respiratory syndrome coronavirus 2
（PIMS-TS）またはmultisystem inflammatory syn-
drome in children（MIS-C）とよばれる小児多系統炎
症性疾患では冠動脈瘤が合併する場合があることが
知られている．米国の539例の報告では冠動脈瘤は
57例（13.4%）に発生，英国のPICU管理をした症例
78例では18例（23%）に冠動脈瘤を認めている[1,2]．

一方で，前者の報告では，発症30日までに79.1%，
症例数は少ないものの90日までに全例退縮してい
た．川崎病との鑑別としては小児多系統炎症性症候
群では発症年齢が学童期以降が中心で川崎病より高
いこと，腹部症状の頻度が高いこと，COVID-19感
染歴があることなどがあげられる．治療としては
IVIG療法を中心に，ステロイドの投与やインフリ
キシマブ，アナキンラなども用いられている[3,4]．

2. エルシニア感染症

エルシニア感染症は腸炎エルシニア，エルシニア
偽結核菌によるものがあり，感染性胃腸炎の症状を
呈する．このうち，エルシニア偽結核菌感染症では
発熱，発疹，眼球結膜充血，いちご舌，落屑，リン
パ節腫脹の他，心膜液貯留や心筋炎を呈する場合が
ある．エルシニア偽結核菌感染症462例の解析で
は59例（13%）に川崎病の診断基準を満たし，冠動脈
瘤を7例，冠動脈拡張を6例に認めた[5]．診断には
糞便などからの菌分離か血清抗体価の測定が必要で
ある．

表4 心臓・冠動脈病変について鑑別を要する疾患と鑑別のポイント

鑑別を要する疾患	鑑別のポイント
小児多系統炎症性症候群	川崎病にみられる個別の症状は伴うが，発症年齢が学童期以降と高いこと，腹痛，嘔吐，下痢などの腹部症状の頻度が高いこと，COVID-19感染歴があるなどの特徴がある．また，検査所見としてはフェリチン，CRP，Dダイマーの著明な上昇，リンパ球減少などが認められる
エルシニア感染症	川崎病にみられる個別の症状を呈するのみならず，一部症例で川崎病の診断基準を満たす場合がある．糞便などからの菌分離か血清抗体価の測定が必要である
冠動静脈瘻	炎症所見はない．連続性雑音を聴取
高安動脈炎	眼球結膜充血，口唇症状は認めない．脳血管や肺動脈にも血管病変が生じる
慢性活動性EBウイルス感染症	肝脾腫の他，種痘様水疱症や蚊刺過敏症といった皮膚症状，間質性肺炎を呈することがある．血液検体のPCRによるEBウイルスの検出
僧帽弁逸脱	発熱などの川崎病の主症状は認めない
乳頭筋断裂	発熱などの川崎病の主症状は認めない
急性心筋炎	心筋逸脱酵素の著明な上昇，病初期は消化器症状を呈することが多い．川崎病の主症状を複数呈することはまれ
全身性エリテマトーデス	蝶形紅斑などの皮膚症状や関節痛，関節炎，腎症状，神経症状，呼吸器症状，消化器症状など多彩な症状を呈す．抗核抗体などの自己抗体の検出
若年性特発性関節炎	川崎病のようないちご舌や眼球結膜充血は通常認めない．CALは認めない．全身型では血中IL-18が鑑別に有用との報告あり
リウマチ熱	先行感染としてのA群溶血性レンサ球菌感染の証明が必要であり，眼症状，口唇症状，冠動脈病変は伴わない

3. 冠動静脈瘻

冠動脈が毛細血管を介さず直接心臓や大血管に短絡している疾患である．短絡量が多い場合は乳児期に心不全症状を呈するが，短絡量が少ない場合は症状に乏しい場合がある．短絡を有する冠動脈が拡張する．短絡量が多い場合は連続性雑音を聴取する．発熱や皮疹，眼球結膜充血やリンパ節腫脹といった川崎病の主症状は呈しないため，鑑別可能である．

4. 高安動脈炎（大動脈炎症候群）

高安動脈炎はまれな非特異的大型血管炎である

が，冠動脈においても瘤状病変，拡張病変の他，狭窄病変を呈することが知られている[6]．主として40歳以下に発症し，特に女性に多いが，小児例も散見される．血管病変としては脳血管や肺動脈にも病変を生じることが川崎病と異なる．また，川崎病との鑑別として，発熱や頸部リンパ節腫脹は起こり得るが，眼球結膜充血や口唇の症状は認めないことがあげられる．

5. 慢性活動性EBウイルス感染症

持続的な不明熱，リンパ節腫脹，肝脾腫などの伝染性単核症様症状を呈し，種痘様水疱症や蚊刺過敏症といった皮膚症状，間質性肺炎，消化管潰瘍，神経障害などを伴うことがある疾患で，末梢血や病変部にEBウイルスが検出される疾患である．本疾患では，CALなどを呈することが知られており[7]，症状では時に不全型川崎病と鑑別が難しい場合がある．IVIGは不応だが，ステロイドは症状を改善させる効果がある点に注意が必要である．血液検体のPCRでEBウイルスを検出することが鑑別に必要である．

僧帽弁閉鎖不全

1. 僧帽弁逸脱

僧帽弁逸脱はMarfan症候群に伴う場合や伴わない場合がある．大部分は無症状であるが，もっとも頻度の高い合併症が僧帽弁逆流である．僧帽弁逸脱単独の場合，発熱や皮疹，眼球結膜充血，リンパ節腫脹といった川崎病の主症状は呈しないため，川崎病との鑑別は容易である．

2. 乳頭筋断裂

突然発症し，急激な心不全を呈する疾患であるが，川崎病の主症状は呈しないため，鑑別は可能である．ただし，特発性僧帽弁腱索断裂の全国調査では川崎病後の症例を11%に認めており[8]，発症の予測は難しく，まれではあるものの，川崎病罹患後に突然発症の急激な心不全症状を認めたときは考慮すべき疾患である．

心筋炎

1. 小児多系統炎症性症候群

COVID-19感染に関連する小児多系統炎症性疾患では，心機能低下がみられることが知られている．

Feldstein ら[1]の報告では，心機能評価がなされた503 例の小児多系統炎症性疾患患者のうち，心機能低下が 34% で認められ，45% で昇圧薬，18% に人工呼吸管理，3% に体外膜型人工肺（extracorporeal membrane oxygenation：ECMO）が使用された．また，英国の 58 例の報告では，50% でショックを認め，うち 93% で強心薬を使用，ECMO を 10% で使用されたと報告されている[3]．心機能はおおむね1〜2 週で改善するとされ，Feldstein ら[1]の報告でも発症から 30 日で約 90% の患者で正常化したと報告されているが，長期的な予後については現時点では不明である．

2. 急性心筋炎

急性発症の心筋の炎症で，小児の場合はウイルス感染によるものが比較的頻度が高い[9]．小児では喘鳴などの心不全症状の他に，嘔吐などの消化器症状を呈する場合も多い．川崎病の主症状を複数呈することはまれであり，一般的に鑑別は可能だが，川崎病の症状がそろう前に心機能低下が認められた場合は鑑別を要する．川崎病の心筋炎は間質への細胞浸潤が中心で[10]，心筋逸脱酵素の上昇が心機能低下の程度に比較して軽度であるが，ウイルス性心筋炎は一般的に心筋逸脱酵素の急激な上昇を呈する．年長児で川崎病の臨床症状が乏しい場合は心筋生検も鑑別に必要な場合がある．

3. 全身性エリテマトーデス

全身性エリテマトーデスは全身性の自己免疫疾患であり，発熱，体重減少，リンパ節腫脹などの他，蝶形紅斑などの皮膚症状や関節痛，関節炎を呈する．また，腎症状，けいれんや意識消失といった神経症状，間質性肺炎などの呼吸器症状，口腔内潰瘍や虚血性腸炎による急性腹症などの消化器症状，溶血性貧血，白血球減少，血小板減少といった血液の異常など多彩な症状を呈する．心臓においては，心膜炎と心筋炎が認められることが知られている[11]．また，心膜液貯留を認めることもある．好発年齢は川崎病よりも高く，臨床症状からは鑑別が問題となることは少ないが，検査所見による鑑別としては，抗核抗体などの自己抗体の検出が有用である．

心膜炎

1. 若年性特発性関節炎（JIA）

16 歳以下の小児期に発症する原因不明の慢性関節炎であり，発熱，皮疹，リンパ節腫脹を認める一方で，川崎病のようないちご舌や眼球結膜充血は通常認めない．関節痛は川崎病でも認めることがあるので，不全型川崎病との鑑別が困難な場合がある．心エコー上，冠動脈瘤は認めないが，心膜炎により心膜液貯留を認めることがある[12]．IVIG は不応だが，ステロイドは症状を改善させる効果がある点に注意が必要である．全身型では血中の IL-18 が極めて高値であり，川崎病との鑑別に有用である[13]．

2. 全身性エリテマトーデス

前述のように，心膜炎を合併し，心膜液貯留を認める場合がある．

3. リウマチ熱

A 群溶血性レンサ球菌感染に続発して起こる全身性炎症性疾患であり，発展途上国ではもっとも頻度の高い小児の後天性心疾患であるが，日本国内では近年ではほとんどみられない．Jones 診断基準改訂版[14]では，主症状として心炎，多関節炎，舞踏病，輪状紅斑，皮下結節があるが，心炎では心内膜炎（弁膜炎）の他，心筋炎，心膜炎のいずれも起こりうる．なお，弁膜炎は基本的に心雑音を伴うほどのものである．診断には先行感染としての A 群溶血性レンサ球菌感染の証明が必要であり，眼症状，口唇症状，冠動脈病変は伴わないなど川崎病と病像が異なる．

■ 文　献

1) Feldstein LR, et al.：Characteristics and outcomes of US children and adolescents with multisystem inflammatory syndrome in children（MIS-C）compared with severe acute COVID-19. JAMA 2021；325：1074-1087

2) Davis P, et al.：Intensive care admissions of children with paediatric inflammatory multisystem syndrome temporally associated with SARS-CoV-2（PIMS-TS）in the UK：A multicentre observational study. Lancet Child Adolesc Health 2020；4：669-677

3) Whittaker E, et al.：Clinical characteristics of 58 children with a pediatric inflammatory multisystem syndrome temporally associated with SARS-CoV-2. JAMA 2020；324：259-269

4) Sperotto F, et al.：Cardiac manifestations in SARS-CoV-2-associated multisystem inflammatory syndrome in children：A comprehensive review and proposed clinical approach. Eur J Pediatr 2021；180：307-322

5）武田修明：エルシニア感染症. 小児科診療 2001；64：1030-1035

6）Endo M, et al.：Angiographic findings and surgical treatments of coronary artery involvement in Takayasu arteritis. J Thorac Cardiovasc Surg 2003；125：570-577

7）Muneuchi J, et al.：Cardiovascular complications associated with chronic active Epstein-Barr virus infection. Pediatr Cardiol 2009；30：274-281

8）Shiraishi I, et al.：Acute rupture of chordae tendineae of the mitral valve in infants：a nationwide survey in Japan exploring a new syndrome. Circulation 2014；130：1053-1061

9）日本循環器学会，他：急性および慢性心筋炎の診断・治療に関するガイドライン（2009 年改訂版）［http://www.j-circ.or.jp/cms/wp-content/uploads/2020/02/JCS2009_izumi_h.pdf］

10）日本循環器学会，他：2020 年改訂版 川崎病心臓血管後遺症の診断と治療に関するガイドライン［http://www.j-circ.or.jp/cms/wp-content/uploads/2020/02/JCS2020_Fukazawa_Kobayashi.pdf］

11）Dhakal BP, et al.：Heart failure in systemic lupus erythematosus. Trends Cardiovasc Med 2018；28：187-197

12）Koca B, et al.：Cardiac involvement in juvenile idiopathic arthritis. Rheumatol Int 2017；37：137-142

13）Takahara T, et al.：Serum IL-18 as a potential specific marker for differentiating systemic juvenile idiopathic arthritis from incomplete Kawasaki disease. Rheumatol Int 2015；35：81-84

14）Guidelines for the diagnosis of rheumatic fever. Jones Criteria, 1992 update. Special Writing Group of the Committee on Rheumatic Fever, Endocarditis, and Kawasaki Disease of the Council on Cardiovascular Disease in the Young of the American Heart Association. JAMA 1992；268：2069-2073

〔加藤太一〕

急性期治療

　川崎病の急性期治療の目標は，早期に炎症を鎮静化し冠動脈病変(CAL)の発生を予防することである．免疫グロブリン静注(IVIG)療法とアスピリン(ASA)経口投与の併用が，ランダム化比較試験によってCALを減少させる標準的治療法として確立している．

　IVIG療法によっても発熱などの炎症症状が改善しない症例(不応例)が15〜20%存在し，CALの主な原因となっている．IVIG不応例に対するエビデンスレベルの高い治療法は完全には確立していない．IVIG追加療法をはじめ，プレドニゾロン(PSL)，ステロイドパルス(IVMP)，シクロスポリン(CsA)，インフリキシマブ(IFX)，ウリナスタチン(UTI)，血漿交換などが行われているが，選択基準や使用法は施設によって相違がある．いずれにしても，CALが発生するとされる第10病日未満には炎症を終息させることが重要である．

　血液検査などに基づきIVIG不応例を予測し，IVIGとASAによる初期治療を強化する方法も提唱されている．PSLとの併用療法は，ランダム化比較試験(RAISE Study)により不応例もCALも減少したことが報告され，大規模コホート研究でも実証された．CsAによるランダム化比較試験も終了し，成果も公表された(KAICA Trial)．IFXやUTIも初期併用療法に有用である可能性がある．日本で用いられているIVIG不応の予測スコアは，欧米では有効でないとされており，共通の予測スコアは課題として残されている．

　今後，IVIG不応例の対策やCALの予防だけでなく，副作用や医療費も考慮し，種々の治療法の順番や組み合わせに関する研究が重要になるだろう．この検証のためには，後向き研究をふまえ，前向きのコホート研究やランダム化比較試験が必要と考える．川崎病が発見され圧倒的な症例数のある日本から，急性期治療の新たなエビデンスが世界に発信されることを期待したい．

Ⅳ 急性期治療

1 急性期治療総論

POINT

- 川崎病の標準治療は，免疫グロブリン静注（IVIG）単回投与とアスピリン（ASA）経口投与で，遅くとも第7病日までに開始する．
- 無熱時にはASAのみでよいが，微熱や炎症反応が持続する場合はIVIGを検討する．
- IVIG不応予測スコア高リスク例には，プレドニゾロンあるいはシクロスポリン（CsA）併用が推奨される．
- IVIG不応例は投与終了後24〜36時間の発熱をもとに，主要症状や血液検査も参考に総合的に判定する．
- IVIG不応例には，IVIG再投与のほか，プレドニゾロン，ステロイドパルス（IVMP），CsA，インフリキシマブ，ウリナスタチン，血漿交換などの追加治療を行い，第9病日までの解熱を目指す．

基本方針

　急性期川崎病の治療目標は炎症を可能な限り早期に鎮静化させることで，免疫グロブリン静注（IVIG）の単回投与とアスピリン（ASA）経口投与の併用療法が基本である．小林スコア[1]に代表されるIVIG不応予測スコア[2,3]（**表1**）の高リスク例には，RAISE Study[4]やPost RAISE[5]に基づきプレドニゾロン（PSL），またはKAICA trial[6]に基づきシクロスポリンA（CsA）の初期併用を行ってもよい．初回IVIG不応例に対しては，IVIG再投与のほか，PSL，ステロイドパルス（intravenous methylprednisolone pulse：IVMP），CsA，インフリキシマブ（IFX），ウリナスタチン（UTI），血漿交換（PE）などの治療を追加し冠動脈病変（coronary artery lesions：CAL）を抑制する必要がある．

　冠動脈の病理所見によれば[7]，第8〜10病日に汎血管炎によって内弾性板の断裂や中膜平滑筋層の傷害が生じ，第10〜12病日に脆弱化した血管に血圧がかかりCALが形成される．したがって，汎動脈炎が始まる前の第7病日までにIVIGを投与し，IVIG不応例でも一般にCALが生じる前の第9病日までに治療が奏効することを目指す．CAL出現後に追加治療を実施しても拡張を抑制できない場合があり，不応例の判定を早期に行うことが勧められる．

表1 免疫グロブリン静注（IVIG）療法不応予測スコア

1. 小林（群馬）スコア[1]：5点以上：感度76%，特異度80%

閾値	点数
血清ナトリウム 133 mmol/L 以下	2点
治療開始（診断）病日　第4病日以前	2点
AST 100 IU/L 以上	2点
好中球比率 80% 以上	2点
CRP 10 mg/dL 以上	1点
血小板数 $30.0 \times 10^4/\mu L$	1点
月齢 12 か月以下	1点

2. 江上（久留米）スコア[2]：3点以上：感度78%，特異度76%

閾値	点数
ALT 80 IU/L 以上	2点
治療開始（診断）病日　第4病日以前	1点
CRP 8 mg/dL 以上	1点
血小板数 $30.0 \times 10^4/\mu L$ 以下	1点
月齢 6 か月以下	1点

3. 佐野（大阪）スコア[3]：2点以上：感度77%，特異度86%

閾値	点数
AST 200 IU/L 以上	1点
総ビリルビン 0.9 mg/dL 以上	1点
CRP 7 mg/dL 以上	1点

〔Kobayashi T, et al.：Prediction of intravenous immunoglobulin unresponsiveness in patients with Kawasaki disease. Circulation 2006；113：2606-2612, Egami K, et al.：Prediction of resistance to intravenous immunoglobulin treatment in patients with Kawasaki disease. J Pediatr 2006；149：237-240, Sano T, et al.：Prediction of non-responsiveness to standard high-dose gamma-globulin therapy in patients with acute Kawasaki disease before starting initial treatment. Eur J Pediatr 2007；166：131-137 より引用〕

1. 急性期治療総論

表2 日本のガイドラインにおける急性期治療のクラスとレベル

治療法	クラス	レベル
IVIG＋ASA による初期治療	I	A
IVIG 不応予測例に対する IVIG＋PSL による初期治療	I	A
IVIG 不応予測例に対する IVIG＋IVMP による初期治療	IIa	B
IVIG 不応予測例に対する IVIG＋CsA による初期治療	IIa	B
IVIG＋UTI による初期治療	IIb	C
IVIG 不応例に対する IVIG による追加治療	I	C
IVIG 不応例に対する IVIG＋PSL による追加治療	IIa	C
IVIG 不応例に対する IVMP による追加治療	IIa	B
IVIG 不応例に対する CsA による追加治療	IIb	C
IVIG 不応例に対する IFX による追加治療	IIa	B
IVIG＋UTI による追加治療	IIb	C
IVIG 不応例に対する PE による追加治療	IIa	C

ASA：アスピリン，CsA：シクロスポリン A，IFX：インフリキシマブ，IVIG：免疫グロブリン静注療法，IVMP：ステロイドパルス，PE：血漿交換，PSL：プレドニゾロン，UTI：ウリナスタチン
クラスは，有効・有用であるというエビデンス・一致した見解があるものが I，ないものが II，有効・有用でないというエビデンス・一致した見解があるものが III である．II のうち，エビデンス・見解から有用性・有効性が高い可能性があるものを IIa，十分に確立されていないものを IIb とする．レベルは，複数のランダム化比較試験やメタ解析で実証されたものが A，単数のランダム化比較試験や大規模な臨床試験で実証されたものが B，その他が C に相当する
〔三浦　大，他：川崎病急性期治療のガイドライン（2020 年改訂版）．日本小児循環器学会雑誌 2020；36：S1.1-S1.29 より作成〕

IVIG 不応予測スコア

　川崎病の重症度を患者属性と治療開始時の血液検査などで層別化して，適切な治療戦略を構築する目的で，IVIG 不応予測モデル小林（群馬）スコア[1]，江上（久留米）スコア[2]，佐野（大阪）スコア[3]が開発された（**表1**）．これらのスコアを用いることで，IVIG 不応が予測される高リスク例に対し初期併用による強化療法が可能になった．低リスクであっても，不応になったり CAL が生じたりすることがあるので注意を要する．ただし，欧米では日本の予測モデルの感度が低い点が問題とされている．米国では，人種（アジア人），年齢（0 歳 6 か月未満），治療前の冠動脈内径（Z スコア 2.0 以上），CRP 値（13 mg/dL 以上）による CAL の予測法が提唱されている[8]．

急性期治療のガイドライン

　2020 年，日本小児循環器学会による急性期治療のガイドラインが 8 年ぶりに改訂された．各治療のクラス分類とエビデンスレベルをもとに（**表2**）[9]，保険適用の有無も踏まえ，標準的な治療，推奨される治療，考慮される治療の 3 種類に分類し，アルゴリズムを作成した（**図1**）[9]．IVIG と ASA による初期治療以外では，適応・使用法・組み合わせ・順番の優劣は確立していない．したがって各施設で最良と思われる治療法を選択してよいが，客観的な評価によって適宜改善することが勧められる．以下にアルゴリズムの要点を示す．

1. 1st line

　発熱があれば，IVIG 点滴静注（2 g/kg/日，12～24 時間）と ASA 中等量の経口（30～50 mg/kg/日，分 3）による標準治療を行う．IVIG 不応予測スコア（**表**

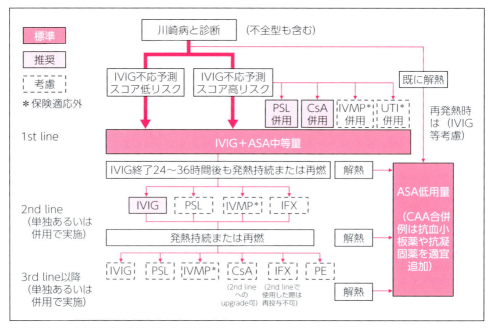

図1 川崎病急性期治療のアルゴリズム

ASA：アスピリン，CAA：冠動脈瘤，CsA：シクロスポリンA，IFX：インフリキシマブ，IVIG：免疫グロブリン静注療法，IVMP：ステロイドパルス，PE：血漿交換，PSL：プレドニゾロン，UTI：ウリナスタチン
〔三浦　大，他：川崎病急性期治療のガイドライン（2020年改訂版）．日本小児循環器学会雑誌 2020；36：S1.1-S1.29 より引用〕

1)[1〜3]による評価で高リスクであっても，不応の予防として併用療法を行うかどうかは施設の方針による．併用する場合は，PSL（2 mg/kg/日から開始し漸減，静注後に経口に変更）[4,5]かCsA（5 mg/kg/日，5日間，経口）[6]が推奨され，IVMP（30 mg/kg/回，1回，点滴静注）かUTI（5,000 単位/kg/回，3〜6回/日，点滴静注）も考慮される．診断時に発熱がなければASA低用量（3〜5 mg/kg/日，分1）のみの投与でよいが，微熱・炎症反応の持続（いわゆる"くすぶり例"[10]）やCALの徴候があればIVIGの投与を検討する．解熱後に数日間再発熱がなければ，ASAを低用量に減量する．

2. 2nd line

IVIG投与終了後24〜36時間（基本は投与開始後48時間）の時点で37.5℃以上の発熱を認める例では，他の主要症状や血液検査を含め不応例かどうかを総合的に判定する．不応例と判定した場合は，迅速に2nd lineの追加治療を行う．解熱後に発熱など主要症状の悪化を認める再燃例も，他の原因が否定的であれば不応例と同様に追加治療の適応である．2nd lineの治療では，1st lineと同様のIVIG 2 g/kgの追加投与が推奨され，PSL，IVMP，IFX（5 mg/kg/回，点滴静注）の単独投与あるいはIVIGとの併用も考慮される．初回IVIGにPSL，CsA，UTIを併用した例では継続することが一般的で，併用しなかった例では2nd lineで投与してもよい．

3. 3rd line以降

2nd lineの治療後も発熱が持続・再燃し，他の原因が明らかでない場合は，3rd lineとしてIVIG，PSL，IVMP，CsA，IFXに加え，PEのいずれかを選択あるいは適宜併用する．2nd lineでIFXを使用した例では，3rd line以降でのIFXの再投与は控える．追加治療の順番は確立していないが，2nd lineまでに使用していない作用機序の異なる薬剤を3rd lineで試みる価値はある．4th lineまで至ることはまれであるが，いったん解熱した後の再発熱に治療が必要になることは時に認められる．

4. 補完的治療

CAL以外にも心筋炎，心膜炎，弁膜症，不整脈，ショックといった循環器系合併症が生じることがあり，病態に応じて補完的治療を行う．心不全，浮腫，抗利尿ホルモン不適切分泌症候群（SIADH）による

1. 急性期治療総論

表3 米国のガイドラインにおける急性期治療のクラスとレベル

治療法	クラス	レベル
典型例またはアルゴリズムの基準を満たした不全型に対する IVIG（2 g/kg）の 10 病日以内の初期治療	I	A
他の原因がない発熱や CAL があり，炎症反応高値が持続する例に対する 10 病日以降の IVIG 投与	IIa	B
発熱中の中等量（30〜50 mg/kg/日）または高用量（80〜100 mg/kg/日）の ASA 投与	IIa	C
高リスク例に対する IVIG と長期の PSL（漸減し 2〜3 週間）併用による初期治療	IIb	B
全例に対する IVIG と IVMP 併用による初期治療	III	B
初回 IVIG 終了 36 時間後の発熱例に対する IVIG（2 g/kg）追加投与	IIa	B
初回または追加 IVIG 後の発熱例に対する IVMP（20〜30 mg/kg/日，3 日間）の投与±PSL 後療法	IIb	B
初回 IVIG 後の発熱例に対する長期の PSL（漸減し 2〜3 週間）と追加 IVIG 併用による追加治療	IIb	B
IVIG 不応例に対する IFX（5 mg/kg）投与の考慮（IVIG 追加やステロイドの代替）	IIb	C
IVIG 追加，ステロイド，IFX の不応例に対する CsA 投与の考慮	IIb	C
IVIG 追加，ステロイド，IFX の不応例に対する（TNF-α阻害薬以外の）生物学的製剤，細胞毒性薬，PE による治療の考慮	IIb	C

ASA：アスピリン，CsA：シクロスポリン A，IFX：インフリキシマブ，IVIG：免疫グロブリン静注療法，IVMP：ステロイドパルス，PE：血漿交換，PSL：プレドニゾロン，TNF：腫瘍壊死因子，UTI：ウリナスタチン
クラスは，実施するべき治療が I，実施が合理的な（reasonable）治療が IIa，実施を考慮してもよい治療が IIb，実施しないほうがよい治療が III である．レベルは，複数のランダム化比較試験やメタ解析によるものが A，単数のランダム化比較試験や複数の非ランダム化比較試験によるものが B，専門家のコンセンサス・症例研究・標準治療のみによるものが C に相当する
〔McCrindle BW, et al.：Diagnosis, treatment, and long-term management of Kawasaki disease：A scientific statement for health professionals from the American Heart Association. Circulation 2017；135：e927-e999 より作成〕

低ナトリウム血症を呈している際は，体液量が過剰にならないように輸液量に注意する一方，脱水徴候がある場合は十分な輸液を要する．麻痺性イレウス，胆囊炎，膵炎，脳炎・脳症，血球貪食症候群など全身臓器の合併症に対する対症療法も重要である．

いわゆる川崎病ショック症候群は[11]，低血圧を伴い集中治療を要する症例で，欧米の報告が主体で日本ではまれである．年長児に好発し，炎症反応高値・血小板数減少・低ナトリウム血症などを呈し，IVIG 不応で CAL も合併することが多い．世界的な新型コロナウイルス感染症（COVID-19）の流行に伴い話題になった小児多系統炎症性症候群（MIS-C，PIMS-TS）は[12]，一部に川崎病類似の症状を認め，川崎病ショック症候群ともオーバーラップすると思われる．川崎病ショック症候群も MIS-C も，IVIG，ASA，ステロイドなどの抗炎症療法は川崎病と共通である[11,12]．

日米のガイドラインの比較（表3）[13]

1st line に関し，川崎病と診断されれば，IVIG 2 g/kg/日の単回投与と ASA 経口投与を行うことは国際的に共通である．ASA の投与量は，米国では高

123

用量（80〜100 mg/kg/日）または日本と同じ中等量が推奨されている．IVIG 不応予測スコアの精度が低い問題点はあるものの，高リスク例に対しステロイドの併用が考慮される．2nd line では，米国でも IVIG 追加投与が推奨され，PSL の併用や IVMP 単独投与が考慮される．なお，IVIG は 10〜12 時間で投与し，不応例の判定時点は終了後 36 時間なので開始後約 48 時間後となり，日本のガイドラインと同様である．IFX は，米国では IVIG 追加やステロイドの代替に位置づけられている．3rd line では，CsA と PE を考慮してもよいとされているが，UTI については記載がない．

ヨーロッパにも SHARE[*1] による recommendation がある[14]．米国の方針と類似しているが，ASA は中等量の投与である．重症例に対するステロイドの使用を強く推奨している点が特徴である．IVIG 不応例に対する追加治療のほか，小林スコア高リスク，血球貪食症候群，ショック，1 歳未満，冠動脈瘤合併例にも考慮される．ステロイドの投与法は，メチルプレドニゾロンの通常量または IVMP で開始し，PSL の経口投与による後療法を数週間行うと記載されている．

📕 文　献

1) Kobayashi T, et al.：Prediction of intravenous immunoglobulin unresponsiveness in patients with Kawasaki disease. Circulation 2006；113：2606-2612
2) Egami K, et al.：Prediction of resistance to intravenous immunoglobulin treatment in patients with Kawasaki disease. J Pediatr 2006；149：237-240
3) Sano T, et al.：Prediction of non-responsiveness to standard high-dose gamma-globulin therapy in patients with acute Kawasaki disease before starting initial treatment. Eur J Pediatr 2007；166：131-137
4) Kobayashi T, et al.：Efficacy of immunoglobulin plus prednisolone for prevention of coronary artery abnormalities in severe Kawasaki disease（RAISE study）：a randomised, open-label, blinded-endpoints trial. Lancet 2012；379：1613-1620
5) Miyata K, et al.：Efficacy and safety of intravenous immunoglobulin plus prednisolone therapy in patients with Kawasaki disease（Post RAISE）：a multicentre, prospective cohort study. Lancet Child Adolesc Health 2018；12：855-862
6) Hamada H, et al.：Efficacy of primary treatment with immunoglobulin plus ciclosporin for prevention of coronary artery abnormalities in patients with Kawasaki disease predicted to be at increased risk of non-response to intravenous immunoglobulin（KAICA）：a randomised controlled, open-label, blinded-endpoints, phase 3 trial. Lancet 2019；393：1128-1137
7) 髙橋　啓：3. 病理　a. 冠動脈（急性期・遠隔期）．日本川崎病学会（編），川崎病学．診断と治療社，2018；37-41
8) Son MBF, et al.：Risk model development and validation for prediction of coronary artery aneurysms in Kawasaki disease in a North American population. J Am Heart Assoc 2019；8：e011319
9) 三浦　大，他：川崎病急性期治療のガイドライン（2020 年改訂版）．日本小児循環器学会雑誌 2020；36：S1.1-S1.29
10) Takahashi T, et al.：Development of coronary artery lesions in indolent Kawasaki disease following initial spontaneous defervescence：a retrospective cohort study. Pediatr Rheumatol Online J 2015；13：44
11) Gamez-Gonzalez LB, et al.：Kawasaki disease shock syndrome：Unique and severe subtype of Kawasaki disease. Pediatr Int 2018；60：781-790
12) Jiang L, et al.：COVID-19 and multisystem inflammatory syndrome in children and adolescents. Lancet Infect Dis 2020；20：e276-e288
13) McCrindle BW, et al.：Diagnosis, treatment, and long-term management of Kawasaki disease：A scientific statement for health professionals from the American Heart Association. Circulation 2017；135：e927-e999
14) de Graeff N, et al.：European consensus-based recommendations for the diagnosis and treatment of Kawasaki disease- the SHARE initiative. Rheumatology 2019；58：672-682

〔三浦　大，松裏裕行〕

・・・・・・・・・・・・・・・・・・・・・・・・・・・・・・・

[*1] SHARE：The European Single Hub and Access Point for Paediatric Rheumatology in Europe の略で，小児リウマチ国際研究機関（PRINTO）と小児リウマチヨーロッパ協会（PRES）との協力で作られた欧州連合事業の機関．

Ⅳ 急性期治療

2 免疫グロブリン

> **POINT**
> ・免疫グロブリン静注(IVIG)療法は川崎病急性期治療の第1選択である.
> ・IVIG では 2 g/kg の単回投与が推奨され 90% 以上の症例で行われている.
> ・20% 前後存在する IVIG 不応例に対する対応が課題である.

背景・目的

　川崎病急性期治療に免疫グロブリン静注(IVIG)を使用した報告の第一例は,1972年高木[1]の「小児急性熱性皮膚粘膜淋巴節症候群(MCLS)に対する"Venoglobulin"の一奏効例」であるが,大規模な検討は免疫グロブリンを用いた群間比較試験を行った1984年のFurushoら[2]による報告にはじまる.当時標準治療であったアスピリン(ASA)単独治療群45例とASA+IVIG(400 mg/kg/日×5日)群40例を比較し,急性期冠動脈病変(coronary artery lesions:CAL)がASA単独群では19例(42%),IVIG併用群では6例(15%)に認めたとした.第30~60病日までCALが持続したのはASA単独群14例(31%)とIVIG併用群3例(8%)であった.第30~60病日での冠動脈造影所見からはASA単独群では19例中11例に,IVIG併用群では6例中1例にのみCAL所見を得たとしており,IVIG併用療法は有意にCAL発生頻度を抑制することが明らかになった.

　1986年のNewburgerら[3]の追試によりIVIG療法の有効性は証明され,さらに1991年同じくNewburgerら[4]によるIVIG分割投与群(400 mg/kg/日×4日)と単回投与群(2 g/kg/日×1日)の比較試験が行われ,治療開始2週目のCAL評価では分割投与群263例中24例(9.1%),単回投与群260例中12例(4.6%)と単回投与の優位性が示され,7週目以降のCAL評価でも分割投与群263例中19例(7.2%),単回投与群257例中10例(3.9%)と単回投与群においてCAL発生頻度が低いことが明らかになった.

作用機序

　川崎病の原因が不明な現在では,IVIGの作用機序のうちどの部分が効果的に川崎病急性期の炎症を抑制しているかを断定することはできない.寺井ら[5]によればIVIG療法開始後24~48時間で解熱した治療反応例では循環血漿中のCRPや炎症性ケモカイン・サイトカイン濃度の低下が認められた.このことから,IVIGのFc部分がマクロファージやエフェクター細胞上のFc受容体と結合することで,これら免疫担当細胞の活性が抑制されるとしている.精製単球に発現する炎症関連遺伝子(S100)のmRNAをIVIGが抑制する,マクロファージが産生するMCP-1受容体CCR2の遺伝子発現をIVIGが抑制し蛋白産生を抑える[6]などの機序も考えられている.細菌性毒素,スーパー抗原の中和や血管内皮細胞に対する自己抗体産生抑制などの効果を介して血管の炎症を抑制しているとの考えもある.IVIGは作用機序の不明な部分はあるが,過剰な炎症性サイトカインを均衡のとれた状態に戻しているのではないかと考えられる.

使用法

　CAL出現のリスクがある川崎病急性期であれば全例IVIG療法の適応がある.日本小児循環器学会の「川崎病急性期治療のガイドライン」[7]では汎動脈炎が始まる前の第7病日以前に治療開始することが望ましいとされている.American Heart Association(AHA)の診断治療のstatementでは,診断が確

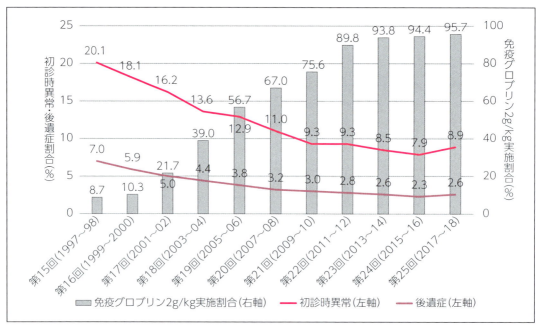

図1 免疫グロブリン2g/kg投与実施率と冠動脈病変合併率

定したら10病日以内にできるだけ早く治療開始することが望ましい[8]とされている．軽症例や自然解熱例で投与されないことはあるが，軽症例でもCALを合併する例があることは知られており，自然解熱例でも炎症反応が残存していれば治療適応と考えられる．主要症状が3，4項目であってもCALの有無に限らず，他疾患が除外された「不全型」川崎病の場合[9]，症状数の少ない不全型を軽症例と考えるのではなく，定型川崎病と同程度のCALを生じるリスクがあることを理解し，定型例と同様に適切な時機に治療を開始することが望ましい．

完全分子型免疫グロブリン製剤で川崎病の適応が保険収載されている製剤はスルホ化製剤，ポリエチレングリコール処理製剤，pH4酸性処理製剤など数種あるが効果に差は認められていない．近年10％の液状製剤が使用され始めており，5％製剤に比べて投与液体量が減り投与時間の短縮，容量負荷の軽減が期待できるが，製剤濃度に限らずアナフィラキシーや血圧低下などの副作用は投与開始1時間以内に起こる可能性があるため，投与開始速度も含め慎重に観察する必要がある．

急性期のIVIG投与法は，
①2g/kg/日×1日（単回投与，12〜24時間で静注）
②1g/kg/日×1 or 2日（単回投与変法）
③200〜400mg/kg/日×3〜5日（分割投与）
などがあるが，2017〜2018年を対象とした第25回川崎病全国調査[10]では，IVIG療法施行例の95.7％が2g/kg/日の単回投与であった．AHAのstatement[8]でも分割投与はかつてそういう使い方をしていた時期もあったという扱いで，10〜12時間での単回投与を勧めている．

次項で詳述するがIVIG療法には治療終了後24〜36時間で解熱しないか再燃する不応例が15〜20％存在する．不応例に対する追加治療にはいくつかの選択肢がガイドライン[7]に示されているが，9割を超す症例にIVIGが行われている．

有用性

IVIG療法は用量依存性にCAL形成阻止効果があることが示されており，現時点で川崎病急性期治療法としてもっとも安全で効果的な治療法といえる．図1に川崎病全国調査で示されたIVIG2g/kg単回投与実施率とCAL合併率の結果を示す．単回投与が1割に満たなかった第15回川崎病全国調査（1997〜1998年対象）では急性期心障害の割合は20.1％，後遺症期で7.0％であったが，単回投与が

94.4％に達した第24回川崎病全国調査（2015～2016年対象）では急性期心障害の割合は7.9％，後遺症期で2.3％とCAL合併率は約1/3に減少している．

IVIG療法には初回の2 g/kg投与終了後24時間で解熱しないか再燃する不応例が15～20％存在する．9割を超す症例でIVIG再投与が行われているが，IVIG単独での治療には限界があると考えられる．CAL形成がこれらの不応例の中に多く発生する事実から，IVIG療法に反応性が乏しいことが予測される患者を選別し，より強力な抗血管炎初期治療を行うことでCALの発生を最小限に抑えることが期待できると考えられた．「重症川崎病患者に対する免疫グロブリンと免疫グロブリン・プレドニゾロン初期併用投与のランダム化比較試験（RAISE Study）」[11]では不応予測例に対してIVIG 2 g/kg単回投与およびアスピリンに加えプレドニゾロン（2 mg/kg/日から5日ごとに漸減）を併用する方法を採用した．大阪川崎病研究グループの大阪スコアや北里大学での久留米スコアを用いた患者の層別化とメチルプレドニゾロンパルス併用などの研究も行われている．これらの研究の成果が図1に示される2010年以降のCAL合併率の低下の一翼を担っている可能性もあり，患者重症度の層別化により初期治療を選択することでCAL発生をさらに減少できることが期待される[12]．

注意点

IVIG療法の副作用は比較的少なく安全性の高い治療法と考えられるが，ヒト由来の血液製剤であるので使用に際しては十分な説明の後，同意を得ることが必要である．これまで川崎病患者に使用された免疫グロブリン製剤からウイルス感染を起こした報告はない．ウイルス混入を防ぐため，抗体検査やフィルター，プール血漿に対する核酸増幅検査など何段階にも施されているが，分子量の小さいプリオンなどの病原体の混入を確実に防ぐことは理論上不可能である．しかし投与後の感染が過去に起こった例の報告はない．液状化製剤では室温に戻してからの使用が望ましい．点滴漏れなどで血管外に薬剤が漏れ出した際，組織障害を起こす危険があるので点滴刺入部の観察は繰り返し必要となる．これまでに報告されている副作用は顔面発赤，悪寒，頭痛，無

表1 川崎病のIVIGに対する副作用の使用成績調査結果（使用総数 7,259 例）

肝機能障害	69件	蒼白	15件
肝機能関連検査異常	40件	チアノーゼ	14件
瘙痒症・発疹	78件	心不全	13件
低体温	50件	ショック	13件
低血圧	19件	末梢冷感	13件
無菌性髄膜炎	19件	溶血性貧血	4件

〔Saji T, et al.：Safety and effectiveness of intravenous immunoglobulin preparations for the treatment of Kawasaki disease. Prog Med 2012；32：1369-1375〕

菌性髄膜炎，低血圧，チアノーゼ，溶血性貧血，肝障害（表1）などである[13]．アナフィラキシーや血圧低下などの副作用は投与開始1時間以内で投与速度をあげた際に起こる可能性があるので，投与初期の観察は特に慎重に行う必要がある．

日米のガイドラインの比較

日米のガイドラインを比較しても，IVIG 2 g/kgの単回投与とアスピリンの併用は，国際的な標準治療であり，日本でも米国でもクラスⅠ，レベルAに位置づけられている．

■ 文　献

1) 高木重彦：小児急性熱性皮膚粘膜淋巴節症候群（MCLS）に対する "Venoglobulin" の一奏効例．小児科診療 1972；35：121-122
2) Furusho K, et al.：High-dose intravenous gammaglobulin for Kawasaki disease. Lancet 1984；324：1055-1058
3) Newburger JW, et al.：The treatment of Kawasaki syndrome with intravenous gamma globulin. N Engl J Med 1986；315：341-347
4) Newburger JW, et al.：A single intravenous infusion of gamma globulin as compared with four infusions in the treatment of acute Kawasaki syndrome. N Engl J Med 1991；324：1633-1639
5) 寺井　勝，他：γ-グロブリン治療の基礎，臨床．小児科診療 2006；69：989-993
6) Abe J, et al.：Gene expression profiling of the effect of high-dose intravenous Ig in patients with Kawasaki disease. J Immunol 2005；174：5837-5845
7) 三浦　大，他：日本小児循環器学会川崎病急性期治療のガイドライン（2020年改訂版）．日本小児循環器学会雑誌 2020；36：S1.1-S1.29
8) McCrindle BW, et al.：Diagnosis, treatment, and long-term management of Kawasaki disease：A scientific statement for health professionals from the American Heart Association. Circulation 2017；135：e927-e999
9) 日本川崎病学会，他：川崎病診断の手引き　改訂第6版

［http://www.jskd.jp/info/pdf/tebiki201906.pdf］

10）第 25 回川崎病全国調査成績

11）Kobayashi T, et al.：Efficacy of immunoglobulin plus prednisolone for prevention of coronary artery abnormalities in severe Kawasaki disease（RAISE study）：a randomized, open-label, blinded-endpoints trial. Lancet 2012；379：1613-1620

12）小林　徹：川崎病急性期治療の進歩．日本小児循環器学会雑誌 2012；28：241-249

13）Saji T, et al.：Safety and effectiveness of intravenous immunoglobulin preparations for the treatment of Kawasaki disease. Prog Med 2012；32：1369-1375

〔土屋恵司〕

Ⅳ　急性期治療

3　プレドニゾロン

POINT

- かつては禁忌といわれた川崎病に対するプレドニゾロン(PSL)治療は，RAISE Study など複数の臨床試験結果に基づき重症川崎病患者に対する治療薬として再評価された.
- PSL は高サイトカイン血症を強力に抑制することによって，川崎病血管炎をより早期に鎮静化して二次的に生じる冠動脈瘤形成を抑制する.

背景・目的

　川崎病血管炎を，強力な抗炎症作用をもつプレドニゾロン(PSL)を投与することによってより早期に鎮静化させ，結果として生じる冠動脈のリモデリングを抑制することが PSL 治療の主たる目的である.

　PSL は川崎病の発見当初，川崎病患者に対して広く使用された. 川崎の原著論文で報告された50例中22例に PSL を含む副腎皮質ステロイドが投与されている. しかし，死亡例の疫学調査(症例対照研究)では PSL 投与症例が死亡例に多い傾向にあったこと[1]，PSL 単独療法は冠動脈病変(coronary artery lesions：CAL)の発生頻度を増すと結論づけた後方視的研究[2]，アスピリン(ASA)，フルルビプロフェン，PSL＋ジピリダモールの3治療群による前方視的ランダム化比較試験[3]によって PSL の有用性が証明されなかったことなどから川崎病に対する使用は長らく禁忌とされてきた.

　1990 年代に入ると，Shinohara ら[4]により PSL＋ASA 併用療法の有用性を示した後方視的検討が報告され，その有用性が再評価されるようになった. Inoue ら[5]は 2006 年に免疫グロブリン静注(IVIG)療法＋PSL 初期併用療法と IVIG 療法を比較する前方視的ランダム化比較試験結果を報告し，IVIG＋PSL 初期併用療法では IVIG 療法に比べ CAL 合併頻度が有意に減少することを示した. また，リスクスコア[6]を用いて定義された重症患者に対して PSL はより CAL 抑制効果が高いことが後方視的検討から明らかとされたため[7]，重症患者に対する IVIG・PSL

初期併用投与の有用性を検討するランダム化比較試験(RAISE Study)[8]が実施された. RAISE Study の結果，リスクスコア 5 点以上の重症患者に対する IVIG＋PSL 初期併用療法は CAL 合併頻度と治療抵抗例を有意に減少させることが示され，初期治療層別化の有用性が明らかとなった. その後，大規模前方視的コホート研究(Post RAISE)[9]において IVIG＋PSL 初期併用投与の治療抵抗例および冠動脈病変形成阻止効果の再現性が確認された. これら複数の臨床研究結果を踏まえ，2020 年に日本小児循環器学会では「川崎病急性期治療のガイドライン」[10]を改訂し，リスクスコア高値の IVIG 不応予測川崎病患者に対する IVIG＋PSL 初期併用投与はクラスⅠ，レベル A と高い推奨レベルが付与されている.

作用機序

　PSL はもっとも一般的に使用される合成副腎皮質ステロイドであり，強力な抗炎症作用と免疫抑制作用を有する. 天然型のコルチゾールと比較して抗炎症作用は 4 倍強く，ミネラルコルチコイド作用は 0.8 倍と減弱している. 半減期は 12〜36 時間と長い. PSL は炎症や免疫応答のさまざまな段階に作用することが知られている. 抗原提示細胞やリンパ球の活性化，免疫グロブリン，サイトカイン，ケモカイン，プロスタグランジンの産生や接着分子の発現などが広く抑制される. PSL の抗炎症作用の標的分子として nuclear factor-kappa B(NF-κB)が重要である. NF-κB は炎症性サイトカインの産生に関する免疫応答の調節に重要な役割を演じる転写因子であり，

129

無刺激下では inhibitor of κB（I-κB）と結合した不活性状態で細胞内に存在する．TNF-α や interleukin（IL）-6 などの炎症性サイトカインの刺激によって I-κB がリン酸化され，遊離することによって活性化された NF-κB が核内に移行してサイトカイン，ケモカインなどの遺伝子発現を誘導する．PSL は，I-κB の発現を誘導して NF-κB を不活性型にとどめ，活性型グルココルチコイド受容体が直接 NF-κB に作用して転写調節作用を抑制する[11]．

Okada ら[12]は IVIG 療法と IVIG＋PSL 療法を行われた患者の血清中サイトカイン・ケモカイン濃度を比較し，血清中 IL-2，IL-6，IL-8，IL-10 濃度は IVIG＋PSL 群でより早期に低下することを報告した．また，RAISE Study[8]登録された患者の CRP 値は登録 2 日後・1 週後・2 週後において IVIG＋PSL 群で有意に低値であったことから，PSL の IVIG に対する相加的抗炎症作用が裏付けられている．

使用法

1. 初期治療

IVIG 2 g/kg/日ならびに ASA 30〜50 mg/kg/日に加えて，病初期から PSL 2 mg/kg/日を 1 日 3 回に分けてワンショットで静注する（IVIG 製剤投与中にも側管から静注することが可能）．PSL は静脈投与を 5 日間継続し，解熱し全身状態が改善していること，経口摂取が可能であることが確認できた後に経口投与（2 m/kg/日分 3）へ変更する．その後，CRP値が 0.5 mg/dL 以下となった時点から 5 日間は同量の PSL を継続し，再燃の徴候がなければ 1 mg/kg/日分 2 を 5 日間，0.5 mg/kg/日分 1 を 5 日間と漸減し中止する．漸減中に再燃の徴候を認めた場合は減量の中止や再増量，IVIG の追加投与などの治療を行う．再燃は PSL 投与開始後 4〜5 日目，もしくは1 mg/kg/日減量後に発生することが多い．

2. 初期治療不応例に対する追加治療

初期治療での PSL 投与方法に準じて使用する．

有用性

Medline を検索エンジンとして "mucocutaneous lymph node syndrome" AND "prednisolone" AND（"IVIG" OR "immunoglobulin" OR "gamma glob-ulin"）の検索語で all field 検索したところ，2020 年

12 月 15 日時点で 32 論文が hit した．うち，初期治療または追加治療としての IVIG＋PSL の有用性を IVIG と比較検討した論文は 7 論文[4,5,7〜9,12,13]であった．7 論文の背景因子を**表 1** に示す．7 論文中 6 論文が初期治療としての PSL 投与，1 論文は 2nd ラインの追加治療としての PSL 投与であった．ランダム化比較試験は 3 試験でありすべて初期治療が PSL 使用タイミングであった．全論文で ASA は 30 mg/kg/日を初期投与量としており，IVIG 投与方法は分割投与を含む regimen が 5 論文，2 g/kg 単回投与のみが 2 論文であった．PSL 初期投与量は 2 mg/kg/日であり，全論文が CRP 陰性化後に 3 段階（2 mg/kg/日→1 mg/kg/日→0.5 mg/kg/日：各 step 5〜7日間）で PSL を減量する投与方法であった．予後のまとめを**表 2** に示す．治療開始後解熱するまでの期間は各論文とも統計学的有意に IVIG＋PSL 群が短縮しており，追加治療が必要となった割合も IVIG＋PSL 群で低頻度であった．発症後 1 か月までの CAL 合併割合も IVIG＋PSL 群で低頻度であった．IVIG に PSL を併用する治療戦略は早期に臨床症状を改善し，血管炎の結果として生じる CAL 合併を予防することが複数の研究にて示された．

注意点

PSL に起因する副作用として添付文書にはショック，循環性虚脱，不整脈，感染症，続発性副腎皮質機能不全，骨粗鬆症，骨頭無菌性壊死，胃腸穿孔，消化管出血，消化性潰瘍，ミオパチー，血栓症，頭蓋内圧亢進，けいれん，精神変調，糖尿病，緑内障，後のう白内障，中心性漿液性網脈絡膜症，膵炎，うっ血性心不全，食道炎，肝機能障害，黄疸などが記載されており，①有効な抗菌薬の存在しない感染症，全身の真菌症の患者，②腎機能低下および慢性腎不全のある重症感染症の患者，③急性心筋梗塞を起こした患者は，原則として禁忌とされている．

川崎病に対する過去の報告では感染症，消化管出血，高コレステロール血症，高血糖，徐拍，低体温，コルチゾール低値などが報告されているが，いずれも適切な治療介入や PSL の減量中止によって改善した．RAISE Study では，消化管出血の予防のためファモチジン 0.5 mg/kg/日を PSL 投与期間中に併用されたが，その必要性は確立していない．

3. プレドニゾロン

表1 プレドニゾロン治療研究の背景因子まとめ

	デザイン	PSL 使用タイミング	患者数 IVIG群	患者数 IVIG+PSL群	重症度層別化	PSL 開始病日(mean±SD)	IVIG 投与方法
Shinohara M, et al. 1999[4]	Non-RCT	初期治療	25	62	なし	5.4±1.7	0.2〜0.4 g/kg 5日
Okada Y, et al. 2003[12]	RCT	初期治療	18	14	なし	―	1 g/kg 2日
Inoue Y, et al. 2006[5]	RCT	初期治療	88	90	なし	4.5±1.2	1 g/kg 2日
Kobayashi T, et al. 2009[7]	Non-RCT	初期治療	896	110	なし	4.5±1.4	1 g/kg 2日 or 2 g/kg 1日
Kobayashi T, et al. 2012[8]	RCT	初期治療	121	121	あり(リスクスコア5点以上)	4(3〜5) median (IQR)	2 g/kg 1日
Kobayashi T, et al. 2013[13]	Non-RCT	追加治療(2ndライン)	140	154	あり(IVIG 不応例)	7.1±1.9	1 g/kg 2日 or 2 g/kg 1日
Miyata K, et al. 2018[9]	Non-RCT	初期治療	147	724	あり(リスクスコア5点以上)	4(4〜5) median (IQR)	2 g/kg 1日

IVIG：intravenous immunoglobulin, PSL：prednisolone, RCT：randomized controlled trial, SD：standard deviation, IQR：interquartile range

表2 プレドニゾロン治療研究の予後まとめ

	解熱までの期間(日：mean±SD) IVIG群	IVIG+PSL群	p value	追加治療, n(%) IVIG群	IVIG+PSL群	p value	発症後1か月までの冠動脈病変, n(%) IVIG群	IVIG+PSL群	p value
Shinohara M, et al. 1999[4]	3.3±5.7	0.6±1.1	<0.001	―	―	―	6(24%)	1(1.6%)	0.002
Okada Y, et al. 2003[12]	2.9±2.4	0.3±0.5	<0.001	0(0%)	0(0%)	1.00	0(0%)	0(0%)	1.00
Inoue Y, et al. 2006[5]	1.5±1.0	0.6±0.5	<0.001	―	―	―	10(11.4%)	2(2.2%)	<0.001
Kobayashi T, et al. 2009[7]	―	―	―	211(23.5%)	15(13.6%)	<0.001	68(7.6%)	3(2.7%)	<0.001
Kobayashi T, et al. 2012[8]	2.3±1.8	1.3±1.1	<0.001	48(39.7%)	16(13.2%)	<0.001	28(23.1%)	3(3.3%)	<0.001
Kobayashi T, et al. 2013[13]	―	―	―	51(37.5%)	18(11.9%)	<0.001	39(28.7%)	24(15.9%)	0.015
Miyata K, et al. 2018[9]	―	―	―	59(40.1%)	132(18.2%)	<0.001	6(4.5%)	26(3.8%)	0.704

SD：standard deviation, IVIG：intravenous immunoglobulin, PSL：prednisolone

日米のガイドラインの比較

American Heart Association（AHA）の statement においても PSL は取り上げられている．北米では日本とは異なりリスクスコアの予後予測精度が十分担保されていないため，初期値治療不応例が予測できる場合は PSL と IVIG＋ASA の初期併用療法を選択することが考慮される（クラス IIb，レベル B）とより低いエビデンスレベルで勧告されている．IVIG 不応例に対する追加治療としての PSL 併用も同様にクラス IIb，レベル B であり，日本に比べてガイドラインにおける PSL の位置づけは若干低い．

■ 文　献

1) 大川澄男，他：急性皮膚粘膜リンパ節症候群（MCLS）死亡例の検討．小児科診療 1975；38：608-614
2) Kato H, et al.：Kawasaki disease：effect of treatment on coronary artery involvement. Pediatrics 1979；63：175-179
3) 草川三治，他：川崎病の急性期治療研究（第3報）—aspirin, flurbiprofen, prednisolone＋dipyridamole の3治療群による prospective study. 日本小児科学会雑誌 1986；90：1844-1849
4) Shinohara M, et al.：Corticosteroids in the treatment of the acute phase of Kawasaki disease. J Pediatr 1999；135：465-469
5) Inoue Y, et al.：A multicenter prospective randomized trial of corticosteroids in primary therapy for Kawasaki disease：clinical course and coronary artery outcome. J Pediatr 2006；149：336-341
6) Kobayashi T, et al.：Prediction of intravenous immunoglobulin unresponsiveness in patients with Kawasaki disease. Circulation 2006；113：2606-2612
7) Kobayashi T, et al.：Risk stratification in the decision to include prednisolone with intravenous immunoglobulin in primary therapy of Kawasaki disease. Pediatr Infect Dis J 2009；28：498-502
8) Kobayashi T, et al.：Efficacy of immunoglobulin plus prednisolone for prevention of coronary artery abnormalities in severe Kawasaki disease（RAISE study）：a randomised, open-label, blinded-endpoints trial. Lancet 2012；379：1613-1620
9) Miyata K, et al.：Efficacy and safety of intravenous immunoglobulin plus prednisolone therapy in patients with Kawasaki disease（Post RAISE）：a multicentre, prospective cohort study. Lancet Child Adolesc Health 2018；2：855-862
10) 三浦　大，他：川崎病急性期治療のガイドライン（2020年改訂版）．日本小児循環器学会雑誌 2020；36：S1.1-S1.29
11) Stahn C, et al.：Genomic and nongenomic effects of glucocorticoids. Nat Clin Pract Rheumatol 2008；4：525-533
12) Okada Y, et al.：Effect of corticosteroids in addition to intravenous gamma globulin therapy on serum cytokine levels in the acute phase of Kawasaki disease in children. J Pediatr 2003；143：363-367
13) Kobayashi T, et al.：Efficacy of intravenous immunoglobulin combined with prednisolone following resistance to initial intravenous immunoglobulin treatment of acute Kawasaki disease. J Pediatr 2013；163：521-526

〔小林　徹〕

Ⅳ 急性期治療

4 ステロイドパルス

> **POINT**
> ・電解質作用が少ないメチルプレドニゾロン(MP)を大量に点滴静注するステロイドパルス(IVMP)療法は，強力かつ迅速に血管炎を鎮静化させ，冠動脈病変(CAL)を抑制することが期待される．
> ・免疫グロブリン静注(IVIG)療法不応予測例に対する初期併用治療，またはIVIG不応例に対する追加治療として用いられる．
> ・MPを30 mg/kg/日，点滴静注で1〜3日間投与する．後療法としてプレドニゾロン(PSL)を加えることもある．

背景・目的

ステロイドのうちプレドニゾロン(PSL)を代表とするグルココルチコイド製剤は，小児の診療においてアレルギー，血液，腎，リウマチ疾患など，種々の炎症性疾患に広く使用されている．グルココルチコイドの中でも電解質作用が少ないメチルプレドニゾロン(MP)を大量に点滴静注するステロイドパルス(intravenous methylprednisolone pulse：IVMP)は，強力かつ迅速な免疫抑制・抗炎症作用によって早期に川崎病血管炎を鎮静化させ，冠動脈病変(coronary artery lesions：CAL)を抑制することを目的に使用される．

急性期川崎病では，IVMPの有用性が1979年に日本ではじめて報告された[1]．免疫グロブリン静注(IVIG)療法の普及後，1990年代後半に米国からIVIG不応例の対策としてIVMPの再評価がはじまった．近年では，内外のガイドラインなどでも[2〜4]，IVIG不応予測例の初期併用療法またはIVIG不応例に対する追加治療として，IVMPが提唱されている．

作用機序

グルココルチコイドは細胞質内のステロイド受容体に結合し，核内で炎症にかかわる遺伝子の発現を調節し抗炎症作用を示す(ゲノム作用)．IVMPでは，細胞質内受容体の飽和量を大幅に上回る大量の

ステロイドを静注するため，ゲノム作用以外の機序も関与すると推測される．細胞質内受容体と複合体を構成する蛋白質による作用，細胞膜のステロイド受容体を介する作用，さらに細胞膜への陥入による膜結合蛋白質の機能変化などを介する非ゲノム作用も関与するといわれ，ゲノム作用よりも急速に発現する[5]（図1）．

川崎病に対するIVMPも，迅速な解熱効果があることから，非ゲノム作用によって免疫細胞の働きや炎症性サイトカインを抑制すると推測される．IVIG不応例あるいは不応予測例において，IVMPによって炎症やCALにかかわるサイトカインの産生や遺伝子レベルの転写量を抑制することが示されている[2]．

使用法（表1）

川崎病に対する保険適用はない．IVIG不応予測例に対する初期IVIGとの併用治療，またはIVIG不応例に対する追加治療として用いる．MP 30 mg/kgを1日1回，2〜3時間かけて点滴静注する方法が標準的である[2〜4]．川崎病では，初回IVIGとの併用では30 mg/kgを1回のみ，IVIG不応例に対する使用では同量を1日1回，1〜3日間とする報告が一般的である[2]．IVMPの半減期が3時間と短いことから，リバウンド防止のためIVMP終了後にPSLの後療法(1〜2 mg/kg/日で開始し1〜3週間かけて漸減)を行う報告もある[6]．

133

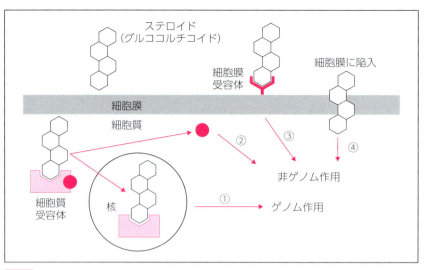

図1 ステロイド療法の作用機序

ステロイドは，①細胞質受容体に結合し核内で遺伝子の発現を調節する他，②細胞質受容体と複合体を構成する蛋白質，③細胞膜受容体，④細胞膜への陥入などを介して作用する．①をゲノム作用，②〜④を非ゲノム作用と称する

〔三浦 大：ステロイドパルス．小児科診療 2011；74：1189-1194 より引用，一部改変〕

表1 ステロイドパルス療法の用量・用法と副作用

用量	30 mg/kg/回（10〜30 mg/kg という報告もある）
用法	1日1回，2〜3時間かけて点滴静注，1〜3日間
併用療法	施設によっては以下の併用療法が行われている ・プレドニゾロン後療法：ステロイドパルス終了後，1〜2 mg/kg/日から開始し1〜3週間で漸減 ・ヘパリン持続点滴：15〜20単位/kg/時 ・抗潰瘍薬：ファモチジン，0.5 mg/kg/日など
主な副作用	比較的高率：洞徐拍，高血圧，高血糖，低体温 まれ：感染症，消化性潰瘍，精神障害，重症不整脈，大腿骨頭壊死，副腎機能抑制

〔Miura M：Methylprednisolone pulse therapy for nonresponders to immunoglobulin therapy. In：Kawasaki T, et al. (eds.), Kawasaki disease：Current understanding of mechanism and evidence-based treatment. Springer, 2016；175-179 より改変〕

有用性

1. 初回 IVIG との併用療法

リスク層別化していない川崎病全例に対する初回 IVIG＋IVMP 併用療法の有用性は証明されていない．IVIG＋IVMP 初期併用と IVIG 単独の二重盲検ランダム化比較試験[7]では，発熱日数，IVIG 追加の割合，CAL 合併率は，IVIG＋IVMP 群と IVIG＋プラセボ群で同等であった．ただし，IVIG 追加例の事後解析（post-hoc analysis）では，IVIG＋IVMP 群の CAL 合併率は有意に少なかった．一方，IVIG 不応予測例に対する IVIG＋IVMP 初期併用療法について，佐野スコア（歴史対照比較研究）[8]，江上スコア（非盲検化ランダム化比較試験）[9]に基づいた研究では，IVIG 単独投与と比べ早期に解熱し，CAL 合併率も有意に少なかった．単施設の成績をまとめた報告では，江上スコアによる IVIG 不応予測例に対する IVIG＋IVMP 初期併用療法の前方視的コホート研究では[10]，2nd line に IVIG，3rd line にインフリキシマブ（IFX）か血漿交換療法（PE）を用いて CAL を抑制できた．

PSL または IVMP を含むステロイドと初期 IVIG

4. ステロイドパルス

表2 川崎病に対するステロイドパルス療法の比較試験

文献	研究デザイン	ステロイド群	CAL合併率	対照群	CAL合併率	CALに対する効果
初期併用（1st line）						
Sundel RP, et al. 2003[13]	ランダム化比較試験	IVMP 30 mg/kg/日, 1日 + IVIG 2 g/kg/日, 1日	4/16 (25%)	IVIG 2 g/kg/日, 1日	2/21 (10%)	同等
Newburger JW, et al. 2007[7]	ランダム化比較試験	IVMP 30 mg/kg/日, 1日 + IVIG 2 g/kg/日, 1日	15/95 (16%)	プラセボ + IVIG 2 g/kg/日, 1日	18/95 (19%)	同等
Okada K, et al. 2009[8]	スコアによる層別化 後向きコホート 既存対照比較試験	IVMP 30 mg/kg/日, 1日 + IVIG 2 g/kg/日, 1日	15/62 (24%)	IVIG 2 g/kg/日, 1日	15/32 (47%)	有効 ($p=0.03$)
Ogata S, et al. 2012[9]	スコアによる層別化 ランダム化比較試験	IVMP 30 mg/kg/日, 1日 + IVIG 2 g/kg/日, 1日	2/22 (9%)	IVIG 2 g/kg/日, 1日	10/26 (39%)	有効 ($p=0.04$)
追加治療（2nd line 以降）						
Hashino K, et al. 2001[14]	ランダム化比較試験	IVMP 20 mg/kg/日, 1日	7/9 (78%)	IVIG 1 g/kg/日, 1日	5/8 (63%)	同等
Miura M, et al. 2005[15]	ランダム化比較試験	IVMP 30 mg/kg/日, 3日	2/11 (18%)	IVIG 2 g/kg/日, 1日	3/11 (27%)	同等
Furukawa T, et al. 2008[16]	後向きコホート 非ランダム化比較試験	IVMP 30 mg/kg/日, 1日 → プレドニゾロン, 7日間	5/44 (11%)	IVIG 1〜2 g/kg/日, 1日	2/19 (11%)	同等
Ogata S, et al. 2009[17]	後向きコホート 施設間比較試験	IVMP 30 mg/kg/日, 3日	0/13 (0%)	IVIG (投与量記載なし)	3/14 (21%)	同等

全例にアスピリンが併用されている
IVIG：免疫グロブリン静注療法，IVMP：ステロイドパルス療法

の併用療法に対するメタ解析では[11,12]，IVIG単独に比べCALの発生率が有意に低下すること（オッズ比0.29〜0.32）が示されている．しかし，Cochrane Review[12]におけるIVMPのみの感度解析では，オッズ比0.56（95% 信頼区間0.29〜1.08）でCALに対するエビデンスは乏しいとされている．日本のガイドラインでは，IVIG不応予測例に対してIVIG＋IVMPによる初期治療を考慮してもよいと記載されている（クラスIIa，レベルB）[2]．

2. IVIG 不応例に対する追加治療

初回IVIG不応例に対する追加治療としてIVMPの効果をIVIG追加と比較した場合，CAL合併率が同等であることが複数の研究で示されている（**表2**）．しかし，いずれの研究も少数例での検討で，CAL抑制に関する非劣性検定は行われていない．日本のガイドラインでは，IVIG不応例に対する追加治療として，IVMPを考慮してもよいと記載されている（クラスIIa，レベルB）[2]．

3. その他

ショック，血球貪食症候群[4]，けいれん重積，心タンポナーデなど重篤な合併症例は，IVMPを含むステロイド療法の適応があると考えられる．

注意点

IVMPの副作用（**表1**）は，ステロイド療法全般に共通するものとIVMP特有のものに分けられる．前

者には感染症，高血糖，電解質異常，消化性潰瘍，高血圧，精神障害など，後者には顔面紅潮，けいれん，洞徐拍・房室ブロック・頻拍症などの不整脈があげられる．川崎病における副作用として[2]，洞徐拍・高血圧・低体温などが指摘されているので，IVMP 施行時には，心電図モニター・血圧測定などを用いてバイタルサインを注意深く観察するべきである．また，IVMP の副作用防止のため，血栓に対するヘパリン投与，消化性潰瘍に対するファモチジン投与が行われることがある[6]．

日米のガイドラインの比較

American Heart Association（AHA）の statement では[3]，リスク層別化していない川崎病全例へ初期治療として IVIG＋IVMP 併用療法は行うべきではないとされている（クラス III，レベル B）．一方，IVIG 不応例への 2nd line として IVIG 追加の代替療法，または追加 IVIG 不応に対する 3rd line として，IVMP（20〜30 mg/kg/日を 3 日間）を考慮すると述べられている（クラス IIb，レベル B）．総じて追加治療としてのステロイド薬については，これまでの臨床研究から十分なエビデンスとはいえないと書かれている．

ヨーロッパの SHARE（p.124，参照）の recommendation では，IVIG 不応予測例，血球貪食症候群，ショック，CAL を合併している症例，1 歳未満，といった重症川崎病に対して IVIG と以下のステロイド併用療法を推奨している．
①1st line で MP 0.8 mg/kg 5〜7 日間の後 PSL 内服
②IVMP 3 日間の後 PSL 内服

IVIG 不応例に対しては 2nd line として上記ステロイド療法が推奨され，追加 IVIG と併用するかは主治医の判断に委ねるとされている．

📕文 献

1）Kijima Y, et al.：A trial procedure to prevent aneurysm formation of the coronary arteries by steroid pulse therapy in Kawasaki disease. Jpn Circ J 1982；46：1239-1242

2）三浦 大，他：川崎病急性期治療のガイドライン（2020 年改訂版）．日本小児循環器学会雑誌 2020；36：S1.1-S1.29

3）McCrindle BW, et al.：Diagnosis, treatment, and long-term management of Kawasaki disease：a scientific statement for health professionals from the American Heart Association. Circulation 2017；135：e927-e999

4）de Graeff N, et al.：European consensus-based recommendations for the diagnosis and treatment of Kawasaki disease—the SHARE initiative. Rheumatology 2019；58：672-682

5）Stahn C, et al.：Genomic and nongenomic effects of glucocorticoids. Nat Clin Pract Rheumatol 2008；4：525-533

6）Miura M, et al.：Steroid pulse therapy for Kawasaki disease unresponsive to additional immunoglobulin therapy. Paediatr Child Health 2011；16：479-484

7）Newburger JW, et al.：Randomized trial of pulsed corticosteroid therapy for primary treatment of Kawasaki disease. N Engl J Med 2007；356：663-675

8）Okada K, et al.：Pulse methylprednisolone with gammaglobulin as an initial treatment for acute Kawasaki disease. Eur J Pediatr 2009；168：181-185

9）Ogata S, et al.：Corticosteroid pulse combination therapy for refractory Kawasaki disease：a randomized trial. Pediatrics 2012；129：e17-e23

10）Ebato T, et al.：The clinical utility and safety of a new strategy for the treatment of refractory Kawasaki disease. J Pediatr 2017；191：140-144

11）Chen S, et al.：Coronary artery complication in Kawasaki disease and the importance of early intervention：a systematic review and meta-analysis. JAMA Pediatr 2016；170：1156-1163

12）Wardle AJ, et al.：Corticosteroids for the treatment of Kawasaki disease in children. Cochrane Database Syst Rev 2017；CD011188

13）Sundel RP, et al.：Corticosteroids in the initial treatment of Kawasaki disease：report of a randomized trial. J Pediatr 2003；142：611-616

14）Hashino K, et al.：Re-treatment for immune globulin-resistant Kawasaki disease：a comparative study of additional immune globulin and steroid pulse therapy. Pediatr Int 2001；43：211-217

15）Miura M, et al.：Adverse effects of methylprednisolone pulse therapy in refractory Kawasaki disease. Arch Dis Child 2005；90：1096-1097

16）Furukawa T, et al.：Effects of steroid pulse therapy on immunoglobulin-resistant Kawasaki disease. Arch Dis Child 2008；93：142-146

17）Ogata S, et al.：The strategy of immune globulin resistant Kawasaki disease：a comparative study of additional immune globulin and steroid pulse therapy. J Cardiol 2009；53：15-19

〔宮田功一，三浦 大〕

Ⅳ 急性期治療

⑤ シクロスポリン

POINT
・シクロスポリン（CsA）は，川崎病治療において作用点・機序が明瞭な薬剤である.
・免疫グロブリン静注（IVIG）療法不応予測例に対する初期 IVIG との併用治療，または 2 回の IVIG 療法に不応な重症川崎病症例に，CsA の経口投与は有用かつ安全な治療法である.
・3rd line での CsA 使用に不応な症例に対して，3 回目の IVIG 療法（3rd-IVIG）は選択肢の 1 つである.

背景・目的

重症川崎病に対して最初にシクロスポリン（CsA）の使用を報告したのは，2001 年の Raman らである[1]．彼らの症例は，4 回の免疫グロブリン静注（IVIG）療法と 1 回のステロイドパルス（intravenous methylprednisplone pulse：IVMP）に抵抗し，僧帽弁閉鎖不全，心膜液貯留さらに冠動脈病変（coronary artery lesions：CAL）の合併を認めたため，2 回目の IVMP 時に CsA（3 mg/kg/日）を併用し，漸く解熱し，CAL は増悪傾向を示したが，心膜液貯留や心不全症状は改善したと記載している．彼らは，この経験から重症川崎病症例に対して高用量のステロイドと CsA による強力な免疫抑制療法が有効である可能性を報告した．

一方，2005 年に，わが国でも免疫グロブリン静注（IVIG），IVMP に不応の重症川崎病症例にはじめて CsA の使用例が報告された．本症例は 2 回の IVIG（1 g/kg/日）に不応，その後 IVMP に一時反応したものの，再発熱し，巨大冠動脈瘤と強い股関節炎を合併した．高熱と強い疼痛を伴う股関節炎，さらに全身の強い炎症反応から若年性特発性関節炎の合併を想定して CsA（4 mg/kg/日）の使用を決断したが，その効果は劇的で，股関節痛は翌日には軽快し，発熱も 2 日以内に消失し，IVMP にも不応だった炎症反応も鎮火した[2]．その詳細なメカニズムは不明であったが，IVIG 不応の重症川崎病症例に強い免疫抑制薬である CsA は 1 つのオプションとされるようになった．

川崎病血管炎と Ca^{2+}/NFAT 経路

2008 年以降，川崎病罹患感受性や重症度に関連する遺伝子の一塩基多型（single nucleotide polymorphism：SNP）が相次いで発見され，川崎病の病態と遺伝子背景との関係が明らかになりつつある．Onouchi ら[3,4]は 19，4 番染色体上に遺伝子が存在する inositol 1,4,5-triphosphate 3-kinase C（*ITPKC*）とカスパーゼ 3（*CASP3*）における SNP が川崎病罹患感受性，さらに IVIG に対する不応や CAL 発症など川崎病重症度にも関与することを明らかにした．さらに，2016 年には同じ経路内に関与する *ORAI1* の SNP も川崎病に関連することを報告した[5]．しかも，これらの 3 遺伝子の SNP はすべて Ca^{2+}/NFAT（nuclear factor of activated T cells）経路が upregulate する方向で作用することが想定されており，急性期川崎病血管炎の病因・病態において，この経路が深く関与することが示唆されている（図 1）．

さらに，最近発表された川崎病関連遺伝子の総説論文[6~8]によると，川崎病罹患感受性に関連する 62 遺伝子，CAL に関連する（バイオマーカーとして作用）47 遺伝子が報告されている．その中で，Ca^{2+}/NFAT 経路に関連する罹患感受性遺伝子は *ITPKC*，*CASP3*，*ORAI1* にとどまらず，*STIM1*（stromal interaction molecule 1），*ITPR3*（inositol 1,4,5-trisphosphate receptor, type 3），*SLC8A1*（solute Carrier Family 8 Member A1）など多くの遺伝子多型が報告されてきており，これらの事実は細胞内カルシウムシグナル伝達系と川崎病血管炎の関連

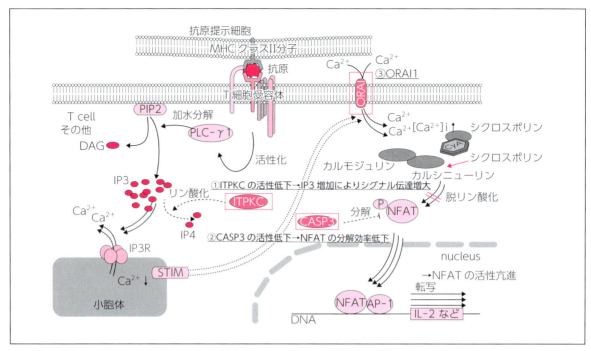

図1 Ca^{2+}/NFAT経路と川崎病罹患感受性遺伝子
T細胞を含む免疫担当細胞における細胞内CA^{2+}シグナル伝達と転写因子であるNFAT，および川崎病関連蛋白質ITPKC，CASP3，ORAI1の関係を図示した．この3つの蛋白質は，いずれも転写因子NFATの活性化(脱リン酸化して核内移行)に強く関与することが示されている．また，シクロスポリン(CsA)は，カルシニューリン(CN)に結合して転写因子NFATの脱リン酸化を阻止し，Ca^{2+}/NFAT経路活性化を阻止する
〔尾内善広先生提供，一部改変〕

性を強く示唆している[8]．

作用機序

　CsAは，ノルウェーの土壌に含まれていた真菌(*Tolypocladium inflatum*)が産生する環状ポリペプチドである．CsAは免疫抑制作用をもつことが報告され，1980年代から臓器移植領域で強力な免疫抑制薬として用いられるようになった薬剤である．小児科領域の臨床では，頻回再発型・ステロイド依存性ネフローゼ症候群に対する治療薬としてCsAは有用であり，日本小児腎臓病学会のガイドラインにも記載されている．

　CsAの作用点は，Ca^{2+}/NFAT経路の下流にあるカルシニューリン(CN)の脱リン酸化作用を抑制するとされる．CNの代表的基質は転写因子NFATであり，細胞内Ca^{2+}濃度の増加を引き起こすようなシグナルが外部から入ってくると，CNが活性化し，定常状態ではリン酸化されているNFATが脱リン酸化され，核内に移行可能となる．T細胞の場合，NFATが核内に移行してさまざまな遺伝子発現が誘導され，IL-2などの炎症性サイトカインが産生され，さらに炎症が増強していくことになる．CN阻害薬であるCsAは，細胞質内に存在する特異な受容体と結合し，この複合体がCNに結合することによって脱リン酸化を抑制する．その結果，NFATの核内移行が阻害され，NFAT由来の炎症性サイトカイン遺伝子発現が抑制されることによってCsAの免疫抑制作用が発揮される．

　前述したが，川崎病においてはCa^{2+}/NFAT経路の活性化が持続されやすいSNPをもつ人が多く，この経路の活性化と川崎病血管炎の関連性が強く示唆されており[7,8]，この経路の下流に抑制の作用点をもつCsAの川崎病治療にはたす役割に注目が集まっている．

使用法

　CsAの経口薬(CsA 2.5 mg/kg)を1日2回(5 mg/kg/日)，食前に服用する[9]．この薬剤は，2020年2

表1 シクロスポリン(CsA)使用に関する日米ガイドラインの比較

	日本[9,10,12]	米国[11,13]
推奨治療	1) 初期強化 (1st line, IVIG 不応予測例) 2) 3rd line	1) IVIG 不応例(2nd line 以降)
投与方法	経口	静注(IV)または経口
投与量	5 mg/kg/日 分 2	IV:1.5 mg/kg 12 時間ごと (3 mg/kg/日:分 2) 経口:4〜8 mg/kg/日 分 2

投与期間	1) 原則 5 日間(IVIG に併用)
	2) CRP 陰性化,または 10〜14
	  日間を目安
	  (漸減・中止)
		漸減開始ポイント:解熱し,CRP が 1 mg/
		  dL 以下
		    または治療開始後 2 週間
		漸減・中止:3 日間ごとに 10% 減量
		    →1 mg/kg/日まで減量後中止

血中濃度 モニター	C_0 60〜200 ng/mL	C_0 50〜150 ng/mL C_2 300〜600 ng/mL
注意点	偽性高カリウム血症	低マグネシウム血症

月に重症川崎病の 1st line 治療として IVIG と併用することに保険適用となった.1st line での使用期間は,原則 5 日間服用する.3 日目の投与前にトラフ値を測定し,60〜200 ng/mL の至適濃度の範囲内であることを確認し,投与量を調節することが可能である.前述したように川崎病血管炎に強く関与が示唆されている Ca^{2+}/NFAT 経路抑制効果をもち,IVIG 不応予測例など重症川崎病症例の 1st line 治療において IVIG に CsA の併用療法[9]や,2 回の IVIG に不応な症例への 3rd line 治療についても,文献的にも安全性・有効性ともに報告がある[10,11].トラフ値は 60〜200 ng/mL を目安にする.解熱しにくい場合は 120〜200 ng/mL になるように投与量を調整する.3rd line での使用では,使用期間は 1〜2 週間を目途とする.使用方法には日本と米国の 2 つガイドラインがあり[12,13],**表1** にまとめた.日本での CsA の使用法や投与量については,新たに出された川崎病急性期ガイドライン(2020)を参照されたい[12].

有用性

1. 臨床研究①[10]:2 回の IVIG に不応な症例への CsA 使用

2005 年の症例経験から CsA が IVIG 不応例への有力なオプションと考えられ,2008 年から 2 回の IVIG に不応の重症川崎病に対して,統一プロトコールを作成し,多施設共同で CsA 治療の有用性について検討し,CAL 発症頻度が少ない良好な成績が報告されている[10].その内容の概略を以下に記す.

2008 年 1 月から 2010 年 6 月までに,第 7 病日以内に初回 IVIG(2 g/kg/日)を行った 329 例を対象とした臨床研究で,2 回の IVIG(2 g/kg/日)に不応な症例に CsA の経口薬を 4 mg/kg/日(分 2)で投与した.トラフ値の目標を 60〜200 ng/mL とし,アスピリン(ASA)は有熱期には 30〜50 mg/kg/日を,解熱後は 5 mg/kg/日を併用した.なお,CsA の投与は月齢 4 か月以上を対象とし,月齢 4 か月未満には 3 回目の IVIG を行った.なお,当初は CsA の投与期間は 2〜3 週間とした.

統一プロトコールで治療した 329 例の治療結果は,初回 IVIG で解熱したのは 245 例(74%),解熱しなかった不応例は 84 例(26%)であった.この 84 例に追加 IVIG を行い,54 例(64%)が解熱,30 例(36%)が不応であった.4 か月以上の 28 例に CsA を投与した.4 か月未満の 2 例には 3 回目の IVIG を行い解熱した.

CsA 投与を受けた 28 例において,CsA 投与開始後 5 日以内に解熱した症例は 22 例(79%),一方,6 例は 6 日以上解熱しない,または 5 日以内に解熱するが再度発熱した.このうち,4 例に 3 回目 IVIG を施行し,速やかに解熱した.

CAL は 329 例中 4 例（1.2%）に生じたが，2 例は CsA 投与前にすでに拡張を生じ，CsA 投与後の解熱後にも拡張が持続した．CsA 投与後に CAL を発症したのは 2 例で，巨大瘤は生じなかった．以上の結果は，IVIG に 2 回不応の症例に対して CsA の経口治療は一部に効果不十分の症例は存在するものの有望なオプションの 1 つであることを示唆している．

2. 臨床研究②[9]

臨床研究①の結果をふまえて，川崎病重症例（IVIG 不応予測例）に対して 1st line 治療として IVIG＋CsA と IVIG 単独との CAL 発症抑制効果を比較するランダム化比較試験（RCT）が行われた（KAICA trial）．その結果，IVIG＋CsA 群が有意に IVIG 単独群より CAL 発症を抑制することが報告された[9]．以下に概略を示す．2014 年 5 月から 2016 年 12 月までに，群馬スコア 5 点以上の IVIG 不応予測例 175 名に対して，IVIG＋CsA（5 mg/kg/日，5 日連続；study treatment）群と IVIG 単独群に分けて冠動脈病変発症率を比較検討した（RCT）．その結果，IVIG＋CsA 群からは 14% の発症率であったのに対して，IVIG 単独群からは 31% の発症率であった（リスク比 0.46，95%CI 0.25〜0.86）．この結果から，重症の IVIG 不応予測例に対する初期治療として，IVIG＋ASA による標準治療と比較して，標準治療に CsA を加える試験治療群が CAL 形成リスクを減少させることが判明した．

3. 臨床研究③[11]

Tremoulet らは，IVIG を含めて治療抵抗性の川崎病 10 例に対してカルシニューリン阻害薬（CsA：9 例，タクロリムス：1 例）を使用し，安全で有用な治療薬であると報告している．彼らの CsA 使用方法は，導入時には，静注用 CsA を 3〜4 mg/kg/日を分 2 で静注し，解熱後 24 時間で経口用 CsA 10 mg/kg/日分 2 に変更としている．CsA を投与された 9 例中 6 例は 24 時間以内に解熱したと報告されている．経口 CsA の場合には，3 回服用後のトラフ値（C_0）を 50〜150 ng/mL，C_2 の最高値を 600 ng/mL を目途にしたと記載されている．さらに，効果が不十分であった 2 例については血中濃度を上げることで臨床反応が改善したと報告している．CsA 経口薬の減量について，服用開始後 2 週間か CRP が 1 mg/dL 以下になった時点とし，3 日間で 10% ずつ減量すると

している．

4. CsA 不応例への 3rd-IVIG の有用性

先行研究[10]においても，CsA 不応の 4 例に 3 回目 IVIG を行って速やかに解熱したが，その後においても，CsA 抵抗例に対して 3rd-IVIG が有効であることが確認されている．

安全性・注意点

経口の CsA を川崎病急性期治療に使用した経験からは感染症，高血圧，腎障害などの重大な副作用は認めなかった．偽性高カリウム血症[10]や低マグネシウム血症[11]が報告されているが（表1），いずれも問題となる臨床症状は認めていない．CsA の使用期間は米国のほうが長期であるが，CsA の川崎病急性期治療への使用の安全性については現時点では問題ないと考えている．

日米のガイドラインの比較

免疫抑制薬である CsA について，上記したように 2020 年に改訂された日本の川崎病急性期治療ガイドライン[12]では，IVIG 不応予測例の重症例に対しては 1st line で IVIG と CsA の併用療法が明記された．また，前回のガイドラインと同様に 2 回の治療に不応な症例に対して 3rd line 治療として記載されているが，2nd line への upgrade も可とされている．

一方，American Heart Association（AHA）の statement 2017 では[13]，CsA は 1st line 治療に推奨されておらず，IVIG 抵抗症例にのみ記載されている．投与方法は静注と経口投与が記載されている．静注の場合は，3 mg/kg/日で 2 分割して投与し，解熱後臨床的な改善を認めて，CRP≦1.0 mg/dL に低下するか，CsA 治療開始後 2 週間後に 10% ずつ漸減するとしている．経口投与の場合は，4〜8 mg/kg/日分 2 で投与するとしている．血中濃度としては，トラフ値が 50〜150 ng/mL として，C_2 としては 300〜600 ng/mL と記載されている（表1）．

今後の方向性と課題

川崎病と遺伝的背景の研究から川崎病血管炎に Ca^{2+}/NFAT 経路の強い関与が明らかになってきている．この経路の下流に作用点をもち，抑制的作用をもつ CsA は，川崎病急性期治療の有力なオプショ

ンとして期待されている．近年の KAICA trial の結果[9]や2回の IVIG 不応例への有用性[10]から，CsA は重症川崎病の1st line 治療での IVIG との併用治療や不応例治療への使用頻度の増加が予測される[12]．しかしながら，1st line 治療で IVIG に CsA を併用する KAICA trial では，再発熱例が比較的多くみられることから，投与量や投与期間などは今後の課題である．また，経口投与のみならず，静注投与の効果評価も今後の課題の1つである．さらに，CsA と同様にカルシニューリン阻害薬であるタクロリムスもまだ治療成績のデータ集積は少ないが，川崎病血管炎に対して効果が期待される．CsA を含めてカルシニューリン阻害薬の今後のデータ集積がまたれる．

◎おわりに

川崎病血管炎に Ca^{2+}/NFAT 経路の強い関与が示唆されており，この経路の下流に抑制点をもつ CsA の重症川崎病への治療効果について解説した．

■ 文　献

1) Raman V, et al.：Response of refractory Kawasaki disease to pulse steroid and cyclosporine A therapy. Pediat Infect Dis J 2001；20：635-637

2) Suzuki H：Cyclosporin A for IVIG Nonresponders. In：Saji BT, et al.(eds), Kawasaki Disease. Springer Japan KK, 2016：187-194

3) Onouchi Y, et al.：ITPKC functional polymorphism associ-ated with Kawasaki disease susceptibility and formation of coronary artery aneurysms. Nat Genet 2008；40：35-42

4) Onouchi Y, et al.：ITPKC and CASP3 polymorphism and risks for IVIG unresponsiveness and coronary artery lesion formation in Kawasaki disease. Pharmacogenomics J 2013；13：52-59

5) Onouchi Y, et al.：Variations in ORAI1 gene associated with Kawasaki disease. PLoS One 2016；11：e0145486

6) Wang W, et al.：The roles of Ca^{2+}/NFAT signaling genes in Kawasaki disease：single- and multiple-risk genetic vari-ants. Sci Rep 2014；4：5208 doi：10.1038/srep05208

7) Xie X, et al.：The roles of genetic factors in Kawasaki dis-ease：A systematic review and meta-analysis of genetic association studies. Pediatr Cardiol 2018；39：207-225

8) Bijnens J, et al.：A critical appraisal of the role of intracel-lular Ca^{2+}-signaling pathways in Kawasaki disease. Cell Calcium 2018；71：95-103

9) Hamada H, et al.：Efficacy of primary treatment with immunoglobulin plus ciclosporin for prevention of coronary artery abnormalities in patients with Kawasaki disease predicted to be at increased risk of non-response to intra-venous immunoglobulin(KAICA)：a randomised controlled, open-label, blinded-endpoints, phase 3 trial. Lancet 2019；393：1128-1137

10) Suzuki H, et al.：Cyclosporin A treatment for Kawasaki disease refractory to initial and additional intravenous immunoglobulin. Pediatr Infect Dis J 2011；30：871-876

11) Tremoulet AH, et al.：Calcineurin inhibitor treatment of intravenous immunoglobulin-resistant Kawasaki disease. J Pediatr 2012；161：506-512.e1

12) 三浦　大, 他：川崎病急性期治療ガイドライン(2020年改訂版)．日本小児循環器学会雑誌 2020；36：S1.1-1.29

13) McCrindle BW, et al.：Diagnosis, treatment, and long-term management of Kawasaki disease：A scientific statement for health professionals from the American Heart Associa-tion. Circulation 2017；135：e927-e999

〔鈴木啓之〕

Ⅳ 急性期治療

6 インフリキシマブ

POINT

- インフリキシマブ（IFX）はわが国では免疫グロブリン静注（IVIG）不応例に対して 2nd line から考慮され，主に 3rd line の治療として用いられている.
- BCG 接種歴，活動性感染の有無，心不全の有無などを確認し，IFX 適応を迅速かつ的確に判断することが大切である.
- 短い投与時間や早い解熱効果のため，次の追加治療の判定を早期に行えるという長所がある.
- 約 20% の症例が IFX 不応であり，その場合は遅滞なく血漿交換などの追加治療を施行すべきである.

背景・目的

1990 年代に，川崎病の急性期に tumor necrosis factor（TNF）-α が上昇していること，冠動脈病変（coronary artery lesions：CAL）を合併した川崎病患者は可溶性 TNF 受容体濃度が高いことがわが国から報告された[1]．こうした背景を受け，2004 年に Weiss らは，免疫グロブリン静注（IVIG）療法，メチルプレドニゾロンに抵抗性の 3 歳の川崎病患者に対してインフリキシマブ（IFX）が有効であったことを，2005 年に Burns らは，IVIG 不応の川崎病患者 16 例に IFX を使用し，13 例で解熱が得られたことを報告した[2]．以後，国内外で多くの IVIG 不応川崎病に対して IFX が用いられるようになり，2015 年 12 月にはわが国でも IVIG 抵抗性の川崎病に対しての IFX の使用が薬事承認された.

作用機序

IFX は抗ヒト TNF-α モノクローナル抗体である．1 分子あたりマウスの蛋白質を約 25% 含むため，抗キメラ抗体（中和抗体）がおおむね 40% で出現し，慢性投与では効果の減弱やアレルギー反応が生じることがある．その作用機序は，可溶性 TNF-α への結合・中和，受容体に結合した TNF-α の解離，TNF-α 産生細胞の傷害による TNF-α の抑制とされている．また動物実験では，TNF-α をノックアウトした川崎病モデルマウスでは冠動脈炎がみられないこと

が報告されている.

使用法（表1）

通常は，IVIG 不応の川崎病に対して 5 mg/kg を生理食塩水 50〜250 mL で希釈して 2 時間以上かけて点滴静注する．投与終了後 2 時間で血中濃度はピークに達し，半減期は 8〜10 日と長く急性期には十分な血中濃度が維持される．また頻回投与に伴う副作用の観点からも，急性疾患である川崎病に対しては単回投与が原則である.

第 10 病日以内に投与されれば CAL 合併の頻度が低いと報告されており，IVIG 2 g/kg を 2 回使用した後の 3rd line として IFX を投与する場合，遅くとも第 9 病日までに行うことが望ましい．約 20% で IFX 不応であり，不応の場合は速やかに追加治療を考慮するべきである.

有用性

2 時間で投与が可能であり，80% 前後とされる有効例の多くは 24 時間以内に解熱する[3]．冠動脈瘤形成の臨界点が近く一刻の猶予も許さない IVIG 不応例の治療において，効果判定や追加治療の判断を早期に行えることは大きなメリットである.

過去の主な報告のまとめを表2に示す[4〜12]．1st line での IVIG と IFX の併用療法については，2014 年の Tremoulet らのランダム化比較試験では，治療有効性，1 か月時の CAL ともに IFX＋IVIG 群と

6. インフリキシマブ

表1 インフリキシマブの用量・用法と副作用

用量	5 mg/kg
用法	単回投与．体重が 25 kg 未満の小児は約 50 mL，25 kg 以上の小児は約 100 mL の生理食塩液に希釈し，2 時間以上かけて点滴静注する．他の注射剤，輸液などとは混合しない
前投薬	施設によっては，infusion reaction 予防のために以下の前投薬が行われている．アセトアミノフェン 10 mg/kg（経口または挿肛）または ASA 17 mg/kg を経口投与，ヒドロキシジン 1 mg/kg を経静脈投与
主な副作用	・発疹（2.7%） ・ウイルス・細菌感染症（2.1%） ・infusion reaction（1.4%） ・白血球減少（0.3%） ・肝機能障害（0.3%）など

表2 川崎病に対するインフリキシマブ治療の過去の主な報告

文献	研究デザイン	グループ	有効率	急性期 CAL
1st line（初期併用）				
Tremoulet AH, et al. 2014[4]	ランダム化比較試験	IVIG＋IFX	87/98（89%）	6/98（6%）
		IVIG	86/97（89%）	2/97（2%）
Jone P, et al. 2018[5]	後向きコホート 非ランダム化比較試験 （初診時 CAL 合併例）	IVIG＋IFX	31/35（89%）	Z スコア>5：12/35（35%）
		IVIG	19/34（56%）	10/34（29%）
2nd line				
Burns JC, et al. 2008[6]	ランダム化比較試験	IFX	11/12（92%）	4/12（33%）
		IVIG	9/12（75%）	1/12（8%）
Son MB, et al. 2011[7]	後向きコホート 非ランダム化比較試験	IFX	17/20（85%）	7/20（35%）
		IVIG	65/86（76%）	29/86（34%）
Mori M, et al. 2018[8]	ランダム化比較試験	IFX	11/16（77%）	1/16（6%）
		IVIG	5/15（33%）	3/15（20%）
3rd line				
Sonoda K, et al. 2014[10]	後向き観察研究	IFX	70/76（92%）	3/76（4%）
Nagatomo Y, et al. 2018[12]	後向き観察研究	IFX	70/122（57%）	27/122（22%）
1st〜5th line				
Miura M, et al. 2019[9]	前向き観察研究	IFX	161/208（77%）	39/267（15%）

IV

急性期治療

143

IVIG 単独群の間で有意差を認めなかったが[4]，初診時から CAL を認めた重症例に対象を絞った後向き比較の報告では，IFX 併用が IVIG 単独よりも有効である可能性が示されている[8]．

2nd line での IFX 投与については，IFX 投与と IVIG 追加との複数の比較試験で少なくとも IVIG 追加に劣らない成績が示されている[6~8]．血液検査結果も考慮して選別された IVIG 不応例に対する Mori らのランダム化比較試験では，IFX のほうが IVIG 追加投与より 48 時間後の解熱率が高かったと報告されている[8]．

3rd line については，2005 年から 2014 年の日本の全国調査の結果では，434 例中 422 例（97.2%）で 3rd line 以降で IFX が用いられていたが，83.6% の症例で投与後 48 時間以内に解熱が得られていた[8]．2015 年の保険適用以後の特定使用成績調査（SAKURA Study）では，解熱率は 77.4% であり，解熱までの時間の中央値は 16.6 時間であった[9]．その他にも，3rd line での IFX と血漿交換を主軸にした治療の CAL 合併率が低い良好な成績が，わが国の複数の施設から報告されている[10,11]．Nagatomo ら[12] の多施設後向き研究では，IFX を投与した症例では CAL の早期退縮が得られやすい可能性を報告している．

注意点

IFX の主な副作用には，infusion reaction，心不全増悪，感染症増悪（結核やウイルス性肝炎）があげられる．長期投与では悪性腫瘍の発症，脱髄性病変の増悪（髄鞘化の障害）などが懸念されるが，単回投与が原則の川崎病では報告がない（表1）．ここでは現場での実践的な注意点について述べる．

1. infusion reaction

川崎病では原則的に単回投与なので前投薬は行われないことも多いが，適切な治療薬を準備しておくこと，開始後はこまめな観察，バイタルサインの確認を行うことは必須である．益田ら[13] の報告では，前投薬使用下に infusion reaction は 55 例中 1 例のみでみられたが，その 1 例は川崎病再発による 7 か月ぶり 2 回目の IFX 投与であった．再発などの理由で IFX の再投与を行う場合は，特に注意が必要と思われる．

2. 心不全増悪

重篤な心不全を伴う IVIG 不応の川崎病 2 例に血漿交換が有効であったとの報告もみられ，心不全を伴う症例では，IFX 投与は避け血漿交換などを検討すべきである．

3. 感染症増悪（結核，ウイルス性肝炎）

投与前の結核に関する問診と胸部 X 線検査は必須で，適宜胸部 CT 検査を追加する．インターフェロン-γ 遊離試験またはツベルクリン反応も基本的に推奨されるが，判定結果が得られるまで時間を要するため，IVIG 不応が予測される症例では事前に実施しておくことが望ましい．

HBs 抗原，HBs 抗体，HBc 抗体検査も必ず行う．IVIG 投与後には抗体が陽転化する可能性があるため，検査は IVIG 治療前の血液サンプルで行うことが重要である．

4. 1 歳未満への投与，生ワクチンとの間隔について

日本小児リウマチ学会，日本小児循環器学会の「既存治療で効果不十分な急性期川崎病に対するインフリキシマブの薬事承認と使用の手引き」では，BCG 接種後 6 か月間は投与を控えることが推奨されている．BCG 定期接種のない米国では，月齢 2~11 の計 11 人に IFX を使用し，重篤な副作用なく使用できたと報告されている[4]．日本でも 1 歳未満の IVIG 不応例 9 例に対して IFX 投与し，有効かつ安全に使用できたが，特に乳児早期の症例において一過性の角質増生・乾癬様湿疹を認めたことが報告されている[14]．

また生ワクチンに関する米国からの報告では，麻疹・ムンプス・風疹，水痘・帯状疱疹，ロタウイルスに対するワクチン投与後 90 日以内の川崎病症例 38 例に IFX を使用したが，重篤な有害事象や感染症はみられなかった[15]．

しかし一方で，IFX 投与の母体から出生した 3 か月の児に BCG 接種を行ったところ，全身性播種性 BCG 感染症で死亡したという報告もあり[16]，やはり BCG 接種から IFX 投与までの間隔は十分に空けるべきと考える．IFX 投与後も，少なくとも IVIG と同様の 6 か月間の生ワクチン接種は控えるのが妥当であろう．

日米のガイドラインの比較

2017年のAmerican Heart Association(AHA)のstatementでは，2回目のIVIGやステロイド投与の代わりにIFXの使用を考慮してよいとされている(クラスⅡb，レベルC)[2]．最近は日本の全国調査の結果や国内外からのランダム化比較試験の結果が報告され，より信頼性の高いエビデンスが構築されつつある[3~10]．これらの背景を受け，わが国の「川崎病急性期治療のガイドライン(2020年改訂版)」でも，インフリキシマブは2nd lineから考慮されることとなっている(クラスⅡa，レベルB)．

他のTNF-α遮断薬

TNF-α遮断薬には抗TNF-α抗体(IFX，アダリムマブ，ゴリムマブ)，可溶性TNF-α受容体(エタネルセプト)，抗体の一部を使った製剤(セルトリズマブペゴル)の3種類があり，この計5剤が現在国内で使用できるが，IFX以外は川崎病での保険適用はない．IFXは25%がマウス，75%がヒト由来のキメラ型抗TNF-α抗体，アダリムマブは完全ヒトTNF-αモノクローナル抗体，エタネルセプトはヒト可溶性TNF2型受容体とヒトIgGの定常領域との融合蛋白である．

エタネルセプトはその作用機序からTNF産生細胞の抑制には抗TNF-α抗体に劣るが，半減期も短く，副作用としての感染リスクが低いことが1つの特徴である．予防接種時期が川崎病好発年齢であること，免疫機構が未熟な乳児期早期に重症例が多いことなどから，エタネルセプトは川崎病においても有効な治療選択肢の1つとなる可能性はある[17]．2019年に報告された1st lineでのIVIG単独とIVIG＋エタネルセプト皮下注の併用を比較した二重盲検ランダム化比較試験では，解熱率には有意差を認めなかったものの，冠動脈径の変化はIVIG＋エタネルセプト群で有意に低かったことが報告されている[18]．

文献

1) 三浦　大，他：川崎病急性期治療のガイドライン(2020年改訂版)．日本小児循環器学会雑誌 2020；36：S1.1-S1.29

2) McCrindle BW, et al.：Diagnosis, treatment, and long-term management of Kawasaki disease：A scientific statement for health professionals from the American Heart Association. Circulation 2017；135：e927-e999

3) Masuda H, et al.：Infliximab for the treatment of refractory Kawasaki disease：A nationwide survey in Japan. J Pediatr 2018；195：115-120

4) Tremoulet A, et al.：Infliximab for intensification of primary therapy for Kawasaki disease：a phase 3 randomised, double-blind, placebo-controlled trial. Lancet 2014；383：1731-1738

5) Jone PN, et al.：Infliximab plus intravenous immunoglobulin(IVIG)versus IVIG alone as initial therapy in children with Kawasaki disease presenting with coronary artery lesions：Is dual therapy more effective? Pediatr Infect Dis J 2018；37：976-980

6) Burns JC, et al.：Infliximab treatment of intravenous immunoglobulin-resistant Kawasaki disease. J Pediatr 2008；153：833-838

7) Son MB, et al.：Infliximab for intravenous immunoglobulin resistance in Kawasaki disease：A retrospective study. J Pediatr 2011；158：644-649

8) Mori M, et al.：Infliximab versus intravenous immunoglobulin for refractory Kawasaki disease：A phase 3, randomized, open-label, active-controlled, parallel-group, multicenter trial. Sci Rep 2018；8：1994

9) Miura M, et al.：Real-world safety and effectiveness of infliximab in pediatric patients with acute Kawasaki disease：A postmarketing surveillance in Japan(SAKURA Study). Pediatr Infect Dis J 2020；39：41-47

10) Sonoda K, et al.：Infliximab plus plasma exchange rescue therapy in Kawasaki disease. J Pediatr 2014；164：1128-1132. e1

11) Ebato T, et al.：The clinical utility and safety of a new strategy for the treatment of refractory Kawasaki disease. J Pediatr 2017；191：140-144

12) Nagatomo Y, et al.：Effective infliximab therapy for the early regression of coronary artery aneurysm in Kawasaki disease. Int J Cardiol 2018；271：317-321

13) 益田博司，他：大量ガンマグロブリン療法不応の川崎病に対するインフリキシマブ療法：A single-institute study. 日本小児循環器学会雑誌 2017；33：43-49

14) 竹中　聡，他：Infliximab投与を必要とした難治性川崎病24症例(うち1歳未満9例)の急性期・中期遠隔期成績について．Prog Med 2014；34：1270-1277

15) Lee AM, et al.：Safety of infliximab following live virus vaccination in Kawasaki disease patients. Pediatr Infect Dis J 2017；36：435-437

16) Heller MM, et al.：Fatal case of disseminated BCG infection after vaccination of an infant with in utero exposure to infliximab. J Am Acad Dermatol 2011；65：870

17) 鵜池　清，他：重症例を抗サイトカイン薬で治療する．小児科診療 2015；78：365-371

18) Portman MA, et al.：Etanercept with IVIg for acute Kawasaki disease：A randomized controlled trial. Pediatrics 2019；143：e20183675

〔山村健一郎〕

Ⅳ 急性期治療

7 ウリナスタチン

POINT
- ウリナスタチン(UTI)は多様な作用機序で好中球が関連する組織障害を抑制する．川崎病においても冠動脈病変(CAL)の形成を抑制する効果などが期待できる．
- 初期治療に併用した UTI により，免疫グロブリン静注(IVIG)療法不応率と CAL 合併率は有意に低下したという報告がある．

背景・目的

　好中球エラスターゼ阻害薬に分類されるウリナスタチン(UTI)は，トリプシンをはじめとする種々の蛋白分解酵素に対して阻害作用を有する多価酵素阻害薬(セリンプロテアーゼインヒビター)である．本薬剤は多様な作用機序をもち，好中球などの免疫細胞が関連する組織・臓器障害を抑制することから，川崎病の他にも循環性ショック，敗血症，急性呼吸窮迫症候群などの治療にも用いられている．

　川崎病に対する最初の使用報告例は 1993 年の岡田らによって報告された[1]．岡田らは後方視的研究で初期治療に UTI を併用した群における発熱期間の短縮を報告した．その後，免疫グロブリン静注(IVIG)療法不応例や再燃例に対する追加治療としての有効性も報告されるようになった．「川崎病急性期治療のガイドライン(2020 年改訂版)」では，川崎病に対する UTI の適応として，「初回 IVIG との併用療法」と「IVIG 不応例に対する追加治療」の 2 つが記載されている．

作用機序

1. ウリナスタチンの作用機序(表1)

　UTI は tumor necrosis factor(TNF)-α，interleukin(IL)-6，IL-8 など，多くのサイトカイン抑制作用を有し，多核白血球からの産生，遊離を抑える．また，TNF-α により活性化される血管内皮上の ICAM-1 の発現を抑制し，内皮細胞を保護する．好中球からはエラスターゼをはじめ種々の蛋白分解酵

表1 ウリナスタチンの生物学的作用

1. サイトカインや血管内皮細胞接着因子の発現抑制
   IL-1，-6，-8，TNF-α，ICAM-1，ELAM-1 など
2. 種々の酵素活性の阻害
   好中球エラスターゼ，トリプシン，プラスミン，リパーゼ，アミラーゼなど
3. ライソソーム膜安定化による好中球からのエラスターゼ放出の阻害
4. 抗炎症作用
5. 抗酸化作用(活性酸素産生抑制)
6. マトリックスメタロプロテアーゼ(MMPs)系の活性化抑制

素が放出されるが，UTI はライソソーム膜を安定化させ，好中球からの各種酵素の放出を抑制する．また，放出された好中球エラスターゼの不活化にも作用し，結果的にフリーラジカルの除去(抗酸化作用)，サイトカイン・接着分子の活性を低下させる．

2. 川崎病における作用機序

1) 川崎病血管炎における好中球の役割

　川崎病血管炎ではサイトカインストームにより活性化された各種免疫細胞が血管壁内へ浸潤し，内弾性板や平滑筋層など血管構造を破壊することで冠動脈病変(coronary artery lesions：CAL)形成へ進展すると考えられている．特に好中球の浸潤は第7～9病日と他の免疫細胞より早期からはじまり[2]，エラスターゼや炎症性サイトカイン，フリーラジカルなど大量の組織障害因子を放出して CAL 形成の中心的役割をはたす．現在までの多数の研究においても，IVIG 不応症例や CAL 合併例で好中球エラスターゼの高値，好中球活性の異常遷延が報告されて

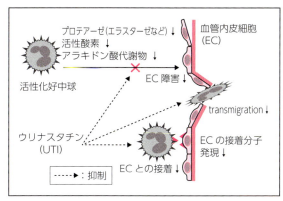

図1 川崎病血管炎におけるウリナスタチンの主要作用機序

表2 ウリナスタチンの用量・用法と副作用

用量	5,000単位/kg/回（最大投与量：30万単位/日）
用法	1日3〜6回，点滴静注
注意点	IVIG製剤との混合は白濁を生じる可能性があるため，同一ルートでの同時投与を避ける
主な副作用	肝機能異常(0.5%)，白血球減少(0.2%)，発疹(0.1%) まれにアナフィラキシーショック（頻度不明）

おり[3-5]，好中球をメインターゲットとするUTIは川崎病の治療法としても合理的と考えられる(図1)．

2) 川崎病におけるウリナスタチン療法の研究報告

UTIに関する川崎病領域の研究として，プロスタグランジンH_2阻害を介してアラキドン酸カスケードを抑制する抗炎症作用[6]とNO_3^-を介する抗酸化ストレス作用が報告されている[7]．

また，好中球エラスターゼはマトリックスメタロプロテアーゼ(matrix metalloproteinases：MMPs)を活性化し，このMMPsの阻害因子であるtissue inhibitors of metalloproteinases(TIMPs)を不活性化する．川崎病の検討でも，CAL合併例で好中球エラスターゼ活性の上昇とともにMMPs活性の上昇およびTIMPs活性低下が報告されており，UTIがMMPsの異常活性を是正し血管構造の破壊進展を阻止することでCAL合併を予防する可能性も指摘されている[8]．

使用法(表2)

5,000単位/kg/回を3〜6回/日，点滴静注で使用されることが多い．投与期間について確立された基準はなく，ガイドラインでも「数日間」と記載されている．UTI投与終了のタイミングも体温，検査所見などから総合的に判断されることが多い．川崎病に対する使用は保険適用外である．

Kanaiら[9]は川崎病初期治療としてアスピリン(ASA)とIVIGにUTIを併用するプロトコルで急性期治療を行った．ASAとIVIGに加え初期治療開始時点からUTIを5,000単位/kg/回，3回/日(最大投与量は30万単位/日)で投与を開始し，UTIは5%ブドウ糖液で全量10 mLに希釈し，30分で側管から点滴静注した．

IVIG不応例や再発熱例では，IVIG追加投与と同時にUTIを6回/日に増量した(最大投与量は30万単位/日)．UTIの投与終了のタイミングは，治療に反応して解熱し炎症反応の軽快(CRP<1 mg/dL)が確認できた時点を基準として判断した．

有用性

1. 初回IVIGとの併用療法の有用性

岡田ら[1]は後方視的研究でUTI併用初期治療による発熱期間の短縮を報告した．Iwashimaら[10]は前方視的研究によりUTI併用初期治療は標準的治療(ASA＋IVIG)よりも体温下降率が大きいことを示し，IVIG総使用量も少ないことを報告した．また，軽症例ではUTIと経口ASAのみで解熱が得られるという報告もある．

Kanaiら[9]の後方視的研究でも，UTI併用初期治療群(UTI群)は，ASAとIVIGのみで治療した対照群と比較してIVIG不応率とCAL合併率ともに有意に低下することが示された(表3)．また，特筆すべきはCAL合併ハイリスク症例として小林スコア7点以上の症例を抽出して行ったサブ解析の結果である．全症例を対象とした比較検討と同様，UTI群のIVIG不応率とCAL合併率はともに有意に低下していたが，そのオッズ比はさらに低い値を示した．UTIの併用効果は"軽症例"よりも，いわゆる"重症例"でより大きく期待できることを示唆する結果であった．急性期治療のガイドラインでも，IVIG不応予測例に対するUTIの併用は「考慮」として位置づけられている．

表3 追加治療必要率と冠動脈病変合併率

	対照群	UTI 併用群	未調整 OR（95% CI）	p	調整済 OR（95% CI）*	p
全症例での比較						
追加治療	262/1,178（22%）	48/369（13%）	0.52（0.38-0.73）	<0.001	0.30（0.20-0.44）	<0.001
CAL 合併	80/1,178（7%）	12/369（3%）	0.46（0.25-0.86）	0.01	0.32（0.17-0.60）	<0.001
CAL ハイリスク症例（小林スコア≧7点）での比較						
追加治療	95/141（67%）	25/69（36%）	0.28（0.15-0.50）	<0.001	0.25（0.13-0.47）	<0.001
CAL 合併	39/141（28%）	5/69（7%）	0.20（0.08-0.55）	0.002	0.21（0.08-0.57）	0.002

CAL：冠動脈病変，OR：オッズ比，CI：信頼区間
オッズ比は多変量解析を用いて算出し，＊：性別，小林スコア値，初回 IVIG 量（1 g/kg or 2 g/kg）で調整している
〔Kanai T, et al.：Ulinastatin, a urinary trypsin inhibitor, for the initial treatment of patients with kawasaki disease：a retrospective study. Circulation 2011；124：2822-2828 より改変〕

2. IVIG 不応例に対する追加治療としての有用性

IVIG 不応例に対する追加治療では，ケースシリーズ研究として，IVIG 再投与に UTI を併用した7例でCAL 発症を認めなかったことが報告されている[11]．その他にも症例報告や少数例での検討結果は多数報告されているが，計画された臨床試験の報告は現在までない．

前述の UTI の作用機序や初期治療併用による有効性の報告などから，追加治療としても有効性は期待できる．しかし，CAL 合併などの臨床的アウトカムを改善するか否かについては現時点で十分なエビデンスはなく不明である．

注意点

UTI と IVIG との混合は白濁を生じる可能性があるため，同一ルートでの同時投与を避けるなどの配慮を要する．UTI 投与中は IVIG 投与を中断し，UTI 投与終了後に IVIG を再開する方法が勧められる．この処置により，複数ルートを確保せずとも単一ルートからの投与が可能である．

主な副作用として肝機能異常や白血球減少，発疹などが知られている．まれだがアナフィラキシーショックもあり得る．

投与禁忌はウリナスタチン製剤に対し過敏症の既往歴のある患者である．また慎重投与の対象として，①薬物過敏症またはその既往歴のある患者，②過敏性素因患者，③過去にウリナスタチン製剤の投与を受けた患者，が添付文書に記されている．

日米のガイドラインの比較

UTI は米国では医薬品として販売されていないため，米国のガイドラインに記載はない．

文　献

1) 岡田昌彦，他：巨大冠動脈瘤が予測された川崎病患者に対するガンマグロブリン静注療法およびウリナスタチンの併用療法．日本小児科学会雑誌 1997；101：1165-1170
2) Takahashi K, et al.：Neutrophilic involvement in the damage to coronary arteries in acute stage of Kawasaki disease. Pediatr Int 2005；47：305-310
3) Inamo Y, et al.：Immunoreactive polymorphonuclear leukocyte elastase in complex with alpha 1-antitrypsin in Kawasaki disease. Acta Paediatr Jpn 1987；29：202-205
4) Beiser AS, et al.：A predictive instrument for coronary artery aneurysms in Kawasaki disease. Am J Cardiol 1998；81：1116-1120
5) Takeshita S, et al.：The role of bacterial lipopolysaccharide-bound neutrophils in the pathogenesis of Kawasaki disease. J Infect Dis 1999；179：508-512
6) Zaitsu M, et al.：Ulinastatin, an elastase inhibitor, inhibits the increased mRNA expression of prostaglandin H2 synthase-type 2 in Kawasaki disease. J Infect Dis 2000；181：1101-1109
7) 佐地　勉：蛋白合成酵素阻害薬ウリナスタチン療法．日本臨牀 2008；66：343-348
8) 先崎秀明，他：川崎病における蛋白分解酵素の役割．日本小児科学会雑誌 2003；107：1201-1212
9) Kanai T, et al.：Ulinastatin, a urinary trypsin inhibitor, for the initial treatment of patients with Kawasaki disease：a retrospective study. Circulation 2011；124：2822-2828
10) Iwashima S, et al.：Ulinastatin therapy in Kawasaki disease. Clin Drug Investig 2007；27：691-696
11) Okada M, et al.：Treatment with ulinastatin in the patients with gamma globulin resistant Kawasaki disease. Prog Med 2002；22：2755-2761

〔金井貴志〕

Ⅳ 急性期治療

8 血漿交換

POINT

- 血漿交換は，循環血液中の炎症性サイトカインやケモカイン，炎症惹起物質を直接除去し，炎症を早期に鎮静化させる目的で行われる．
- 本治療は免疫グロブリン静注(IVIG)療法，インフリキシマブ(IFX)治療に抵抗性がある場合の 3rd line もしくは最終治療として位置づけられる．
- 冠動脈病変(CAL)出現前に施行できれば CAL 抑制効果が期待できる．

背景・目的

血液浄化法の1つである血漿交換療法(plasma exchange：PE)は，血液を血球成分と血漿成分に分離し，等量の新鮮凍結血漿(fresh frozen plasma：FFP)やアルブミンなどで置換する治療法である．病的物質(自己抗体，免疫複合体，アルブミン結合性毒素，炎症性サイトカイン，ケモカインなど)は血漿に含まれ，それを除去することを目標としている．また，劇症肝不全のように，凝固因子が欠乏しFFP輸血でも補充が間に合わない場合に大量補充する目的で使用することもある．川崎病においては，循環血液中の炎症性サイトカインやケモカイン，炎症惹起物質を直接除去し，炎症を早期に鎮静化させる目的で行われる．

作用機序と適応

PE の基本原理は，膜型血漿分離器を使用し，膜間圧力差(transmembrane pressure：TMP)により濾過を行う．バスキュラーアクセス(vasclar access：VA)から脱血し膜型血漿分離器を通すことで血球成分と血漿成分に分離され，血漿成分はそのまま破棄される．その後，同量の置換液で補充を行い，体内へ返血する．川崎病においては，急性期の病状を形成することに関与している過剰な炎症性物質を大幅に排除することによって，冠動脈病変(coronary artery lesions：CAL)の発症阻止などに効果を発揮する．

川崎病と診断した後，速やかに標準治療である免疫グロブリン静注(IVIG)療法を開始し，初回 IVIG 不応例には IVIG 追加投与あるいはインフリキシマブ治療を行っても改善が見込めない場合に，3rd line もしくは最終治療として PE は位置づけられている．

本治療を行うための基準として，IVIG 投与終了後 48 時間以内に，①1 日のうちで少なくとも 1 回は38℃以上の発熱を示す場合，②血液検査における炎症のマーカー(白血球数，好中球数，CRP の 3 項目)の fractional change(FC)が少なくとも，1 項目以上改善が得られない場合とする報告がある[1]．この報告は，IVIG 治療を施行した 193 例の川崎病患者の臨床データをもとに後方視的に検討したものであり，特に IVIG 前後の血液生化学的検査データの変動に着目している．各検査値の変化率を FC として以下のように定義されている．

FC＝(IVIG 投与後 48 時間での検査値)－
(IVIG 投与前の検査値)/(IVIG 投与前の検査値)

193 症例を冠動脈正常群($n=169$)と CAL 合併群($n=24$)に分け，白血球数，好中球数，血小板数，CRP，アルブミンの FC を検討したところ，白血球数，好中球数，CRP の FC で有意差を認めた．冠動脈正常群で FC が正の値(増悪傾向)を示した症例がそれぞれ 1.8%，3.6%，4.7% であったのに対し，CAL 合併群では 87.5%，79.1%，66.7% と高率であった．血小板数，アルブミンでは有意差を認めなかった．

149

表1	PEの方法と手順

方式　　　：静脈－静脈方式（場合によって動脈－静脈方式）

使用機器　：JUN-55X（JUNKEN MEDICAL）

使用回路　：JCH-12s（JUNKEN MEDICAL）

血漿分離器：プラズマフロー™OP-02W（旭化成クラレメディカル）

カテーテル：6-7 Fr 小児用

　　　　　　　6 Fr ベビーフロー（ユニチカ）

　　　　　　　6.5 Fr GamCath（ガンブロ）

　　　　　　　7 Fr トルネードフロー（日本シャーウッド）

　　　　　　　主に大腿静脈に留置（または内頸静脈，鎖骨下静脈）

置換液　　：5% アルブミン

　　　　　：貧血がある場合は RCC，DIC 合併の場合は FFP も考慮

交換量　　：1～1.5 循環血漿量

　　　　　：循環血漿量（mL）＝体重/13×（100−Ht/100）×1,000

抗凝固療法：ヘパリン（開始時 15～30 U/kg volus，15～30 U/kg/時持続）

　　　　　　またはナファモスタット（初回投与なしで 0.3 mg/kg/時持続）

　　　　　　ACT（activated clotting time）を 180～250 秒で維持

RCC：赤血球濃厚液，DIC：播種性血管内凝固，FFP：新鮮凍結血漿，Ht：ヘマトクリット

白血球数，好中球数，CRP 値のいずれかの FC が正の値をとる症例では CAL 合併症のリスクが高い重症例であることが示唆され，IVIG 不応例に CAL 合併症が明らかに多いことからも，追加治療を導入する基準としても有用であると結論付けている．

なお診断病日が遅く，診断時にすでに冠動脈に変化がはじまっている場合など，症例によっては IVIG 追加を行わずに早期に PE に移行した症例も存在する．

使用法

体格が小さく，循環血液量が少ない小児に PE を施行する場合には，確実な VA の確保，体外循環ボリューム（priming volume：PV）の低減，低体温の防止，抗凝固薬の使用，安全な鎮静，などに注意する必要がある[2]．PE の施行にあたっては ICU もしくは PICU での管理を基本とし，血漿交換量は約 1～1.5 循環血漿量〔循環血液量（mL）＝体重（kg）/13×（100−ヘマトクリット値（%）/100）×1,000〕を 1 回の目標量とする．標準的には 3 日間施行するが，解熱，炎症反応の改善が得られなければ最大 5 日まで延長する（表1）．

1. 回路の選択，装置の設定

PV は低容量の血液回路を使用したとしても循環血液量と比べて相対的に大きくなるため，体外循環開始時にはパラメータの低下やバイタルサインの変化に細心の注意が必要である．一般的には PV が循環血液量の 10%（8 mL/kg）以下になるように血漿交換装置や血液回路を選択，準備するが，新生児・乳児では実現することが難しいため，PV が 8 mL/kg 以上になる場合には治療開始時に回路内を赤血球濃厚液（red cell concentrate：RCC），FFP などの血液製剤で充填し，血液希釈による初期のパラメータの変化やバイタルサインの変化（initial drop）を予防することが望ましい．血漿分離器は日本国内ではプラズマフロー™OP-02W が主に使用可能であり，これを用いた PE 施行時の PV は血漿側を含めて約 60 mL 弱である．

PE 施行にあたっては，血液流量（Q_B）は 20～30 mL/分で設定する．必要以上に Q_B をあげる必要はないが，あまり少なすぎても血液の回路通過時間の延長をまねくので好ましくない．PE は操作原理に濾過を用いた治療であるため，Q_B 低下による治療効率の低下は理論的に少ない．そのことから，回路内凝固をきたさない最低の Q_B（20～30 mL/kg）で治療を行い，循環動態の安定に配慮する．血漿流量（Q_P）は Q_B の 20% を最大とし，TMP の上昇に注意する．

2. 低体温対策

小児は体重に比べて体表面積が大きいこと，呼吸数が多く体重あたりの分時換気量が大きいこと，皮下脂肪が少ないこと，皮膚が薄く未熟なため経皮的蒸散が多いことなどの理由から，もともと低体温を

8. 血漿交換

きたしやすい．さらに体外循環中には循環血液量に比べて体外循環量の割合が多くなるため，より低体温に陥りやすい．血漿交換装置の加温機能のみでは体温低下を防げないことも多く，回路そのものを温める，インファントウォーマーで患児を暖めるなどの対応が必要になることがある．

3. 抗凝固薬

小児の場合，小さい体格で体外循環血液量が十分に確保できないこと，体格に比較して回路・膜面積の容量が大きいことから，成人より抗凝固薬が多く必要になることがある．通常はヘパリンナトリウムを使用するが，出血傾向や血小板減少がある場合などはメシル酸ナファモスタットを使用する．抗凝固のモニタリングは，ベッドサイドで簡便かつ短時間で行える ACT（activated clotting time）を測定し，回路内凝固が起こらないように細やかな調整を行う．目標 ACT は 180～250 秒とする．

4. PE 施行中の鎮静

血液流量や体外循環血液量は多く，カテーテルの屈曲や抜去は危険であるため，乳児・幼児期の患者では安全に PE を施行するために鎮静が必要である．可能な限り ICU・PICU での管理が望ましい．場合によっては気管挿管・人工呼吸管理下での施行も考慮する必要があり，体外循環中もバイタルサインなどの急激な変化に速やかに対応することが重要である．

有用性

有効性に関しての検討はそのほとんどが症例報告である．Joh[3] がはじめて川崎病への PE の可能性について言及し，Takagi ら[4] は IVIG 不応である 4 歳の女児に PE を 3 日間施行し，炎症の鎮静化に成功し CAL 合併症もなかったと報告している．前方視的研究に基づいた報告はこれまで存在しない．後方視的研究として Villain ら[5] は，発症後 15 日以内の 20 症例に対し PE 療法あるいは IVIG 療法を行い比較検討した．8 例で PE（実際には 7 例が exchange transfusion，1 例のみが plasmapheresis），12 例で IVIG 投与を行い，十分な統計学的処理はなされていないが，全症例で CAL の発症はみられず安全性についても問題はなかったと報告している．

Mori ら[6,7] は 2004 年の報告で，IVIG 不応患者に対

する PE の安全性と CAL の予防効果について検討を行った．2 回の IVIG に不応な症例 105 例のうち PE 療法を施行した群〔PE（＋）群：46 例〕と IVIG の追加投与を重ねた群〔PE（−）群：59 例〕に分けて，それぞれの急性期の CAL 発生状況について比較検討した．冠動脈拡大を認めたものの発症 30 日以内に正常化した一過性拡張群（transient dilatation：TD），30 日を超えて拡大が残存した群（persistant dilatation：PD），さらに内径 8 mm 以上の巨大冠動脈瘤を残した群（giant aneurysms：GA）に大別した．PE（−）群では 59 例中 TD 13 例，PD 9 例，GA 2 例の計 24 例（40.7%）に CAL が認められたのに対し，PE（＋）群では 46 例中 TD 5 例，PD 1 例，GA 2 例の 8 例（17.4%）に認められたにすぎず，有意差を認めた（図1）．多変量解析の結果，PE 療法は IVIG 追加療法と比較してオッズ比 0.052 と CAL の発生頻度を有意に低下させることが判明した．

Hokosaki ら[8] は，さらに長期的な CAL の経過（発症 1 年以上）に関して，対象症例数を増やして検討を行った．10 年以上の長期にわたる症例の検討であることから，初期治療としての IVIG の投与方法，追加治療，PE 開始病日などの違いはあるものの，冠動脈拡大がはじまる前に PE を開始することができれば後遺症残存率は 0%（0/105）であった．PE 前にすでに拡大がはじまっている症例では後遺症残存率 30%（6/20）であり，統計学的に有意な差異を認めた．後遺症として巨大瘤を残した 5 例のうち 4 例は PE 前に明らかに瘤形成（残りの 1 例も拡大あり）が認められており，追加治療として PE 以外を選択していても後遺症は免れなかったものと推測される．

注意点

VA 確保による合併症（気胸，血管損傷，カテーテル感染），抗凝固薬や置換液に対する反応（アナフィラキシー，出血傾向，低カルシウム血症），体外循環そのものに起因する合併症（低血圧，低容量性ショック，低体温）などが起きる可能性がある．特に体外循環開始時のバイタルサインの変動には十分留意する必要がある．

また，ICU，PICU での実施が原則である点にも留意する（表2）．

IV

急性期治療

151

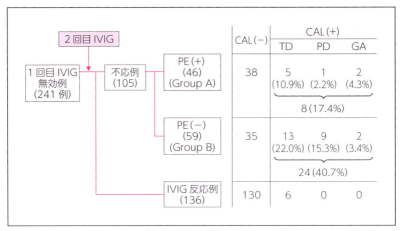

図1 IVIG不応例に対するPEの効果
CAL：coronary artery lesions, TD：transient dilatation, PD：persistent dilatation, GA：giant aneurysms

表2 川崎病に対するPEの保険適用取得

当該療法の対象となる川崎病は，免疫グロブリン療法，ステロイドパルス療法又は好中球エラスターゼ阻害薬投与療法が無効な場合又は適応とならない場合に限り，一連につき6回を限度として算定する．

ただし，
・DPC施設では，血漿交換療法は，技術料のみ算定可．材料，薬剤は包括（算定不可）
・「小児入院医療管理料」算定の場合，処置（技術料，材料，薬剤）は別途算定不可．DPC施設の「小児入院医療管理料」では，技術料のみ算定可
・「小児特定集中治療室管理料」(新設)算定の場合，処置（血漿交換療法）は別途算定可．ただし，小児特定集中治療室管理料を算定可能な病態の規定あり
〔診療報酬の算定方法の一部改正に伴う実施上の留意事項について．平成24年3月5日保医発0305第1号より〕

日米のガイドラインの比較

米国ではPEを施行する機会がきわめて少ないので，ガイドラインには既存治療が無効である患児に使用すべきとの記載がある．

◎おわりに

川崎病では，CALが生じうる第10病日以前に治療が奏効することが重要であり，早期の炎症鎮静化がCALの発症抑制に直結していることは周知の事実である．IVIG不応川崎病に対するPEの治療成績は良好であり，特にCALが出現する前に開始することができれば，大きな効果が期待できる．今後も，追加治療の1つとして，考慮する必要があると思われる．

文　献

1) Mori M, et al.：Predictors of coronary artery lesions after intravenous gamma-globulin treatment in Kawasaki disease. J Pediatr 2000；137：177-180
2) 相馬　泉，他：小児に対する体外循環．アフェレシス学会（編），アフェレシスマニュアル改訂第3版．2010；184-191
3) Joh K：Effects of plasma exchange in Kawasaki disease. In：Oda T(ed.), Therapeutic Plasmapheresis(Ⅳ). Schattauer, 1985；519-524
4) Takagi N, et al.：Plasma exchange in Kawasaki disease. Lancet 1995；346：1307
5) Villain E, et al.：[Trial of prevention of coronary aneurysm in Kawasaki's disease using plasma exchange or infusion of immunoglobulins]. Arch Fr Pediatr 1987；44：79-83
6) Imagawa T, et al.：Plasma exchange for refractory Kawasaki disease. Eur J Pediatr 2004；163：263-264
7) Mori M, et al.：Efficacy of plasma exchange therapy for Kawasaki disease intractable to intravenous gamma-globulin. Mod Rheumatol 2004；14：43-47
8) Hokosaki T, et al.：Long-term efficacy of plasma exchange treatment for refractory Kawasaki disease. Pediatr Int 2012；54：99-103

〔森　雅亮〕

Ⅳ　急性期治療

9　アスピリン

POINT

- ・アスピリン（ASA）は現在でも川崎病の標準治療薬の一翼を担っている.
- ・発症期の肝機能障害においても ASA を治療薬として用いる.
- ・冠動脈病変（CAL）の有無にかかわらず抗血小板薬として 2～3 か月用いる.

背景・目的

アスピリン（アセチルサリチル酸：ASA）は川崎病発見後間もなくから使用が開始され，現在でも標準治療の一翼を担っている．加えて，抗血小板薬として，冠動脈病変（coronary artery lesions：CAL）合併症を残した患者の遠隔期における抗血栓治療の重要な位置を占めている．歴史的背景を 3 期に分けて記述する.

1. 川崎病発見からまもない時代の初期治療としての ASA

ASA の使用は 1970 年代前半にさかのぼる．この時期は川崎病が"全身性血管炎，なかでも冠動脈炎とそれに伴う冠動脈瘤がみられ，瘤内血栓症で突然死することがある"という重大な合併症の発見，さらに冠動脈造影によって生存例での CAL の臨床像の解明が進んだ時期である．初期の川崎病冠動脈瘤の病像の解明と治療の変遷は，荻野[1]の総説でよく解説されている.

1970 年に発足した厚生省 MCLS 研究班の第 1 回全国調査および 1972 年の第 2 回調査で死亡者累積計 67 名が報告された．川崎病を self-limited な病気と考えていた小児科医のみならず社会にも衝撃を与えた．調査可能な 54 名の死亡例について検討を行ったところ，死亡病日は第 20～29 病日が 35% ともっとも多く，85% が発病 2 か月までに死亡，83% は突然死であった．剖検 13 例の死因はすべて冠動脈血栓で，冠動脈の病理では冠動脈炎の存在と冠動脈瘤形成，そして瘤内の血栓性閉塞を認めた[2,3].

これらの知見をふまえ，積極的な治療介入が喫緊

の課題となった．"血管炎を抑制する"目的でステロイドの使用が試みられた．一方で，川崎病によるCAL が明らかになるにつれ，心症状のある患児では抗血栓治療の重要性が指摘された．当初はワルファリンが用いられたが使用にあたっての煩雑さから，次第に抗炎症・抗血小板を有する ASA が用いられるようになった．1972 年に永山ら[4]により，ASA を中心として使用しステロイドを用いない治療で良好な治療成績を得た報告がなされ，ASA 治療の時代の伏線となった[1].

1973 年から冠動脈造影検査が導入され，冠動脈後遺症を評価基準として治療の評価が行われるようになった．1977 年，Kato ら[5]はステロイド治療群での高い冠動脈瘤形成率（62.5%）と死亡例の 92.5% にステロイドが投与されていた事実を報告した．この結果を受けて次第にステロイドの使用は減少した．さらに，心エコーを評価に導入した厚生省川崎病研究班の 1981 年からの前向き研究が，ASA の有用性を示す 1 つのエビデンスとなっている．ASA（50 mg/kg/日少なくとも第30病日まで，以後10 mg/kg/日），フルルビプロフェン，プレドニゾロン（PSL）＋ジピリダモールによる治療の比較研究である[6]．発症 1 か月では ASA 治療群の 22% に CAL があり，ASAによっても CAL の発生予防はできなかった．しかしながらフルルビプロフェン投与群でも 39%，PSL投与群で 27% に CAL が生じており，ASA 投与群で少ない傾向であった．1 年後には ASA 投与群はCAL が残っていたのは 1% のみで，フルルビプロフェン投与群 12%，PSL ＋ジピリダモール投与群 9% に比して良好な成績であり，ASA 治療の優位性を示す

153

結果であった．ASA治療が中心となってから死亡率は以前の1.7%程度から0.2〜0.3%に低下した[1]．

2. 免疫グロブリン静注（IVIG）療法の時代とASA

しかしASA治療によっても1か月後の冠動脈瘤形成率は約20%と高く，巨大瘤（径8mm以上）の発生もしばしばあり，決して満足できるものではなかった．ここに新たな時代を開いたのは免疫グロブリン静注（IVIG）療法であった．IVIG療法は1984年，Furushoら[7]によって報告された．ASA単独群とASA＋IVIG 400mg/kg/日5日間投与群との間でランダム化比較試験を行い，冠動脈瘤発生頻度を比較したところ，第29病日以内に心エコー検査で冠動脈瘤を認めたのは前者で42%，後者で15%，さらに第30〜60病日で残存していた障害は前者で31%，後者で8%という優れた成績であった．この後，米国のグループがIVIG 2g/kg/日単回投与が400mg/kg/日5日間投与に比してさらに優れていることを示し[8]，現在の標準治療となっている．いずれの臨床研究でもASAは併用され，現在のエビデンスとしてIVIG＋ASAが川崎病CALを減少させるということであり，ASAは川崎病の標準治療として現在も使用されている．

3. ASAの急性期治療における再評価

IVIGが治療の根幹となる時代となり，IVIGの用量や投与法のほうがASAの用量よりも治療成績に与える影響が大きいとされるようになった[8,9]．急性期における高用量ASAについて，リスクベネフィットの観点から意義を唱える報告が近年散見される．低用量（2〜5mg/kg/日）で開始しても追加治療やCALの頻度には差がないとされた[10]．さらに高用量（＞30mg/kg/日）では貧血（Hbで約0.3g/dLの低下）が報告された[11]．近年報告されたメタアナリシスでは，低用量は中・高用量に比して追加治療頻度は増加する傾向であるが〔RR 1.39（95%CI 1.00-1.93），$p=0.05$〕，CAL合併頻度は上昇しない〔RR 0.85（95%CI 0.63-1.14），$p=0.28$〕[12]．わが国の後方視的研究でも同様の結果であった[13]．台湾では初期からASA低用量で行う治療が普及しており，現在，同国で初期治療におけるIVIG＋ASA低用量と高用量での前向き比較研究が行われている[14]．

前向き研究の結果はまだ公表されていない．現時点においては，2017年のAmerican Heart Association（AHA）が改訂したstatement，2020年の日本小児循環器学会のガイドラインでは急性期治療に中・高用量ASAは明記されている．

ASAの作用機序と川崎病血管炎における効果

ASAは，シクロオキシゲナーゼ-1（COX-1）を阻害し，プロスタグランジンE_2（PGE_2）や，トロンボキサンA_2（TXA_2）を抑制する．ASAがCOX-1をアセチル化し，本来の基質であるアラキドン酸はCOX-1に結合できず，競合的阻害の形で血小板内でのPGE_2やTXA_2の生成が抑制される．TXA_2には強力な血小板凝集作用があり血小板の二次凝集をきたすが，ASAのTXA_2に対する抑制効果は低用量でも認められる．一方，低用量ではPGE_2の産生は抑制されない．

したがって川崎病急性期の治療においては，PGE_2を介する抗炎症効果も期待して高用量のASAを用いる．一方，亜急性期や冠動脈瘤例の遠隔期においてはTXA_2を介した抗血小板凝集効果を期待して低用量を用いる．抗血小板効果は血小板寿命の7〜10日間持続することから，1週間の中止では代替薬の必要はない．

他にも作用機序が異なる抗血小板薬として，ジピリダモール（ホスホジエステラーゼ阻害），チクロピジン（アデニールシクラーゼ阻害），クロピドグレル（ADP受容体阻害），シロスタゾール（ホスホジエステラーゼ阻害）があるが，川崎病におけるエビデンスはない．CAL合併症をもつ患者の遠隔期にASAに加えてこれらの抗血小板薬を用いることがあるが，その明確な基準や，リスクベネフィットを含めた成績は報告されていない．

使用法（表1）

標準治療として急性期からASAの投与が開始される．日本では急性期に中等量（30〜50mg/kg/日1日3回分割投与）が推奨され，この用法用量で保険適用となっている．抗血小板効果としては低用量で十分であるが，抗炎症効果も考慮した用量設定である．急性期にはASAの吸収が悪く，抗炎症作用としては十分な血中濃度になっていないとの考察もあるが，ASAを用いないと2〜4病週に著明な血小板

9. アスピリン

表1 ASA の用量，用法，併用療法，主な副作用

用法・用量*	併用療法	主な副作用
急性期有熱期間は，ASA として 1 日体重あたり 30〜50 mg を 3 回に分けて経口投与する．解熱後の回復期から慢性期は，ASA として 1 日体重 1 kg あたり 3〜5 mg を 1 回経口投与する．なお，症状に応じて適宜増減する	IVIG との併用	①ショック，アナフィラキシー ②出血 ③中毒性表皮壊死融解症（TEN），皮膚粘膜眼症候群（Stevens-Johnson 症候群） ④再生不良性貧血，血小板減少，白血球減少 ⑤喘息発作の誘発 ⑥肝機能障害，黄疸 ⑦消化性潰瘍，小腸・大腸潰瘍

*：用法・用量に関連する使用上の注意
川崎病では発症後数か月間，血小板凝集能が亢進しているので，川崎病の回復期において，本剤を発症後 2〜3 か月間投与し，その後，断層心エコー図などの冠動脈検査で冠動脈障害が認められない場合には，本剤の投与を中止すること．冠動脈瘤を形成した症例では，冠動脈瘤の退縮が確認される時期まで投与を継続することが望ましい
川崎病の治療において，低用量では十分な血小板機能の抑制が認められない場合もあるため，適宜，血小板凝集能の測定などを考慮すること
TEN：toxic epidermal necrolysis

凝集能の亢進がみられ，30〜50 mg/kg 投与下で抑制されている[15]．急性期の ASA 量が中等量であることを説明するもう 1 つの事実である．

通常は解熱から 48 時間から 72 時間経過し解熱が維持されている場合に 3〜5 mg/kg/日 1 日 1 回投与に減量する．減量後は，抗血小板薬として 2〜3 か月使用する．

留意すべき点として，急性期の肝障害合併時の ASA 投与についての考え方について述べたい．急性期の初期に肝逸脱酵素の上昇を認める症例がある．第 16 回川崎病全国調査を基にした解析では ALT 100 IU/L 以上の症例は 26% を占めた．第 1〜4 病日の早い時期で上昇を示しその後，速やかに低下すると報告されている[16]．γ-GTP や胆汁酸も上昇する．川崎病急性期の肝病理所見では，肝実質細胞の壊死はなく，門脈域に強い炎症性細胞の浸潤を示す所見があり，炎症による胆汁うっ滞による可能性が示唆されている[17]．これらの知見から，急性期早期の肝逸脱酵素上昇は肝細胞障害ではなく，ASA 投与に問題はないと考えられている．近年，IVIG 不応例に対する治療法が議論されているが，このような不応例ではしばしば肝逸脱酵素の高い症例が存在し，いくつか提唱されている不応予測スコアにも AST や ALT，ビリルビン値が組み入れられている．肝逸脱酵素上昇症例はむしろ重症例であり標準治療を確実に行う必要があろう．代替薬としてフルルビプロフェンを用いる施設があるが，現時点で冠動脈後遺症に関するエビデンスはない．

有用性

ASA と IVIG の併用初期治療による CAL 抑制効果はクラス I，レベル A である．ASA 単独では CAL 抑制効果は認められていない．

注意点

ASA 服用中は肝逸脱酵素の上昇がないか確認する．川崎病の炎症が沈静化しつつある時期に肝酵素の上昇がある場合，ASA による肝細胞障害を考慮する．

回復期に発疹が出現することがある．ASA を継続すべきか迷うことが多い．薬疹の可能性が残る場合，一時中止することもあるが，継続が必要な病状の場合は再投与を考慮したい．川崎病の一症状の可能性や IVIG の影響を示唆する報告もある[18]．

Reye 症候群は近年その頻度が減少したが，インフルエンザや水痘罹患中，回復期に川崎病を発症した場合，ASA は用いず IVIG 単独で治療を行う．低用量の服用では Reye 症候群のリスクは上昇しないとされているが，服用を継続している患者には毎年インフルエンザワクチン接種を勧める[19]．

比較的短期間の ASA 投与においても 6〜8 週の投与においても消化性潰瘍や出血リスクに注意しなければならない．成人の心筋梗塞や脳梗塞では抗血栓治療の一次予防，二次予防において，脳出血・消化

管出血といった重篤な出血性合併症とのリスクとベネフィットを考慮して結論を出している[20]．たとえば心筋梗塞の一次予防では，未発症例1,000人を無治療でみた場合，心筋梗塞発症率は年間1%で10人，ASAはこの25%を予防できることがわかっているので，2人の発症を防ぐことができる．一方，重篤な出血性合併症も1,000人中2人に発生しており，これが一次予防にASAを強く推奨しない理由となっている．成人の川崎病患者人口は成人の心筋梗塞患者人口と比較すると著しく少なく，出血性合併症の頻度も十分わかっていない．今後，全国規模の調査で川崎病冠動脈瘤小児の出血性イベントについても検討することは重要であろう．

　もう1つのASAの用法についての注意点は，近年見出されたASAのリバウンド現象である．成人において出血性イベントを理由にASA投与を中止すると，その後かえって出血イベントが増加し，加えて心筋梗塞，脳梗塞，心血管死といった心血管イベント発症も増加する．これは45歳以上の脳血管疾患，冠動脈疾患，末梢血管疾患で外来通院中の患者約68,000人を世界中から登録して追跡調査を行ったREACH Registryの結果で示され[21]，英国からもこれを支持する追跡調査が報告された．この知見から，ASAを長期継続している川崎病患者はその中止にはリスクを伴う．出血性イベントがあった場合，その後の治療方針に関して留意すべき事項である．これは長期投与に際しての問題であり，通常の6〜8週投与で終了する際は問題にならない．

日米のガイドラインの比較

　米国では急性期のASAの使用は解熱まで30〜50mg/kg/日の他に80〜100mg/kg/日の高用量も記載されている．高用量だと日本人は肝機能障害を起こす頻度が高く，国内では適応となっていない．米国では中高用量のASAは「冠動脈病変の抑制にはエビデンスがない」と明記し，クラスⅡaの推奨である．その後，3〜5mg/kg/日の低用量に減量するが，冠動脈病変のない症例の投与期間は4〜6週間としている．また，ASA以外の非ステロイド性抗炎症薬（NSAIDs）の使用はクラスⅢとして避けるよう記載されている．

■ 文　献

1) 荻野廣太郎：初期治療の歴史的変遷．小児内科 2009；41：41-56
2) 神前章雄，他：急性熱性皮膚粘膜リンパ節症候群死亡検討会．小児科臨床 1971；24：2546-2559
3) 大川澄男，他：急性熱性皮膚粘膜リンパ節症候群（MCLS）死亡例の検討．小児科診療 1975；38：608-614
4) 永山徳郎，他：治療からみた小児急性熱性皮膚粘膜リンパ節症候群．日本醫事新報 1972；2532：10-16
5) Kato H, et al.：Kawasaki disease：effect of treatment on coronary artery involvement. Pediatrics 1979；63：175-179
6) 草川三治，他：川崎病の急性期治療研究（第2報）—aspirin, flurbiprofen, predonisolone + dipyridamoleの3治験群による prospective study, 発症後1年の時点での成績—．日本小児科学会雑誌 1985；89：814-818
7) Furusho K, et al.：High-dose intravenous gammaglobulin for Kawasaki disease. Lancet 1984；2：1055-1058
8) Newburger JW, et al.：A single intravenous infusion of gamma globulin as compared with four infusions in the treatment of acute Kawasaki syndrome. N Engl J Med 1991；324：1633-1639
9) Terai M, et al.：Prevalence of coronary artery abnormalities in Kawasaki disease is highly dependent on gamma globulin dose but independent of salicylate dose. J Pediatr 1997；131：888-893
10) Hsieh KS, et al.：Treatment of acute Kawasaki disease：aspirin's role in the febrile stage revisited. Pediatrics 2004；114：e689-e693
11) Kuo HC, et al.：High-dose aspirin is associated with anemia and does not confer benefit to disease outcomes in Kawasaki disease. PLoS One 2015；10：e0144603
12) Zheng X, et al.：Efficacy between low and high dose aspirin for the initial treatment of Kawasaki disease：Current evidence based on a meta-analysis. Plos One 2019；14：e0217274
13) Ito Y, et al.：Aspirin dose and treatment outcomes in Kawasaki disease：A historical control study in Japan. Front Pediatr 2020；8：249
14) ClinicalTrials.gov. A multi-center, randomized to compare the efficacy of IVIG alone and IVIG plus high-dose aspirin in Kawasaki disease［https://clinicaltrials.gov/ct2/show/NCT02951234］
15) 加藤裕久，他：川崎病急性期の治療　ステロイド療法とアスピリン療法．日本臨牀 1983；41：2092-2096
16) Uehara R, et al.：Serum alanine aminotransferase concentrations in patients with Kawasaki disease. Pediatr Infect Dis J 2003；22：839-842
17) 田中智之，他：川崎病における肝障害—病理．小児内科 1984；16：2393-2397
18) Takeuchi M, et al.：Maculopapular rash in the convalescent phase of Kawasaki disease：case series and literature review. Eur J Pediatr 2013；172：405-407
19) Giglia TM, et al.：Prevention and treatment of thrombosis in pediatric and congenital heart disease：a scientific statement from the American Heart Association. Circulation 2013；128：2622-2703
20) 後藤信哉：冠動脈疾患における抗血栓療法．Prog Med 2013；33：1450-1453
21) Alberts MJ, et al.：Risk factors and outcomes for patients with vascular disease and serious bleeding events. Heart 2011；97：1507-1512

〔濱田洋通〕

遠隔期の検査・治療・管理

　川崎病が最初に報告されてから50年以上が経過している．2021年の時点で川崎病全国調査から判明している数字としては，これまでの川崎病既往者総数は40万人を超え，第23回川崎病全国調査結果から計算すると，10歳の時点で100人に対して男1.69人，女1.33人が川崎病の既往をもっている．冠動脈病変（CAL）の発生割合は年々低下しているが，心後遺症をもって成人となった症例は概算すると15,000例を超えていると推察される．これらの症例が現在どのような状態にあるのか，調査が行き届いていないのが現実である．CALがたとえ退縮したとしても，冠動脈組織が正常化したわけではなく，「さまざまな問題を抱えた血管」であることが判明している．特にCALの合併した血管では長期にわたり内皮機能障害と血管リモデリングが継続し遠隔期における動脈硬化の素地となるであろうと考えられている．しかし現時点での遠隔期症例の報告では，成人における動脈硬化病変とは異なる組織像を呈し，成人動脈硬化特有の粥腫はあまり確認されていない．したがって，川崎病後CALに成人期に粥腫を伴うかなど，不明な点が多く，川崎病患者の診療を常日頃行っている小児科医のみならず，現実的に今後診療に携わることとなる内科医にとっても未知なる領域であるといっても過言ではない．

　本章では，成人期に至った川崎病患者の現在判明している問題点とその治療方法，およびCALとCALに起因する病態の評価方法を概説し，さらに成人ならではの問題点，移行医療について解説している．遠隔期に至った川崎病患者はすでに小児科医の範疇を超え，内科医，循環器外科医をはじめとしてさまざまな職種の方の協力なしでは診療が成り立たなくなっている．本章が成人となった遠隔期の川崎病患者の診療に携わる方々に，何らかの形で役立つことができることを執筆者一同切に願っている．

Ⅴ　遠隔期の検査・治療・管理

1 遠隔期診療総論

POINT

・川崎病発症から第 30 病日以降も冠動脈の拡大以上の瘤形成をきたした症例の約 75% は，冠動脈造影上正常化（退縮）する．
・瘤が大きいほどより退縮しにくく，将来の冠動脈イベント発生のリスクは大きくなる．
・遠隔期においても瘤の退縮した部位も含めて動脈瘤部位では，活発な血管リモデリングが生じており，形態的変化が継続している．
・冠動脈瘤を有する症例の遠隔期の目標は，血栓形成を予防し，狭窄の進行による心筋虚血を早期に同定・解消することである．
・川崎病の動脈硬化所見と成人の粥状動脈硬化症との関係はまだ明らかではないが，将来的な動脈硬化リスクは潜在すると考えられるので，冠危険因子は若年時から排除する指導が必要である．
・瘤を形成しなかった血管および一過性拡張のみをきたした血管の遠隔期予後は，一般成人の予後と同等と考えられる．

冠動脈瘤の転帰（図1）

　川崎病発症から第 30 病日以降も冠動脈の拡大以上の瘤形成をきたした症例は，川崎病心後遺症と定義される．瘤が形成されると，内皮に対する血管ずり応力[*1]の低下や炎症による影響から内皮機能障害が起こり，血栓が形成されやすくなる．血栓による急速な冠動脈閉塞により心筋梗塞が惹起される．一方，瘤全体の約 75% は 3 年以内に退縮する[1]．退縮が認められず瘤が残存したとしても，初期の瘤の径よりは小さくなることが多い．また血管壁の石灰化を高率に認めるようになる．瘤が大きいほど瘤の退縮は認めにくくなり[1]，また心イベント発生リスクも高くなる[2,3]．巨大冠動脈瘤では退縮はほとんどないと考えられていたが，最近の報告では 3 割程度には退縮を認めるようである[3]．しかし，長期経過観察上では心血管イベントを約 4 割に発症しており[2]，ハイリスクな症例群であることに違いはない．

冠動脈のリモデリング

　汎血管炎により障害を受けた冠動脈は内弾性板が破壊されるため，多くの中膜平滑筋細胞が内膜へ浸潤し，構成型から分泌型に形質転換を行う結果，活発な増殖をきたす．また細胞外マトリックスを増成し，著明な内膜肥厚をもたらす．著明な内膜肥厚は血管造影上動脈瘤の退縮という好ましい結果をもたらすが，退縮したといえども冠動脈瘤を形成した部位は決して正常な血管の 3 層構造に回復することはない．肥厚した内膜では川崎病遠隔期においても活発な増殖因子が産生され，遠隔期においても活発な血管リモデリングをきたしている[4]．このため川崎病発症 10 年以上を経て，無症候性に冠動脈が狭窄・閉塞をきたし，心筋虚血が生じて再灌流療法が必要となる症例に遭遇することもまれではない．たとえ退縮したとされた冠動脈でも経過観察を行い，狭窄性病変の出現を早期に発見し，虚血の有無を診断する必要がある．瘤が残存した症例では，虚血の評価とともに定期的な MRI や CT を用いた冠動脈の形態的評価を行うことが勧められる．

[*1]血管ずり応力（shear stress）：血流が血管壁に対して生じる力である．血圧が血管壁に対して縦の力を与えるのに対して，血流は血管壁に横の力を生じる．ずり応力は血液の粘度と血流速度に比例し，血管径に反比例する．

1. 遠隔期診療総論

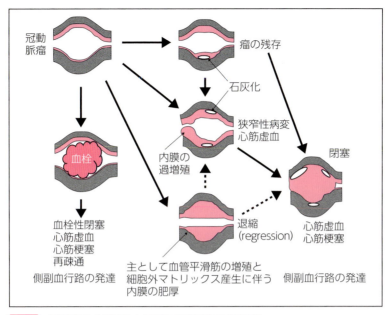

図1 川崎病の合併症としての冠動脈瘤の長期予後

〔日本循環器学会/日本心臓血管外科学会. 2020年改訂版 川崎病心臓血管後遺症の診断と治療に関するガイドライン http://www.j-circ.or.jp/guideline/pdf/JCS2020_Fukazawa_Kobayashi.pdf（2021年3月閲覧）〕

表1 心エコー法または血管造影による川崎病CALの重症度分類

a. 急性期～発症1か月までのCAL	Zスコアを用いた評価を原則とし， ・小瘤（sAN）+2.5～+5未満 ・中等瘤（mAN）+5.0～+10.0未満 ・巨大瘤（gAN）+10.0以上 と定義する 注1）Zスコアによる評価が困難で，内径の絶対値による評価を行う場合，5歳未満においては ・小瘤　3 mm≦内径<4 mm ・中等瘤　4 mm≦内径<8 mm ・巨大瘤　8 mm≦内径 とする．5歳以上においてはZスコアによる評価を推奨する（絶対値で定義すると過大評価となる） ・巨大瘤の絶対値による定義は，5歳以上でも内径8 mm以上とする 注2）経過中に瘤の定義を満たした場合でも，発症1か月の時点で瘤の定義を満たさない場合は一過性拡大とする
b. 1か月以降の経過によるCALの変化による重症度分類	心エコー検査，ならびに選択的冠動脈造影検査などで得られた所見に基づいて，以下の5群に分類する 　Ⅰ．拡大性変化がなかった群：急性期を含め，冠動脈の拡大性変化を認めない症例 　Ⅱ．急性期の一過性拡大群：発症1か月までに正常化する軽度の一過性拡大を認めた症例 　Ⅲ．退縮群：発症1か月においても拡大以上の瘤形成を残した症例で，その後経過観察中に両側冠動脈所見が完全に正常化し，かつⅤ群に該当しない症例 　Ⅳ．冠動脈瘤の残存群：冠動脈造影検査で，片側もしくは両側の冠動脈瘤を認めるが，Ⅴ群に該当しない症例 　Ⅴ．冠動脈狭窄性病変群：冠動脈造影検査で冠動脈に狭窄性病変を認める症例 　　（a）虚血所見のない群：諸検査において虚血所見を認めない症例 　　（b）虚血所見を有する群：諸検査において明らかな虚血所見を有する症例
参考条項	・発症1か月以降の冠動脈瘤の大きさの定義は，a欄での急性期の定義に準じる ・AHAステートメント[5]で，'dilation only'として分類されるZスコア+2.0以上+2.5未満については，長期経過における意義を認めないため，この表では取り上げなかった ・中等度以上の弁膜障害，心不全，重症不整脈などを有する症例については，各重症度分類に付記する

〔日本循環器学会/日本心臓血管外科学会. 2020年改訂版 川崎病心臓血管後遺症の診断と治療に関するガイドライン http://www.j-circ.or.jp/guideline/pdf/JCS2020_Fukazawa_Kobayashi.pdf（2021年3月閲覧）〕

遠隔期の経過観察・治療方針

2017年にAmerican Heart Association（AHA）からstatementが[5]，2020年に日本循環器学会からガイドライン[6]が改訂・発表されている．どちらも急性期の動脈瘤の大きさとその後の瘤の経過により重症度分類を行い，その分類に応じて経過観察・治療を行うこととなる．

重症度分類

日本循環器学会のガイドライン[6]では，急性期の冠動脈径により，小瘤，中等瘤，巨大瘤に分類され，さらにその後の経過も加味して，Ⅰ．拡大性変化がなかった群，Ⅱ．急性期の一過性拡大群，Ⅲ．退縮群，Ⅳ．冠動脈瘤の残存群，Ⅴ．冠動脈狭窄性病変群，の5群に重症度分類されている（表1）．2020年改訂版では動脈瘤の径の評価をこれまでの絶対値での分類から患者の体格に応じて評価するZスコアによる分類が導入されている（現場での混乱を避けるためにこれまでの絶対値での分類も併記されている）．一方，2017年に発表されたAHAのstatement[5]では，冠動脈径をZスコアで評価し，経過による分類も冠動脈リスクレベルとして分類している（表2）．AHAのstatementでは瘤がZスコア＋2.0以上2.5未満のものを拡大として定義しているが，日本循環器学会のガイドラインでは瘤はZスコア＋2.5未満のものはその後の管理が正常のものと差がないことから，Zスコア＋2.5以上を管理の対象としている．

遠隔期治療

日本循環器学会，AHA，どちらのガイドラインにおいても冠動脈障害の重症度に応じた管理・治療が提言されている．特にスタチンやアンジオテンシン変換酵素（ACE）阻害薬といった成人において既にエビデンスが確立している抗動脈硬化の薬剤の導入が提言されている．それぞれのガイドラインにおける管理・治療法に関しては大きな違いはない．基本的な考え方は，①瘤内の血栓形成を予防し，急性心筋梗塞を防ぐこと，②心筋虚血を早期に診断し，できる限り再灌流療法を行うこと，③適切な薬物療法と予後を見通した治療，④動脈硬化リスク管理と是

表2	冠動脈瘤のリスク分類（AHA statement）
分類	定義
1	経過中すべてZスコア＜2のもの
2	拡大　Zスコア2以上2.5未満
3	小瘤　Zスコア2.5以上5未満
3.1	小瘤が継続して存在するもの
3.2	小瘤が拡大もしくは正常径に退縮したもの
4	中等瘤　Zスコア5以上10未満で，かつ絶対径が8mm未満のもの
4.1	中等瘤が継続して存在するもの
4.2	中等瘤が小瘤まで縮小したもの
4.3	中等瘤が拡大もしくは正常径に退縮したもの
5	巨大瘤　Zスコア10以上，もしくは絶対径が8mm以上のもの
5.1	巨大瘤が継続して存在するもの
5.2	巨大瘤が中等瘤まで縮小したもの
5.3	巨大瘤が小瘤まで縮小したもの
5.4	巨大瘤が正常径に退縮したもの

〔McCrindle BW, et al.：Diagnosis, treatment, and long-term management of Kawasaki disease：A scientific statement for health professionals from the American Heart Association. Circulation 2017；135：e927-e999〕

正，があげられる．

1．瘤内の血栓形成の予防

冠動脈の重症度に応じて抗血小板薬，抗凝固薬を使用する．特にワルファリンはPT-INRを定期的に確認し，2.0〜2.5を維持することが推奨されている[6]．急性心筋梗塞はほぼ血栓性梗塞であり，適切な抗血小板薬と抗凝固薬の使用で，心筋梗塞は回避できる可能性が高い．急性心筋梗塞をきたすと心機能の悪化に直結し，心機能の悪化は生命予後と相関するため[7]，怠薬のないように指導する．近年成人領域では直接経口抗凝固薬（direct oral anticoagulants：DOAC）が心房細動や深部静脈血栓症における血栓予防に使用され，ワルファリンと比較して食事制限の必要がなく，出血トラブルも少ないとされている．将来的には川崎病においてもワルファリンの代替となることが期待されている．

2．心筋虚血の診断と再灌流療法

形態的に冠動脈造影上主要冠動脈で75%以上の狭窄が有意狭窄とされ，冠血流予備能比（fractional

1．遠隔期診療総論

表3 川崎病における遠隔期管理のまとめ

重症度分類		心電図*，心エコー	心筋虚血評価（負荷テスト）	冠動脈画像検査（CT，MRI，CAG）	薬物治療	PCI・CABG	学校管理区分	生活指導
Ⅰ	拡大性変化なし	経過観察の目安は，発症後1か月，2か月，6か月，1年後，および発症後5年後とする．5年以降は経過観察終了も可能	必要なし	必要なし	急性期以降は不要		生活・運動面での制限はなし．「E可」発症5年後以降は「管理不要」	粥状動脈硬化を促進させる冠危険因子をコントロールするよう生活習慣改善（運動，肥満予防，禁煙，日本食の推奨など）の指導を行う
Ⅱ	急性期の一過性拡大							
Ⅲ 退縮（Regression）	（急性期）小瘤	1年ごと	必要なし	回復期と1年後あるいは退縮時に考慮 高校卒業時に行うことが望ましい	中止も考慮可能．必要に応じてアスピリン，スタチンなどを考慮	適応なし	生活・運動面での制限はなし．「E可」	
	（急性期）中等瘤・巨大瘤	6～12か月ごと	3～5年ごとに考慮	回復期と1年後，3～5年ごとに考慮				
Ⅳ 冠動脈瘤の残存	小瘤	1年ごと	3～5年ごとに考慮	回復期と1年後，3～5年ごとに考慮	アスピリンのほか，瘤の程度によって他の抗血小板薬やワルファリンを追加 ACE阻害薬，ARB，スタチンなどの投与も考慮		生活・運動面での制限はなし．「E可」	上記指導に加え，服薬の重要性，経過観察の重要性を理解してもらい，診療離脱（ドロップアウト）を防止する AYA世代に対しては自立をうながす指導を行い，移行に備える
	中等瘤	6～12か月ごと	2～5年ごとに考慮	回復期と1年後，2～5年ごとに考慮				
	巨大瘤	6～12か月ごと	1～5年ごとに考慮	回復期と1年後，1～5年ごとに考慮			「D」1年以上変化がないときは「E禁」も可	
Ⅴ 冠動脈狭窄性病変	a）虚血所見なし	6～12か月ごと	1年ごとに考慮	回復期，～1年，1～5年ごとに考慮	上記治療に加え，冠血管拡張薬・抗狭心症薬を考慮	狭窄の程度によって考慮	「E禁」（巨大瘤では「D」．1年以上変化がないときは「E禁」も可）	
	b）虚血所見あり	経過により考慮	経過により考慮	経過により考慮		適応	A～D	

*必要に応じ負荷心電図を行う

〔日本循環器学会/日本心臓血管外科学会．2020年改訂版 川崎病心臓血管後遺症の診断と治療に関するガイドライン http://www.j-circ.or.jp/guideline/pdf/JCS2020_Fukazawa_Kobayashi.pdf（2021年3月閲覧）〕

flow reserve：FFR）や負荷心筋シンチグラフィ，負荷心筋血流PET検査，なども参考に心筋虚血の有無を判断する必要がある．これらの検査は冠動脈瘤の重症度に応じて定期的に評価する必要があり，心筋虚血と診断されれば，経皮的冠動脈インターベンション（percutaneous coronary intervention：PCI）や冠動脈バイパス術（coronary artery bypass grafting：CABG）を積極的に考慮する．

3. 適切な薬物治療と予後を見通した治療（表3，4）

冠動脈瘤が退縮しない限り，原則的にアスピリン（ASA）の継続が求められる．ASAは内皮機能障害に対する心イベント発症予防効果が認められている．また，瘤の形態に応じてワルファリンも血栓形成予防に必要となる．さらに，心筋虚血や心筋梗塞をきたして，心機能障害をきたした症例では，β遮断薬やACE阻害薬などの抗心不全薬も必要となる．また，心機能が低下した症例では，不整脈をきたす

表4 長期観察（AHA statement）

重症度(AHA ガイドライン)		検査の頻度			低用量 ASA	治療薬			
		心臓評価(心電図・心エコー)の頻度	心筋虚血評価(負荷テスト)	冠動脈画像検査(CT, MRI, CAG)		抗凝固療法(ワルファリン, 低分子ヘパリン)	二重抗血小板療法(ASA+クロピドグレル)	β遮断薬	スタチン
1	正常	発症 1 か月から 12 か月で経過観察終了も可	必要なし		発症 6～8 週まで継続 その後は中止	必要なし	必要なし	必要なし	必要なし
2	拡大のみ	発症 1 年で正常化すれば経過観察終了も可 拡大が残存すれば 2～5 年ごとに評価	必要なし		発症 6～8 週以降も継続が望ましい	必要なし	必要なし	必要なし	必要なし
3-1	小瘤残存	発症 6 か月で評価. その後 1 年ごとに評価	3～5 年ごとに評価を考慮	3～5 年ごとに評価を考慮	継続	考慮される	抗凝固療法の代用として考慮	必要なし	予防的投与の考慮
3-2	小瘤退縮	1～3 年ごとに評価 (心エコー検査は省略も可)	虚血が認められれば考慮	心筋虚血を認めた場合に考慮	継続 中止も考慮される	必要なし	必要なし	必要なし	予防的投与の考慮
4-1	中等瘤残存	発症 3, 6, 12 か月後に評価 その後は 1 年ごとに評価	2～5 年ごとに評価を考慮	2～5 年ごとに評価を考慮	継続	考慮される	抗凝固療法の代用として考慮	必要なし	予防的投与の考慮
4-2	中等瘤が小瘤に縮小	1 年ごとに評価	3～5 年ごとに評価を考慮	3～5 年ごとに評価を考慮	継続	必要なし	抗凝固療法の代用として考慮	必要なし	予防的投与の考慮
4-3	中等瘤退縮	1～2 年ごとに評価 (心エコー検査は省略も可)	虚血が認められれば考慮	心筋虚血を認めた場合に考慮	継続	必要なし	抗凝固療法の代用として考慮	必要なし	予防的投与の考慮
5-1	巨大瘤残存	発症 3, 6, 12 か月後に評価 その後は 6～12 か月ごとに評価	発症 2～6 か月以内に評価 その後 2～5 年ごとに評価考慮	1～5 年ごとに評価を考慮	継続	推奨	抗凝固療法の代用として考慮	考慮	予防的投与の考慮
5-2	巨大瘤が中等瘤に縮小	6～12 か月ごとに評価	2～5 年ごとに評価を考慮	2～5 年ごとに評価を考慮	継続	推奨	抗凝固療法の代用として考慮	考慮	予防的投与の考慮
5-3	巨大瘤が小瘤に縮小	6～12 か月ごとに評価	2～5 年ごとに評価を考慮	2～5 年ごとに評価を考慮	継続	考慮される	抗凝固療法の代用として考慮	考慮	予防的投与の考慮
5-4	巨大瘤が退縮	1～2 年ごとに評価 (心エコー検査は省略も可)	2～5 年ごとに評価を考慮	2～5 年ごとに評価を考慮	継続	必要なし	抗凝固療法の代用として考慮	必要なし	予防的投与の考慮

〔McCrindle BW, et al.：Diagnosis, treatment, and long-term management of Kawasaki disease：A scientific statement for health professionals from the American Heart Association. Circulation 2017：135：e927-e999〕

ことも多く，抗不整脈薬も検討される．スタチンは小児における適応はないが，成人では脂質低下作用，血管の抗炎症作用による抗動脈硬化療法として強いエビデンスをもって使用されており，川崎病遠隔期治療への導入が期待されている[8]．日本循環器学会ガイドライン，AHA statement とも小瘤以上の症例に対してスタチンの予防的投与が認められている．

4. 動脈硬化リスク管理と是正

　川崎病心血管後遺症は動脈炎の結果もたらされた変化であり，成因，病態，組織像のいずれにおいても粥状動脈硬化とは異なっている．成人における剖検検索では，巨大瘤の部位においてのみ病壁に微少石灰化やコレステリン結晶を含む壊死性物質および泡沫細胞の集簇からなる粥腫の形成や出血を伴った粥状動脈硬化病変が観察される症例を認めた[9]．しかし，大部分の症例では，緻密な線維性組織からなる内膜肥厚が著明で，粥状動脈硬化病変は見出せておらず，血管硬化像とよぶ組織像が主である[9]．中等瘤以上の動脈瘤を形成した場合には，遠隔期においても血管内皮障害や慢性的炎症が継続し，組織学的にも活発な血管リモデリングが継続しており，このような川崎病血管硬化像が将来どのように粥状動脈硬化症とオーバーラップしてくるのか，解明すべき点が多い．しかし，川崎病で障害された冠動脈における血管内皮機能低下や慢性炎症の継続は，粥状動脈硬化症の初期病変と類似することから，将来的な粥状動脈硬化症の素地となる可能性は否定できない．このため，若年時から冠危険因子を積極的に排除していく必要性がある．すなわち，血圧の管理，禁煙（防煙），血糖の管理，脂質の管理，肥満の予防，心理的ストレスの軽減などの指導が求められる．

遠隔期における管理

　冠動脈の障害に応じた重症度に基づいた検査頻度

が日本循環器学会（**表3**），AHA（**表4**）から提唱されている．基本的には，急性期から拡大を認めなかった症例や拡大が第30病日以内に退縮した症例では定期的な経過観察の終了もあり得るが，小瘤以上の所見が生じた症例では，たとえ瘤が退縮したとしても経過観察の継続は必要である．そして重症度が上がるほど，心筋虚血に対する定期的評価が求められ，心筋虚血が同定された場合の治療が求められる．

📕 文　献

1) Friedman KG, et al.：Coronary artery aneurysms in Kawasaki disease：Risk factors for progressive disease and adverse cardiac events in the US population. J Am Heart Assoc 2016；5：e003289
2) Fukazawa R, et al.：Nationwide survey of patients with giant coronary aneurysm secondary to Kawasaki disease 1999-2010 in Japan. Circ J 2017；82：239-246
3) Miura M, et al.：Association of severity of coronary artery aneurysms in patients with Kawasaki disease and risk of later coronary events. JAMA Pediatr 2018；172：e180030
4) Suzuki A, et al.：Active remodeling of the coronary arterial lesions in the late phase of Kawasaki disease：Immunohistochemical study. Circulation 2000；101：2935-2941
5) McCrindle BW, et al.：Diagnosis, treatment, and long-term management of Kawasaki disease：A scientific statement for health professionals from the American Heart Association. Circulation 2017；135：e927-e999
6) 日本循環器学会, 他：2020年改訂版 川崎病心臓血管後遺症の診断と治療に関するガイドライン［http://www.j-circ.or.jp/guideline/pdf/JCS2020_Fukazawa_Kobayashi.pdf］（最終閲覧 2021.3.10）
7) Tsuda E, et al.：The 30-year outcome for patients after myocardial infarction due to coronary artery lesions caused by Kawasaki disease. Pediatr Cardiol 2011；32：176-182
8) Hamaoka A, et al.：Effects of HMG-CoA reductase inhibitors on continuous post-inflammatory vascular remodeling late after Kawasaki disease. J Cardiol 2010；56：245-253
9) Takahashi K, et al.：Pathological study of postcoronary arteritis in adolescents and young adults：with reference to the relationship between sequelae of Kawasaki disease and atherosclerosis. Pediatr Cardiol 2001；22：138-142

〔深澤隆治〕

V 遠隔期の検査・治療・管理

2 冠動脈造影

POINT

- 冠動脈造影は冠動脈形態評価検査としてゴールドスタンダードである.
- 川崎病発症1か月後にも心エコーにて冠動脈瘤を認めた症例では, 発症数か月以内に冠動脈造影検査を行い, 急性期の冠動脈病変(CAL)の正確な評価を行いたい.
- 遠隔期に瘤が退縮し造影上冠動脈が正常化することはまれではない. しかし, 組織の変化は正常化しておらず, 血管リモデリングは継続して起こっている.
- 狭窄所見を認めた場合は, 冠血流予備能比(FFR)などの生理的検査も実施し, 虚血の有無を評価する.
- 冠動脈CTや冠動脈MRAで異常を疑われた場合には, 冠動脈造影が必要となる.

背景・目的

　川崎病の予後は冠動脈の合併症に左右される. 急性期において冠動脈の状態を正確に評価することは, 川崎病の予後を推定するうえで重要である. 一方, 遠隔期においても, 川崎病冠動脈瘤をきたした症例では, 冠動脈のリモデリングが長期にわたって継続しており[1], 瘤が退縮して造影上正常化したようにみえる冠動脈でも将来的に狭窄, 閉塞, 石灰化をきたすことはまれではない. 長期予後を左右するのは心機能低下であり[2], それを回避するために狭窄や閉塞を早期に発見し, 虚血の有無を評価すること, そして心筋虚血に対しては速やかに血流を回復する処置を行うことが大切である. 近年, 経過観察を目的とした冠動脈造影は, 冠動脈CTや冠動脈MRAに代用されつつあるが, それらの検査で狭窄が疑われるときには, 最終的に冠動脈造影検査が狭窄部の正確な評価のために必要となる.

適　応

1. 冠動脈病変(CAL)の重症度診断

　川崎病急性期に冠動脈の拡大を認め, 発症第30病日までに心エコー上正常化を認めなければ, 川崎病冠動脈後遺症ありと分類される. 回復期のできるだけ早い時期に冠動脈造影検査を行い, 冠動脈病変(coronary artery lesions : CAL)の形態, 範囲を詳細に評価することが, その後の経過観察の手段, 期間, 治療法の決定のために必要である. 冠動脈の拡大性病変は大動脈近位部ばかりではなく, 心エコーでは描出しにくい冠動脈遠位部にも出現することがまれではない[3]. また, 発症から時間が経過するほど, CALは退縮する傾向があるため, 初期病態の正確な評価のために, 川崎病発症後3〜4か月には冠動脈造影評価を行うことが望ましい. 中等瘤以上のCALは, たとえ退縮したとしても組織学的に正常化することはなく, 血管リモデリングは程度の差こそあれ終生継続すると考えられる. 特に巨大冠動脈瘤は将来的に何らかの心血管イベントをきたす確率が高く, イベント発生の確率は瘤が大きいほど高くなる[4,5]ことから, 発症早期の瘤の正確な評価は重要である.

2. 経過観察

　「川崎病心臓血管後遺症の診断と治療のガイドライン(2020年改訂版)」[6]における川崎病重症度分類にて「III. 退縮群」以上の重症例(p.159, **表1b**参照)では, 冠動脈のリモデリングは長期間継続し, 血管形態の変化が長期間にわたり続くことから, 形態的評価による経過観察が必要となる. 経過観察中に狭窄が進行したり, 閉塞をきたしたりする症例もまれではない. 近年では冠動脈CTや冠動脈MRAで冠動脈形態的評価を行うことも多くなっているが, 狭窄が疑われる場合には, 最終診断は冠動脈造影検

2. 冠動脈造影

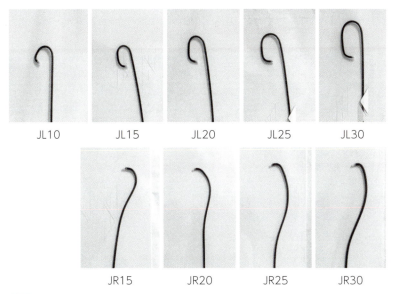

図1 Judkins カテーテル
体格に応じて左冠動脈には JL, 右冠動脈には JR を用いる. 乳幼児には JL(JR)10～20, 学童期以降には JL(JR)25～30 を用いる

査が必要となる. また, 冠動脈 CT や冠動脈 MRA は乳幼児や年少児の場合は鎮静が必要となり, 呼吸変動から十分な評価が得られないことも多いので, 原則として就学前の児は冠動脈造影検査を行うことが妥当と考える.

3. 経皮的冠動脈インターベンション(PCI), 冠動脈バイパス術(CABG)前後での評価

経皮的冠動脈インターベンション(percutaneous coronary intervention：PCI)や冠動脈バイパス術(coronary artery bypass grafting：CABG)の適応の有無を評価し, 術後の効果判定や経過観察に必要とされる.

検査法

1. 冠動脈造影カテーテルの選択

近年成人ではより非侵襲的な手技として橈骨動脈アプローチによるカテーテル挿入が一般的となっているが, 小児では体格的な問題が大きく, 大腿動脈アプローチが一般的である. 冠動脈造影には Judkins カテーテルを用いることが多く, 体格に応じたループ径を選択する. おおよそ乳幼児では JR15～JR20, JL10～JL20 を, 学童期では JR25～JR30, JL25～JL30 を使用している(図1).

2. 撮影方向

右前斜位(RAO)30°と左前斜位(LAO)60°の2方向が基本である. この基本方向に, 瘤の形態や狭窄部位に応じて cranial(頭側方向に傾けた撮影), caudal(腹側方向に傾けた撮影)を加える. 表1に撮影方向と観察されやすい部位をあげる.

冠動脈所見

1. 拡大性病変

「川崎病心臓血管後遺症の診断と治療のガイドライン(2020年改訂版)」[6]では, Z スコア+2.5以上+5未満が小瘤, +5.0以上+10未満が中等瘤, +10以上または内径8 mm 以上が巨大瘤に分類される(p.159, 表1a 参照). 瘤は冠動脈が枝分かれする部位にできることが多い[3]. 左冠動脈では回旋枝(LCX)の分岐部位, 左前下行枝(LAD)の第1対角枝(D_1)の分岐部, LCX の鈍縁枝(OM)分岐部に多く, 右冠動脈では近位部の洞房結節枝(SN)や円錐枝(CB), 右室枝の分岐部, 後下行枝(4-PD)と房室枝(4-AV)の分岐部に瘤を形成することが多い[3](図2). また一度瘤が形成されたとしても退縮することも多く, 約半数では発症1年後に冠動脈造影上での冠動脈は正常化する[7]. しかしながら, 造影上正常化した瘤の部位では, 正常血管の3層構造が破壊され著明な内

表1　冠動脈撮影方向

撮影方向	選択的左冠動脈造影	選択的右冠動脈造影
RAO 30°	最も基本的撮影方向．左主幹部，前下行枝，回旋枝の近位部の観察に適する	右冠動脈全体（起始部と#3を除く）と右室枝，円錐枝の観察に適する
RAO 30° +caudal 20～30°	前下行枝本幹，特に近位部と回旋枝全体の観察に適する	
caudal 30° (straight caudal)	前下行枝近位部と回旋枝全体の観察に適する	
cranial 20～30° (straight cranial)	前下行枝の近位部から中間部，対角枝の分岐部と対角枝全体の観察に適する	
LAO 60°	前下行枝，回旋枝の中間から末梢にかけて，対角枝起始部，鈍縁枝の観察に適する	右冠動脈全体，房室結節枝，洞結節枝の観察に適する
LAO 45° +caudal 45° (spider)	左主幹部，前下行枝，回旋枝の分岐部と近位部，対角枝全体の観察に適する	
LAO 60° +cranial 25～30°	前下行枝全体，対角枝の起始部と対角枝全体，回旋枝の中間部や分岐部の観察に適する	遠位部，後下行枝や後側壁枝の観察に適する

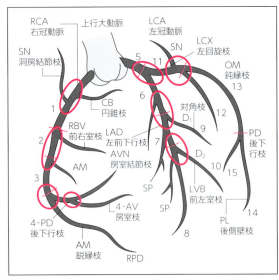

図2　冠動脈の解剖と川崎病動脈瘤の好発部位

冠動脈のシェーマを示す．○が瘤の好発部位である
数字はAHA分類

表2　冠動脈の狭窄度：AHA分類

		冠動脈造影所見
①0%	狭窄なし	
②25%	25%以下の狭窄	
③50%	26～50%の狭窄	
④75%	51～75%の狭窄	
⑤90%	76～90%の狭窄	
⑥99%	91～99%の狭窄	
⑦100%	完全閉塞	

もっとも狭窄が強くみえる造影像を視覚的に7段階に分類．75%以上の狭窄で狭心症症状が出現するとされ，治療対象となる

〔Austen WG, et al. : A reporting system on patients evaluated for coronary artery disease. Report of the Ad Hoc Committee for Grading of Coronary Artery Disease, Council on Cardiovascular Surgery, American Heart Association. Circulation 1975；51（4 Suppl.）：5-40 より改変〕

膜肥厚が生じており，長期にわたり血管リモデリングが継続し，発症10年以上経た後に時に狭窄や閉塞[7]，動脈硬化性変化[8]が生じている．一方，巨大冠動脈瘤では瘤の縮小化はあっても退縮は3割程度で[5]，心イベント発症リスクは10年で約4割にのぼるため[4]，巨大瘤ではより注意深いフォローが必要となる．

2.　狭窄性病変

冠動脈瘤の流入口と流出口では進行性の局所性狭窄が好発する．狭窄の形態的評価のためには多方向からの造影が必要となる．主要冠動脈枝で内径75%以上の，左冠動脈主幹部では内径50%以上の狭窄は有意な狭窄とされ，心筋虚血の有無の評価が必要となる．冠動脈の狭窄度のAmerican Heart Association（AHA）分類を表2[9]に示す．また，冠動脈瘤により血流のエネルギーロスが生じるため，血行動態的

2. 冠動脈造影

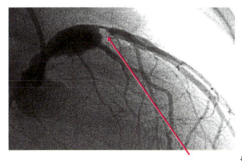
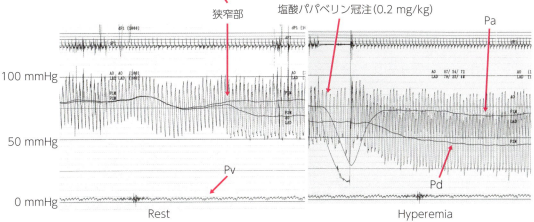

$$FFR=(Pd-Pv)/(Pa-Pv)$$
$$=(43-3)/(67-3)$$
$$=0.63$$

（正常≧0.75）

図3　冠血流予備能比（FFR）
6歳4か月男児の左冠動脈造影とFFR．回旋枝分岐部に巨大冠動脈瘤を認め，その瘤の流出部位に90％狭窄を認める．プレッシャーワイヤーを挿入すると狭窄部より遠位で冠動脈圧の低下を認めた（右Rest）．冠動脈の最大充血を得るため塩酸パパベリン0.2 mg/kgを冠注したところ，狭窄遠位部の冠動脈圧（Pd）は低下し，冠動脈起始部の圧（Pa）と乖離し，FFRは0.63と有意な低下を認めた．このため冠動脈バイパス術適応と判断された

には瘤そのものが狭窄と同じように働くとされている[10]．したがって瘤前後の狭窄においては，形態的狭窄率以上に血流が阻害され虚血を呈する可能性がある．

近年，内科領域では狭窄部への治療介入の判断は，冠動脈造影による形態的な判断のみならず，冠血流予備能比（fractional flow reserve：FFR）が血行動態評価として用いられ，FFRが冠動脈狭窄による心筋虚血評価のゴールドスタンダードとされている．FFRは狭窄部の近位部と遠位部の圧を同時に測定し，その圧の比を表すものである．特に薬剤負荷により冠動脈を拡張し，最大充血となったときの圧格差が0.8以上であれば有意な狭窄，すなわち有意な心筋虚血なしと判断される[11]（図3）．小児におけるFFRの正常値は0.75以上とする報告もある[12]．冠動脈造影にて50％以上の狭窄を認め，FFRにて0.8未満の場合は，積極的にPCIやCABGを考慮すべきである．

注意点

造影剤によるアレルギー，甲状腺疾患の増悪，ぜんそく，造影剤腎症をきたすことがある．

副作用を表3[13]にあげる．特にアナフィラキシーは予見が難しいが，造影後の発疹の出現や心拍数上昇や血圧低下に注意し，早期に対処していくことが重要である．

日米ガイドラインの比較

日本のガイドライン[6]では，虚血所見の認められる症例に対してクラスI，レベルA，CALのある症例で症状のないものに対してはクラスIIa，レベルCとなっている．American Heart Association（AHA）のstatement[14]でも，心筋虚血を認める症例でのCAGはクラスI，レベルBである．また，小瘤以上の瘤が残る症例では，冠動脈画像検査（CT，MRI，CAG）がクラスIIb，レベルCとなっているが，CT，

表3 造影剤による副作用

程度	症状	頻度
軽い副作用	嘔気，嘔吐，かゆみ，動悸など	100人に3人程度
重い副作用	呼吸困難，血圧低下，けいれん，意識消失，腎不全，ショックなど	2.5万人に1人
極めて重い副作用	死亡	40万人に1人
遅延性副作用	検査数日後に発疹，蕁麻疹，不快感，上気道炎様症状が出現することがある	頻度不明

〔鳴海善文，他：非イオン性ヨード造影剤およびガドリニウム造影剤の重症副作用および死亡例の頻度調査．日本医学放射線学会雑誌 2005；65：300-301〕

MRI，CAG が同列の記載となっている．

■文　献

1) Suzuki A, et al.：Active remodeling of the coronary arterial lesions in the late phase of Kawasaki disease：Immunohistochemical study. Circulation 2000；101：2935-2941

2) Tsuda E, et al.：The 30-year outcome for patients after myocardial infarction due to coronary artery lesions caused by Kawasaki disease. Pediatr Cardiol 2011；32：176-182

3) 鈴木淳子，他：650例の心血管造影検査にもとづく川崎病の心血管障害．小児科臨床 1983；36：1217-1224

4) Fukazawa R, et al.：Nationwide survey of patients with giant coronary aneurysm secondary to Kawasaki disease 1999-2010 in Japan. Circ J 2017；82：239-246

5) Miura M, et al.：Association of severity of coronary artery aneurysms in patients with Kawasaki disease and risk of later coronary events. JAMA Pediatr 2018；172：e180030

6) 日本循環器学会，他：2020年改訂版 川崎病心臓血管後遺症の診断と治療に関するガイドライン［http://www.j-circ.or.jp/cms/wp-content/uploads/2020/02/JCS2020_Fukazawa_Kobayashi.pdf〕

7) Kato H, et al.：Long-term consequences of Kawasaki disease：A 10-to 21-year follow-up study of 594 patients Circulation 1996；94：1379-1385

8) Takahashi K, et al.：Pathological study of postcoronary arteritis in adolescents and young adults：With reference to the relationship between sequelae of Kawasaki disease and atherosclerosis. Pediatr Cardiol 2001；22：138-142

9) Austen WG, et al.：A reporting system on patients evaluated for coronary artery disease. Report of the Ad Hoc Committee for Grading of Coronary Artery Disease, Council on Cardiovascular Surgery, American Heart Association. Circulation 1975；51（4 Suppl.）：5-40

10) Murakami T, et al.：The physiological significance of coronary aneurysms in Kawasaki disease. EuroIntervention 2011；7：944-947

11) 日本循環器学会，他：安定冠動脈疾患の血行再建ガイドライン（2018年改訂版）［https://www.j-circ.or.jp/cms/wp-content/uploads/2018/09/JCS2018_nakamura_yaku.pdf〕

12) Ogawa S, et al.：Estimation of myocardial hemodynamics before and after intervention in children with Kawasaki disease. J Am Coll Cardiol 2004；43：653-661

13) 鳴海善文，他：非イオン性ヨード造影剤およびガドリニウム造影剤の重症副作用および死亡例の頻度調査．日本医学放射線学会雑誌 2005；65：300-301

14) McCrindle BW, et al.：Diagnosis, treatment, and long-term management of Kawasaki disease：A scientific statement for health professionals from the American Heart Association. Circulation 2017；135：e927-e999

〔深澤隆治〕

Ⅴ 遠隔期の検査・治療・管理

3 冠動脈 CT

POINT
- 冠動脈 CT 検査は負担が少なく，川崎病の冠動脈病変（CAL）の経過観察にもっとも有用な検査である．
- 64 列 CT を用いた冠動脈 CT 検査では放射線被ばくが多大になる．
- 特に，小児および若年女性乳房では放射線被ばく感受性が高く注意が必要である．
- 放射線被ばくを軽減するために，撮影機器，撮影法の工夫が必要である．

背景・目的

CT 検査では，通常，造影剤の静脈注入が行われている．低侵襲で，検査時間が短く，高い空間分解能を有し，ボリュームデータから種々の画像の提供ができる利点を有している．

2004 年に 64 列の検出器を有する MDCT（multidetector-row CT）が開発され，成人の冠動脈 CT 検査に広く用いられるようになった．しかし，64 列の MDCT では時間分解能が優れていないため，ヘリカルスキャン法での撮影となり，多量の放射線被ばくを受けると指摘された[1]．

その後，MDCT は①検出器の多列化，②ガントリー回転速度の高速化などの各種機器の進歩と，③自動管電位選択ツール，④逐次近似画像再構成など周辺技術の進歩により，冠動脈 CT の画質が改善し，放射線被ばくが低減され，より安全に冠動脈病変（coronary artery lesions：CAL）の診断に用いられている．

2008 年にわが国で開発された 320 列面検出型 CT（area detector CT：ADCT）では 16 cm の体軸が一度の撮影範囲となり，非ヘリカルスキャン法で台座の移動なしの高速撮影が可能となり，また，2 対の X 線管球と対応する検出器を約 90° 離れて設置した dual-source CT（DSCT）が 2005 年に発表され，1 対型 CT の 1/2 の時間分解能での高速撮影が可能となった．いずれも，prospective ECG triggering 法をルーチンに使用ができ，余分な心時相での撮影が不要になり，さらに，非ヘリカル法で撮影すれば重複する撮影がなくなり，被ばく量が激的に減少できるようになった．その結果，わが国でも早い時期から小児での冠動脈 CT 撮影ができるようになった[2,3]．

川崎病 CAL の後遺症に対して，急性期以降も長期に診察していく必要がある．従来，観血的検査である選択的冠動脈造影法（coronary angiography：CAG）が CAL の形態診断ではゴールドスタンダードだったため，定期的に検査を行うことは患者の精神的および身体的負担は大きかった．

2020 年に改訂された「川崎病心臓血管後遺症後の診断と治療に関するガイドライン」で冠動脈 CT 検査は推奨クラスとエビデンスレベルとも高く評価されている[4]．ただし，冠動脈 CT 検査では放射線被ばく，造影剤の静脈投与が必要である．さらに，小児領域では，心拍が速い場合には β 遮断薬の投与が必要とされ，また，年少児では鎮静・催眠薬の使用が必要となる．

川崎病 CAL の CT 検査は推奨される検査であり，今後，さらに普及が必要と考えられるが，その問題点・特徴などを理解して検査することが重要である．

冠動脈 CT と放射線被ばく

川崎病後の CAL を有する場合，乳幼児期から検査を反復する必要があり，累積放射線被ばくは多大となる．

従来の MDCT（64 列）では実効線量が 10 mSv を超えて，選択的 CAG を凌ぐ多量の放射線被ばくとなり，被ばく量が多大となれば，がん発症などの放射

169

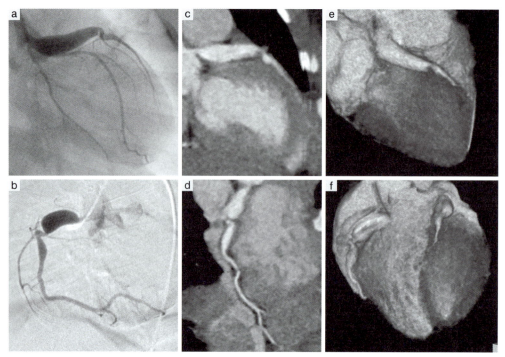

図1 3歳7か月，男児．超低被ばく冠動脈CT像と選択的冠動脈造影像
1歳10か月時に川崎病を罹患し，左右冠動脈瘤（巨大）を生じた．鎮静・自発呼吸下の状態で，prospective ECG-gated mode法を用い冠動脈CT撮影した．冠動脈造影像と同等のCALを冠動脈CT像で描出した
管電圧70 kV，DLP 12 mGy・cm，実効線量0.34 mSv，k値0.026，心拍数82/分，体重14 Kg
a：選択的左冠動脈造影像，前下行枝に大きな冠動脈瘤を認める
b：選択的右冠動脈造影像．#1に大きく長い冠動脈瘤に屈曲した冠動脈を挟み#2に中等冠動脈瘤の接合を認めた
c：左冠動脈CT像（curved-MPR像）
d：右冠動脈CT像（curved-MPR像）
e：左冠動脈CT像（VR像）
f：右冠動脈CT像（VR像）
［口絵21：p.xi］

線被ばくに起因する健康障害のリスクが高くなることが指摘されている[1]．また，同じ放射線量（dose length product：DLP）であっても臓器や年齢によって，その感受性は異なり，実効線量は変わり，乳児・小児の胸部では成人の3倍近くになる[5,6]．さらに，若年女性では，乳房の放射線感受性は高く，1回の冠動脈CTによる乳がんの生涯寄与危険割合は同年齢の男性に比べ約5倍との報告がある[1]．

320列CTを使用した川崎病の冠動脈CTの報告では，実効線量を従来の1/5以下に抑えることが可能であったと報告されている[2]．また，DSCTでは実効線量を1 mSv以下に抑えることが可能となってきた[3,7]．

被ばく線量に影響する重要な因子は，①撮影条件（管電圧・管電流），②撮影範囲，③心電図同期法（prospective ECG triggering法）の使用有無，④新しい画像構成法（逐次近似法）などである．管電圧が低ければより被ばく線量は低下し，乳児や幼児では70 kVからの管電圧使用も可能となっている[8]．少なくとも，小児例では80 kV以下での撮影が望ましい．管電流はS/Nに密接に関連する重要なパラメータであり，下げれば被ばく量は低減するが画像の質は劣化する．撮影した位置決めの画像のデータに基づき，設定された管電圧から半自動的に相当する管電流が自動調整できるシステム（CARE KV）を使用できればより低く適正な管電圧を使用できる[9]．次に被ばく量低減するには，撮影範囲を狭くすることである．全体の冠動脈が見えなくても病変部位に焦点を当てた撮影も可能である．また，新しい画像の処理法に関連する逐次近似法を使用すれば50％以

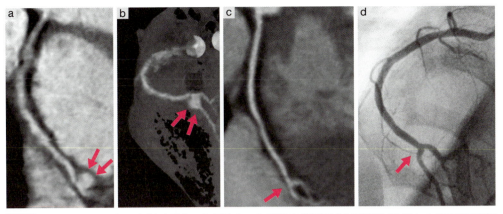

図2 3歳6か月, 男児. 川崎病発生2か月時と9か月時の超低被ばく冠動脈CT像と9か月時の選択的冠動脈造影像

発症2か月時に #3-4 の部位の中等冠動脈瘤(double 矢印)が生じていた. 発症9か月時には中等冠動脈瘤は消退していた(single 矢印)

冠動脈CT検査は鎮静, 自発呼吸下で撮影した. 管電圧 70 kV, 管電流 280 mAs, DLP 24 mGy・cm, 実効線量は 0.62 mSv, 撮影時脈拍 77/分

a, b：川崎病発症2か月時の亜急性期に撮影した右冠動脈CT像・近位部はブレが強く形態は不明瞭だが, #3-4 の部位に球状の中等瘤(矢印)が生じていた
 a：右冠動脈CT像(curved-MPR像)
 b：右冠動脈CT像(MIP像)
c, d：発症9か月時の右冠動脈CT像と冠動脈造影画像. 中等瘤は消失していた
 c：右冠動脈CT像(curved-MPR像)
 d：選択的右冠動脈造影像

上の被ばく量を低減できる[10](図1, 2). ただし, 同システムは各メーカで名称・内容が異なるので注意が必要である.

低被ばくについて強く意識し, 多少の画像劣化を許容した冠動脈CT検査が推奨される.

有用性

冠動脈CT検査はCAGに比べ造影剤は末梢静脈注入法で低侵襲, 操作が簡便, 検査時間は短時間である. 画像情報では, CAL部のカルシウム(Ca)沈着検出能が鋭敏であり, プラークの検出にも優れている. MRI検査と比べれば, 撮影時間が短く, 空間分解能が優れている[11]. 心エコー検査に比べ, 遠位部・後壁部の病変の検出に優れている[12]. 冠動脈CT検査は, 冠動脈瘤の形態, 大きさ, 瘤内情報, 冠動脈狭窄などのほか, 三次元像〔volume rendering(VR)像など〕が理解でき, 完全閉塞病変においても側副血行路の描出や閉塞血管の走行なども把握でき[13], 冠動脈バイパス術後の評価も的確に描出できる.

近年,「機能的心筋虚血」の診断に心臓CT検査を用いたハートフロー FFR CT 検査が可能となり保険収載された[14]. ただし, 川崎病の冠動脈狭窄病変は石灰化を伴うこと, 年少者では冠動脈径が小血管であることなど同検査の適応には不都合と考えられ, 報告はない.

注意点

乳幼児では息止めでの検査ができないため, 必然的に催眠・自発呼吸下での検査となり, 速い心拍数や呼吸運動の影響を受けた画像となる. 従来, 64列 single-source CT では時間分解能が低く, retrospective ECG triggering 法を用い撮影しているため, 撮影時間が約5～10秒と長くなり, 劣化した画像となる. さらに, 重なる撮影が多く, 大量の放射線被ばくを受けることとなり, 小児領域での冠動脈撮影には限界と撮影実施に対するためらいがあった.

放射線被ばくを低減するためには prospective ECG triggering 法を用い, 1心拍で撮影できる方法が理想である. そのため, 撮影機では撮影速度の高速化が必要である. 被撮影者では, 脈拍数が遅いほどブレが少ない鮮明な画像の撮影ができる. そのた

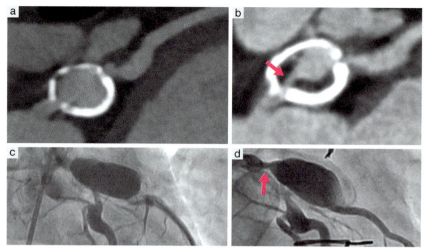

図3 19歳,男.冠動脈バイパス後に,冠動脈瘤内血栓が生じ,狭窄病変へと進展した.術前・術後の超低被ばくCT像と選択的冠動脈造影像

4歳時に川崎病を罹患,13歳時に冠動脈バイパス術(LITA-LAD)を受けた

a:16歳時のprospective ECG-gated modeでの冠動脈CT像(curved-MPR像).巨大冠動脈瘤は全周に厚いCaの沈着を認め,瘤内はほぼ均一に造影剤が充満していた.回旋枝は流出路狭窄を伴い,中等瘤に接合していた

b:19歳時のprospective ECG-gated modeでの冠動脈CT像(curved-MPR像).巨大冠動脈瘤内の流入部は狭小化し,血栓と思わせる非造影の低信号領域が周囲を取り巻いていた

管電圧 100 kV,DLP 67 mGy・cm,実効線量 0.87 mSv,k値 0.013

c,d:16歳時,19歳時の選択的左冠動脈造影像

め,小児でもβ遮断薬(ビソプロロールフマル酸塩;経口薬,コアベータ;ランジオロール塩酸塩;静脈投与薬)を用い脈拍数を減じ撮影する必要性がある[3,15]).

金丸らはわが国で開発された320列 ADCT を用い,64列を用いた冠動脈CTに比べ1/5の被ばく量で鮮明な冠動脈画像を提示している[2]).

DSCTでは時間分解能が向上し,1心拍での高速撮影ができ,1 mSv以下の超低被ばくで撮影が可能となり,小児領域における冠動脈CTが実用可能となった.当初,32列64スライスDSCTを用いた川崎病の冠動脈CT検査の報告があった[12].大山ら[3,7,11)]は最新鋭の64列128スライスDSCTを用いた冠動脈CT検査について報告し,特に,乳児を含む幼児の催眠自発呼吸の状態でも鮮明な冠動脈画像が得られることを報告した(図1).

適 応

冠動脈瘤が急性期に心臓断層エコー法で認められた場合,その冠動脈瘤の大きさ・形態・出現部位・瘤の個数など冠動脈障害の全体像を早期に把握する必要がある.筆者らは急性期に3.5 mm径以上の冠動脈拡大病変を有した場合,炎症反応が落ち着いた3か月前後で積極的にCAGを実施していたが,乳児や年少幼児では検査時期が遅くなってしまうことも多い.炎症反応が収まり,1か月を過ぎると急速にCALの修復が生じ,発症後6か月までは急性期とされているが,中等大の冠動脈瘤でも消退が生じてしまうことがある[11).そのため,負担の少ない冠動脈CTを炎症反応が収まればなるべく早期に実施し冠動脈瘤の全体像を見ることは有用である(図1).この時期では,冠動脈瘤の形態・大きさ・存在部位の診断が重要となる.巨大冠動脈瘤では急性期であっても血栓形成が生じることも多く,冠動脈CTはその検出にも有用である.

CAGを発症後3か月前後に実施すれば,通常1年後にfollow-up CAGを実施する.この間合いは冠動脈CT検査で埋めることが可能と考えられる.

中期および遠隔期では,冠動脈への石灰化の出現・部位・広がり,狭窄の出現,瘤内血栓形成,瘤

3. 冠動脈CT

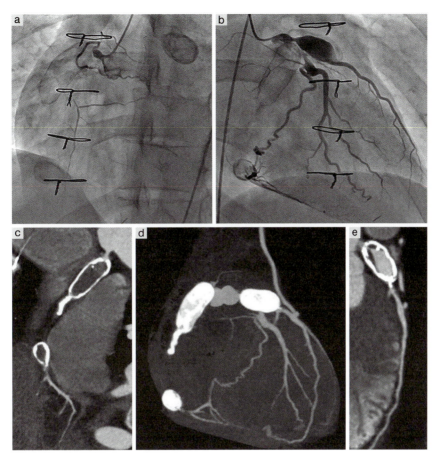

図4 図3と同じ症例．19歳時の選択的左冠動脈造影像と冠動脈CT像（curved-MPR像，MIP像）

a：右冠動脈造影像．右冠動脈開口直後で閉塞．Ca沈着した巨大冠動脈瘤は造影されず完全閉塞を呈し，末梢側の右冠動脈管の造影は撮影されていない

b：左冠動脈造影像．左主管部の巨大瘤内の流入部が強く狭窄後，主管部から前下行枝に巨大冠動脈瘤が造影されている．回旋枝はその冠動脈瘤から流出路狭窄を生じて接合し右冠動脈末梢側に接合している

c〜e：prospective ECG-gated modeで撮影した冠動脈CT像．管電圧100 kV，DLP 67 mGy・cm，実効線量0.87 mSv，k値0.013

c：右冠動脈のcurved-MPR像．#1の全周にCa沈着を伴う巨大冠動脈瘤内は低信号で造影されず，瘤内閉塞を生じている．#3の巨大冠動脈瘤も同様に完全閉塞している．しかし#4の右冠動脈は高信号で描出されていた

d：左右冠動脈全体のMIP像．LITAからLADにバイパスが描出され，さらに，回旋枝から近位部で閉塞していた右冠動脈末梢側（AV）への側副血行路が立体的に描出されている．ただし，MIP像では巨大瘤はCa沈着が強く瘤内状態は不明である

e：左冠動脈のcurved-MPR像．主幹部から前行枝に生じた巨大冠動脈瘤内の流入部は狭小化し，血栓と思わせる非造影の低信号部が周囲を取り巻いていた．瘤から流出部にCa沈着を有する狭窄を伴う前下行枝が高信号で接合している

内閉塞後の再疎通，完全閉塞の有無，側副血行路形成について診断できる（図1，3〜5）．また，遠隔期に冠動脈瘤が消退した部位にCa沈着が生じていたことからCALの見直しができる[16]．急性期に心エコー検査ができていない川崎病例や，冠動脈瘤が消退した例などは，一度，低被ばくでの冠動脈CT検査を実施する必要がある．

冠動脈バイパス術後の評価には立体的な位置関係やバイパスグラフトの閉塞の観察が必要であるが，鎖骨部から上腹部に至る広範囲の撮影となり被ばく量が多大となりうる．DSCTを用いた冠動脈CT（flash chest pain spiral ECG triggering法）では広

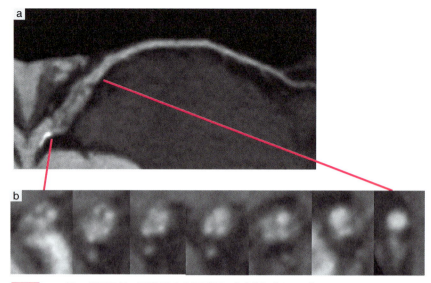

図5 42歳. 前下行枝の冠動脈瘤内再疎通の超低被ばくCT像
prospected ECG-mode で撮影，管電圧 100 kV，DLP 63 mGy・cm，実効線量 0.88 mSv，k値 0.014
生後6か月時に川崎病を罹患した．前下行枝の冠動脈瘤内閉塞が生じ，前壁広範の心筋梗塞を呈した．その後，閉塞した冠動脈瘤内の再疎通が生じた
a：左主幹部・前下行枝の curved MPR 像．冠動脈瘤内に線状の低信号が幾重にも認められ，その瘤に連続して前下行枝が明瞭に描出されている
b：瘤内再疎通部の断面像（MPR像）．高信号の細い複数の血流路がそれぞれが分離して描出されていた

い撮影範囲にもかかわらず低被ばくでCAL・バイパスグラフトの診断が容易にできる[17]．

日米のガイドラインの比較

日本のガイドライン（2020年）[4]における冠動脈造影CTは，CALがなく症状もない症例ではクラスIIb，レベルC，CAL退縮もしくはCALがあり症状がない症例，虚血所見のある症例ではクラスIIa，レベルCである．American Heart Association（AHA）の statement（2017年）[18]では，動脈瘤残存・退縮症例はクラスIIb，レベルCとなっている（中等瘤が退縮して拡大残存または正常化した症例を除く）．ただし，被ばく線量には注意を要する．

◎おわりに

冠動脈CT撮影時に放射線被ばく量を定量的に把握すれば，小児および若年女性に対しても安全に検査できる自信につながる．放射線被ばくを低減した方法での冠動脈CTはCAGの代用にもなり，安全にCALを正確に診断できる有用な検査である．

今後，放射線被ばくを意識した超低被ばくの冠動脈CT検査での川崎病CALの診断が普及することが望まれる．

文献

1) Einstein AJ, et al.：Estimating risk of cancer associated with radiation exposure from 64-slice computed tomography coronary angiography. JAMA 2007；298：317-323
2) 金丸 浩，他：心臓CT．日本小児放射線学会雑誌 2011；27：106-117
3) 大山伸雄，他：128列 Dual Source CTを用いた，鎮静・自発呼吸下での川崎病性冠動脈瘤既往例の超低被ばく冠動脈CT．心臓 2012；44：1449-1450
4) 日本循環器学会，他：2020年改訂版 川崎病心臓血管後遺症の診断と治療に関するガイドライン［https://www.j-circ.or.jp/cms/wp-content/uploads/2020/02/pdf/JCS2020_Fukazawa_Kobayashi.pdf］
5) McCollough CH, et al.：Strategies for reducing radiation dose in CT. Radiol Clin North Am 2009；47：27-40
6) Deak PD, et al.：Multisection CT protocols：sex-and age-specific conversion factors used to determine effective dose from dose-length product. Radiology 2010；257：158-166
7) 大山伸雄，他；川崎病性冠動脈病変既往患者における64列128スライス Dual-Source CT を用いた低被ばく冠動脈CTの評価と有用性．昭和学士会誌 2017；77：48-58
8) Nie P, et al.：Impact of sonogram affirmed iterative reconstruction（SAFIRE）algorithm on image quality with 70 kVp-tube-voltage dual-source CT angiography in children with congenital heart disease. PloS One 2014；9：e91123

9) 上村　茂, 他：小児での造影CT検査における被ばく低減への具体的取り組み—Dual CT の有用性を含めて. 新医療 2013；40：116-119

10) Harder AMD, et al.：Dose reduction with iteractive reconstruction for coronary CT angiography：A systematic review and meta-analysis. Br J Radiol 2016；89：20150068

11) 上村　茂, 他：CT/MRI による冠動脈評価. 小児内科 2014；46：788-795

12) Yu Y, et al.：Comparison study of echocardiography and dual-source CT in diagnosis of coronary artery aneurysm due to Kawasaki disease：Coronary artery disease. Echocardiography 2011；28：1025-1034

13) Singh S, et al.：Dual-source computed tomography for chronic total occlusion of coronary arteries. Catheter Cardiovasc Interv 2016；88：E117-E125

14) 日本循環器学会, 他：慢性冠動脈疾患診断ガイドライン（2018 年改訂版）［https://www.j-circ.or.jp/cms/wp-content/uploads/2020/02/JCS2018_yamagishi_tamaki.pdf］

15) Watanabe H, et al.：Appropriate use of a beta-blocker in paediatric coronary CT angiography. Cardiol Young 2018；28：1148-1153

16) 藤井隆成, 他：冠動脈瘤残存がない冠動脈部位にカルシウム沈着を短期間で呈した川崎病遠隔期の若年女性. 心臓 2013；45：608-609

17) 上村　茂：3. MDCT. 日本川崎病学会（編）, 川崎病学. 診断と治療社. 2018；161-166

18) McCrindle BW, et al.：Diagnosis, treatment, and long-term management of Kawasaki disease：A scientific statement for health professionals from the American Heart Association. Circulation 2017；135：e927-e999

〔上村　茂〕

V 遠隔期の検査・治療・管理

4 心臓 MRI

POINT

- ・心臓 MRI 検査では冠動脈の描出のみならず，壁運動，心筋虚血部位の検出，梗塞部位の検出など多くの情報が得られる．
- ・冠動脈 MRI 検査では造影剤を用いずに冠動脈の形態評価ができるので，アレルギー体質や腎機能障害の患者でも検査が可能である．
- ・侵襲性の低い検査ではあるが，一度の検査で多くの情報を得ようとすればそれだけ検査時間は長くなり適切な画像が得られなくなる可能性が高くなる．必要な情報が確実に得られるように検査プランを立てることが肝心である．

背景・目的

　川崎病に罹患し冠動脈後遺症，特に巨大冠動脈瘤が生じた場合には生涯にわたる定期的なフォローと検査が不可避となる．冠動脈病変(coronary artery lesions：CAL)の評価にはさまざまなモダリティが用いられるが，高い侵襲性や放射線被ばくから繰り返し検査を行うことがためらわれるものも多い．また評価は冠動脈の形態的な評価のみならず，心筋虚血，梗塞部位の有無や壁運動などを評価する必要があり，各モダリティの特長を考慮し，複数の検査を組み合わせて総合的に状態を評価する必要が生じる．心臓 MRI 検査では MR coronary angiography (MRCA)による冠動脈の形態的評価のみならず，cine MRI による心室壁運動，薬物負荷 perfusion による虚血の確認，遅延造影法や T1 mapping による心筋性状評価，梗塞部の検出，さらに T2 強調 black blood 法やプラークイメージングによる血管内腔や血管壁のプラーク評価が可能である．これらの複数の撮像を連続して行うことで 1 回の検査で心臓の包括的な評価を行うことも可能である．また放射線被ばくを伴わず，造影剤不使用で評価可能なので気管支喘息などのアレルギー疾患を有する例や腎機能低下例でも繰り返して検査が行える利点もある．

適　応

　川崎病により冠動脈後遺症が生じたすべての患者が心臓 MRI 検査の適応となる．

検査法

1. MRCA(図1)

　広く普及している 1.5 テスラ(Tesla：T) MRI 装置による MRCA の撮像シーケンスは balanced steady state free precession(SSFP)法が用いられる．本法を用いれば造影剤を使用することなくコントラスト良好な画像が得られる．また MRI は石灰化の影響をほとんど受けないため冠動脈 CT 検査では過大評価となりがちな石灰化を伴う狭窄病変でも良好な画像が得られる．以前は長い検査時間と低い検査の成功率が問題であったが，心臓全体の 3D 画像を一度に収集する whole heart coronary MRA と 32 チャンネルコイルが用いられるようになり検査時間は大幅に短縮され，検査の成功率も向上した．Whole heart coronary MRA を用いる場合は心電図同期と呼吸同期法を併用し自由呼吸下で検査が行われ，10 分程度で高画質の画像を得ることができる．検査精度については冠動脈形態評価でのゴールドスタンダードである冠動脈造影には劣るものの冠動脈 CT 検査との比較では遜色なく，カルシウムスコアの高い症例では CT を上回るとする報告もある[1]．

176

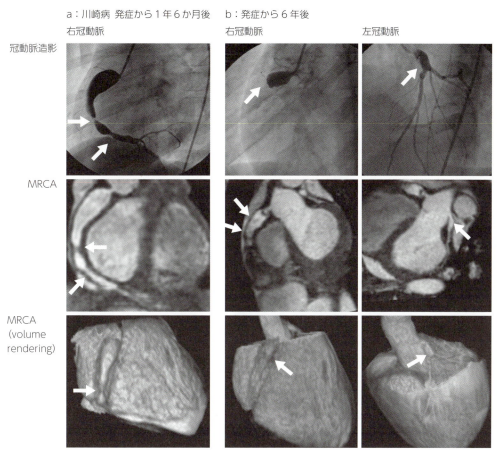

図1 MRCA
a：冠動脈造影検査で確認される瘤，狭窄ともにMRCAで明瞭に描出されている
b：右冠動脈は閉塞をきたし，MRCAでも冠動脈造影と同様の所見が確認できる．左冠動脈は起始部に瘤を認める．MRCAでも同部位に瘤が確認できる
［口絵22；p.xii］

2. 薬物負荷 perfusion（図2）

薬物負荷 perfusion を行うことで心筋虚血の評価が可能である．薬物負荷は冠動脈拡張作用を有するアデノシン三リン酸（ATP）やアデノシンが用いられる．盗血現象により冠動脈狭窄を有する灌流領域に相対的な血流低下を誘発させた状況下での造影剤流入の差異より虚血部位を同定する．心筋虚血評価目的で一般的に行われる負荷心筋血流シンチグラフィと比較すると放射線被ばくがないことや空間分解能が高く，再現性が高いことが利点としてあげられる．また多枝病変での虚血検出においては負荷心筋シンチグラフィやドブタミン負荷心エコーを上回る[2]．

3. 遅延造影（図3）

ガドリニウム造影剤は細胞間質に存在する細胞外液のみに分布する性質を有するため，造影後10〜15分以後に撮影を行うと正常な心筋細胞に比べて細胞外液が増加している梗塞部や線維化領域は造影効果により高信号領域として描出される．本法を用いれば心筋シンチグラフィでは評価困難な右室梗塞も明瞭に描出される．遅延造影所見より心筋 viability の評価も可能である．造影陽性部分が心筋壁厚の50％を超える場合では viability はなく血行再建術後の同部位の心収縮能の回復は見込めない[3]．

4. T1 mapping

MR装置の静磁場内において，組織は固有のT1値をもつ．T1 mapping は心筋組織のT1値をピクセルごとに計測して mapping 表示をして，心筋の性状評価を行う方法である．遅延造影も心筋性状評価に用いられるが，遅延造影では正常な心筋が無信号に

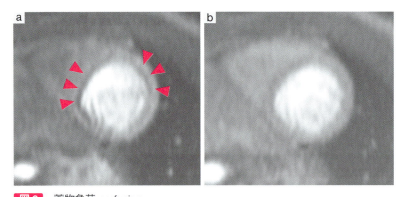

図2 薬物負荷 perfusion
薬物負荷時(a)はほぼ全周性に血流低下を認めるが，安静時(b)では明らかでない

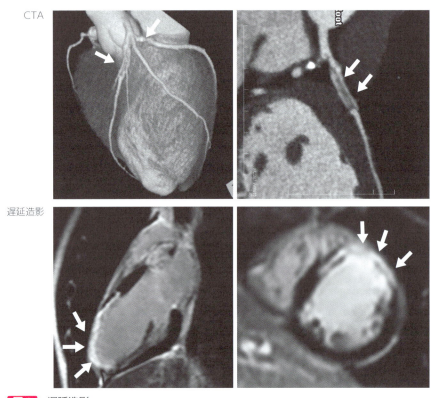

図3 遅延造影
前下行枝の閉塞，再疎通が疑われた症例．川崎病の既往は明らかではないが，冠動脈病変から川崎病罹患歴が疑われた．遅延造影では心尖部，前壁～側壁に陽性所見を認めた
CTA：冠動脈CT検査
［口絵23：p.xiii］

描出されるように条件を設定して撮像を行う相対評価のため，左室心筋全体に障害が生じたびまん性病変の評価は困難となる．それに対しT1 mappingではピクセルごとのT1値を算出しているため，びまん性病変での評価も可能となる．

Native T1は造影剤を使用せずに撮影を行い得ら れた組織のT1値をそのまま評価する方法である．Native T1は心筋線維化や心筋浮腫で高値を呈し，脂肪や鉄分の沈着で低値をとる．造影剤使用前後で2回T1 mappingを行い心筋組織と心内腔血液のT1値とヘマトクリット値から細胞外容積分画（extra-cellar volume fraction：ECV）を算定するこ

4. 心臓 MRI

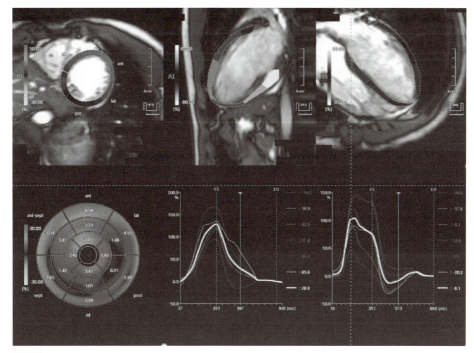

図4 cine MRI によるストレイン解析
cine MRI から得られた画像を解析することでストレイン解析，dyssynchrony などの定量評価が可能である（キヤノンメディカルシステムズ画像処理ワークステーション Vitrea を使用）
［口絵 24；p.xiii］

とも可能である．ECV は細胞外マトリックスを定量評価していると考えられており，細胞外液量，心筋線維化の程度を反映する．Native T1 が細胞内外の情報を示すのに対し，ECV は細胞外のみの情報を反映する．Native T1 は造影剤を使用しないため腎機能低下のため遅延造影法が行えない症例でも心筋性状の評価が可能である．Native T1 は簡便に行え，実用性の高い検査であるが，施設ごとの Native T1 の基準値を設定する必要がある．一方 ECV は静磁場強度や撮像シーケンスの影響が少ないため ECV 23〜28％が基準値として用いられる．

5. cine MRI（図4）

cine MRI は心筋の壁運動評価に用いられる．cine MRI では心エコー検査で問題となる肺や骨の影響を受けることなく，心臓を任意の断面で切り出し撮像することが可能である．また心エコーでは描出が困難な右心室も明瞭に描出される．明瞭な画像と高い再現性から現在最も正確な心機能計測が行える検査と考えられている．心機能解析のソフトウェア開発も目覚ましい．現在心機能解析に用いられる多く

のソフトウェアは心筋内外膜の輪郭をトレースすることで半自動的に一般的な左心収縮能が計測される．また最近では cine MRI で得られた画像を用いてストレイン解析を行うソフトも開発されている．

6. 血栓と血管壁評価（図5）
1） black blood 法

川崎病後遺症症例では冠動脈瘤の退縮過程で内膜肥厚を高率に認めることが報告されている[4]．内膜肥厚は狭窄病変や動脈硬化に進展する可能性を有することから予後の予測に重要な変化である．Black blood 法は血流を無信号として黒く描出する方法である．血管壁在血栓や再疎通血管の評価のほかに，脂肪抑制を加えることで血管壁肥厚も評価できる．

2） プラークイメージング

急性冠症候群（acute coronary syndrome：ACS）の 70％以上は 50％未満の軽度の狭窄から生じることが報告され，冠動脈の狭窄度のみを尺度とした評価には限界があることが明らかとなっている[5]．ACS の発症は不安定プラークの破綻とそれに引き続く血栓形成が契機となっていることからプラーク

179

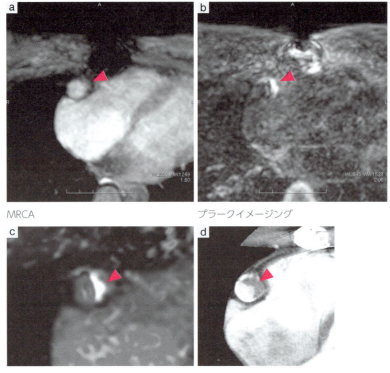

MRCA　　　　　　　　　　　プラークイメージング

MRCAとプラークイメージングのfusion画像

図5　MRCAとプラークイメージングを用いた血管壁評価

MRCAでは描出困難であった瘤内血栓がプラークイメージングを用いることで明瞭に描出された症例

MRCA(a)では壁在血栓は心外脂肪の低信号と区別がつかず，検出は困難である．プラークイメージング(b)は血栓が明瞭な高信号に描出されるが，その他の構造が低信号で，解剖学的な位置関係を評価するのが困難となる．MRCAとプラークイメージングのスライス厚やfield-of-viewを揃え画像を重ねたfusion image(c)を作成すると，MRCAの解剖学的位置情報と，瘤内血栓の情報が重なり，冠動脈CTと遜色のない血管情報が得られた

[口絵25：p.xiv]

の性状評価方法の開発が望まれていた．MRIは軟組織での性状評価に優れるためプラークの性状評価も可能である．特に検出の意義がある不安定プラークはプラーク内壊死性コアや出血を伴うことが多く，非造影のT1強調画像で高信号に描出されるため検出が容易である．以前から頸動脈領域でのMRIを用いたプラーク評価は行われていたが，最近になり冠動脈でも応用されるようになった．プラークと周囲の心筋の信号強度の比率(plaque to myocardium ratio：PMR)を計算し，PMR>1.4の場合が高信号プラークすなわち不安定プラークと推測される．高いPMRとACSの発症については相関が確認されている[6]．

注意点

1. 検査目的（表1）

複数の撮像法を組み合わせることで一度の検査で多くの情報を得ることが可能であるが，多くの情報を得ようとすれば検査時間は長くなり，適切な画像が得られない可能性が高くなる．長時間の検査が困難な場合は優先すべき撮像が確実に行われるよう検査前に撮像プランを立てておくことが重要である．

2. 鎮静と造影剤

Whole heart coronary MRAや32チャンネルコイルの導入により検査にかかる時間は短縮された．しかし乳幼児では鎮静が必須であり，十分な生体モニタリングも困難な環境での検査となるため適応を慎重に吟味する必要がある．また頻度は低いもののガ

表1 評価項目と撮像方法

評価項目	撮像方法	造影剤
冠動脈形態	MRCA	不要
心機能	cine MRI	不要
血管壁評価	T2強調 black-blood 法	不要
	プラークイメージング	不要
心筋虚血	薬物負荷 perfusion	要
心筋性状	遅延造影	要
	T1 mapping	不要
	ECV	要

ドリニウム造影剤の使用による重篤な合併症である腎性全身性線維症を引き起こす可能性もあるため造影剤使用例では検査前の腎機能の確認が必須である.

3. 1.5T と 3T 装置

普及が進む3T装置を用いると理論上は信号雑音比(S/N比)が高くなり,コントラストのついた明瞭な画像が得られることになる.しかし,心臓領域での応用では信号だけではなくノイズも増えるためデメリットとなる部分も多い.3T装置を利用するとspecific absorption rate(SAR)の制限や radio frequency(RF)パルスの増大,磁場の不均一から balanced SSFP法を利用したMRCAでは画像のコントラストが低下し,アーチファクトも目立つことが多くなる.このため3T装置でのMRCA撮像では造影剤を使用し,gradient echo(GRE)法を撮像シーケンスとして行われることも多い.この方法でコントラスト良好な画像が得られるが,1.5T装置で従来のbalanced SSFP を用いて撮像された画像の質を上回るとする報告はない.薬物負荷 perfusion においては3T装置の利点が活かされる.1.5T装置ではS/N比の制限から高信号強度の心内腔と低信号強度の間にdark band と呼ばれるアーチファクトが生じることがあるが,3T装置を用いた場合は空間分解能の向上に伴いアーチファクトが生じることは少なくな

る.3T,1.5T装置それぞれに利点,欠点があるので両者を使用できる環境にある場合は何を主な目的として検査をするのかを明らかにして検査装置を選択すべきである.

日米のガイドラインの比較

2020年改訂版川崎病心臓血管後遺症の診断と治療に関するガイドラインでは,川崎病への心臓MRI検査は応用実績がまだ少ないため推奨・エビデンスレベルは記載されていないが,MRCAに関しては鎮静不要な年齢では成人同等の撮像で十分な画質が得られると記載されている.2017年の American Heart Association(AHA)の statement では冠動脈Zスコア +2.5 以上の冠動脈病変を有する患者での虚血評価ならびに形態評価目的の心臓MRIの施行が推奨されている.

文献

1) Liu X, et al.：Comparison of 3D free-breathing coronary MR angiography and 64-MDCT angiography for detection of coronary stenosis in patients with high calcium scores. Am J Roentgenol 2007；189：1326-1332
2) Kamiya K, et al.：Cardiac magnetic resonance performs better in the detection of functionally significant coronary artery stenosis compared to single-photon emission computed tomography and dobutamine stress echocardiography. Circ J 2014；78：2468-2476
3) Ichikawa Y, et al.：Late gadolinium-enhanced magnetic resonance imaging in acute and chronic myocardial infarction. Improved prediction of regional myocardial contraction in the chronic state by measuring thickness of nonenhanced myocardium. J Am Coll Cardiol 2005；45：901-909
4) Suzuki A, et al.：Functional behavior and morphology of the coronary artery wall in patients with Kawasaki disease assessed by intravasucular ultrasound. J Am Coll Cardiol 1996；27：291-296
5) Falk E, et al.：Coronary plaque disruption. Circulation 1995；92：657-671
6) Noguchi T, et al.：Effect of intensive statin therapy on coronary high-intensity plaques detected by noncontrast T1-weighted imaging：The AQUAMARINE Pilot Study. J Am Coll Cardiol 2015；66：245-256

〔麻生健太郎,小徳暁生〕

V 遠隔期の検査・治療・管理

5 心筋シンチグラフィ

POINT

- ・小児の心筋血流イメージング(MPI)では短い半減期などの放射線被ばく低減を考慮して，テクネチウム標識心筋血流製剤(99mTc製剤)を使用する.
- ・各ガイドラインで川崎病冠動脈後遺症の評価のために，特に虚血イベントが疑われる症例に対してMPIを推奨している.
- ・乳幼児の撮像では体動抑制のために，薬物鎮静リスクを考慮した検査計画が重要である.
- ・多枝病変や閉塞後再疎通血管の評価，無症候性を含めた心筋虚血の重症度，冠動脈再建術後の評価にMPIは有用である.
- ・撮像時間の短縮と放射線被ばく低減を目的として，D-SPECTの小児への臨床応用が期待される.

背景・目的

小児の心筋血流イメージング(myocardial perfusion imaging：MPI)は川崎病心臓血管後遺症の診断および経過観察によって確立された診断法である. 歴史的には冠動脈瘤の完全閉塞に伴う症例に対し乳幼児期に冠動脈バイパス術が行われるようになった1980年代からタリウム心筋シンチグラフィとして臨床応用されている[1]. MPIは，塩化タリウム(^{201}Tl)による安静時のプラナー撮像から心筋血流SPECTになり，冠動脈支配領域の診断能が向上し，運動・薬物負荷を併用することによって虚血，梗塞，心筋バイアビリティの評価も可能になった. 当初は単検出器であり，撮像時間が長く，画像処理にも時間を要したが，多検出器から半導体検出器(D-SPECT)，コンピューター処理能力の進歩によって，撮像時間の短縮と画像診断能が画期的に向上した. また，テクネチウム標識心筋血流製剤(99mTc製剤)の普及によって，放射線被ばく線量の低減，画質向上が得られ，小児への適応範囲が広がった[2]. 運動負荷が困難な乳幼児に対する薬物負荷は，ジピリダモール，ATP負荷やストレスエコーで利用される高用量ドブタミン負荷も利用された. 2005年に心臓疾患診断補助剤としてアデノシンが薬価収載され，第一選択の負荷薬剤になった.

小児においては，運動または薬物負荷と撮像時の体動抑制，読影までを一貫して行うため，画像診断法としては専門性と労力を要するものである. 乳幼児の心臓血管後遺症頻度が減った現在では，多くの症例が成人移行期に至っているため，小児科医が主導的に行う施設は少なくなっている. 川崎病冠動脈瘤症例は，閉塞後再疎通や側副血行を有する無症候性心筋虚血，また，遠隔期に内膜肥厚・石灰化病変に局所性狭窄の進行する症例が存在するため，心筋虚血，心筋バイアビリティを画像化するMPIは欠かせない診断法である.

適 応

1. 心臓核医学検査の実施頻度と種類

小児心臓核医学検査は全小児核医学検査実施頻度の2.5%であるとの報告[3]があり，以下の3種類に大別される.

- ・MPI：川崎病の冠動脈病変(coronary artery lesions：CAL)では心筋虚血や梗塞の有無を判定することが重要でありMPIが用いられる.
- ・心筋脂肪酸代謝イメージング：標識薬剤として^{123}I BMIPPを使用する.
- ・心臓交感神経イメージング：標識薬剤として^{123}I MIBGを使用する.

ここでは虚血や梗塞などの心筋血流評価が中心と

> 適正投与量＝(基本量)×(各クラスの体重別係数)
> 基本量は表1より，各クラスの体重別係数は表2より選択する
>
> 例1) 体重 34 kg，^{99m}Tc-テトロホスミン(心筋 2 日法)の投与
> 　　　　63.0×7.72＝486＜592(最大量)→486 MBq を投与
> (ただし当該施設での成人投与量が 592 MBq とされている場合)
> 例2) 体重 18 kg，^{99m}Tc-MIBI(心筋 1 日法)の 1 回目の投与
> 　　　　28.0×4.43＝124＞80(最小量)→124 MBq を投与
> 例3) 体重 18 kg，^{99m}Tc-MIBI(心筋 1 日法)の 2 回目の投与
> 　　　　84.0×4.43＝372＞160(最小量)→372 MBq を投与

図1 「小児核医学検査適正施行のコンセンサスガイドライン」による適正投与量の算出

適正投与量は表1に示す「テクネチウム標識心筋血流製剤の投与基本量(推奨値)」に，表2に示される「体重別クラス別係数」を乗じて算出される

なり，MPI について記載する.

2. MPI の標識薬剤

^{99m}Tc 製剤と ^{201}Tl の選択が可能であるが，小児では以下の理由で ^{99m}Tc 製剤の使用が推奨される[4].

・短い半減期：^{99m}Tc 製剤の 6〜7 時間に対して，^{201}Tl では約 73 時間と長時間である.

・低い放射線被ばく線量：心筋血流負荷／安静プロトコールで ^{201}Tl は ^{99m}Tc 製剤と比較して約 8〜10 倍程度の放射線被ばく線量が見込まれる[5].

検査法

1. 検査法の選択

川崎病 CAL による虚血および梗塞の診断には，小児では ^{99m}Tc 製剤による MPI の実施が推奨され，以下のプランを決める必要がある.

1) 同日検査(1 日法)か 2 日法か

安静と負荷検査を 2 日に分けて行う 2 日法か，同日で行う 1 日法のいずれかの方法を決定する. 長い検査時間に不向きであり，また薬物鎮静を必要とする乳幼児では，1 日 2 回の鎮静は困難であり 2 日法が推奨される. 川崎病 CAL 評価では経過観察として反復検査となり，経過中の心筋血流動態に著変がないと推測される症例では，負荷検査のみを実施して前回の安静検査との比較を行う検査選択も低放射線被ばく実践としての工夫である. 一方，急性心筋梗塞や重症の心筋虚血が疑われる場合は検査の安全性を重視し安静検査のみを行い，心筋虚血の責任領域およびバイアビリティ評価を優先すべきである.

1 日法の利点は，両検査が 1 日で終了するという

患者側としての簡便性と検査実施側としての外来検査稼働率向上があり，同日評価として高検査精度である. 欠点としては，短時間での放射線被ばく線量の増大や長い検査時間があげられ，1 日法は年長児で推奨される.

2) 検査前準備と指導

・目的：^{99m}Tc 製剤の心筋集積を確実にする，かつ，^{99m}Tc 製剤の高集積である肝代謝を低くする.

・検査前絶食(入院患者では糖を含有しない輸液に変更することも必要).

・禁忌嗜好品／薬物：アデノシン負荷を行う場合には，アデノシンと拮抗作用のあるカフェインやテオフィリンを含んだ嗜好品(紅茶，コーヒー，チョコレート，コーラなど)の摂取を控える. また，ジピリダモール内服例では，検査当日の内服を中止とする.

3) 標識薬剤の投与量

「小児核医学検査適正施行のコンセンサスガイドライン」第 1 部[4]は，小児核医学検査の適正投与量を提唱している. ^{99m}Tc 投与の実際を 1 日法について示す(図1). 投与量は，表1に示す「^{99m}Tc 製剤の投与基本量(推奨値)」に，表2の「体重別クラス別係数」を乗じて算出される.

4) 検査中の工夫

・周囲臓器(肝・胆嚢・腸管)集積による近接アーチファクトの軽減

①^{99m}Tc 製剤投与から撮像開始まで 30 分以上あけて撮像.

②検査前 12 時間の絶食.

表1 テクネチウム(^{99m}Tc)標識心筋血流製剤の投与基本量(推奨値)

放射性医薬品	クラス	本委員会推奨値	
		基本量(MBq)	最小量(MBq)
MIBI/テトロホスミン (安静/負荷心筋2日法・最大*)	B	63.0	80
MIBI/テトロホスミン (負荷心筋1日法:1回目**)	B	28.0	80
MIBI/テトロホスミン (負荷心筋1日法:2回目**)	B	84.0	160

*算出された適正投与量が最小量以下の場合には最小量を投与する. また, 当該施設での成人投与量以上の場合には成人投与量を投与する
**1日法の場合には, 安静もしくは負荷先行検査のいずれにも適用される. 2回目は1回目投与量の3倍である
〔日本核医学会小児核医学検査適正施行検討委員会:小児核医学検査適正施行のコンセンサスガイドライン2020〔http://jsnm.org/archives/4675/〕より抜粋〕

表2 体重別クラス別係数

体重(kg)	クラス			体重(kg)	クラス		
	A	B	C		A	B	C
3	1	1	1	32	3.77	7.29	14
4	1.12	1.14	1.33	34	3.88	7.72	15
6	1.47	1.71	2	36	4	8	16
8	1.71	2.14	3	38	4.18	8.43	17
10	1.94	2.71	3.67	40	4.29	8.86	18
12	2.18	3.14	4.67	42	4.41	9.14	19
14	2.35	3.57	5.67	44	4.53	9.57	20
16	2.53	4	6.33	46	4.65	10	21
18	2.71	4.43	7.33	48	4.77	10.29	22
20	2.88	4.86	8.33	50	4.88	10.71	23
22	3.06	5.29	9.33	52-54	5	11.29	24.67
24	3.18	5.71	10	56-58	5.24	12	26.67
26	3.35	6.14	11	60-62	5.47	12.71	28.67
28	3.47	6.43	12	64-66	5.65	13.43	31
30	3.65	6.86	13	68	5.77	14	32.33

*テクネチウム標識心筋血流製剤ではクラスBの係数を用いる
〔日本核医学会小児核医学検査適正施行検討委員会:小児核医学検査適正施行のコンセンサスガイドライン2020〔http://jsnm.org/archives/4675/〕より抜粋〕

③^{99m}Tc製剤を多く含んだ胆汁排泄を促進するために, 薬剤投与後に高脂肪食(卵製品, ココアなど)の摂食.

④腸管集積による近接アーチファクトを軽減するために, 撮像直前の炭酸水の飲水によって胃を膨満.

・2回目撮像時(1日法)の干渉軽減

①2回目投与では1回目よりも多く投与する.「小児核医学検査適正施行のコンセンサスガイドライン」では, ^{99m}Tc製剤による1日法基本量で2回目は1回目の3倍となっている.

②1回目と2回目の^{99m}Tc製剤投与間隔を十分にあける. 2回目3倍投与では2時間の投与間隔が必要である.

・撮像時の体動軽減

①患者の検査中体動軽減のための動画視聴や家族, 医師および検査技師による励まし.

②撮像後に体動が著しいと判断した場合には再撮像を考慮.

5) 年齢による薬物鎮静の考え方

・背景:撮像時間に影響する患者因子として心拍数と不整脈の有無があげられるが, 小児では高心拍である一方, 不整脈が少ないという特徴がある. 従来型アンガー型ガンマカメラでは, 心電図同期撮像でおおよそ20～30分の撮像時間を要する. 薬物鎮静による呼吸抑制などのリスクと体動アーチ

ファクトによる画質低下リスクのリスクベネフィットを考慮して薬物鎮静の可否を決定する必要がある.

・4歳未満:検者の指示に従うのは困難で, 原則として鎮静する.

・4歳以上7歳未満:無鎮静で撮像可能な場合も多い. 外部環境(動画視聴や周囲からの励まし)の整備により最低限の体動で検査を終了できることも多い. この年齢層の重症例を除くCAL症例では初回検査となることが多く, 保護者への薬物鎮静関係(薬を使用したのに寝ないなど)の検査情報提供不足が発生しやすい. 呼吸抑制などのリスクから, 静注薬物鎮静の際は入院実施を原則とする施設も多い.

・7歳以上:無鎮静での撮像が可能であるが, 思春期では精神緊張が高い症例も多く, 頻回の頭部左右変換や小刻みな動きなど, 画質に影響することがあり注意が必要である.

2. 負荷検査のポイント

1) 運動負荷

・全身運動としてのトレッドミルタイプと下肢運動のエルゴメータタイプが存在し，両機器ともに運動能，体格および検者の指示に従うという側面から7歳未満は適応外としたほうがよい．トレッドミルではBruce法によるMetsを，エルゴメータではWattを基準として負荷強度を増加させていく．

・十分な運動負荷（最大負荷に到達）をすること．

①目標心拍数の設定：カルボーネン法では目標心拍数＝（220－年齢－安静時心拍数）×運動強度＋安静時心拍数である．基礎体力が優れている小学校高学年以上の小児では運動強度を80%と設定することが多い．この強度であれば目標心拍数に達すれば最大負荷に到達したとしてよい．

②ダブルプロダクト（DP）による判定：目標心拍数に達せずともDP〔＝最高心拍数×（その際の）収縮期血圧〕が25,000以上であれば最大負荷に到達したとしてよい．

・最大負荷到達時の画像を得るため，^{99m}Tc製剤の心筋抽出率を考慮し投与後も負荷を継続すること．

①目標心拍数もしくは十分なDPに達成するところで速やかに^{99m}Tc製剤静注を行うこと．

②^{99m}Tc製剤静注後もできる範囲で1分間程度は最大負荷を継続すること．

2) アデノシン薬物負荷

・投与方法

①アデノシンは海外の成績では140 μg/kg/分を6分間かけて投与する[10]．日本では120 μg/kg/分を6分間の持続静脈内投与が認められている．

②十分な負荷による画像を得るために，^{99m}Tc製剤はアデノシン負荷後3分で投与する．

・薬物作用と効果判定

①アデノシンは直接に冠動脈に作用し，投与直後から冠血流増加作用が得られ，正常人での冠予備能（負荷時と安静時の冠血流比）は4.4とされている[11]．

②負荷中は軽度心拍数増加（10〜20%の増加）を認める．小児では顔面紅潮を認めることが多い．

③軽度の顔面紅潮や頭痛は心電図上の心拍上昇とともにアデノシンの薬理作用と理解し「適切な負荷

が施行されている」と判断してよい．

・負荷禁忌と注意点

①房室ブロック（II度以上），洞不全症候群，QT延長症候群の合併例では負荷を控える．

②検査2週間以内の新規喘息症状や内服／吸入歴がある場合は負荷を控える．

③喘息既往はもちろんのこと喘息リスクがないとされていても検査中の胸部聴診を行う．

④アデノシン拮抗作用のあるジピリダモールやテオフィリン内服例では検査前当日内服を中止する．

有用性

1. 多枝病変評価としての有用性

川崎病冠動脈後遺症では，しばしば多枝病変を形成する．冠動脈CT造影などによる冠動脈形態評価で有意狭窄が存在しなくても，巨大冠動脈瘤，一枝に複数の冠動脈瘤を形成する例およびロングセグメントにわたる鉛管様の冠動脈瘤では，瘤内の対流により血流不良になることが推測されMPIによる評価が有用である．バイパス術前後の血流評価により理想的な検査計画を実行できた多枝病変の川崎病冠動脈後遺症例の冠動脈CT造影とMPI（図2）を示す．

2. 側副循環評価としての有用性

冠動脈瘤形成部位の閉塞は心事故として重要であるが，時に軽度症状または無症状で閉塞後再疎通を認めることがある．特に右冠動脈完全閉塞では無症状での再疎通傾向が強い．再疎通は側副循環の形成によるものであり，閉塞血管内ではblade like lesion，または他の冠動脈枝との間ではpericoronary communicationとよばれる側副循環が成立することがあり，川崎病冠動脈後遺症ではその傾向が強い．マクロレベルでのpericoronary communicationであれば形態診断として側副循環を評価できるが，形態のみでの側副循環評価が困難である例も多く，MPIによる心筋血流評価が非常に有用である．

3. さらなる低放射線被ばくでの撮像をめざして

テルル化亜鉛カドミウム心臓専用半導体ガンマカメラ（D-SPECT）撮像の実際を示す（図3）．D-SPECTの川崎病冠動脈後遺症への臨床応用が期待される．従来型アンガー型ガンマカメラと比較して，安静時投与量も撮像時間も約半分で実施でき，診断に十分な画質も担保できると考えられる．

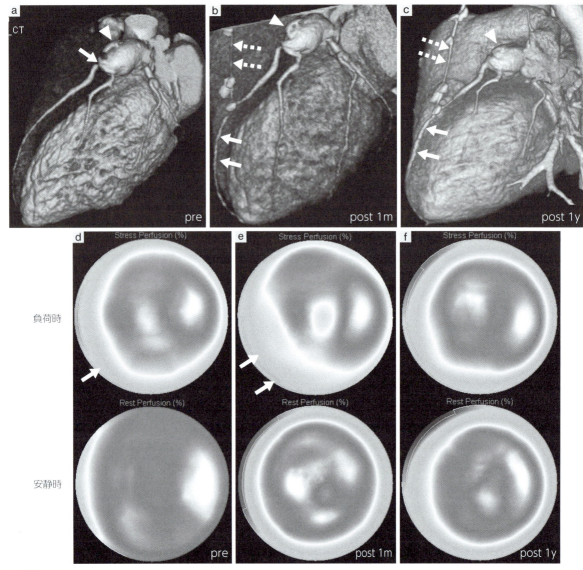

図2　川崎病冠動脈後遺症の実際

7歳の男児．1歳5か月時に川崎病に罹患し，急性期から左前下行枝(LAD)に最大径11 mmの巨大冠動脈瘤の形成を認めた．6歳5か月時に施行した冠動脈CT造影でLAD近位部の90%狭窄と右冠動脈の完全閉塞，および^{99m}TcによるMPIで同領域の虚血所見を認めたために，検査施行後速やかに冠動脈バイパス術(coronary artery bypass grafting：CABG)を施行した．CABG前の冠動脈CT造影(a)，1か月後(b)および1年後の冠動脈CT造影(c)と同日検査の^{99m}TcによるMPI(d～f)を示す．いずれもCTとMPIの同日検査を施行し，両検査の所見は一致している

a～c：冠動脈CT造影
　　　Volume rendering像で，a：LAD近位部の巨大冠動脈瘤(矢頭)と高度狭窄(矢印)，b：CABG(破線矢印)と発育不良なLAD末梢(矢印)，c：CABG(破線矢印)と発育良好なLAD末梢(矢印)を認める

d～f：^{99m}TcによるMPI
　　　上段がエルゴメータによる運動負荷撮像所見および下段が安静時所見である．d/e：CABG直前，直後の負荷撮像で中隔側の血流低下を認め，LAD領域の心筋虚血(矢印)を認める．f：CABG 1年後では，運動時の血流低下領域は消失している

［口絵26；p.xv］

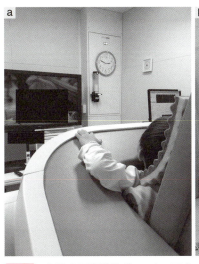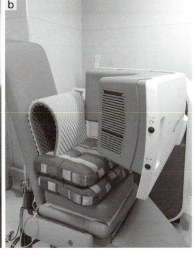

図3 心臓専用半導体ガンマカメラ(D-SPECT)撮像の実際

テルル化亜鉛カドミウム心臓専用半導体ガンマカメラ(D-SPECT)による川崎病冠動脈後遺症7歳児の撮影の実際である。低放射線被ばく，短時間での撮像の利点だけでなく，座位で動画視聴体勢での撮像(a)が可能であり，検査プリパレーションの側面からも幼児～学童期に非常に有用な撮像スタイルといえる。座位で胸部にガンマカメラを位置するため，ある程度の座高が必要となり，6歳以上，身長115 cm以上の体格が適切と考える。体格によりフィットさせるための工夫も必要である(b)

注意点

- 小児のMPIでは基本的に放射線被ばく低減を考慮して^{99m}Tc製剤を使用する．
- 小学校低学年までは放射線被ばく低減を念頭におき2日法による撮像を行う．
- 検査前は絶食とする．
- アデノシン負荷の場合には，同薬剤と拮抗作用のあるカフェインやテオフィリンを含んだ嗜好品の摂取を控える．また，ジピリダモール内服例では，検査当日の内服を中止とする．
- 日本核医学会の「小児核医学検査適正施行のコンセンサスガイドライン」による適正投与量を事前に確認し，その量を目標として投与を行う．
- 撮像前の高脂肪食で肝集積アーチファクト軽減，炭酸水の飲水で胃を膨満させ腸管集積のアーチファクト軽減に努める．
- 4歳以上の幼児では撮像中のプリパレーション（動画視聴や周囲からの励まし）により無鎮静で撮像が可能となることも多く，薬物鎮静の適応を慎重に考える．
- 撮像時に体動による影響が示唆された場合には，^{99m}Tc製剤投与時の画像が保持されているため再撮像を考慮する．
- 運動負荷では最大負荷時の画像を得るために，標識薬剤投与後も最大負荷をできる範囲で1分間程度継続する．
- 薬物負荷ではアデノシンを使用し，喘息既往の病歴聴取と検査中の聴診を実践する．

日米ガイドラインの比較

1. 日本循環器学会ガイドラインによる提唱

日本循環器学会は「川崎病心臓血管後遺症の診断と治療に関するガイドライン(2020年改訂版)」[6]で，「虚血イベントが疑われる全症例」に対して，心臓カテーテル検査による冠動脈形態評価とMPIによる心筋血流評価はクラスⅠとしている．また，「慢性冠動脈疾患診断ガイドライン(2018年改訂版)」[7]と「先天性心疾患並びに小児期心疾患の診断検査と薬物療法ガイドライン(2018年改訂版)」[8]で，「冠動脈病変のある川崎病で症状のないもの」および「虚血イベントが疑われる全症例」に対して，クラスⅠでレベルB，かつMinds推奨グレードAでMindsエビデンス分類Ⅳbとしている．

2. AHAによる提唱

American Heart Association(AHA)はZスコア

による冠動脈瘤内径を基準として川崎病CALの画像診断指針を提唱している[9]．それによれば中等瘤および巨大瘤に対して，負荷MPIはクラスIIa，レベルBで，虚血誘発性検査としてreasonableとしている．川崎病冠動脈後遺症に対する負荷検査の重要性を認識するとともに，安静時撮像のみで虚血判定は不可能であることを再認識する必要がある．

3. 小児核医学領域ガイドラインによる提唱

MPIの臨床的意義について日本核医学会の「小児核医学検査適正施行のコンセンサスガイドライン2020」[4]は，「冠動脈疾患（先天性/後天性）における心筋虚血の検出と重症度の診断」を強調しており，「小児領域の後天性冠動脈疾患」として川崎病冠動脈後遺症は最も一般的なMPI適応と考えられる．

📕 文　献

1) Kondo C, et al.：Detection of coronary artery stenosis in children with Kawasaki disease. Usefulness of pharmacologic stress 201Tl myocardial tomography. Circulation 1989；80：615-624
2) 唐澤賢祐，他：川崎病冠動脈狭窄性病変におけるTechnetium-99m Tetrofosmin心筋血流イメージングの至適撮像方法に関する検討．J Cardiol 1997；30：331-339
3) 唐澤賢祐，他：小児核医学検査の利用実態：小児核医学検

査実施14施設のアンケート調査．核医学 2013；50：61-67
4) 日本核医学会小児核医学検査適正施行検討委員会：小児核医学検査適正施行のコンセンサスガイドライン2020 〔http://jsnm.org/archives/4675/〕（最終閲覧 2021.3.14）
5) Kondo C：Myocardial perfusion imaging in pediatric cardiology. Ann Nucl Med 2004；18：551-561
6) 日本循環器学会，他：2020年改訂版 川崎病心臓血管後遺症の診断と治療に関するガイドライン 〔https://www.j-circ.or.jp/cms/wp-content/uploads/2020/02/JCS2020_Fukazawa_Kobayashi.pdf〕（最終閲覧 2021.3.14）
7) 日本循環器学会，他：慢性冠動脈疾患診断ガイドライン（2018年改訂版）〔https://www.j-circ.or.jp/cms/wp-content/uploads/2020/02/JCS2018_yamagishi_tamaki.pdf〕（最終閲覧 2021.3.14）
8) 日本循環器学会，他：先天性心疾患並びに小児期心疾患の診断検査と薬物療法ガイドライン（2018年改訂版）〔https://www.j-circ.or.jp/old/guideline/pdf/JCS2018_Yasukochi.pdf〕（最終閲覧 2021.3.14）
9) McCrindle BW, et al.：Diagnosis, treatment, and long-term management of Kawasaki disease：A scientific statement for health professionals from the American Heart Association. Circulation 2017；135；e927-e999
10) Prabhu AS, et al.：Safety and efficacy of intravenous adenosine for pharmacologic stress testing in children with aortic valve disease or Kawasaki disease. Am J Cardiol 1999；83：284-286
11) Iskandrian AS, et al.：Pharmacologic stress testing：mechanism of action, hemodynamic responses, and results in detection of coronary artery disease. J Nucl Cardiol 1994；1：94-111

〔神山　浩〕

V 遠隔期の検査・治療・管理

6 その他の検査

POINT

・アンモニア PET 検査は高画質かつ低被ばくで心筋血流量の絶対値を測定できるため，より複雑な多枝冠動脈病変（CAL）の虚血診断能向上が期待できる.
・血管内エコー（IVUS）は川崎病後の内膜肥厚や石灰化の程度を評価できる. また Virtual Histology を用いると，肥厚した内膜の組織特性の評価が可能である.
・光干渉断層法（OCT）はより微細な CAL の組織性状の評価に有用であり，冠動脈壁の正常構造破壊の評価や成人期早期の粥状動脈硬化・冠イベントのリスク評価に役立つ.

a PET

背景・目的

心臓病変を有する川崎病遠隔期の PET（positron emission tomography）検査として，保険収載された順に[18]F-FDG（fluorodeoxyglucose）を用いた心不全患者における心筋バイアビリティ診断，[13]N–アンモニアを用いた心筋血流評価，[18]F-FDG を用いた大型血管炎の病変の局在および活動性の診断の 3 つが保険適用となっている.

現在の PET 検査は 3D 収集で撮像される PET/CT 一体型装置が標準的で，高い空間分解能，高い γ 線感度，CT を用いた吸収・減弱補正によって，SPECT（single photon emission computed tomography）と比較してはるかに高画質・高精細の画像が獲得できる[1,2]. 最近では従来装置より γ 線への感度の高い半導体検出器を用いた機種が登場し，全身を数分で撮像したり，被ばく低減のためトレーサの投与量を減らしても良好な画像を得られるようになっている.

FDG-PET は虚血・梗塞によって虚血性心筋症となった低心機能症例において，心筋バイアビリティ診断のゴールドスタンダードとみなされている. 繰り返す虚血によって収縮などの機能低下をきたした冬眠心筋では，その領域を灌流する冠動脈に存在す

る狭窄が解除され，十分な血流を受けるようになると徐々に機能が回復し，壁運動や左室駆出率の改善，心事故発生の低下が期待される[3].

アンモニア心筋血流 PET は成人における冠動脈狭窄の診断において SPECT より優れた診断能が報告され[4]，小児においても高い診断能が期待される. PET では安静時，薬剤負荷時両者の心筋血流量の絶対値，安静時に対する負荷時の血流上昇率を定量的に算出し，視覚的評価に加えてこれらを用いて診断補助とする.

2018 年より新たに大型血管炎への FDG-PET が保険適用となり，遠隔期川崎病の冠動脈炎をはじめとする血管炎を捉えられる可能性があり，期待が寄せられている.

適応

FDG を用いた心筋バイアビリティ診断，アンモニアを用いた心筋虚血・梗塞の診断ともに，冠動脈病変（coronary artery lesions：CAL）合併症を有する症例において，ほかの検査で診断がつかない場合のみ保険適用となっている. PET/CT で撮影し，CT で吸収・減弱補正を行ったとしても PET 撮像分のみ保険請求ができる.

FDG を用いた大型血管炎の診断もほかの検査で

189

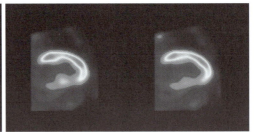

図1 安静時血流心筋 SPECT と FDG-PET による心筋バイアビリティ診断
安静時血流 SPECT（a）では右冠動脈灌流域の下壁は完全欠損であり，SPECT のみでは心筋バイアビリティはないと判定されたが，FDG-PET（b）では下壁に軽度の集積として生存心筋が認められ，心筋バイアビリティが期待される
［口絵27：p.xvi］

病変の局在または活動性の判断のつかない患者が対象となり，こちらは PET/CT として CT 撮像分も保険請求できる．ただし，利用する FDG が「医薬品，医療機器等の品質，有効性及び安全性の確保等に関する法律」（薬機法，旧薬事法）で承認されているデリバリー製剤，または薬機法で承認された合成装置での施設内合成に限られ，すべての FDG 製剤が適用となるわけではない．

撮像原理

PET ではポジトロン放出核種の原子核から放たれる陽電子と周回電子が衝突し，消滅する際に対向180°方向に放出される511 keV（キロエレクトロンボルト）と高いエネルギーの1対の消滅放射線を利用する．PET スキャナーには患者の体軸に対し直交する円周上360°方向にくまなく配置された検出器があり，1対の消滅放射線を対向する1対の検出器で同時計測し，集積位置を推定し画像化する．

検査法

FDG-PET を用いた心筋バイアビリティ診断では，前処置として5～6時間程度の絶食ののち，FDG 投与30分前に経口ブドウ糖を25～75 g 負荷し，血糖値を120～150 mg/dL 程度を目標に上昇させ，心筋細胞へのグルコースの摂取を促し，生存心筋に FDG が取り込まれる状態で検査を行う．検査前の血糖値が130 mg/dL 未満の糖尿病症例では正常例と同様の手順で，130 mg/dL 以上の場合には，130～140 mg/dL でレギュラーインスリン1単位，140～160 mg/dL で2単位，160～180 mg/dL で3単位，180～200 mg/dL で5単位というように血糖値に応じてインスリン投与を行う．撮影は FDG 投与60分後に，心臓を中心に胸部を1ベッド（検出器幅）撮像する．

FDG-PET 画像のみで診断する場合には，梗塞部位の集積（%uptake）が正常領域の50%以上あるいは視覚的に正常～中等度集積低下に留まれば，心筋バイアビリティが残存すると判定する．SPECT やアンモニア PET といった安静時血流画像と比較する場合には，梗塞部位の血流画像の集積よりも FDG 集積のほうが高い場合，心筋バイアビリティありと判定する（図1）．

アンモニア PET では安静時とアデノシン投与による冠血管拡張（負荷）時の2回の撮影を行う．撮影プロトコールの1例を図2に示す．前処置として，24時間以内のカフェイン摂取やテオフィリンなどキサンチン系薬剤を中止する．

トレーサとアデノシンは別ルートから投与するため，原則的にトレーサ用に右肘静脈，アデノシン用に左前腕から肘部の静脈にラインを挿入する．先に両腕を挙上した撮影時の体位で，自然呼吸下もしくは軽度呼気位において減弱補正用の胸部 CT を撮影する．トレーサは体重60 kg 以下の症例では体重あたり約6.2 MBq（メガベクレル），60 kg 以上の症例では約370 MBq を用い，30～50 mL 程度の生理食塩水で後押しし，1～2 mL/秒の速度でインジェクターを用いて投与する．トレーサ投与の少し前もしくは同時に撮影を開始し，血管内から心筋へトレーサが摂取される様子をリストモードにて経時的にダイナミック収集する．トレーサの半減期が10分間と

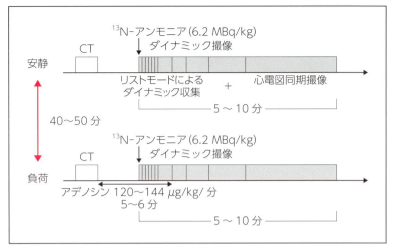

図2 アンモニアPETの検査プロトコール
安静と負荷時の検査間を4～5半減期（40～50分）空けて，アデノシン投与以外は安静・負荷ともに同プロトコールで撮影を行う．連続して撮影を行う場合は，1回目と2回目のトレーサ投与量を1対3～5とする

短いため，安静時と負荷時の2回の撮影を4～5半減期（40～50分間）あけるか，連続で2回の検査を行う場合には，1回目と2回目のトレーサの投与量を1対3～5程度に調整すると，1回の撮影で使用したトレーサの影響は無視できる．薬剤負荷は心電図，血圧，酸素飽和度などのモニタリング下に体重あたり120～144μg/kg/分のアデノシンを5～6分間かけて投与する．投与3分後に安静時と同様の手順でトレーサを投与し，その他は安静時と同様の手順で撮像を行う．

画像再構成は視覚的評価のための標準的な短軸像，水平・垂直長軸像および軸座標（ブルズアイ）表示，心電図同期による左室機能解析を得る．加えて，トレーサ投与から初期の約4～5分間の画像を心筋血流動態解析ソフトウェアで解析し，安静・負荷時それぞれの心筋血流量（myocardial blood flow：MBF）と，負荷と安静時の比である心筋血流予備能（myocardial flow reserve：MFR）を算出する．小児では撮像時の心拍数が高いことも多く，心拍数と血圧の積であるrate-pressure productで補正することも行われる．13歳男児の1例を図3に示す．

FDG-PETを用いた大型血管炎の診断で冠動脈炎の評価を行う際は，心筋バイアビリティ診断とは逆に冠動脈に近接する心筋への生理的集積を可能な限り抑制して検査を行う必要がある．そのため，最低でも12時間，可能であれば18～24時間の長時間絶食と低炭水化物食を組み合わせて前処置を行う．長時間絶食中には低炭水化物食のみ摂取可能であるが，成人に近い体格で一食あたり5g未満と厳格なグルコースの摂取制限を課す．撮像はFDG投与60分後に心臓を含む1ベッドの撮像を行うが，併存するほかの大型血管炎が疑われる場合には，適時当該部位や全身撮像を追加する．

有用性

心筋バイアビリティ診断について，心筋細胞へのグルコースの摂取が亢進した状態であれば，機能の低下した冬眠心筋であっても生存心筋にはFDGが取り込まれる．先行するSPECT検査やドブタミン負荷エコーの結果で梗塞部位の心筋にバイアビリティがないと判定されても，分解能かつ感度の高いFDG-PETでは梗塞部位に残存する生存心筋を陽性に描出でき，バイアビリティの残存する症例を見逃さず診断し，再灌流療法の機会を逸することが少ない．

アンモニアは血管内から間質，心筋細胞へと濃度勾配に従って自由に拡散し，心筋内でグルタミン抱合を受け停滞するため，視覚的評価に優れている．アンモニアはSPECTで使用されるトレーサと比較して，高血流領域での血流と心筋集積の直線性が高

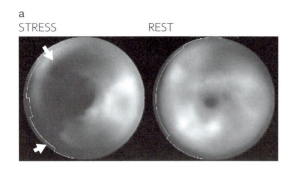

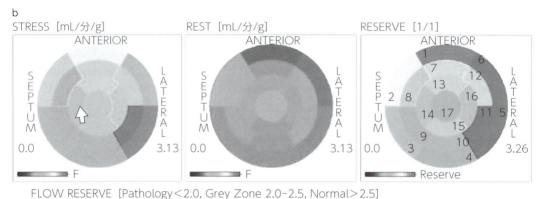

図3 心筋血流 PET を用いた虚血評価の例

a：ブルズアイ，b：血流定量解析

生後5か月に川崎病に罹患した13歳の男児．右冠動脈にセグメント狭窄，左冠動脈前下行枝の巨大瘤に99%狭窄が指摘されている．視覚的評価では左前下行枝の灌流域である前壁中隔〜心尖部，右冠動脈の灌流域である下後壁に虚血を認めた．血流定量でも視覚的評価に一致して MFR の低下を認める（d）

MFR：myocardial flow reserve

［口絵28：p.xvi］

く[5]．血流のわずかな差も集積の差として表現できる．PET の消滅放射線は SPECT で使用される Tc 製剤（141 keV）や塩化タリウム（74 keV）と比較してエネルギーピークが高く，PET のガンマ線への感度は SPECT の約80〜100倍であり，短時間の撮影ではるかに高画質な画像が得られる．

川崎病症例の評価における心筋血流 PET に関しては古い世代のスキャナーを用いた ^{15}O-水 PET において少数の報告がある[6〜8]．CAL を有する場合に灌流域の負荷時 MBF や MFR が低下するが，冠動脈後遺症がない場合にも正常ボランティアに比較して負荷時 MBF や MFR の低下が認められる．最新の PET/CT スキャナーを用いたアンモニア PET の報告は乏しく，MBF や MFR の正常範囲など今後のデータの蓄積が期待される．

FDG を用いた大型血管炎の診断では，巨大冠動脈瘤部の治療前後の慢性炎症の改善を評価した症例報告があり[9]，今後のエビデンスの蓄積に期待したい．特に検出機に半導体を搭載した新世代の機種では，従来の機種ではとらえられなかったような微かな炎症（マクロファージを中心とする炎症細胞の浸潤）を高いγ線感度と高分解能によってとらえられる可能

性がある.

注意点

アンモニア PET で使用されるアデノシンの投与に関しては，気管支喘息治療中は禁忌である．また十分な冠血管拡張を得るためにカフェインなどの摂取をきちんと制限することが重要である．アデノシンでは心筋の酸素需要は増えず冠血管拡張のみが得られるため，心筋虚血を生じることはないが，アデノシンの投与による胸部圧迫感や息苦しさ，頭痛などの副作用，血圧低下や頻拍・徐拍が現れることがあるため，投与中の注意深いモニタリングが必要である.

近年は画像検査による放射線被ばくへの認識が高まり，1 回の検査での被ばくを 9 mSv 未満にすることが望まれている[10]．年齢によって感受性が異なること，使用する PET/CT 装置の性能によってトレーサの投与量が異なるため一概には算出できないが，FDG-PET では 2～3 mSv 程度，アンモニア PET では減弱補正用の胸部 CT とあわせて 10 歳未満の小児で 4～5 mSv 程度，10 歳以上で約 7 mSv の被ばく線量である（文献 11，12 より算出）.

日米のガイドラインの比較

遠隔期川崎病への PET の使用についてはまだエビデンスの蓄積は少なく，日米のガイドラインともに類似するごく限られた記述のみとなっている．ともに心外膜血管に有意狭窄がなくとも末梢動脈（細動脈）の拡張障害が残存し，CFR（coronary flow reserve）/MFR および MBF の低下や末梢血管抵抗の上昇がみられることが記載されている．ただし，過去の報告は水 PET（^{15}O-water）を使用した研究であり，わが国で唯一保険承認されているアンモニアでの蓄積が期待される．また，上述の冠動脈瘤への

炎症をとらえた FDG-PET についても同様に記載があり，形態的異常のみならず機能的異常も遠隔期に継続して存在する根拠と考えられている.

■文 献

1) Slomka PJ, et al.：Absolute myocardial blood flow quantification with SPECT/CT：is it possible? J Nucl Cardiol 2014；21：1092-1095
2) Søndergaard HM, et al.：Evaluation of iterative reconstruction（OSEM）versus filtered back-projection for the assessment of myocardial glucose uptake and myocardial perfusion using dynamic PET. Eur J Nucl Med Mol Imaging 2007；34：320-329
3) Allman KC, et al.：Myocardial viability testing and impact of revascularization on prognosis in patients with coronary artery disease and left ventricular dysfunction：a meta-analysis. J Am Coll Cardiol 2002；39：1151-1158
4) Machac J：Cardiac positron emission tomography imaging. Semin Nucl Med 2005；35：17-36
5) Salerno M, et al.：Noninvasive assessment of myocardial perfusion. Circ Cardiovasc Imaging 2009；2：412-424
6) Furuyama H, et al.：Altered myocardial flow reserve and endothelial function late after Kawasaki disease. J Pediatr 2003；142：149-154
7) Furuyama H, et al.：Assessment of coronary function in children with a history of Kawasaki disease using（15）O-water positron emission tomography. Circulation 2002；105：2878-2884
8) Muzik O, et al.：Quantification of myocardial blood flow and flow reserve in children with a history of Kawasaki disease and normal coronary arteries using positron emission tomography. J Am Coll Cardiol 1996；28：757-762
9) Suda K, et al.：Statin reduces persistent coronary arterial inflammation evaluated by serial ^{18}fluorodeoxyglucose positron emission tomography imaging long after Kawasaki disease. Int J Cardiol 2015；179：61-62
10) Cerqueira MD, et al.：Recommendations for reducing radiation exposure in myocardial perfusion imaging 2010. J Nucl Cardiol；17：709-718
11) Annals of the ICRP. Publication 53. Radiation dose to patients from radiopharmaceuticals. New York：Pergamon Press, 1988
12) Managing Patient Dose in Multi-Detector Computed Tomography（MDCT）：ICRP Publication 102, Ann ICRP 2007；37：1-79

〔桐山智成〕

b 血管内エコー（IVUS）

背景・目的

血管造影では血管内腔や血流情報は得られるが，血管壁自体の構造を観察することはできない．一

方，血管内エコー検査（intra-vascular ultrasound：IVUS）は，先端に高周波超音波探触子が取り付けられたカテーテルを血管内腔に挿入して，血管の内側から血管壁に超音波を発射し，その壁構造を直接観

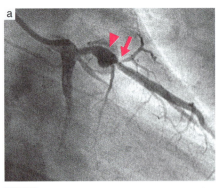 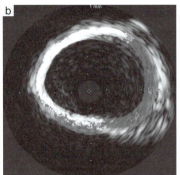 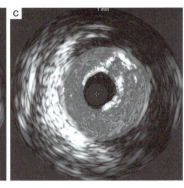

図4 4か月時に川崎病を発症した17歳男児
a：左前下行枝に11 mmの巨大冠動脈瘤を残した．心筋シンチグラフィで左室前壁中隔領域の虚血を認めたため，冠動脈造影を施行した．冠動脈瘤（▶）とその遠位部に狭窄（➡）を認めた
b：バーチャルヒストロジー IVUSでみると，残存冠動脈瘤（a；▶）の部位では一部に内膜の線維性肥厚と全周性の石灰化を認めた
c：瘤出口の狭窄（a；➡）に対するロータブレータを用いたカテーテル治療後の所見である．血管内腔に面して全周性に近い石灰化を認め，高度の内膜肥厚を認めた
fibrofatty area：黄色，fibrous area：緑色，necrotic core area：赤色，dense calcium area：白色
［口絵29：p.xvii］

察する診断法である．一般的に動脈硬化性病変の形態的，定量的評価[1]を目的として行うが，川崎病のように冠動脈瘤壁の高度の内膜肥厚や石灰化をきたす複雑な病変では特に有用である[2]．

適応

川崎病冠動脈病変のカテーテル治療に際して，治療前の病変構造の評価とそれに基づく治療法選択，治療効果の判定のために必須の検査である[2]．ステント留置の際には，ステントの冠動脈壁への圧着の程度，近位端や遠位端の残存狭窄の有無などで重要な情報が得られる[3]．

検査法

機種により探触子の発振周波数は20〜60 MHzと幅広く，解像度と到達距離が変わる．IVUSカテーテルを，標的部位遠位から近位まで一定速度で引き戻すことにより，血管壁断面像を連続的に取得する．

血管断面像から，血流の流れている内腔面積の絶対値（minimal lumen area）を計測することにより，狭窄程度を推定することが可能である[1]．

川崎病で急性期冠動脈瘤直径が4 mmを超えると，遠隔期に内膜中膜複合体の厚さが400 μm以上の内膜肥厚をきたすと報告されている[4]．内膜肥厚以外に，ソフトプラーク，線維性プラーク，石灰化，血栓等を描出することが可能である[1]．川崎病では石灰化の程度によりカテーテル治療時のデバイスを選択することが推奨されており，全周の75％を超える高度の石灰化病変ではロータブレータによる治療が選択される[5]．

画像表示はグレースケールだけでなく，特定のIVUSカテーテルを用い，反射波のスペクトル解析から組織特性を定性的に評価して，バーチャルヒストロジーとして表示することもできる[6]．この方法では，病変をfibrofatty, fibrous, dense calcium, necrotic coreの4つに分けて4色で表示する（図4a〜c）．川崎病遠隔期の冠動脈瘤壁では上記4種の病変が混在する．急性期に冠動脈瘤のあった部位ではfibrous, dense calcium, necrotic coreの占める量が多く，特に狭窄性病変をきたした部位では，dense calciumとnecrotic coreの占める量が多いと報告されている[6]．

また，若年成人の急性冠症候群を診療する際に，川崎病既往歴のはっきりしない患者では，IVUSにより冠動脈瘤や全周性の石灰化を確認することで，川崎病の後遺症であると診断が可能となる[7]．

有用性

冠動脈造影ではわからない冠動脈壁の構造変化を定性的・定量的に評価でき，胸部X線写真や透視ではわからない冠動脈壁の石灰化を定量的に評価することが可能である．

注意点

侵襲的な検査であり，習熟した医師が行うべきである．冠動脈内に IVUS を挿入することで起こりえる合併症としては，血栓形成(0.16%)，冠動脈解離(0.12%)，一過性の ST 上昇(0.08%)，徐拍(0.04%)，冠動脈れん縮(0.04%)などがある[8]．なお，IVUS を挿入したことで冠動脈硬化症が加速されることはないという．一方，光干渉断層検査(OCT)と比較して 100～150 μm と空間分解能が低いため，微細な構造評価が難しいといわれている[8]．

日米のガイドラインの比較

日本では，カテーテル治療に際して，CAL の評価による手技の選択と治療効果判定に推奨されている(クラス IIa，レベル C)[9]．一方，米国のガイドライン[10]ではカテーテル治療として薬剤溶出性ステントの留置(クラス IIa，レベル C)が推奨されているため，その際のガイドとして推奨されている．

文 献

1) Song HG, et al.：Value of intravascular ultrasound in guiding coronary interventions. Echocardiography 2018；35：520-533
2) Ishii M, et al.：Sequential follow-up results of catheter intervention for coronary artery lesions after Kawasaki disease：Quantitative coronary artery angiography and intravascular ultrasound imaging study. Circulation 2002；105：3004-3010
3) Shin DH, et al.：Effects of intravascular ultrasound-guided versus angiography-guided new-generation drug-eluting stent implantation：Meta-analysis with individual patient-level data from 2,345 randomized patients. JACC Cardiovasc Interv 2016；9：2232-2239
4) Tsuda E, et al.：Coronary artery dilatation exceeding 4.0 mm during acute Kawasaki disease predicts a high probability of subsequent late intima-medial thickening. Pediatr Cardiol 2002；23：9-14
5) Ishii M, et al.：Guidelines for catheter intervention in coronary artery lesion in Kawasaki disease. Pediatr Int 2001；43：558-562
6) Mitani Y, et al.：In vivo plaque composition and morphology in coronary artery lesions in adolescents and young adults long after Kawasaki disease：A virtual histology-intravascular ultrasound study. Circulation 2009；119：2829-2836
7) Ariyoshi M, et al.：Primary percutaneous coronary intervention for acute myocardial infarction due to possible sequelae of Kawasaki disease in young adults：a case series. Heart Vessels 2011；26：117-124
8) van der Sijde JN, et al.：Safety of optical coherence tomography in daily practice：A comparison with intravascular ultrasound. Eur Heart J Cardiovasc Imaging 2017；18：467-474
9) Fukazawa R, et al.：Japanese Circulation Society Joint Working Group：JCS/JSCS 2020 guideline on diagnosis and management of cardiovascular sequelae in Kawasaki disease. Circ J 2020；84：1348-1407
10) McCrindle BW, et al.：Diagnosis, treatment, and long-term management of Kawasaki disease：A scientific statement for health professionals from the American Heart Association. Circulation 2017；135：e927-e999

〔須田憲治〕

C 光干渉断層法(OCT)

川崎病冠動脈後遺症の特徴として，著明な内膜肥厚，高度石灰化を伴う冠動脈瘤および狭窄があげられるが，その特殊な血管構造の画像評価における IVUS の有用性については以前から報告されている．一方，近赤外線レーザー光と光ファイバー技術を応用した光干渉断層法(optical coherence tomography：OCT)は冠動脈イメージングの主流である IVUS と比較して約 10 倍の解像度を有しており，成人領域ではすでに日常臨床で使用されているが，川崎病冠動脈後遺症における報告は限られている[1~4]．OCT 施行の目的は，IVUS と同様に CAL の詳細な評価ならびに経皮的冠動脈インターベンション(percutaneous coronary intervention：PCI)のガイダンスであり，本項では川崎病冠動脈後遺症における OCT 施行について，その有用性および限界も含めて概説する．

OCT による組織性状診断

1. 手技の概要

現在日常臨床で使用されている第二世代の OCT である frequency-domain OCT や optical frequency domain imaging(OFDI)は，初代の time-domain OCT と異なりオクルージョンバルーンでの血流遮断が不要であり，造影剤などによる赤血球除去に若

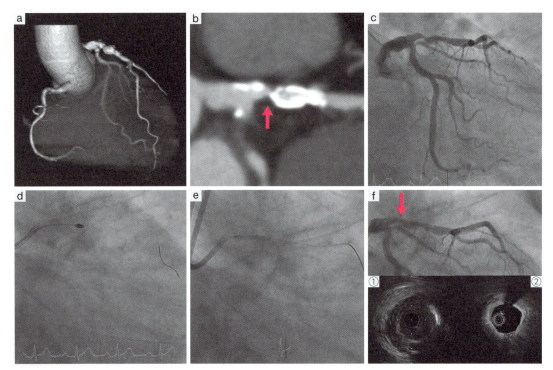

図5 冠動脈CT，冠動脈造影，および経皮的冠動脈形成術

冠動脈CT（a：volume rendering像，b：curved MPR像）
冠動脈造影（c）および経皮的冠動脈形成術（d：ロータブレータ2.0 mmのburrによる切削，e：2.5 mmバルーンによる低圧拡張，f：最終冠動脈造影 ①最終IVUS像，②最終OFDI像）
〔Shiraishi J, et al.：Lipid-rich plaque in possible coronary sequelae of Kawasaki disease detected by optical frequency domain imaging. Cardiovasc Interv Ther 2015：30：367-371〕
〔口絵30：p.xvii〕

干の習熟を要するものの，冠動脈の詳細な組織診断を可能とする比較的使用しやすい血管内イメージングデバイスである．OCT/OFDIカテーテルは，径が先端側で2.6～2.7 Fr，根元側で3.2～3.5 Frのモノレール構造で，6 Fr以上のガイディングカテーテル使用下にPCI用のガイドワイヤーに乗せて冠動脈内に挿入する．ガイディングカテーテルからの造影剤（適宜希釈）注入により血液を除去している数秒間にOCT/OFDIの撮像を行うが，高速プルバックが可能であり，ほぼ1回の撮像で対象とした冠動脈全長の短軸断面像および長軸像を描出できる（OFDIカテーテル内のイメージングコアのプルバック速度は最大40 mm/秒，プルバック長は最長150 mm）．

2. 川崎病冠動脈後遺症のOCT所見

川崎病冠動脈後遺症に関する報告はいまだ少ないが，特徴的なOCT所見として，中膜の欠損，石灰化，白色血栓，新生血管，線維性内膜肥厚，マクロファージの集簇などがあげられている[1～4]．

・症例：47歳男性

明らかな川崎病の既往はないが，生後6か月で不明熱，皮疹にて40日間の入院歴がある．検診の胸部CTにて冠動脈の石灰化を指摘され，冠動脈CTを施行した．高度の卵殻状石灰化を伴う左前下行枝（left anterior descending coronary artory：LAD）近位部の瘤に加えて瘤の入口部に狭窄が疑われた（図5a，b，➡）．冠動脈造影で同部位に高度狭窄を（図5c），薬物負荷心筋シンチグラフィで前壁中隔から心尖部にかけて血流不均衡を認め，川崎病冠動脈後遺症由来の無症候性心筋虚血と診断した．瘤の入口部狭窄に対して，PCIを施行したが（図5d～f），その際のIVUS（図6a1～f1）およびOFDI（図6a2～f2）の画像を示す．遠位の健常部位ではOFDIで血管壁の内膜（高輝度），中膜（低輝度），外膜（高輝度）の3層構造が明瞭に描出されている（図6f2）．OCT/OFDIでは石灰化は周囲組織との境界が明瞭な低輝度領域として描出されるが，瘤から瘤の出口部にか

6. その他の検査

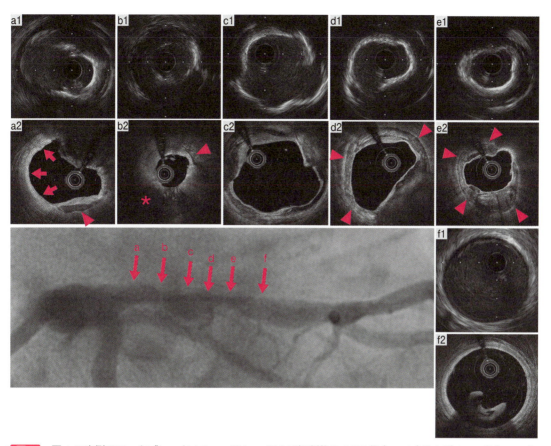

図6 図4の症例のロタブレータ1.5mmのburrによる切削後のIVUS像（a1～f1）およびOFDI像（a2～f2）
〔Shiraishi J, et al.: Lipid-rich plaque in possible coronary sequelae of Kawasaki disease detected by optical frequency domain imaging. Cardiovasc Interv Ther 2015; 30: 367-371〕

けてはほぼ全周性の石灰化を認める（図6c2, d2, e2, ▶）．近赤外線は石灰化を透過するため，OCT/OFDIでは石灰化病変の広がりに加えて厚さまで正確に評価できるのに対して（図6c2, d2, e2, ▶），エコーは石灰化を透過できないため，IVUSでは石灰化病変の厚さの評価は困難となる（図6c1, d1, e1）．OCT/OFDIでは脂質性プラークは内腔側の線維性被膜との境界が不明瞭な低輝度領域として描出されるが，瘤の入口部狭窄において，限局性の石灰化に加えて脂質性プラークの存在が疑われた（図6b2, ＊）．さらに病変近位部では高輝度で均一な線維性内膜肥厚が明瞭に描出されている（図6a2, ➡）．

本例ではOFDIにより石灰化を含めた多彩なプラークの組織性状の鑑別が可能であった[5]．一方，本例でも示されているように，高度の石灰化を伴う病変においては，IVUSによる石灰化以外の組織性状の評価は困難となる．

OCTによるPCIガイダンス

血管内イメージングによる組織性状の評価は，PCIの治療戦略を決定するうえで有用な情報をもたらす．一般に，全周性ならびに厚みが500μm以上の石灰化を有する病変はバルーン拡張が困難でステント拡張不全にいたるリスクが高いとされる[6]．川崎病冠動脈後遺症由来の狭窄病変はしばしば著明な内膜肥厚および高度の石灰化を伴うため，石灰化の分布，厚みの正確な評価が可能なOCT/OFDIが同後遺症に対するPCIのイメージングガイドとして有用である[5,7,8]．

川崎病冠動脈後遺症は内膜肥厚および石灰化によりバルーンおよびステントによる拡張が困難である一方，バルーンによる高圧拡張により新生冠動脈瘤を生じやすいとされ[9,10]，中膜の欠損など血管壁の層構造の破綻の影響が推察されている．わが国では

同後遺症において，ロータブレータによる切削後に低圧のバルーン拡張を追加するPCI治療が標準的とされているが[9,10]，OCT/OFDIで石灰の分布，厚みやワイヤーのバイアス，解離の有無などを経時的に評価することで，ロータブレータによる切削ならびにステントを使用しないPCI(stent-less PCI)をより安全に施行することが可能となる[5,7,8]．またステントを留置する場合においても，高い解像度でプラーク表層を観察できるOCT/OFDIはステントの拡張，血管壁への圧着をより詳細に評価できる．加えて，現行のOCT/OFDI像は冠動脈造影と同期させて記録することができるため，PCIの各種デバイスの正確な位置決めが容易となる．

2020年に改訂されたわが国の川崎病心臓血管後遺症の診断と治療に関するガイドラインにおいて，OCT/OFDIはIVUSと同様にPCIのイメージングガイドとしてクラスIIaで推奨されているが[11]，American Heart Association(AHA)のstatementにおいてはIVUSのみの推奨に留まっている[12]．

OCTの限界

OCT/OFDIは，IVUSと比較してプラーク表層の詳細な評価が可能であるが，観察可能な深達度が浅いため，プラーク容積や血管リモデリングならびに退縮した冠動脈瘤の全体像の評価は困難である．また撮像に際して赤血球の除去が必要であり，一般に造影剤によるフラッシュが用いられるが，慢性腎臓病合併例では造影剤使用量増加の影響が危惧されるため，代用血漿剤の低分子デキストランなどが使用されている．冠動脈入口部病変や慢性完全閉塞病変，巨大冠動脈瘤においては，赤血球の除去が困難となるため，OCT/OFDIよりむしろ，IVUSでの評価が望ましい．

◎おわりに

川崎病冠動脈後遺症においても，OCT/OFDIは組織性状の評価およびPCI治療のイメージングガイドとして有用であり，今後さらなる報告の蓄積がまたれる．また近年川崎病の既往が成人期の粥状動脈硬化および冠イベントのリスクとなりうるか注目されているが，早期の粥状動脈硬化の同定にOCT/OFDIが有用である可能性があり，今後さらなる検討が期待される．

■文 献

1) Kakimoto N, et al.：Evaluation of coronary arterial lesions due to Kawasaki disease using optical coherence tomography. Can J Cardiol 2014；30：956, e7-e9

2) Harris KC, et al.：Feasibility of optical coherence tomography in children with Kawasaki disease and pediatric heart transplant recipients. Circ Cardiovasc Imaging 2014；7：671-678

3) Dionne A, et al.：Coronary wall structural changes in patients with Kawasaki disease：New insights from optical coherence tomography(OCT). J Am Heart Assoc 2015；4：e001939

4) Dionne A, et al.：Difference between persistent aneurysm, regressed aneurysm, and coronary dilation in Kawasaki disease：an optical coherence tomography study. Can J Cardiol 2018；34：1120-1128

5) Shiraishi J, et al.：Lipid-rich plaque in possible coronary sequelae of Kawasaki disease detected by optical frequency domain imaging. Cardiovasc Interv Ther 2015；30：367-371

6) Kubo T, et al.：Superficial calcium fracture after PCI as assessed by OCT. JACC Cardiovasc Imaging 2015；8：1228-1229

7) Kuramitsu S, et al.：Usefulness of rotational atherectomy with optical frequency domain imaging guidance for severe calcified coronary lesions after Kawasaki disease. Cardiovasc Interv Ther 2017；32：154-158

8) Shiraishi J, et al.：Rotational atherectomy followed by drug-coated balloon dilation in possible coronary sequelae of Kawasaki disease. Int Heart J 2016；57：367-371

9) Akagi T, et al.：Catheter interventional treatment in Kawasaki disease：A report from the Japanese Pediatric Interventional Cardiology Investigation group. J Pediatr 2000；137：181-186

10) Ishii M, et al.：Sequential follow-up results of catheter intervention for coronary artery lesions after Kawasaki disease：quantitative coronary artery angiography and intravascular ultrasound imaging study. Circulation 2002；105：3004-3010

11) Fukazawa R, et al.：JCS/JSCS 2020 guideline on diagnosis and management of cardiovascular sequelae in Kawasaki disease. Circ J 2020；84：1348-1407

12) McCrindle BW, et al.：Diagnosis, treatment, and long-term management of Kawasaki disease：A scientific statement for health professionals from the American Heart Association. Circulation 2017；135：e927-e999

〔白石　淳〕

Ⅴ　遠隔期の検査・治療・管理

7

内科的治療

POINT

- 体表面積（BSA）≧0.5 m^{2}で 8 mm 以上，BSA＜0.5 m^{2}で 6 mm 以上（Z スコア 10 以上）の冠動脈瘤は血栓性閉塞の予防のため，抗血小板薬とワルファリンの併用が有用である．
- 乳幼児に対するワルファリンの使用は，頭蓋内出血などの重篤な合併症を起こしやすいため，注意が必要である．
- 冠動脈後遺症のある患者は，抗血小板薬の内服が推奨される．
- 心筋梗塞後の予後の改善に，アンジオテンシン変換酵素（ACE）阻害薬，β遮断薬の導入が有用である．
- 心筋梗塞後遠隔期の低心機能患者において，致死性不整脈の予防は，アミオダロンや植込み型除細動器（ICD）治療を考慮する．

遠隔期の抗血栓療法

1.　背景・目的

　川崎病既往患者の遠隔期において，予後に影響する主な因子は冠動脈瘤と心機能であり，この2つの因子に関連する事象が急性心筋梗塞発症の原因となる冠動脈の血栓性閉塞である．冠動脈の血栓性閉塞を予防する目的で，抗血栓療法を行う．川崎病による冠動脈閉塞には，症状を呈する心筋梗塞と偶発的に選択的冠動脈造影などで冠動脈の閉塞が発見される無症候性の場合がある．川崎病既往患者における急性心筋梗塞発症や無症候性冠動脈閉塞の発生は，川崎病罹患後1年以内が多い[1]．特に冠動脈径が8 mm 以上の巨大瘤において血栓性閉塞が起こりやすい[2]．抗血栓療法が十分に施行されていなかった1970～1980年代の冠動脈閉塞頻度は，抗血栓療法が浸透した今日と比較して高率であった．抗血栓療法は冠動脈の閉塞を完全に阻止することは難しいが，心機能に影響を与える急性心筋梗塞の頻度を減少させることが目的である．

　川崎病による急性血管炎において，血小板の増加と活性化，凝固系と線溶系の亢進が認められる[3]．遠隔期の血小板と凝固・線溶に関する報告は少ないが，一部の症例で血小板や凝固系の異常活性化や，線溶系抑制因子であるプラスミノゲンアクチベータ

インヒビター1（PAI-1）の上昇が，川崎病既往者で有意に高率であることが示されている．また，トロンビン・アンチトロンビン III 複合体（TAT）やプラスミン・α2 プラスミンインヒビター複合体（PIC），トロンボモジュリンの上昇を認め，血管内皮機能障害が持続し，凝固・線溶系が活性化している症例が報告されている．血栓形成には，血管壁の性状，血液成分，血流の3つの要素における変化が重要な役割をはたす（Virchow's triad）．川崎病罹患後遠隔期において，巨大瘤における血管壁の血管内皮機能の異常，巨大瘤内の血液のうっ滞，急性期血管炎後の凝固・線溶系の亢進の3つの因子が重なり，冠動脈瘤内血栓性閉塞をきたすと考えられる．この3因子の変化が川崎病罹患後1年以内に顕著にみられるため，この時期の冠動脈閉塞の頻度が高率である．

　また，動脈硬化における冠動脈狭窄において，高いずり応力により血小板の活性化が動脈血栓に関連するといわれている．巨大冠動脈瘤退縮後には，冠動脈壁の肥厚と血管内皮機能異常がみられ，成人期になり喫煙や肥満などの因子が加わると急性心筋梗塞の発症のリスクが高くなる．遠隔期に冠動脈の局所性狭窄や瘤のある患者において，抗血小板薬による血栓予防が必要である．川崎病による冠動脈病変（coronary artery lesions：CAL）をもつ患者のほとんどは無症状であるため，途中でドロップアウトす

199

表1 薬剤と投与量の目安

	薬剤名	投与量	投与方法
抗血小板薬	アスピリン(ASA)	2～3 mg/kg	分1
	フルルビプロフェン	2～3 mg/kg	分2～3
	ジピリダモール	2～5 mg/kg	分2～3
	チクロピジン	2～5 mg/kg	分2～3
	シロスタゾール	3～5 mg/kg	分2～3
	クロピドグレル	1 mg/kg	分1
抗凝固薬	ワルファリン	0.1 mg/kg	分1～2　INRの目標値により調整
血栓溶解薬	ウロキナーゼ	0.4万U/kg	冠注10分,静注30分
	アルテプラーゼ	29万U/kg～43.5万U/kg	10%を1～2分,残りを1時間
	モンテプラーゼ	2.75万U/kg	2～3分

る患者が少なくない.特に,成人期に移行する高校卒業が契機となると考えられる.

川崎病遠隔期の抗血栓療法については,主として小児が対象であり,患者群の規模が小さいため,エビデンスのある前向き研究はない.このため,主に成人の粥状動脈硬化による虚血性心疾患を対象とする研究結果を参考に治療がなされてきた.しかし,対象が小児であること,川崎病によるCALの特殊性を考慮し,これまで得られてきた川崎病CALを対象とした研究結果をふまえ,適応,使用方法について今後も検討を重ねていかなければならない.

2. 適応

川崎病罹患後20年では,CALによる心事故は,急性期に6 mm以上の冠動脈瘤をもっていた患者に起こっているので,主にこの患者群が抗血小板薬の適応となる[2].体表面積(BSA)≧0.5 m^{2}で8 mm以上,BSA<0.5 m^{2}で6 mm以上の瘤(Zスコア10以上)では,冠動脈瘤の閉塞を防ぐために抗血小板薬とワルファリンの併用が望ましい[4,5].

6 mm未満の瘤については,血栓性閉塞の出現はまれであり,抗血小板薬の必要性についてのエビデンスはない.しかし,一般的には,瘤を含むCALが残存する場合は,抗血小板薬の継続が推奨されている.冠動脈瘤のない場合や一過性拡大の患者においても,川崎病罹患後1～2か月は血小板の増加が認められるため,抗血小板薬が使用されている.4 mm未満の瘤は,ほとんどの場合1年以内に退縮するが,退縮までは抗血小板薬の使用を継続することが多

い.4 mm以上6 mm未満の瘤残存患者においては,抗血小板薬を継続する場合が多い.冠動脈造影などで瘤の退縮が確認された場合や,瘤が縮小し冠動脈が軽度の拡大にとどまる場合,また冠動脈の壁不整のみの場合は,中止することが多い.

遠隔期に冠動脈局所性狭窄が出現した場合も抗血小板薬が必要である.冠動脈瘤の退縮患者において,遠隔期にCTで冠動脈の石灰化がみられた場合,狭窄性病変の有無を検索し,抗血小板薬の再開を考慮する.

冠動脈血行再建術(冠動脈バイパス術)後では,狭窄性病変側へ動脈グラフトによる血行再建がなされ,他枝に巨大瘤がない場合,ワルファリンは中止可能である.血行再建がなされ,他枝に病変がない場合,抗血小板薬を中止することもある.

川崎病CALにおいて,抗血栓療法として使用されている薬物としては,抗血小板薬と抗凝固薬がある(表1).

3. 検査法

血小板凝集能抑制効果の判定には,コラーゲン,アデノシン二リン酸(ADP)を用いた凝集惹起物質を用いた血小板凝集能検査が有用である.吸光度法により測定されている.ワルファリンは,プロトロンビン時間(prothrombin time:PT),国際標準比(international normalized ratio:INR)やトロンボテストを指標に投与量を設定する.日本循環器学会のガイドラインではINR 2.0～2.5が目標とされるが[4],出血のリスクを考慮し,PTでは30～40%前

後，INRでは1.6〜2.0が目標としている施設もある．

4. 有用性

後方視的研究であるが，川崎病による巨大瘤をもつ患者において，急性心筋梗塞の頻度を低下させるという有効性が報告されている[6]．川崎病CALにおいて，抗血小板薬を複数使用することに対しての有用性は不明である．

5. 注意点

抗血栓療法中の患者においては，打撲による皮下出血が顕在化しやすい．頭部打撲，転落時には頭蓋内出血に注意が必要である．小児ではまれではあるが，アスピリン（ASA）による胃潰瘍やそれに起因する貧血がみられることがある．

ワルファリンは，食事摂取不良，発熱，感染症罹患時に作用が増強する．また，抗菌薬の併用により作用が増強する．併用薬剤により，作用の増強，低下が生じやすい薬剤であるので，注意が必要である．ビタミンKを多く含む食品を避ける．1歳以下の乳児では，INRの延長による頭蓋内出血をきたすことがあるため注意する．思春期以降の女性において，ワルファリン内服中に卵巣出血をきたすことがある．

抗凝固療法のリスクと効果に鑑み，患者に適したPT値を考慮する．ワルファリンは，維持量に達するまで2〜3週間の期間を要する．検査や手術のために服薬を中止したときや感染などによりINR値のコントロールに難渋し，変動幅が大きいときに心事故が起きやすい．抗血栓療法を長期間施行後，中止後リバウンドによる心事故が発症することもある．

その他の薬物療法

1. 背景・目的

成人の冠動脈虚血性心疾患である狭心症において，カルシウム拮抗薬，亜硝酸薬などの冠血管拡張薬が使用されているが，川崎病によるCALにおいて冠れん縮は極めてまれであるため，これらの薬剤の有用性については不明である．小児では，急性心筋梗塞の発症以外で狭心痛を訴えることは極めてまれである．狭窄性病変がある患者において，胸痛を訴える場合は冠血行再建術の適応を検討する．

また，加齢に伴う虚血性心疾患がある．肥満や高血圧，LDLコレステロールの上昇は，川崎病による

CALをさらに増悪させる可能性がある．動脈硬化危険因子（肥満，脂質代謝異常，高血圧，糖代謝異常）を合併した場合，危険因子を軽減するため運動療法，食事療法に加え，薬物療法が必要となる．喫煙は急性心筋梗塞発症の危険因子であり，禁煙指導を行う．成人期における動脈硬化性冠動脈疾患において，LDLコレステロール上昇に対するスタチン製剤の有用性が示されている．

2. 適応

胸痛は自覚症状であるため，心電図変化を伴わない胸痛に対する抗狭心薬の薬物治療については，判断が難しい．食事療法，運動療法を行ってもLDLコレステロール値が140 mg/dL以上の場合，プラバスタチンなどのスタチン剤の投与の適応となる．収縮期圧140 mmHg以上／拡張期圧90 mmHg以上の高血圧がある場合，カルシウム拮抗薬，ACE阻害薬，アンジオテンシンII受容体遮断薬（ARB）などの降圧薬を考慮する．今後成人期における川崎病既往患者の虚血性心疾患発症頻度により，薬物療法の適応について見直される可能性がある．

心筋梗塞後の抗心不全療法

1. 背景・目的

心筋梗塞後の左室駆出率（left ventricular ejection fraction：LVEF）の低下を伴う患者の長期予後は不良であるため，心筋梗塞後の左室リモデリングを軽減するため，抗心不全療法を行う．ACE阻害薬やβ遮断薬の導入を考慮する．成人期に心電図異常，心機能低下を契機に川崎病によるCALと診断される患者がいる．無症候性の冠動脈閉塞で対側からの側副血管が発達している場合が多い．これらの患者では，加齢に伴い，さらなるCALの進行，心機能低下，致死性不整脈による突然死が起こりうる．

2. 適応

急性心筋梗塞後の心筋障害のある患者にACE阻害薬を投与する．無症候性の冠動脈閉塞がありLVEFが低下している場合も考慮する．LVEF 40%未満の場合はβ遮断薬の投与を行う．また，非持続性心室頻拍（nonsustained ventricular tachycardia：NSVT）のみられる患者は，β遮断薬，ソタロール，アミオダロンの抗不整脈薬の適応となる．LVEF 35%未満でNSVTを伴う場合，心臓再同期療法

(cardiac resynchronization therapy：CRT)や致死性不整脈の出現に対して植込み型除細動器(implantable cardioverter defibrillator：ICD)治療を考慮する．また，内科的治療が困難な重症心不全は左室補助人工心臓，心臓移植の対象となりうる．

3. 検査法

心筋障害の評価には，12誘導心電図，心エコー検査に加え，RI心筋血流イメージングの心筋灌流欠損，MRIによるガドリニウム遅延造影の範囲の評価が有用である．不整脈の検出には，Holter心電図検査による経過観察が必要である．低心機能の場合，β遮断薬の導入時には，脳性ナトリウム利尿ペプチド(brain natriuretic peptide：BNP)のガイドにより導入する．

4. 有用性

心筋梗塞後早期の抗心不全療法は障害心筋の線維化を防ぎ，LVEFの保持に有用である．成人の虚血性心疾患では，大規模試験においてACE阻害薬，β遮断薬による予後の改善が示されている．QRS幅>0.150 msecでは，CRTやICD機能付き心臓再同期療法(CRT-D)の予後改善の有用性が報告されている．

5. 注意点

アミオダロンの副作用に甲状腺ホルモンの異常，間質性肺炎が起こりうるので，定期的な検査が必要である．

日米のガイドラインの比較

日米では冠動脈障害の重症度分類が異なるため，単純に比較することはできない．日本では，冠動脈瘤の残存，冠動脈狭窄性病変の患者群において，ASAはクラスⅠ，レベルはAである．そのほかの抗血小板薬と抗凝固薬はⅡa，スタチン，ARB，ACE阻害薬はⅡbで，レベルはCである．American Heart Association(AHA)のstatementでは，冠動脈瘤の残存に対してASAは，クラスⅠ，レベルCで，抗凝固薬は巨大瘤で，Ⅱa，レベルBである．そのほかの抗血小板薬は，Ⅱa，レベルCである．スタチン，ACE阻害薬，βブロッカーはⅡb，レベルCである．大規模な多施設共同研究がないため，日米ともにエビデンスレベルは低い．ACE阻害薬，βブロッカーは，心筋障害の有無，程度により，投与を判断されるべきである．

■ 文 献

1) Tsuda E, et al.：The 30-year outcome for patients after myocardial infarction due to coronary artery lesions caused by Kawasaki disease. Pediatr Cardiol 2011；32：176-182

2) Tsuda E, et al.：Stenotic lesions and the maximum diameter of coronary artery aneurysms in Kawasaki disease. J Pediatr 2018；194：165-170

3) 酒井道生，他：抗血小板療法の基礎と臨床．小児科診療 2001；64：1175-1181

4) 日本循環器学会，他：2020年改訂版 川崎病心臓血管後遺症の診断と治療に関するガイドライン 〔https://www.j-circ.or.jp/cms/wp-content/uploads/2020/02/JCS2020_Fukazawa_Kobayashi.pdf〕

5) McCrindle BW, et al.：Diagnosis, treatment, and long-term management of Kawasaki disease：A scientific statement for health professionals from the American Heart Association. Circulation 2017；135：e927-e999

6) Tsuda E, et al.：A survey of the 3-decade outcome for patients with giant aneurysms caused by Kawasaki disease. Am Heart J 2014；167：249-258

〔津田悦子〕

Ⅴ　遠隔期の検査・治療・管理

8　カテーテル治療

POINT
- 乳幼児の急性心筋梗塞の症状は嘔吐，腹痛，傾眠傾向などがあり，心電図変化があれば，経静脈的血栓溶解療法(ICT)を考慮する．
- 石灰化を伴う局所性狭窄(LS)の解除において，ロータブレータは有用である．
- 川崎病罹患後数年以内の冠動脈瘤や石灰化を伴なわないLSや冠動脈バイパス術後のグラフト狭窄に対する経皮的バルーン血管形成術(POBA)は有用な場合がある．
- 川崎病冠動脈障害と粥状硬化による冠動脈疾患とは原因が異なるため，経皮的冠動脈インターベンション(PCI)の合併症と遠隔期予後を考慮し，手技を選択する．

背景・目的

1. 背　景

　生活習慣の変化により若年性心筋梗塞の割合が増加しつつある．川崎病は報告されてから50年以上が経過し，川崎病既往患者が粥状動脈硬化に至る年齢になってきた．川崎病による冠動脈障害(coronary artery lesions：CAL)は，小児期に無症状に経過しても，加齢に伴い急性冠症候群(acute coronary syndrome：ACS)の原因病変となりうる．川崎病による冠動脈後遺症の病態は，冠動脈瘤を始まりとする冠動脈狭窄性病変である．冠動脈の局所性狭窄(localized stenosis：LS)と閉塞(occlusion：OC)が心筋虚血と心筋障害を惹起し，心機能低下をまねくため予後に影響を与える．冠血行再建術は，乳幼児期から老年期までの寿命を担保し，生涯にわたる良好なQOLを維持することを目的とする．

　冠血行再建術には，カテーテル治療である経皮的冠動脈インターベンション(percutaneous coronary intervention：PCI)と冠動脈バイパス術(coronary artery bypass grafting：CABG)がある．冠血行再建術は，内科領域の虚血性冠疾患に施行される治療の発達に準じてきた．川崎病による冠動脈狭窄性病変に対するCABGは1970年代後期から，PCIは1980年代後期から施行されるようになった．しかし，川崎病によるCALと粥状硬化による冠動脈疾患では原因が異なる．川崎病によるCALの標的病変の形態は巨大冠動脈瘤や高度の石灰化病変を合併し多様である．冠動脈狭窄病変に至る冠動脈壁の性状は異なるため，冠血行再建術の適応と成績は必ずしも同じではない．川崎病既往患者において虚血性心疾患に至る患者は約1%と推定され，虚血性心疾患全体の中では極めて少ない．対象が乳幼児を含む小児期から成人期に至るまで幅広い年齢層である．PCIでは，デバイスの選択が大きく影響し，多数の臨床成績を基盤とした報告はなく，現時点ではエビデンスに乏しい[1,2]．

2. 目　的

　川崎病によるCALの病態に，加齢とともに粥状硬化が加わる．緊急PCIは，閉塞責任血管を再灌流により急性心筋虚血を改善し，心筋梗塞巣を最少範囲にとどめることにより心機能を保持し，急性期心事故に対する救命と遠隔期予後の改善を図る．待機的PCIは，心筋虚血を改善し，症状とQOLを改善し，心筋障害を予防することにより予後の改善を目的とする[3]．

適　応

1. 急性心筋梗塞に対する再灌流療法

　胸痛の発症から12〜24時間以内のST上昇型の急性心筋梗塞が適応となり，できるだけ早期の再灌流を目指す[4]．小児の場合，胸痛を訴えることができ

203

ないため，異常な啼泣，嘔吐，腹痛などの消化器症状，顔色不良や傾眠などの徴候に注意する．症状は違和感のみの場合もあり，過去の安静時12誘導心電図と比較し，心電図の経時的変化に注意する．超急性期では，T波の増高のみである．トロポニン陽性，心筋逸脱酵素の上昇は発症後3～6時間を経てから検出される．PCIは，専門施設で熟練した術者により施行する．血行動態については，比較的安定している場合と心原性ショックを含む不安定な場合がある．心筋虚血に伴う心室細動を含む重篤な致死的不整脈の出現や手技中に状態が急変する場合があるので，ハートチームによる緊急時の補助循環，心臓外科のバックアップ体制が必須である．心原性ショックの場合は，経皮的心肺補助装置（percutaneous cardiopulmonary support：PCPS）を導入し，左室補助循環を確立して手技を行う．

2. 待機的PCI

冠動脈壁肥厚によるLSがあり，症状，心筋虚血所見がある場合に適応となる．川崎病によるLSの進行は緩徐で，ほとんどの場合無症状である．心筋虚血を呈するLSは，形態学的には90％以上の狭窄で，選択的冠動脈造影の狭窄部位の冠動脈径は1mm未満である．巨大瘤を伴うLSの場合，形態的狭窄度の判断は困難で狭窄を過大評価しやすいので，機能的心筋虚血の評価が重要となる．非侵襲的検査では，トレッドミル検査，心筋SPECTなどのモダリティにより心筋虚血が検出され，心筋バイアビリティがある場合が適応である．経胸壁心エコー検査では，主に左前下行枝が対象となるが，ATP負荷による冠動脈血流予備能（coronary flow reserve：CFR）があり，2.0未満が適応となる．薬剤負荷によるCT，MR，PETなども施行されている．侵襲的検査では，内科領域のPCIは機能的狭窄度評価による冠血流予備能比（fractional flow reserve：FFR）または瞬時血流予備量比（instantaneous wave-free ratio：iFR）ガイド下PCIが推奨され，FFR＜0.80やiFR＜0.89が適応となる[5]．病変ごとの虚血の判定が可能で，成人例においては有用である．

成人の安定型虚血性心疾患では，一枝病変ではPCIが，多枝病変であればCABGが推奨される．しかし，川崎病によるCALでは，狭窄病変の形態，手技の侵襲度，合併症，年齢，体格，性別，服薬ア

ドヒアランス，出産などを含むライフプラン，長期予後を考慮し選択する．冠動脈瘤を伴うLSにおいて，狭窄の解除により虚血の改善は得られるが，冠動脈瘤の併存例では血栓性閉塞のリスクは残存するため，心筋梗塞を完全に予防することはできない．CABGは，順行性血流との競合によりグラフトの閉塞が起こりうる．両者の手技の成功を得るための最適介入時期は，合併症のリスクも考慮するとやや違いがある．PCIは長期的には再狭窄があるので，再介入が必要となる．PCI後は抗血小板薬の継続は必須であるため，服薬アドヒアランスが良好な患者でなければならない．適応について，合併症，術後成績を考慮し，さらに検討されるべきである．

手 技

小児では，アプローチやリファレンスの血管径が小さいため，使用できるガイディングカテーテルやデバイスが限られ，選択できる手技は限定される．

1. 急性心筋梗塞に対する再灌流療法

1) 血栓溶解療法（intracoronary thrombolysis：ICT）

デバイスによるPCIが実施困難な体格の小児患者や発症早期に実施不可能と判断した場合は，冠動脈内または経静脈的ICTを行う．血栓溶解薬には，ウロキナーゼ，組織型プラスミノーゲン活性化因子（tissue plasminogen activator：t-PA），改変型t-PAがある．ウロキナーゼは，フィブリン親和性が低く，循環血液中で全身の線溶活性を亢進する．t-PAは，フィブリン親和性が高い．改変型t-PAは血液中の半減期を延長させることにより総投与量の減量を目的に開発され，急速単回静脈内投与が可能である．冠動脈内ICTの場合は，標的血管に経カテーテルでt-PAを約10分間かけて注入し，造影にて効果を確認し，再度繰り返す（図1）．経静脈的ICTは，末梢静脈からmodified t-PAを2～3分かけて単回投与する（p.200，表1参照）．心臓カテーテル検査の施設がない状況でも迅速に簡易に施行できる．再灌流後の心室性不整脈の出現に注意する．また，数日以内に生じうる再梗塞の発症を防ぐため，出血に注意しながら，ヘパリンにより活性凝固時間（ACT）を高めに維持する．

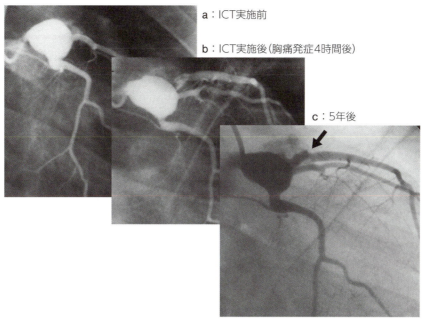

図1 急性心筋梗塞に対する血栓溶解療法前後の選択的冠動脈造影像
a：左前下行枝の閉塞，b：t-PA の冠動脈内注入後の左前下行枝の再開通，c：5年後の造影像
2歳時に川崎病を発症し，8歳時に急性心筋梗塞を発症した．胸痛発症4時間後に左前下行枝に血栓溶解療法（tissue plasminogen activator）の冠動脈内投与）を行い，再灌流が得られた．5年後の造影でも開存していた

2) Primary PCI

①血栓吸引療法

川崎病による急性心筋梗塞の病態は，巨大瘤内の血栓性閉塞が主体である．巨大瘤内の血栓は多量で新たな血栓の出現が持続し，血栓吸引のみでは再灌流ができない場合がある．ヘパリンやアルガトロバンなどの抗凝固薬やバルーン形成術の併用が必要である．

②経皮的バルーン血管形成術（POBA）

責任冠動脈病変の狭窄度が軽度で，閉塞原因が血栓主体である場合や血栓溶解療法のみで再灌流が得られない場合はPOBAが有用な場合がある[6]．

③ステント留置術

青年期以降の患者が対象となる．再梗塞を防ぐことができるためステントの初期成績は，POBAよりも有効と報告されているが，長期成績は不明である．巨大瘤内の血栓が多量で，病変の血管径を過小評価することがあるので，留置に際しては，血管内エコー法（IVUS）や光干渉断層法（optical coherence tomography：OCT）は，最小内腔面積の計測や血管壁の性状を観察できるため，デバイスやステント径の選択，術前後の評価に有用である．

2. 待機的 PCI

1) 経皮的血管バルーン形成術（POBA）

川崎病罹患後 2〜3 年以内の早期に生じる動脈瘤を伴わない，冠動脈壁に石灰化のない LS に対して有用である（図2）[7]．LS の原因は細胞線維性内膜肥厚である．川崎病罹患後早期には，浮腫性で細胞外マトリックスが豊富であるため，バルーンによる内膜肥厚を圧縮することにより，8気圧程度の拡張で有効な最小血管腔径（MLD）を得ることが可能である．しかし，冠動脈瘤合併例では，直後の成績は良好であっても1年以内に無症候性閉塞をきたす場合もある．川崎病罹患後数年以内の適応症例は幼児であるため体格が20kg以下であり，体格に見合うガイディングカテーテルは市販されていないため，独自に成型するか特注する必要がある．また，左前下行枝近位部の病変に対する拡張術においては，バルーン長径が短いものであっても左主幹部にかかるため，注意が必要である．川崎病罹患後年数が経過し，石灰化を伴い冠動脈壁が硬化している場合，効果は乏しい．

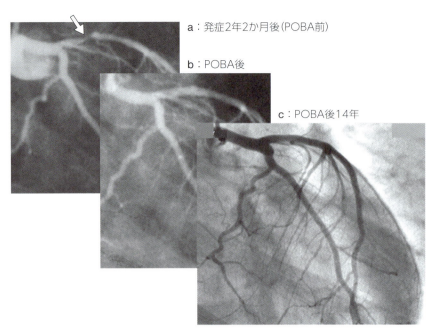

図2 川崎病発症後早期の局所性狭窄に対するPOBA前後と14年後の選択的冠動脈造影像
a：発症2年2か月後の局所性狭窄，b：POBA後，c：POBA後14年
2歳時に径2.0 mmのバルーンにて，6気圧30秒，8気圧30秒施行した．最狭窄部0.6 mmから1.9 mmに拡大した．14年後の再狭窄はなし

2）ロータブレータ（高速回転式経皮経管アテレクトミー，PTCRA）

川崎病罹患後年数を経過するにつれ，冠動脈壁の石灰化は高度になる．石灰化を伴うLSに対して適している．金属の先端部分（Burr）にダイヤモンドチップが埋め込まれている．高圧ガスで毎分160,000〜180,000回転させ，石灰化病変を径5ミクロン以下の研削片に粉砕する．合併症として，冠動脈穿孔，解離による重篤な合併症がありうるため，使用において施設基準がある．対象は体格が成人に達した青年期以降の患者である．術前，術後のIVUS，OCTによる画像評価が有用であるが，石灰化が高度の狭窄病変では，術前のIVUSの端子が病変部を通過しないことも少なくない．病変の狭窄径により，Burrサイズを決定し，サイズアップする．Burrのサイズは1.25〜2.25 mmであるので，PTCRAのみではBurrサイズ以上のMLDを得ることはできない．ガイディングカテーテルは6 Fr以上となるため，体格の小さな小児ではアプローチの血管径と病変部位のリファレンスの血管径により，Burrサイズが制限されうる．Burrサイズが小さく，十分なMLDを得ることができない場合，初期成績は良好でも，遠隔期に無症候性閉塞や再狭窄が生じうる．1年後の再狭窄は10〜30%にみられ，再狭窄に対する再PTCRAは術後10年程度有用であるが，加齢とともに再介入が必要である（図3）[6]．PTCRA施行後のバルーン拡張の効果については不明である．10 atm以上の高圧バルーンによる後拡張は，遠隔期に新生瘤の原因となりうるので避ける[2]．

3）ステント留置術

ベアメタルステント（baremetal stent：BMS）や薬剤溶出ステント（drug eluting stent：DES）留置の初期成績は良好であるとの報告が散見されるが，遠隔期成績の報告は少ない[6]．DES留置後は一定期間のアスピリン（ASA）とチエノピリジン系抗血小板薬2剤併用療法（DAPT）の継続が推奨されている．川崎病によるLSは加齢とともに石灰化が高度になり進行性であり，留置部位において，再狭窄，遠隔期の新生瘤やステントフラクチャーが報告されている．この患者群におけるDESの世代別成績，長期予後は不明である[7]．

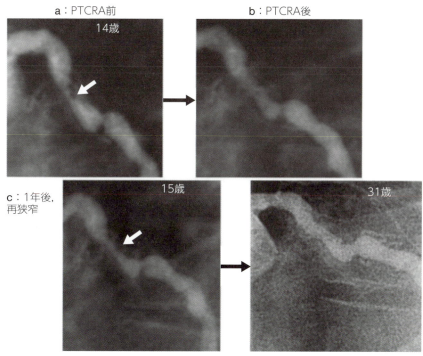

図3 PTCRA前後の造影像
a：左回旋枝のLS，b：PTCRA後，c：PTCRA1年後の再狭窄，d：再PTCRAが施行された16年後の造影像
14歳時に1.5 mmのBurrにて施行，その後2.0 mmのBurrにサイズアップした．15歳時再狭窄に対して2.15 mmのBurrにて施行した．31歳では再狭窄はなし

4）薬剤塗布バルーン形成術（DCB）

脂溶性の高い薬物（パクリタキセル）をバルーン表面から短時間の接着により血管壁へ浸透させるデバイスである．異物の挿入がないという利点がある．

5）セグメント狭窄（SS）に対するPCI

川崎病によるSSは，巨大瘤の血栓性閉塞後に瘤内に生じた複数の細い新生血管で，再疎通像である．SSの支配領域における心筋虚血・心筋障害の程度は，軽度から重度まで個々の病変により異なる．粥状硬化による虚血性心疾患における慢性完全閉塞病変（CTO）に対するPCIが施行されるようになり，SSに対するステント留置術の報告が散見される．しかし，SSに対するステント留置は，直後は良好な開存と報告されているが，遠隔期は再閉塞の報告が多い．SSに対するPCIは技術的に可能であるが，必要性と効果について十分に検討されるべきである．

6）グラフト狭窄に対するバルーン形成術

CABG術後の内胸動脈グラフト狭窄に対するPOBAはグラフト閉塞を防ぐことができる．小児では血管径が細く，native flowとの競合のためCABG術後のグラフト吻合部狭窄が進行し，術後1～2か月でグラフト閉塞をきたしうる．この時期のグラフト吻合部狭窄に対してPOBAは有用である．

有用性

乳幼児のカテーテル治療では鎮静，身体抑制などが必要であり，治療までの準備に時間がかかる．t-PAによる経静脈的ICTは，カテーテルを施行できない施設においても簡易に施行でき，急性心筋梗塞発症からの時間が短いほど有用である．虚血性心疾患の領域でACSの発症，とくにST上昇型心筋梗塞に対する治療は，わが国では主としてprimary PCIが施行される．1980年代からのCCU（冠疾患集中ユニット），Door to Balloon体制の進歩と熟練により，PCIが迅速に施行されるようになり，ACSの救命率は向上し，発症後早期の再灌流により予後も改善した．

成人の虚血性心疾患においては，primary PCIに

おいて，PCIの成績がICTを上回り，DESを留置する手技がスタンダードである．しかし，川崎病によるCALにおいては，必ずしも確立されているわけではない．ICT，血栓吸引療法，POBAも選択されうる．選択的冠動脈造影で，血栓が主体であるのか，石灰化の強いLSがあるのか，IVUSなどによる画像診断が必要である．若年であればステント留置については緊急の救命以外は避けるほうが望ましい．PTCRAのみでも10年以上の開存は期待できる（図3）．重症虚血に伴う心原性ショック，致死性不整脈による血行動態の破綻に対して，PCPSなどの左室補助循環の導入とCCUにて厳密な呼吸・循環管理が必要である．熟練した冠動脈専門内科医，心臓外科医，川崎病によるCALを理解した小児循環器医による協力体制が重要となる．

注意点

乳幼児では，症状を訴えることができないこと，発症頻度が極めて低いことから，小児科医が急性心筋梗塞を診断することは容易ではない．診断が遅れ，治療の機会を逃すことが少なくない．迅速に的確な診断を行うことが最も重要である．多枝病変で対側の冠動脈が完全閉塞しており，標的血管が閉塞した場合，心原性ショックに陥る可能性が高い場合はカテーテル治療を回避するほうが望ましい．施行する場合は，迅速に補助循環をバックアップできる体制で施行する．

近位部の石灰化した冠動脈瘤やSSなどの特徴的所見がある場合は，川崎病によるCALを疑う．また，若年で冠動脈危険因子がなく，瘤がない場合に主要冠動脈近位部に石灰化がある場合，川崎病による冠動脈瘤の退縮病変の可能性がある．小児期の川崎病の既往を確認する必要があるが，現在50歳前後の患者で，川崎病の罹患歴について認識がある人は少ない．当時は川崎病という疾患の認知度は低く，猩紅熱や敗血症と診断されていた症例や，小児期の急性疾患であるため患者自身は記憶に乏しく既往歴が不明な場合が多い．虚血性心疾患において，川崎病によるCALの頻度が極めて低く，インターベンショニストが，CALと粥状動脈硬化性疾患を鑑別す

ることは困難である．CALであっても，通常の若年性心筋梗塞として治療されている可能性が少なくない．粥状動脈硬化性疾患においても5％に拡大性病変がみられるので鑑別が必要である．

川崎病によるCALの自然予後はいまだ不明である．緊急時の介入は必須であるが，川崎病によるCALは，ACSの発症時以外は無症状である．手技による効果，合併症のリスク，手技の質，成功度を熟慮し，生命予後やQOLの改善につながる場合に施行されるべきである．

日米のガイドラインの比較

日本では，PTCRAと石灰化のない病変に対するPOBAは，クラスIIaである．米国では，PTCRA＋ステントはI，DESはIIa，POBAはIIIである．患者群の規模が小さく，少数例の観察研究にとどまるため，日米両者のガイドラインにおいて，すべてレベルはCである．デバイスの進歩，症例の蓄積により，クラスは変わりうる．

文　献

1) Ogawa S, et al. : Silent myocardial ischemia in Kawasaki disease : evaluation of percutaneous transluminal coronary angioplasty by dobutamine stress testing. Circulation 1997 ; 96 : 3384-3389
2) Akagi T : Interventions in Kawasaki disease. Pediatr Cardiol 2005 ; 26 : 206-212
3) 日本循環器学会，他：2020年改訂版 川崎病心臓血管後遺症の診断と治療に関するガイドライン［https://www.j-circ.or.jp/cms/wp-content/uploads/2020/02/JCS2020_Fukazawa_Kobayashi.pdf］
4) 日本循環器学会，他：急性冠症候群ガイドライン（2018年改訂版）［https://www.j-circ.or.jp/cms/wp-content/uploads/2020/02/JCS2018_kimura.pdf］
5) 日本循環器学会，他：安定冠動脈疾患の血行再建ガイドライン（2018年改訂版）［https://www.j-circ.or.jp/cms/wp-content/uploads/2018/09/JCS2018_nakamura_yaku.pdf］
6) Gordon JB, et al. : The spectrum of cardiovascular lesions requiring intervention in adults after Kawasaki disease. JACC Cardiovasc Interv 2015 ; 9 : 687-696
7) Tsuda E, et al. : Long-term results of percutaneous transluminal coronary balloon angioplasty in Kawasaki disease. Cardiol Young 2021 (on line ahead of print)
8) Tsuda E : Insights into stent implantation for coronary artery lesions caused by Kawasaki disease. Cardiol Young 2020 ; 30 : 911-918

〔津田悦子〕

Ⅴ　遠隔期の検査・治療・管理

9　外科的治療：冠動脈バイパス術

POINT

- ・左前下行枝領域に心筋虚血を認め，経皮的冠動脈インターベンション（PCI）適応から外れる症例が手術適応となる．
- ・冠動脈バイパス術（CABG）は，左内胸動脈を左前下行枝に吻合することが原則である．
- ・瘤縫縮術は一部の症例に対して有効であるが，単独で行われることはない．

背景・目的

　川崎病冠動脈瘤の急性期における問題は，瘤破裂の危険を除けば，巨大冠動脈瘤内の血流停滞に基づく血栓形成による心筋虚血である．回復期以降には（慢性期に及ぶまで），血管再構築として巨大冠動脈瘤の近位部または遠位部に内膜増殖を主体とする狭窄病変を合併することが知られている．有意な狭窄病変は心筋虚血を惹起し，冠循環を悪化させる．一方，巨大冠動脈瘤では，有意な狭窄病変の有無にかかわらず心筋虚血を合併することがあり，確実な診断のもとに治療戦略を構築する必要がある．川崎病冠動脈後遺症に対する外科治療は，巨大冠動脈瘤によって引き起こされた心筋虚血に対してバイパスグラフトを用いて血行再建することで冠循環を改善させることを目的とする．

　川崎病冠動脈疾患に対する外科治療において，Kitamura らの残した功績は大きい．彼らは，1976年に川崎病患児（4歳男児）に対して，大伏在静脈（saphenous vein graft：SvG）を使用した冠動脈バイパス術（coronary artery bypass grafting：CABG）をはじめて報告した[1]．1980年代になると，成人の CABG において内胸動脈（internal thoracic artery：ITA）の有用性が認識されはじめた．彼らは，1985年に川崎病患児2例（6歳男児，10歳男児）に対してはじめて ITA を使用した CABG を報告し[2]，その後 "ITA が患児の成長に伴いその長さと内径が増大していく" という極めて重要な事実（new evidence for a "live" conduit）を報告している[3]．ま

た1990年には，8例の川崎病患児に対して両側ITAを使用したCABGを施行し，その良好な成績を報告している[4]．

適　応

1.　ガイドラインにおける手術適応

　川崎病冠動脈後遺症における CABG の手術適応は，「川崎病心臓血管後遺症の診断と治療に関するガイドライン（2020年改訂版）」[5]において報告されている（**表1**）．手術適応は，①左冠動脈主幹部（left main trunk：LMT）の高度閉塞性病変，②多枝（2枝または3枝）の高度閉塞性病変，③左前下行枝（left anterior descending artery：LAD）近位部の高度閉塞性病変，④危険側副路状態（jeopardized collaterals）などとされており，さらに "移植グラフトの遠隔期開存性を考慮し，低年齢児ほど適応決定は慎重に行う．内科的管理が行えれば，冠動脈造影を適宜反復して慎重に追求し，患児の成長を待つが，重症例では1〜2歳での手術も行われている" と補足している．このように，特に低年齢児における手術適応の決定は難しい．

2.　日本医科大学付属病院における手術適応

　日本医科大学付属病院における川崎病冠動脈後遺症に対する手術適応を**表2**に示す．日本医科大学付属病院では，川崎病発症から1〜2年は抗凝固療法を行い慎重に経過観察を行うことを原則としている．LAD 領域に心筋虚血を有することを前提に，①LMT または LAD 近位部に閉塞または高度狭窄病変を有する場合，②厳重な抗凝固療法にもかかわらず

209

表1 「川崎病心臓血管後遺症の診断と治療に関するガイドライン(2020年改訂版)」における外科治療の適応

①LMTの高度閉塞性病変
②多枝(2枝または3枝)の高度閉塞性病変
③LAD近位部の高度閉塞性病変
④危険側副路状態(jeopardized collaterals)

〔Japanese Circulation Society Joint Working Group：JCS/JSCS 2020 guideline on diagnosis and management of cardiovascular sequelae in Kawasaki disease. Circ J 2020；84：1348-1407 より〕

表2 日本医科大学付属病院における川崎病冠動脈後遺症に対する手術適応

川崎病発症から1～2年は抗凝固療法を行い慎重に経過観察を行うことを原則とする
LAD領域に心筋虚血を有することを前提とする
①LMTまたはLAD近位部に閉塞または高度狭窄病変を有する場合
②厳重な抗凝固療法にもかかわらず瘤内血栓による心筋虚血を繰り返す場合
③巨大冠動脈瘤の縮小傾向がなく著しい造影遅延を有する場合

瘤内血栓による心筋虚血を繰り返す場合，③巨大冠動脈瘤の縮小傾向がなく著しい造影遅延を有する場合を外科治療の適応としている．有意な狭窄病変を合併していない場合には，内胸動脈の血流競合という問題があり手術適応の決定には慎重を要する．このような症例には，flow wireより得られる冠血流予備能(coronary flow reserve：CFR)，pressure wireより得られる部分心筋血流予備量比(myocardial fractional flow reserve：FFRmyo)，さらには運動または薬剤負荷心筋シンチグラフィが診断に有用である．また，低心機能例，心筋梗塞を発症した例は予後が悪いことが知られており，積極的に外科治療を考慮したほうがよい．

　これらの手術適応を理解するうえで，以下のような川崎病冠動脈後遺症の特徴を把握しておかなければならない(①②に関する最近のデータは「1. 遠隔期診療総論」を参照)．

①急性期に合併した冠動脈瘤の約50%は発症後2年以内に自然退縮する．全狭窄病変中，2年以内に狭窄病変へ進行するものは約50%であり，10年以上の経過をもって狭窄病変へと進行する例も珍しくない[6]．

②8mm以上の巨大冠動脈瘤は退縮することはほとんどなく，狭窄病変に進行する可能性が高い．また5mm以上の冠動脈瘤も長期的には狭窄病変となることもある[7]．

③閉塞後再疎通の結果であると考えられている"segmental stenosis"という川崎病に特徴的な現象がある[8]．これは右冠動脈(right coronary artery：RCA)に多くみられ，無症状のことも多く虚血を示さない場合もある．長年にわたり再疎通血管が発達することもあり，RCA単独のsegmental stenosisは原則的には手術適応とはならない[9]．

④心筋梗塞の発症は川崎病発症1年以内のことが多く，その致命率は22%であり，生存した症例においても約半数は何らかの心機能低下をきたす[10]．LMT病変またはLADとRCAの合併病変は致死的な症例が多く，RCAの1枝病変は予後がよい[10]．

治療法・有用性・注意点

1. 川崎病冠動脈後遺症に対するCABG

1) 小児におけるCABGの特徴

　川崎病冠動脈後遺症に対するCABGは，通常の成人例に対するCABGとは大きく異なる．成人例における冠動脈病変は，病因は動脈硬化によるものであり，病変は多枝，末梢枝および血管壁の肥厚，石灰化を伴うのに対し，川崎病では多くの場合，主要冠動脈(主にLAD，RCA)の近位部に動脈瘤や狭窄病変は限局する．したがって，成人例のように4～5枝の多枝血行再建が必要な場合は少ない．また糖尿病や他臓器疾患の合併もなく，体外循環のリスクもないため"off-pump CABG"の有用性も少なく，心停止下に長期開存が期待できるグラフトを確実に吻合することが重要となる．

　通常の動脈硬化性疾患におけるCABGの適応患者の平均年齢は65～70歳であるが，当然のことながら，小児例は余命期間が成人例よりも長い．それだけでなく，成人例に比較して高いquality of life(QOL)が要求される．血行再建したグラフトが開存していれば，運動制限なく通常の日常生活を数十年間過ごすことが可能であることが知られている．このように，グラフトの長期開存性は，川崎病冠動脈後遺症に対するCABGにおいて重大な課題である．

2) グラフト選択

　川崎病冠動脈後遺症に対するCABGにおいて，当

9. 外科的治療：冠動脈バイパス術

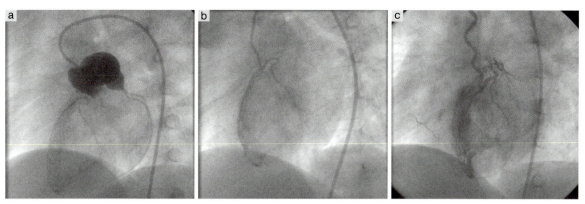

図1 1歳5か月男児に対してCABG（LITA-LAD）を施行した症例
a：LCA（術前）．LMTからLAD近位部にかけての巨大冠動脈瘤に血栓形成を認める．明らかな狭窄病変はない．血栓コントロール不良のため手術適応となった
b：LITA-LAD（術後1か月）
c：LITA-LAD（術後1年）．術後1か月に比較してLITAが成長している

初はSvGが中心であった．Kitamuraら[11]は，SvGの開存率は9歳以下の場合10年で16.7%であり，閉塞は1か月から2年の間に多く起こり，2年で開存率は31%，また5歳以下においてSvGの長期開存は"hopeless"としている．つまり，"小児例におけるSvGの開存率は成人例に比較してさらに極めて悪い"ということを理解しなければならない．また，SvGのみによる血行再建が遠隔期心関連死亡の増悪因子であることも知られている[12]．以上から，長い余命，高いQOLが要求される小児CABGにおいて，長期開存が望めないSvGは使用すべきでないと考えられる．

成人例と同様に，川崎病冠動脈後遺症に対するCABGにおいてもITAの使用が長期予後を改善させることが知られており[12]，LADにITAを吻合することが原則である．小児のITAグラフトは血管径が細いことから，より高い吻合技術を必要とする．動脈硬化による壁肥厚や石灰化とは無縁な小児の血管では，内腔が確認できればグラフトと冠動脈の吻合は可能であり，年齢的には1歳以上，体重10kg前後ならば吻合は可能であると考えられる．ITAが信頼性の高いグラフトであることは間違いないが，"血流競合"という問題がある．血流競合とは，グラフト血流が少ない場合や標的冠動脈の狭窄度が低い場合に，グラフトから標的冠動脈に十分な血液が流れないことであり，これによりグラフトの"やせ現象（string現象）"を生じて，グラフト閉塞をきたす

ことがある．明らかに心筋虚血が存在し，狭窄の程度が90%以上であれば血流競合が生じる可能性は少ないと考えてよい．川崎病特有の問題である巨大冠動脈瘤内に血栓形成を繰り返す例（図1），巨大冠動脈瘤内に造影遅延を伴う例において狭窄病変が軽度の場合（図2）には，血流競合の問題がありCABGの適応決定に関して慎重を要する．

川崎病冠動脈後遺症に対して両側ITAを使用した報告はあるが[4]，小児例でのCABGにおいて両側ITAの片側ITAに対する優位性を報告したものはない．成人例においては，両側ITAの使用が10年以上の経過において長期予後を改善することが知られており，平均余命の長い小児例においても両側ITAの使用が有用であることも期待される．ただし，両側ITAを使用して多枝血行再建を行う場合，各々の冠動脈瘤に伴う狭窄病変の程度を評価するのは難しく，グラフトの血流不均衡を生じる危険性もあるためY-composite graftなどの複雑なグラフトデザインは選択するべきではない．可及的に両側ITAを使用することが推奨されるが，"単独でITAをLADに吻合する"という原則を忘れてはならない．

両側ITAが第一選択であり，それに続く動脈グラフトとして，右胃大網動脈（right gastroepiploic artery：GEA），橈骨動脈（radial artery：RA）がある．ITAがほぼ例外なく個人の体格（胸郭の長さ）に相応した長さで，太さはほぼ一定であるのに対してGEAは体格と関係なく個体差が大きい．また，GEA

211

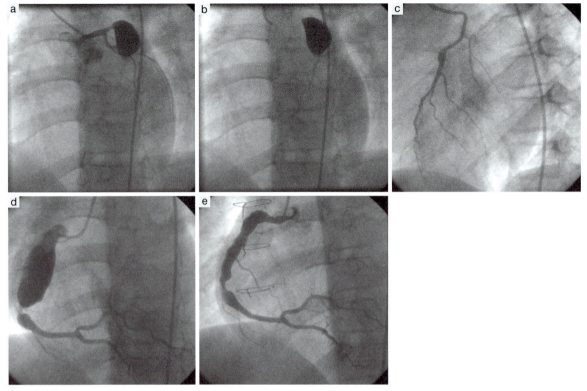

図2 11歳男児に対してCABG(LITA-LAD)とRCAの瘤縫縮術を施行した症例
a：LCA(術前；早期相). LAD近位部に巨大冠動脈瘤を認める
b：LCA(術前；遅延相). LADに著しい造影遅延を認める. 明らかな狭窄病変はない. 高度造影遅延のため手術適応となった
c：LITA-LAD(術後1か月)
d：RCA(術前). RCA近位部に巨大冠動脈瘤を認める
e：RCA(術後1か月). 冠動脈瘤は縫縮されている

は有茎動脈グラフトとして用いる場合，腹腔動脈の第3分枝という解剖学的特性からITA以上に血流競合という問題を考慮しなければならない．そのためGEAは吻合部の内径がある程度以上太いものでないと有茎動脈グラフトとしての血流供給能を発揮できない．体格の小さい小児例ではGEAが未発達で使用できない症例が多く，全例には使用できないと考えておいたほうがよい．RAは川崎病冠動脈疾患において再手術症例に使用された報告があるが[11]，小児に使用された報告は少ない．GEA，RAともに小児例における遠隔期成績を報告したものはない．

2. 巨大冠動脈瘤に対する瘤縫縮術

巨大冠動脈瘤の好発部位は，LAD近位部とRCA入口部から鋭縁(acute margin)にかけての近位部である．LAD近位部の冠動脈瘤により心筋虚血が生じる場合は，左内胸動脈(left internal thoracic artery：LITA)を瘤末梢のLADに吻合することに

よって心筋虚血からの危険を回避できる．しかしながら，RCA領域の巨大冠動脈瘤では，CABGによる心筋虚血の回避はLADと同様ではない．成人CABGにおいてRCAの血行再建に対して使用されるSvGやGEAは，前述のとおり小児CABGにおいて使用することは一般的ではない．RCAに対するグラフトとして使用可能な右内胸動脈(right internal thoracic artery：RITA)は，冠動脈瘤を越えたacute marginより末梢領域には届かないことがほとんどである．

筆者らは，LITA-LADバイパス術が必要とされる症例で，主にRCA中枢の巨大冠動脈瘤に対してCABGの同時手術として瘤縫縮術を行ってきた(図2)．RCA末梢，左回旋枝(left circumflex aretry：LCx)に瘤縫縮術を施行した症例もある．ただし，巨大冠動脈瘤に対して単独で瘤縫縮術を施行した症例はない．瘤縫縮術の目的は，瘤径を縮小することに

より瘤内血流速度を増大させ拍動流にすることで血栓形成を防止することであり、結果としてワルファリンの内服を中止することも可能である。冠血行動態の指標として、術前後に血流パターン、瘤内平均最大流速（averaged peak flow velocity：APV）、CFRを測定している。小児例において、瘤前後に狭窄病変がなく、石灰化病変が軽度である症例が瘤縫縮術の適応となるが、一般的に成人例では冠動脈瘤の石灰化が高度なために適応にならない。また、川崎病発症急性期症例、冠動脈瘤の末梢のrun-offが悪い症例は、瘤縫縮術の適応外としている。活動性の高い小児期にワルファリンの内服を中止できるメリットは大きいと考えられるが、瘤縫縮術の適応とその妥当性に関しては今後も検討を要する。

日米のガイドラインの比較

「川崎病心臓血管後遺症の診断と治療に関するガイドライン（2020年改訂版）」[5]において、川崎病冠動脈後遺症に対するCABGの手術適応は前述のとおり記載されているが（表1）、2013年改訂版と大きな変更点はない。しかしながら、外科治療の要旨として以下の項目が追記され、手術適応だけでなく術式や使用グラフトにまで言及されており、推奨クラスやエビデンスレベルも記載された。

①臨床的な虚血症状や心筋梗塞、心筋シンチグラフィにおける虚血所見もしくはFFRによる評価で、虚血もしくは有意狭窄を有するLAD、LCxへの、LITAもしくは有茎RITAによるCABG（クラスⅠ・レベルB）。

②臨床的な虚血症状や心筋梗塞、心筋シンチグラフィにおける虚血所見もしくはFFRによる評価で、虚血もしくは有意狭窄を有する右冠動脈に対して、有茎ITAもしくは有茎GEAを使用したCABG（クラスⅡa・レベルB）。

③LMT部病変もしくはLAD近位部、3枝病変、2枝病変へのCABG（クラスⅠ・レベルB）。

④心筋梗塞の既往や低心機能、PCIに不適な病変などは、PCIよりCABGを考慮すべき要因となる（クラスⅠ・レベルB）。

⑤CABGに際しては、人工心肺の使用（conventional）が推奨される（クラスⅠ・レベルB）。

2017年のAmerican Heart Association（AHA）のstatement[13]では、"Recommendations for Modes of Revascularization"として、CABGの適応が下記のとおり記載されている。

①CABGは、左主幹部病変・左室機能の低下した多枝病変・PCIの適応とならない多枝病変・糖尿病の多枝病変に選択される（クラスⅠ、レベルB）、②CABGは、多枝病変の年長児と成人に選択される（クラスⅠ、レベルC）、③CABGは、可能であれば両側ITAを用いて実施されるべきである（クラスⅠ、レベルB）。

上記以外にも、1枝病変においてもPCI不成功症例やPCI不適症例がCABG適応であるとしている。一方で、多枝病変においてPCIが可能な局所性狭窄病変ならばPCIを考慮するという記載や、CABG適応と考えられる多枝病変症例でも条件つき（CABGハイリスク症例やCABG拒否症例）でPCIを考慮するという記載もある。

日米のガイドラインを比較すると、共通している点は、①左主幹部病変や多枝病変、またはPCI不適病変がCABG適応とされていること、②低心機能はCABGを考慮する因子であること、③内胸動脈の使用（可能であれば両側内胸動脈の使用）が推奨されていることである。異なる点としては、日本のガイドラインでは、LAD近位部病変もCABG適応として明記されていること、また右冠動脈に対する血行再建や右胃大網動脈の使用に対しても記載していることであり、米国のガイドラインでは、通常の動脈硬化性疾患におけるCABGと同様に、糖尿病がCABGを考慮する因子とされていることである。わが国では、LAD近位部病変は原則的にCABG適応とされている。高度石灰化を伴う川崎病の冠動脈狭窄病変に対してはロータブレータを用いたPCIが推奨されているが、その長期成績が不明であること、特に川崎病における慢性完全閉塞病変に対するロータブレータによるPCI症例が少ないことは認識しておく必要がある。

文　献

1) Kitamura S, et al.：Aortocoronary bypass grafting in a child with coronary artery obstruction due to mucocutaneous lymphnode syndrome：report of a case. Circulation 1976；53：1035-1040

2) Kitamura S, et al.：Severe Kawasaki heart disease treated

with an internal mammary artery graft in pediatric patients : a first successful report. J Thorac Cardiovasc Surg 1985 ; 89 : 860-866

3) Kitamura S, et al. : Excellent patency and growth potential of internal mammary artery grafts in pediatric coronary artery bypass surgery. New evidence for a "live" conduit. Circulation 1988 ; 78 : I129-I139

4) Kitamura S, et al. : Bilateral internal mammary artery grafts for coronary artery bypass operations in children. J Thorac Cardiovasc Surg 1990 ; 99 : 708-715

5) Japanese Circulation Society Joint Working Group : JCS/ JSCS 2020 guideline on diagnosis and management of cardiovascular sequelae in Kawasaki disease. Circ J 2020 ; 84 : 1348-1407

6) Kato H, et al. : Long-term consequences of Kawasaki disease : A 10- to 21-year follow-up study of 594 patients. Circulation 1996 ; 94 : 1379-1385

7) Suzuki A, et al. : Fate of coronary arterial aneurysms in Kawasaki disease. Am J Cardiol 1994 ; 74 : 822-824

8) Suzuki A, et al. : Clinical significance of morphologic classi-fication of coronary arterial segmental stenosis due to Kawasaki disease. Am J Cardiol 1993 ; 71 : 1169-1173

9) Suzuki A, et al. : Indication of aortocoronary by-pass for coronary arterial obstruction due to Kawasaki disease. Heart Vessels 1985 ; 1 : 94-100

10) Kato H, et al. : Myocardial infarction in Kawasaki disease : clinical analyses in 195 cases. J Pediatr 1986 ; 108 : 923-927

11) Kitamura S, et al. : Twenty-five-year outcome of pediatric coronary artery bypass surgery for Kawasaki disease. Circulation 2009 ; 120 : 60-68

12) Kitamura S, et al. : Long-term outcome of myocardial revascularization in patients with Kawasaki coronary artery disease : A multicenter cooperative study. J Thorac Cardiovasc Surg 1994 ; 107 : 663-674

13) McCrindle BW, et al. : Diagnosis, treatment, and long-term management of Kawasaki disease : A scientific statement for health professionals from the American Heart Association. Circulation 2017 ; 135 : e927-e999

〔丸山雄二〕

Ⅴ　遠隔期の検査・治療・管理

10　学校での管理

POINT

・小学校から高校生においては，最適な心血管系の健康を維持しながら，後遺症である血栓症や心筋虚血を予防することが重要である.
・学校心臓検診を用いて，病状の確認と学校生活における運動をはじめとする生活管理の確認が重要である.
・家族，学校関係者，医療従事者が，学校生活管理指導表を通して病状について十分に情報共有することが重要である.

　川崎病は，小学校から高校に在籍する年齢にあたる児童生徒においては，最適な心血管系の健康を維持しながら，後遺症である血栓症や心筋虚血を予防することが重要である[1]. そのためには，病状の確認と学校生活における運動をはじめとする生活管理の確認が重要である.

　学校心臓検診は，世界でも類をみないシステムであり，1958 年に学校保健法（当時. 現在は学校保健安全法）が定められ，1973 年の学校保健法施行規則の改正により，定期健康診断として学校心臓検診の実施が義務づけられ，1995 年から小学校 1 年，中学校 1 年，高校の 1 年生全員に心電図検査が義務づけられた[2]. 川崎病における学校心臓検診の意義は，①川崎病をもつ児童生徒に適切な治療を受けさせるように指示すること，②川崎病児に日常生活の適切な指導を行い，児童生徒の QOL を高め，生涯を通じてできるだけ健康な生活を送ることができるように児童生徒を援助すること，③心臓突然死を予防することなどである[3].

　川崎病における学校心臓検診に関するエビデンスは乏しく，エビデンスに基づいて記述することが困難な箇所が多いが，ここでは学校心臓検診の実際と小学校～高校生における管理について概説する.

学校心臓検診での扱い

1.　学校心臓検診での抽出

　就学前の乳幼児期に川崎病に罹患して，すでに遠隔期にある小児が大部分であり，問診票に基づく状況把握が重要である[2]. 発症年齢，心後遺症の有無，医療機関での管理の経緯，最終受診日を確認する[4]. 検診時点で医療機関により定期的に経過観察されている場合は，診療している医療機関による管理指導区分に従う. 医療機関で管理されておらず，かつ心後遺症の有無が不明の場合は，原則として急性期の診断あるいは治療をされた医療機関を受診して管理指導区分を決定することが望ましい. 医療機関による経過観察が終了しており，かつ心後遺症がない場合は，発症から 5 年以上経過している場合は管理不要である[5]. 5 年未満の場合は原則として診断あるいは治療を行った医療機関を受診し，管理指導区分を決定する.

2.　学校心臓検診での検査

・二次以降の検診で必要な検査項目

　心電図，運動負荷心電図，心エコーなどを行い，以下の所見がないか精査する.

・二次以降の検診で専門医紹介を必要とする所見

(a) 心エコーで冠動脈病変（拡大，瘤など）を認める場合.

(b) 心電図，負荷心電図で虚血を示唆する所見が得られた場合.

(c) 問診において虚血を疑う症状（胸痛，胸部圧迫感など）を有する場合.

　上記 3 つにあてはまる場合は，専門医による評価・管理が必要であり，症例に応じて，心筋シンチ

グラフィ，CT，MRI，冠動脈造影検査を追加する．

3. 学校生活管理指導表

　学校生活管理指導表[2]は，主治医もしくは検診担当医が学校での生活管理の指標を示し，学校生活を適切に送ることができるよう学校に提示するものである[6,7]．学校生活管理指導表では，体育の教科に掲げられている全運動種目を取りあげ，その種目への取組み方によって強度を分類している．小学校と中学校・高校では，運動種目の呼称などが大きく異なるため，小学生用と中・高校生用に分けて作成している．

4. 管理指導区分

　管理不要あるいは要管理（A〜E）を学校生活管理指導表に記す．A〜Eは次のように区分される．
A：在宅医療・入院が必要
B：登校はできるが運動は不可
C：軽い運動には参加可
D：中等度の運動も参加可
E：強い運動も参加可
　また，学校生活管理指導表には運動クラブ活動（クラブ名）の可・禁も記載する．

5. 運動強度の定義

(a) 軽い運動：同年齢の平均的児童生徒にとって，ほとんど息がはずまない程度の運動．
(b) 中等度の運動：同年齢の平均的児童生徒にとって，少し息がはずむが，息苦しくはない程度の運動．
(c) 強い運動：同年齢の平均的児童生徒にとって，息がはずみ息苦しさを感じるほどの運動．

学校における管理

　川崎病既往者の生活管理は，冠動脈病変（coronary artery lesions：CAL）の有無とCALの重症度により層別化される（**表1**）[5]．また，川崎病既往者の学校生活における管理指導については，家族，学校関係者，医療従事者（主治医）が，学校生活管理指導表や川崎病急性期カード（**図1**）などを用いて，その児の病状について十分に情報共有することが重要である[8]．以下，CALの程度別に管理について述べる．

1. 急性期に冠動脈病変（CAL）がないと診断されている児（重症度分類Ⅰ・Ⅱ群）

Ⅰ群：拡大性変化がなかった群：急性期を含め，冠動脈の拡大性変化を認めない症例．
Ⅱ群：急性期の一過性拡大群：発症1か月までに正常化する軽度の一過性拡大を認めた症例．
　Zスコア分類（＜2.5），実測値3mm未満，または3mm未満の局所性拡張．
【観察間隔】発症後5年間異常がなければ終了とする．
【管理指導】生活・運動面での制限はない．近年，川崎病既往者で，急性期からCALを認めなかった症例の経過観察機関は5年とされ，この5年間は，管理区分は「E可」とする．その後は，「管理不要」でよい．

2. 退縮群（重症度分類Ⅲ群）

　発症第30病日においても拡大以上の瘤形成を残した症例で，その後，経過観察中に両側冠動脈所見が完全に正常化し，かつ，狭窄性病変が存在しない症例群．
【観察間隔】学校生活終了時（高校生活終了時）には，CT，MRIなどの画像検査の受けておくことが望ましい．退縮を認めた場合でも，中等度以上の瘤では10，20年以上の経過で，石灰化病変の出現や，狭窄性病変への進展が認められるため，定期的なチェックを怠ってはならない．
【管理指導】生活・運動面での制限はしない．学校生活管理区分は「E可」である．

3. 冠動脈拡張・瘤の残存群（重症度分類Ⅳ群）

　発症30病日以降においても拡大以上の瘤形成を残した症例で，その病変が残存しているが狭窄性病変を合併しない症例群（瘤の大きさ分類は**表1**参照）．
【観察間隔】学校生活終了まで6か月〜1年ごとに定期的検査を実施する．将来的には内科へ引き継ぐ．検査間隔，検査内容は症例によって勘案する．心エコー所見と冠動脈所見が必ずしも一致しないことがあるので，拡張・瘤の残存する症例では，一度は冠動脈造影検査による評価が望ましい．
【管理指導】巨大瘤を合併しない小瘤，中等瘤の症例群は，生活・運動面での制限はしない．学校生活管理指導表は「E可」とする．巨大瘤が残存する症例群は，「D」または「E禁」で，原則として運動制限が必要である．CALが退縮すれば退縮群に準じる．狭窄病変が出現すれば冠動脈狭窄病変群を参照する．抗凝固療法または抗血小板療法を2剤以上服

表1 学校における川崎病の管理基準

冠動脈病変	重症度分類	Zスコア分類	実測値	心電図・心エコー	心筋虚血評価（負荷テスト）	冠動脈画像検査（CT, MRI, CAG）	生活・運動 管理指導区分	長期経過観察
拡大性病変なし	I	Z<2.5	3mm未満 3mm未満の同所性拡張	発症5年以降は経過観察終了も可能	必要なし	必要なし	E可	5年を目処に終了
急性期の一過性拡大	II	Z<2.5	3mm未満 3mm未満の同所性拡張	発症5年以降は経過観察終了も可能	必要なし	必要なし	E可	5年を目処に終了
退縮 (急性期)小瘤	III	発症1か月において冠動脈拡張残存（発症1か月以降に正常化）		1年ごと	必要なし	回復期と1年後あるいは退縮時に考慮 高校卒業時に行うことが望ましい	E可	(内科へ引き継ぎ)
退縮 (急性期)中等瘤・巨大瘤	III			6～12か月ごと	3～5年ごとに考慮	回復期と1年後、3～5年ごとに考慮	E可	(内科へ引き継ぎ)
冠動脈瘤の残存 小瘤	III	2.5≦Z<5	3mm以上、4mm未満	1年ごと	3～5年ごとに考慮	回復期と1年後、3～5年ごとに考慮	E可	内科へ引き継ぎ
中等瘤	IV	5≦Z<10	4mm以上、8mm未満	6～12か月ごと	2～5年ごとに考慮	回復期と1年後、2～5年ごとに考慮	E可	内科へ引き継ぎ
巨大瘤		10≦Z	8mm以上	6～12か月ごと	1～5年ごとに考慮	回復期と1年後、1～5年ごとに考慮	DまたはE禁	内科へ引き継ぎ
冠動脈狭窄性病変 a) 虚血所見なし 巨大瘤なし	Va	Z<10	4mm以上、8mm未満	6～12か月ごと	1年ごとに考慮	回復期、～1年、1～5年ごとに考慮	E禁	内科へ引き継ぎ
巨大瘤あり		10≦Z	8mm以上	6～12か月ごと	1年ごとに考慮	回復期、～1年、1～5年ごとに考慮	DまたはE禁	内科へ引き継ぎ
b) 虚血所見あり	Vb			経過により考慮	経過により考慮	経過により考慮	A～D 部活禁	内科へ引き継ぎ
c) 心筋梗塞の既往あり				経過により考慮	経過により考慮	経過により考慮	A～D 部活禁	内科へ引き継ぎ

〔日本循環器学会、他：2020年改訂版 川崎病心臓血管後遺症の診断と治療に関するガイドライン [https://www.j-circ.or.jp/cms/wp-content/uploads/2020/02/JCS2020_Fukazawa_Kobayashi.pdf] から引用. 改変〕

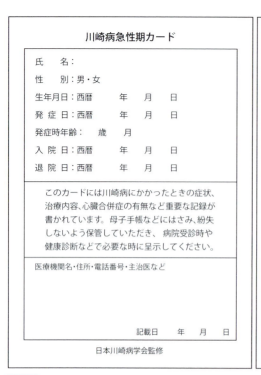
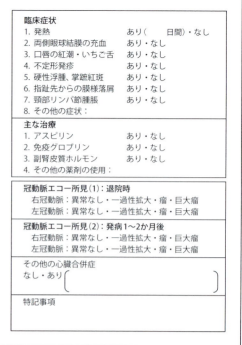

図1 川崎病急性期カード
〔日本川崎病学会：川崎病急性期カード〔http://www.jskd.jp/into/card.html〕より〕

薬している患者については，身体接触，外傷，傷害のリスクを伴う活動を制限または変更すべきである（クラスI，レベルC）．

4. 冠動脈狭窄病変群（重症度分類V群）

冠動脈造影検査で冠動脈に狭窄病変を認める症例群．
V(a)群：諸検査において虚血所見を認めない症例．
V(b)群：諸検査において明らかな虚血所見を有する症例．

【観察間隔】学校生活終了まで6か月〜1年ごとに，また経過により観察間隔を短くし，定期的検査を実施する．さらに内科へ必ず引き継ぐ．

1) 狭窄性病変あり，心筋虚血の所見なしの症例

重症度分類V(a)群：諸検査において虚血所見を認めない症例．

【管理指導】学校生活管理指導表は，巨大瘤がない場合は「E禁」，巨大瘤が残存する場合は，「D」または「E禁」．薬物治療の必要性について説明し，服薬を守るよう指導する．また，虚血時の症状，対応についても指導する．運動制限については，検査による評価を行うことが必要である．抗凝固療法または抗血小板療法を2剤以上服薬している患者については，身体接触，外傷，傷害のリスクを伴う活動を制限または変更すべきである（クラスI，レベルC）．

2) 狭窄性病変あり，心筋虚血の所見ありの症例

重症度分類V(b)群：諸検査において明らかな虚血所見を有する症例．

【管理指導】運動制限が必要であり，状態により「D」以上の区分で判断する．運動部活動は「E禁」とする．運動負荷検査の評価，心筋虚血の評価などにより，「A」〜「D」区分の判断をする．服薬の重要性についても十分に指導する．カテーテル治療やバイパス手術を行った場合には，その結果により管理指導表の区分を変更してもよい．

3) 心筋梗塞の既往がある場合

重症度分類V(b)群：諸検査において明らかな虚血所見を有する症例．

【管理指導】生活，運動面の制限は必要である．状態により「A」〜「E」区分とする．基本的には運動部活動は「禁」が望ましい．管理指導表の「A」〜「E」区分の判断は心機能評価などを参考にする．生活面では，薬物治療による出血傾向などの副作用につい

ても指導する.

5. 冠動脈以外の病変について

・弁膜症

　生活・運動面での制限の必要性について考慮する. 心機能評価, 手術適応評価が必要となる. 心エコー検査で軽快が確認された場合は,「管理不要」としてよい.

・不整脈

　生活・運動面での制限の必要性について考慮する. 心機能に問題がなく, 心筋虚血の可能性がなければ, 学校心臓検診のガイドラインの不整脈の管理指導基準に準じる[2]. 心機能, 心筋虚血などに問題があれば総合的に判断する.

・冠動脈以外の動脈瘤

　部位・程度により, 経過観察する.

・心臓手術後について

　CABG, 弁手術, 心臓移植などの術後については, 経過観察および管理指導が必要である.

・川崎病急性期カード(図1)

　日本川崎病学会が監修してカードを作成している. 川崎病急性期の臨床情報, 治療, 心臓合併症などの医療情報をカードに記載することで, 遠隔期でもシームレスな医療・管理が可能である.

◎おわりに

　定期的な身体活動は, 学校に通う児童生徒の健全な身体的および心理社会的発達に重要である. 一方で, 心臓血管後遺症による心筋虚血や運動誘発性不整脈のリスクがある患者には, 適切な運動制限と管理を行うことが必要である. そのために, 家族, 学校関係者, 医療従事者が一体となって経過観察を行う. 成人期に循環器内科医に診療を移行する必要がある心臓血管後遺症が残存している患者は, とりわけ病状や薬剤服用の継続性の必要性について本人や家族に十分に説明し, 理解を得る.

■ 文　献

1) Toyono M, et al.：Expanding coronary aneurysm in the late phase of Kawasaki disease. Pediatr Int 2012；54：155-158

2) 日本循環器学会, 他：2016 年版 学校心臓検診のガイドライン［https://www.j-circ.or.jp/cms/wp-content/uploads/2020/02/JCS2016_sumitomo_h.pdf］

3) 大国真彦：小児心電図心室肥大判定基準の改訂. 日本小児循環器学会雑誌 1986；2：248-249

4) 日本循環器学会, 他：心疾患患者の学校, 職域, スポーツにおける運動許容条件に関するガイドライン(2008 年改訂版)［https://www.j-circ.or.jp/cms/wp-content/uploads/2020/02/JCS2008_nagashima_h.pdf］

5) 日本循環器学会, 他：2020 年改訂版 川崎病心臓血管後遺症の診断と治療に関するガイドライン［https://www.j-circ.or.jp/cms/wp-content/uploads/2020/02/JCS2020_Fukazawa_Kobayashi.pdf］

6) 東京都医師会：都立学校心臓検診判定事業記念誌 2009；222

7) 日本学校保健会：学校心臓検診の実際—平成 24 年度改訂—. 日本学校保健会 2013；88-91

8) 日本川崎病学会：川崎病急性期カード［http://www.jskd.jp/info/card.html］

〔廣野恵一〕

V 遠隔期の検査・治療・管理

11 移行医療

POINT
- 川崎病が報告されて以来，50年余りが経過し，現在既往者約39.5万人の中で半数近くが成人例であり，そのうち冠動脈後遺症例は，現在15,000名に及ぶ．
- 40歳未満の若年成人の心筋梗塞例における川崎病冠動脈後遺症の割合は5.0～9.1％に及び，川崎病の冠動脈後遺症は，成人領域の臨床現場の問題である．
- 川崎病既往成人例の急性冠症候群症例で，半数は小児期川崎病未診断例，1/4が診療離脱例，1/4が経過観察例である．
- 退縮瘤を含む冠動脈後遺症では，成人期に急性冠症候群の発症例があり，成人期以降もリスクに応じた経過観察と適応に応じた治療介入が必要である．
- 川崎病の生涯循環器学に基づいて，「ライフステージに応じた循環器診療」のなかで，その移行医療が位置づけられ，成人期冠後遺症の自然歴，病態解明が重要である．

川崎病既往成人の疫学：成人例の増加と診療現場の新しいニーズ

1967年に川崎富作が川崎病を報告して以来，50年余りが経過した[1～3]．1970年に厚生省（当時）の研究班による第1回川崎病全国調査の際に川崎病診断の手引きが発表され，さらに冠動脈瘤による死亡例の報告がなされ，改訂第1版（1972年）で冠合併症が記載された．その後，1975年にはKatoらによる造影検査，1979年にYoshikawaらによる心エコー検査により冠動脈障害が報告された[1]．したがって，日本における川崎病の急性期診断例は，1970年頃，川崎病の急性期冠動脈合併症の診断に基づく経過観察例は，1975～1980年頃からと考えられる．川崎病全国調査から，川崎病既往成人/総既往者は，1998年12月の33,688/139,581（24.1％）から，2014年2月に136,960/298,103（45.9％）へと増加し，2018年時点では，川崎病既往者39.5万人の半数近くは成人例と推定され，最近20年で既往成人は4倍以上に増加した（図1）[4,5]．一方，免疫グロブリン静注（IVIG）療法の導入前の心後遺症の合併率が18.7％（加藤ら），導入初期の1982～1984年（第8回川崎病全国調査）17.2％，10年後の1991～1992年（第12回川崎病全国調査）で冠動脈後遺症13.1％と高かったこともあり，要経過

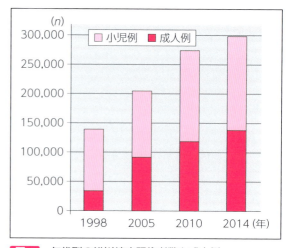

図1 年代別の総川崎病既往者数と成人例
〔中村好一：川崎病疫学とその変遷．日本臨牀 2014；72：1536-1541/柳川 洋：Editorial Comment「成人期に急性心筋梗塞を発症した川崎病後遺症と思われる2症例」大門ら論文に対するコメント．心臓 1999；31：422-423より作成〕

観察と考えられる冠動脈後遺症を有する成人例（退縮例も含む）は，現在15,000名以上存在すると推測される[1,4,5]．

実際，日本循環器学会の循環器疾患実態調査では，2011～2018年の8年間で，川崎病既往者の急性冠症候群の発症数は87件/年，カテーテル治療ないしバイパス手術件数は，69件/年に及んでいる[6]．日

米の報告では，40歳未満の若年成人の心筋梗塞例における川崎病冠動脈後遺症が関連する割合は，5.0～9.1%と報告され，川崎病の冠動脈後遺症は，成人領域の臨床現場の問題となっている[1～3]．

生涯循環器学からみた川崎病

1. 小児期の自然歴

川崎病後第30病日以降に残存した冠動脈病変（coronary artery lesions：CAL）は，拡大性変化がなかった群，急性期の一過性拡張群，退縮群，冠動脈瘤残存群，冠動脈狭窄性病変群（a：虚血所見のない群，b：虚血所見を有する群）に分類される[1]．冠動脈瘤は，瘤が消失し造影上正常化するいわゆる退縮（regression）とよばれる現象が32～50%に認められ，発症1～2年以内に小～中等瘤で起こることが多く，巨大瘤ではまれである．75%以上の有意な局所性狭窄は，動脈瘤の流入部と流出部に発症し，求心性内膜肥厚によると考えられている．左冠動脈，特に主幹部，左前下行枝近位部に多く，狭窄に進行することが多いとされ，6.0mm以上の中等瘤でも狭窄が出現する．また左冠動脈の局所性狭窄は，10年以上の長期経過観察後に出現する．動脈瘤の閉塞は，中等瘤以上で16%に出現し，その多くは2年以内に出現した．これらは，心筋梗塞や突然死につながることもあるが，2/3が無症状であったと報告されている．巨大瘤では，1年以内に20%に急性冠イベントが認められたという報告がある．閉塞後再疎通像（セグメント狭窄）は，冠動脈障害例の15%にみられ，その90%は右冠動脈であり，右冠動脈は閉塞しやすく再疎通しやすいとされている．

最近の報告では，北米のエコーによる検討で，75%の冠動脈瘤が2年以内に退縮し，急性期川崎病時の冠動脈のZスコアが退縮に関連した．川崎病後遠隔期における冠動脈イベントの急性期の危険因子は，巨大冠動脈瘤（Zスコア10以上，8mm以上の冠動脈径），男性，初回免疫グロブリン静注（IVIG）治療抵抗性とされた[7]．また巨大冠動脈瘤の予後として，主要イベント回避率は，5年で72%，10年で68%と不良であり，心筋梗塞は15.8%に認められ，その大部分（82%）が川崎病後2年以内と早期である[8]．

表1　川崎病既往成人の急性冠症候群の特徴

① (1) 巨大冠動脈瘤を伴い内服中の発症例（小児型），(2) 巨大冠動脈瘤が少なく不投薬で退縮例を含む診療離脱例（若年成人型），(3) 小児期の診断が不明で冠リスク因子を伴い比較的高年齢で発症する例（壮年型）の3つに分類される
・成人期の急性冠症候群の初発例が大部分（94%）を占める
・成人病の冠リスク因子1つ以下が多く（75%）を占める
・35歳以上の発症例では大部分が小児期川崎病未診断例，35歳未満の診療離脱（ドロップアウト）例と経過観察例がそれぞれ約半数
・急性期川崎病診断例は，川崎病の最初の報告（1967年）後の1960年代後半以降，冠後遺症経過観察例は，冠合併症の報告（1975年，1979年）後の1980年代以降
・経過観察例は診療離脱例との対比で，急性冠症候群の発症前内服例が大部分（87% vs 0%），急性冠症候群の発症時巨大冠動脈瘤例が多い（69% vs 29%）
・小児期川崎病未診断例は急性期診断例との対比で，急性冠症候群発症年齢が高く（40歳 vs 26.5歳），成人病のリスク因子2つ以上が多い（35% vs 13%）
② 成人期に及ぶ予後を知るうえで，急性期冠動脈瘤サイズ，遠隔期の内腔病変（心筋虚血のみでなく），成人期の冠動脈壁病変（石灰化など）が重要
・急性期診断例は，すべて（100%）で急性期に6mm以上の冠動脈瘤を急性冠症候群の責任病変に認めた
・5年以上の遠隔期冠病変評価例で，巨大冠動脈瘤を50%，有意狭窄（75%以上）39%に認めたが，ともに伴わない例も1/3（33%）に認めた
・急性冠症候群発症時の血管内エコー例で，大部分（86%）に責任病変に石灰化を認めた

(Mitani Y, et al.：Emergence and characterization of acute coronary syndrome in adults after confirmed or missed history of Kawasaki disease in Japan：A Japanese nationwide survey. Front Pediatr 2019；7：275)

2. 成人期の急性冠症候群

20歳以上の川崎病既往成人の急性冠症候群の発生状況の川崎病全国調査（2000～2010年に急性冠症候群を発症，n=67）[9]（表1）が報告された．対象の急性期診断例が32例で，その中で診療離脱が17例に及び，急性期診断が不明で成人期に画像診断された例が35例と約半数を占めた．したがって，急性期診断後の診療離脱例，小児期診断不明例が約3/4と多く，特に35歳以上の発症例の大部分が，小児期診断不明例であり，35歳未満例では，約半数が診療離脱例であった．成人病の冠危険因子1つ以下が48/64例（75%），94%の例は成人期の初発例であり，成人病の冠リスクの低い初発例であることも特徴である．急性期診断例は，川崎病の最初の報告後の1960年代後半であり，川崎病冠後遺症経過観察例は，Katoら（1975年），Yoshikawaら（1979年）の報告以

降の1980年代の川崎病発症例からである[9]．経過観察例は，診療離脱例との対比で，1980年以降発症は93%（vs 44%），急性冠症候群発症前内服率が87%（vs 0%），急性冠症候群発症時に巨大冠動脈瘤例が69%（vs 29%）であった．小児期川崎病未診断例は，急性期診断例との対比で，急性冠症候群発症の平均年齢が40歳（vs 26.5歳），成人病のリスク因子2つ以上が多く（35% vs 13%），発症前内服率6%（vs 41%）であった．したがって，小児期診断例の中で，経過観察例は1980年代以降の発症例で，成人期も巨大冠動脈瘤を伴う内服例が多く，小児期診断不明例は，年齢が高く，成人病リスク因子が多い例であった．これらに基づき，成人期の急性冠症候群例は，3つに分類されると考えられる．1つ目は，小児期にみられる心筋梗塞類似の成人例であり，巨大冠動脈瘤を伴い内服治療中の発症例（小児型），2つ目は，巨大冠動脈瘤が少なく内服のない診療離脱例（退縮瘤例を含む）（若年成人型），3つ目は，小児期の診断が不明で，年齢上昇と冠リスク因子を伴い発症する例である（壮年型）．

急性期診断のなされた32例で，急性冠症候群の責任病変の後方視的解析で，100%が急性期6 mm以上（6.0〜7.9 mm 36%，8 mm以上64%），急性期川崎病後5年以上後の遠隔期で，巨大冠動脈瘤50%，狭窄（75%以上狭窄）39%であり，巨大冠動脈瘤も狭窄も伴わない例が33%を占めた．発症時の血管内エコー例では，86%（6/7例）が石灰化を認めた．これらは，急性期，遠隔期，成人期の管理を知るうえで重要である．遠隔期の冠動脈病変評価では，虚血のみならず冠動脈後遺症の内腔病変に加えて，成人期には，冠動脈壁病変も重要である．成人期の急性冠症候群発症に関連しうる因子として，冠動脈内皮機能障害，慢性炎症，MDCT上の冠動脈石灰化，血管内エコー検査（IVUS），光干渉断層法（OCT）など侵襲的画像診断による内膜下石灰化，粥状硬化様病変などがあげられ[1〜3,10]，退縮瘤を含む冠動脈病変に関しては生涯にわたる経過観察と必要に応じた治療介入が必要と考えられる．

3. 病初期正常冠動脈例の予後

病初期からCALがない例において，急性冠イベントの報告は，ほとんどみられない[1〜3]．しかし，日本における通常の粥状硬化による急性心筋梗塞は，男性で50歳代以降，女性で60歳以降であり，2010年において，日本の全川崎病既往登録者は，これらの年齢に達した症例は極めて少ない．また，35歳以上の急性冠症候群例では，大部分冠イベント時の冠動脈造影所見から川崎病既往が推測された例であり，小児期に川崎病診断された例が極めて限られている．したがって，川崎病後正常冠動脈例が，冠イベントの好発年齢の高齢者を含む「生涯医療上の冠リスク因子」になるかは現時点で不明であり，冠リスク因子を軽減する生活管理が望ましいと考えられる[1〜3,10,11]．

川崎病の移行医療

川崎病の移行医療を考えるに際し，小児期から診療される先天性心疾患，他の後天性心疾患での例が参考となる[1〜3,12,13]．その目標は，生涯医療のなかでリスクのある患者の成人期の続発症と晩期合併症の予防あるいは早期に治療介入することにより，生命予後，生活の質（QOL），よりよい社会生活の維持向上することと考えられる．小児医療から成人医療への移行（transition）は，単なる転科（transfer）でなく，疾患の移行期の問題に対応するチームによる計画的な診療体制の移行とそれに伴う自立支援である[12,13]．

川崎病既往者の冠動脈後遺症は，一般成人の粥状動脈硬化と病理学的に異なる．しかし，成人期には粥状硬化に伴う冠イベントと同様に，労作性狭心症，急性冠症候群と関連した虚血性の心不全，不整脈を合併するハイリスク例が存在し，経過観察，生活管理（女性の妊娠・出産を含む），薬物的・非薬物的内科治療ないし外科治療など，切れ目のない専門性のある生涯医療が必要である[1〜3]．特に川崎病では，労作性狭心症，急性冠症候群など成人期合併症について，発症前は無症状で診療離脱の可能性が高いこと，成人期の合併症の予防・管理法が確立していないこと，比較的新しい乳幼児疾患の合併症であり成人期発症前に川崎病診断不明・CAL合併症未評価例が現時点で多いこと，致死的合併症であるために救急体制の整った循環器内科チームの対応が必須であることがあげられる[1〜3]．

そこで川崎病の移行医療の特性にあわせて，医療の担い手が，小児医療施設から成人循環器施設に移

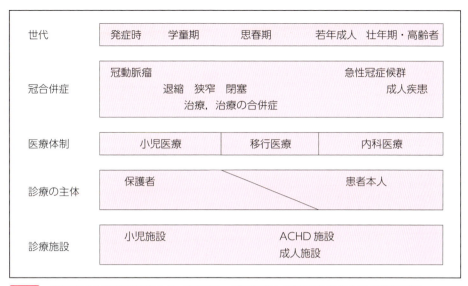

図2 川崎病の生涯循環器学とライフステージに応じた循環器診療の中での移行医療
ACHD：adult congenital heart disease（成人先天性心疾患）

り，診療の主体が保護者から自立した患者本人への移行支援が問題となり，切れ目のない適切な医療のためには，移行医療体制の構築と自立支援が必要となる（図2）．

CAL合併症のリスク層別化と重症度別の診療体制

上記のデータと現在の日本循環器学会のガイドライン，American Heart Association（AHA）の statement から，病初期に CAL 合併症がない例は，一般的な移行医療の対象外とされている[1〜3]．これらのガイドラインも含めて，退縮瘤症例，無症候性持続性冠動脈瘤症例，症候性冠動脈障害例（狭心症，心筋梗塞，心不全，不整脈）に分けられる[1]．古い年代の川崎病の急性期診断不明例に対しては，他の二次性 CAL の除外の後に川崎病冠動脈後遺症として扱われる[1]．

移行医療の参考にされる先天性心疾患の移行医療に関しては，疾患の重症度に応じて3段階に分類され，診療施設に関しても高度な診断と治療の機能に応じて，一次から三次の3段階の診療施設に分けている[12,13]．成人期川崎病冠動脈後遺症の移行医療に関して，症例の重症度に応じて，小児期川崎病冠動脈障害の診療経験のある小児循環器診療チームと成人期動脈硬化の救急対応も含めた診療体制の整った冠動脈診療チームとの連携が重要であり，各地域での重症度に応じて連携した診療体制の構築が望まれる[1〜3,12,13]．特に，冠動脈診療の循環器内科のチームとしては，MDCT，MRI，心臓核医学的検査，冠動脈造影，心筋虚血の機能評価を含む診断と，急性冠症候群への再灌流療法など循環器救急体制が必須である．一方，移行期，若年成人の時点の大部分の慢性患者において，川崎病 CAL 合併症経過観察例に加えて，川崎病診断不明例の CAL の鑑別診断例，診療離脱などによる CAL 合併症の未評価例の機会もあり，小児循環器と循環器内科の共同チームでの評価と方針決定が移行医療の観点から重要と考えられる．移行医療の循環器領域以外を含む共通の特徴，一般循環器的特性，日本での川崎病の高い罹患率とチームの地理的分布などからも，現時点で冠疾患チームを有する成人先天性心疾患の三次診療施設などとの連携が期待される．その際，個々の症例で，病変の詳細な評価，予後リスク推定，経過観察の間隔と評価法，生活管理（妊娠・出産を含む），治療介入などの診療方針の合意形成が重要である．また，症候性冠動脈障害例の侵襲的治療，特に川崎病の心筋虚血に対する待機的カテーテル治療，外科治療は稀少性と専門性が高く，広域ないし全国レベルの連携が考慮される．

表2　川崎病の移行期の伝達・準備事項

1	自身の川崎病の既往歴, 合併症, イベント, 治療歴
2	CAL 合併症の検査内容
3	薬物の内容, 効果と副作用
4	長期予後
5	生涯医療の必要性
6	移行の必要性
7	起こりうる症状
8	生活管理(食習慣, 運動, 喫煙, 飲酒, 肥満)
9	進学, 就職
10	結婚, 妊娠・出産, 遺伝
11	救急を要する症状と受診先
12	社会保障制度(医療給付制度), 保険(健康保険, 国民健康保険, 生命保険)
13	生活上のスキルの養成(交渉, 自己決定, 問題解決)

移行の実際の手引き

　移行医療としては, 患者教育, 疾患のセルフケア, 移行準備, 意思表示のスキル, 自己決定などが含まれる. 移行の実際に関して, 日本循環器学会の川崎病ガイドライン, 先天性心疾患移行医療の提言, AHA の statement が参照される[1~3,12,13].

　川崎病冠動脈後遺症例の明確な成人移行を行う年齢は不定であるが, 先天性心疾患の移行の時期に関しては, 12~20歳頃まで広く記載されており, 患者の精神的な準備状況, 進学就職など社会的状況, 小児慢性特定疾病など経済的支援も含めて柔軟な対応が必要である. 移行に際しての疾患と管理面の知識, 自立的決定能力の患者側の伝達・準備事項に関して, 現時点での試案を示す(表2). 移行外来の開設に際しては, 成人先天性心疾患に準じて, 看護スタッフも含んだ多職種連携が重要と考えられる.

今後の課題

　川崎病冠動脈後遺症の移行医療に関しては, 特に成人期の合併症として問題となる急性冠症候群の病態, リスク階層化, 適切な評価・管理法, 有効な薬物療法などエビデンスが国際的に乏しいのが現状である. 症例数が多く, 急性期診断と CAL 合併症評価が古くから普及し, 遺伝的・社会的背景が比較的均一な日本の川崎病既往成人例の領域横断的な登録研究(疫学, 小児循環器, 循環器内科, 心臓血管外科, 心血管カテーテル治療, 病理)が, 国際的な視点からも重要と考えられる.

文　献

1) 日本循環器学会, 他：2020 年改訂版 川崎病心臓血管後遺症の診断と治療に関するガイドライン〔https://www.j-circ.or.jp/cms/wp-content/uploads/2020/02/JCS2020_Fukazawa_Kobayashi.pdf〕

2) McCrindle BW, et al.：Diagnosis, treatment, and long-term management of Kawasaki disease：A scientific statement for health professionals from the American Heart Association. Circulation 2017；135：e927-e999

3) Denby KJ, et al.：Management of Kawasaki disease in adults. Heart 2017；103：1760-1769

4) 中村好一：川崎病疫学とその変遷. 日本臨牀 2014；72：1536-1541

5) 柳川　洋：Editorial Comment「成人期に急性心筋梗塞を発症した川崎病後遺症と思われる 2 症例」大門ら論文に対するコメント. 心臓 1999；31：422-423

6) 日本循環器学会：循環器疾患診療実態調査報告書(2019 年実施・公表)〔http://www.j-circ.or.jp/jittai_chosa/jittai_chosa2018web.pdf〕

7) Miura M, et al.：Association of severity of coronary artery aneurysms in patients with Kawasaki disease and risk of later coronary events. JAMA Pediatr 2018；172：e180030

8) Fukazawa R, et al.：Nationwide survey of patients with giant coronary aneurysm secondary to Kawasaki disease 1999-2010 in Japan. Circ J 2017；82：239-246

9) Mitani Y, et al.：Emergence and characterization of acute coronary syndrome in adults after confirmed or missed history of Kawasaki disease in Japan：A Japanese nationwide survey. Front Pediatr 2019；7：275

10) Mitani Y, et al.：In vivo plaque composition and morphology in coronary artery lesions in adolescents and young adults long after Kawasaki disease：a virtual histology-intravascular ultrasound study. Circulation 2009；119：2829-2836

11) Kavey REW, et al.：Cardiovascular risk reduction in high-risk pediatric patients：a scientific statement from the American Heart Association Expert Panel on Population and Prevention Science；the Councils on Cardiovascular Disease in the Young, Epidemiology and Prevention, Nutrition, Physical Activity and Metabolism, High Blood Pressure Research, Cardiovascular Nursing, and the Kidney in Heart Disease；and the Interdisciplinary Working Group on Quality of Care and Outcomes Research：endorsed by the American Academy of Pediatrics. Circulation 2006；114：2710-2738

12) 日本循環器学会, 他：先天性心疾患の成人への移行医療に関する提言. 成人先天性心疾患の横断的検討委員会報告(2017 年 12 月発表)〔http://www.j-circ.or.jp/topics/files/ACHD_Transition_Teigen.pdf〕

13) Sable C, et al.：Best practices in managing transition to adulthood for adolescents with congenital heart disease：the transition process and medical and psychosocial issues：a scientific statement from the American Heart Association. Circulation 2011；123：1454-1485

〔三谷義英〕

Ⅴ　遠隔期の検査・治療・管理

12　成人期の管理

POINT

- 成人の経過観察の方針は，小児期の冠動脈病変の重症度分類と成人例の入手可能な情報と病変の評価に基づき検討する.
- 薬物療法，非薬物療法は，川崎病冠後遺症の小児期の自然歴，成人病の虚血性心疾患のエビデンスが参照される.
- 本症の診療では，成人病の虚血性疾患で認められる典型的な粥状硬化と病理学的に異なること，加齢，冠リスク因子の冠後遺症への影響が不明であること，川崎病診断不明例，診療離脱例の問題がある.
- 本症の薬物療法の特徴として，抗炎症効果を期待したスタチンの併用，症例に応じた抗血小板薬の2剤併用，巨大瘤，瘤内の血栓傾向がある例へのワルファリンの併用などがあげられる.

ⓐ 成人になった川崎病患者をどう診るか

2019年に実施された第25回川崎病全国調査によれば，第1回調査開始から今回の2018年末までの川崎病既往者数は，39.5万人に達したと報告され，約半数の患者が成人期に達していると推定される. 要経過観察と考えられる登録された冠後遺症成人例（退縮例も含む）は，現在15,000名以上存在するとされる. 日本循環器学会の循環器疾患実態調査では，2011〜2018年の8年間で，川崎病既往者の急性冠症候群の発症数は87件/年，カテーテル治療ないしバイパス手術件数は69件/年に及んでいる[1]. 日米の報告では，40歳未満の若年成人の心筋梗塞例における川崎病冠後遺症が関連する割合は，5.0〜9.1%と報告され[2]，川崎病の冠後遺症は，成人領域の臨床現場の問題となっている.

以上から，川崎病後冠合併症の管理は，小児期，成人への移行期のみならず，壮年以降の成人期と生涯にわたり，生涯医療の観点からのライフステージに応じた経過観察が重要と考えられる. しかし，特に成人期の冠後遺症の病態，診療実態は不明であり，後ろ向き研究，少数の冠イベント例のケースシリーズなどの報告が主体である. したがって，川崎病冠後遺症の小児期を中心とした自然歴と成人の虚血性心疾患のエビデンスを参照しながら，薬物療法，非薬物療法，生活管理への対応が，個々の臨床像に応じてなされる. しかし，川崎病後の遠隔期冠動脈病変（coronary artery lesions：CAL）は，成人病に伴う虚血性疾患で認められる典型的な粥状硬化と病理学的に異なること[1〜3]，若年成人以降の加齢，冠リスク因子の冠後遺症の病態への影響が不明であることなどの考慮が必要である. さらに診療実態として，川崎病診断不明例（疑診断例），成人期以前の診療離脱例の問題がある. 本項では，川崎病既往成人に対する冠後遺症の診療現場の状況に基づいた診療対応について述べる.

川崎病冠後遺症の成人の経過観察の方針に関して，小児期のCALの重症度分類に応じた経過観察と成人期の評価，成人例の入手可能な情報に基づき検討される. 川崎病遠隔期の経過観察と薬物療法は，日本循環器学会/日本心臓血管外科学会合同ガイドライン2020年改訂版[3]に準じて述べる.

川崎病回復期から冠動脈瘤を伴わない例

川崎病回復期から冠合併症を伴わない川崎病例で

| 表1 | 川崎病冠後遺症の冠動脈壁所見 |

- 退縮瘤，冠動脈瘤において内膜肥厚とある程度の石灰化，特に，局所性狭窄において，著明な内膜肥厚と強い石灰化
- 急性期後の冠動脈拡大が4 mm以上の部位で内膜肥厚
- 局所性狭窄において，おおむね6年以上経過例で石灰化病変
- 病初期から正常部位は，内膜肥厚はまれ，あっても軽微
- 成人例では，局所性狭窄など重い病変ほど，石灰化とともに線維性でない不均一な内膜病変を認められ，IVUS上で定義される壊死性病変，線維脂質組織も認められた
- 初期研究では，中膜の断裂，石灰化，血栓，新生血管，線維性内膜肥厚

IVUS：血管内エコー検査

あり，現在では川崎病既往者の97%以上を占める例である．長期経過によるCALの重症度分類では，I. 拡大性変化がなかった群（急性期を含めて拡大性変化を認めない例）とII. 急性期の一過性拡大群（第30病日までに正常化する一過性拡大を認めた例）を含む．現在，この分類の症例は長期経過観察の適応外と考えられている．これを支持するデータとして，川崎病既往小児の心疾患に関連した遠隔期死亡例[2,3)]，成人の急性冠症候群[4)]のほぼ全例に冠動脈瘤を伴うこと，病初期から正常例において，成人期の急性冠症候群の報告はみられないことがあげられる．しかし，冠動脈瘤のない例でも軽度血管炎が存在し[2,3)]，また現時点で，成人の粥状動脈硬化による心筋梗塞の好発年齢に達した川崎病既往者症例は少ないといえる．したがって，川崎病後正常冠動脈例が，生涯医療上の冠リスク因子になるかは現時点で不明であり，定期通院を中断する場合にも，冠リスク因子の管理教育が推奨される．また，家族，本人と協議により個々に対応し，希望に応じて成人期での数年ごとの非侵襲的検査による経過観察と生活管理は考慮してもよい．

川崎病回復期に冠動脈瘤を伴うが，成人期に心筋虚血所見を伴わない例

長期経過によるCALの重症度分類では，III. 退縮瘤症例（冠動脈瘤の退縮例），IV. 冠動脈瘤の残存例，V. (a)虚血所見のない冠動脈障害例が含まれ，移行医療の対象疾患の大部分を占める．小児期に冠動脈瘤のある例では，遠隔期に退縮瘤も含めて内膜肥厚を伴うことが病理学的に報告されている[2,3)]．遠隔期

に造影上正常であっても，内皮障害[2,3)]，慢性炎症[2,3,5)]，血管内エコー検査（IVUS）・光干渉断層法（OCT）で多様な内膜病変[6)]（表1）の機能形態異常を認め，退縮瘤であっても成人期に初めて発症する急性冠症候群の責任病変である症例報告があり，長期の冠リスク管理と経過観察が必要である．以上から，成人期のCAL例（冠動脈残存，虚血所見のない狭窄性病変）では，遠隔期の指針に従った長期経過観察と薬物療法の適応となる．成人例では，抗炎症効果を考慮して[2,3,5)]，スタチンが併用されることも多い．小児の遠隔期には，症例に応じて抗血小板薬の2剤併用[2,3,7)]，巨大瘤，急性心筋梗塞の既往，瘤内の血栓傾向がある例にワルファリンの併用[7)]，高齢者など成人例においては，出血性合併症も考慮した対応が必要である．成人期の退縮瘤症例の長期経過観察が勧められるが，退縮瘤症例は例数が多く，薬物療法の適応は，リスクに応じて症例ごとに検討され，現時点で限定的である．

成人期に虚血所見を伴う冠動脈狭窄例，心筋梗塞，心不全および重症不整脈のある症例

この群は，長期経過による冠動脈病変の重症度分類では，V. (b)虚血所見を有する冠動脈狭窄群ないし心筋梗塞既往例であり，移行医療症例の最重要例である．前述の川崎病の自然歴と川崎病性でない成人の動脈硬化の指針に準拠して，病態に応じた個別の対応がなされ，継続した加療が必要である．定期的診察と年3〜4回の非侵襲的な虚血の検査，適宜，冠動脈画像診断（冠動脈造影検査，MDCT，MRI）が望ましい．

川崎病既往の不明な成人冠動脈瘤症例

実臨床において，若年成人で冠動脈瘤のある症例で，川崎病の既往が不明であることも多い．日本における川崎病の急性期診断例は，第1回川崎病全国調査の際の川崎病診断の手引きが発表された1970年頃，川崎病の急性期冠動脈合併症の診断に基づく経過観察例は，冠動脈造影検査，心エコー診断が報告された1975〜1980年頃からと考えられる[4)]．川崎病の既往症例で典型的な冠動脈瘤のある場合は，川

12. 成人期の管理

表2 成人期川崎病冠動脈後遺症の課題

川崎病後正常冠動脈例で，川崎病は生涯医療上の冠危険因子か？

川崎病後冠動脈障害では，成人期に粥状硬化が合併しやすいか？

川崎病回復期で，どの程度の冠拡大が，若年性 ACS の危険因子か？

移行医療の対象は，川崎病後冠障害例(退縮瘤も含む)で適切か？

川崎病既往成人の成人期のリスク評価法と経過観察法

川崎病既往不明成人の川崎病診断法

移行医療の対象例で，至適な抗血小板療法，抗凝固療法，スタチンは？

移行医療の対象例で，至適なカテーテル治療法，外科治療法と予後は？

川崎病後冠障害例の，外来診療の移行医療体制(診療離脱のない)は？

ACS：急性冠症候群

崎病冠後遺症の診断が可能である．川崎病の既往が不明な場合は，確定診断は困難であるが，他の二次性の冠動脈瘤が除外できれば川崎病冠後遺症として扱われることが多い．成人の冠動脈瘤の原因として，動脈硬化性50%，先天性30%，炎症性15%(川崎病，高安病，全身性エリテマトーデス等)，遺伝性結合組織病(Marfan 症候群，Ehlers-Danlos 症候群)，全身性症候群(Noonan 症候群，Williams 症候群)，外傷性(胸部外傷，カテーテル治療)と報告され，個別の臨床的評価が必要である．遠隔期に冠動脈瘤を伴わない狭窄性病変，退縮瘤例では，冠動脈造影，MDCT などを用いた画像所見(巨大冠動脈瘤，リング状石灰化，閉塞後再疎通像，重度の内膜肥厚)から診断が試みられるが，川崎病の診断が困難なことが多い．川崎病による冠動脈障害に準じて加療される．

今後の課題

成人期の川崎病冠後遺症の実態，病態，治療について，エビデンスが国際的に乏しく，今後の課題が多い(**表2**)．今後，川崎病既往成人例の領域横断的な登録研究(疫学，小児循環器，循環器内科，心臓血管外科，心血管カテーテル治療，病理)が重要と考えられる．

文　献

1) 日本循環器学会：循環器疾患診療実態調査報告書(2019年実施・公表)〔http://www.j-circ.or.jp/jittai_chosa/jittai_chosa2018web.pdf〕

2) McCrindle BW, et al.：Diagnosis, treatment, and long-term management of Kawasaki disease：A scientific statement for health professionals from the American Heart Association. Circulation 2017；135：e927-e999

3) 日本循環器学会，他：2020年改訂版 川崎病心臓血管後遺症の診断と治療に関するガイドライン〔https://www.j-circ.or.jp/cms/wp-content/uploads/2020/02/JCS2020_Fukazawa_Kobayashi.pdf〕

4) Mitani Y, et al.：Emergence and characterization of acute coronary syndrome in adults after confirmed or missed history of Kawasaki disease in Japan：A Japanese nationwide survey. Front Pediatr 2019；7：275

5) Bekki M, et al.：Anti-inflammatory effect of statin in coronary aneurysms late after Kawasaki disease. J Nucl Cardiol 2019；26：671-673

6) Mitani Y, et al.：In vivo plaque composition and morphology in coronary artery lesions in adolescents and young adults long after Kawasaki disease：a virtual histology-intravascular ultrasound study. Circulation 2009；119：2829-2836

7) Suda K, et al.：Multicenter and retrospective case study of warfarin and aspirin combination therapy in patients with giant coronary aneurysms caused by Kawasaki disease. Circ J 2009；73：1319-1323

〔三谷義英〕

b 動脈硬化との関連性

川崎病既往が遠隔期において動脈硬化発症の危険因子となりうるのか否か．これは急性期を経て外来経過観察となった症例を診ている臨床医の心中に一度はよぎる疑問である．CAL を残した症例はその経過を長期で追うことが決定しているが，冠動脈が正常である症例や一過性に拡張したが退縮した症例の外来フォローをどの時点で終了するべきなのだろうか．

川崎病が「治癒」したとどの時点で判断してよいのかは，早発動脈硬化症の危険性が指摘されて以来さまざまな検討が行われてきた．にもかかわらず明確な解答がないのが現状である．中小動脈の汎血管炎という広範囲な炎症後にたどる治癒過程では，いわゆる血管リモデリングが起こり，遠隔期における動脈硬化の発生素地となることは考えられる．実際，動脈硬化の存在を示唆する報告は近年散見さ

れ，一方でその存在を否定する報告もあり，明確な結論にはたどりついていない．このことが日常診療において少なからず混乱を招いている．

本項では川崎病遠隔期と動脈硬化との関連性について整理し，今後の遠隔期フォロー指針の方向性を探る．

一般的な動脈硬化と川崎病遠隔期の動脈硬化

一般的な動脈硬化はRoss[1]の血管内皮障害反応仮説で代表的に説明される．反応性の炎症が病態形成のスタートであり，慢性炎症と酸化ストレスの亢進をはじめさまざまなメカニズムが複合的に関与した結果，動脈硬化が惹起されると考えられている．概説すると，主に高血圧や高血糖，感染などにより血管内皮細胞表面のグリコカリックスが障害されるとバリア破綻により抗凝固作用が障害され血小板接着が起きる．障害された部位では局所的な血管収縮が生じ，PAI-1やICAM-1，VCAM-1など多様な接着分子が内皮細胞表面に発現する．またMCP-1などのケモカインやサイトカインの発現亢進が起こり，種々の活性酸素種(reactive oxygen species：ROS)の産生が過剰になる．血液中の単球はMCP-1により内皮障害部位へと誘導され，接着分子を介して内皮細胞に接着し，緩んだ細胞間隙より内皮下へ遊走してマクロファージに分化する．分化したマクロファージは局所の増殖因子により増殖し，血中から取り込まれ酸化変性したLDLを取り込んで泡沫化し，粥腫形成の主役となる．つまり，酸化LDLを蓄積し泡沫細胞に変性したマクロファージの血管内膜への集簇が，一般的に「動脈硬化」とよばれる粥状動脈硬化の基本である．

一方，川崎病でみられる動脈硬化は主に石灰化を伴った硝子化線維組織を主体とする後炎症性動脈硬化である[2]．これは粥状動脈硬化とは組織学的に明らかに異なり，川崎病血管炎の長期予後を論じる際にはこの点が議論になることが多い．

しかし，近年の積極的な臨床研究や病理学的検索により[3]遠隔期症例における粥状動脈硬化様病変の存在が少なからず証明されつつあり，そのオーバーラップについては今後のさらなる検討がまたれる．

川崎病遠隔期における血管障害と動脈硬化への病態

川崎病遠隔期に考えられる血管の障害は後炎症性変化である．全身性汎血管炎であることから，障害される血管部位は代表的かつもっとも重視される冠動脈の他にも全身の中小動脈すべてがターゲットである．また，障害の程度は血管内皮細胞の機能的な障害から血管自体の器質的な障害まで，その幅広さが推測される．なぜなら修復に必要な時間は障害の程度や個体の修復機転能力，修復阻害要因の存在など，さまざまな条件に左右されるからである．実際，川崎病遠隔期の血管障害は軽微な血管機能障害から重度の器質的血管障害までバラエティに富んだ病態がある．なかには急性期炎症時から治癒過程に好条件が重なれば，血管障害が一切残存しない遠隔期症例の存在も考えられる．

しかし血管内皮細胞の機能的障害が一定期間持続すると，動脈硬化性病変への誘導となる[4]ことは忘れてはならない．一酸化窒素(NO)産生低下は血管平滑筋の弛緩不良から高血圧を引き起こし，血小板凝集能を亢進させることで血栓症の原因となり，血管平滑筋細胞の増殖から動脈硬化を促進することが知られている．さらに，血管内皮の慢性的な障害により引き起こされる炎症反応とROS産生亢進は動脈硬化の発症と進展に深くかかわっている．血管内皮細胞におけるROSは主にNADPHオキシダーゼで産生され[5]，血管内皮細胞機能の恒常性維持を支える．しかしROSが過剰に産生され酸化ストレスが亢進した状況下では，NOは生成されたスーパーオキサイドと反応しパーオキシナイトライトに変化する．この細胞毒性の強いラジカルにより血管内皮細胞はさらにダメージを受け，血管平滑筋や線維芽細胞の増殖シグナルを活性化し，内膜肥厚や動脈硬化促進につながる．動脈の硬化は動脈壁のクッション効果減弱でもあることから，左室の血液駆出に伴う動脈壁への応力や血管ずり応力が増大し，血管内皮障害増悪の要因ともなる．血管内皮障害は動脈硬化進展に関連し，近年では心血管イベント発症予測因子の1つと位置づけられている[6]．末梢血管における血管内皮機能不全は全身的な血管機能異常を反映していると考えられており，冠動脈の血管内皮機能

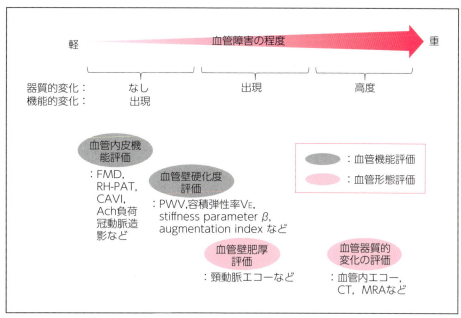

図1 血管障害の程度と評価方法

不全と連動していることは循環器領域において合意が得られている[7]．

以上のことから，川崎病による遠隔期の血管障害は機能的障害の段階で発見し，器質的障害への進展を阻止することが，予防医学的見地からは望ましい姿勢であると考えられる．

動脈硬化の機能的診断（図1）

1. 内皮機能検査

現在保険診療で承認され臨床応用されている生理的内皮機能検査は2つである．以下，各検査について詳述する．

1) FMD[8]

前腕阻血による反応性充血の前後における上腕動脈径変化を評価する．駆血するカフの位置や上腕動脈径測定方法の誤差により測定値が変動し，測定者の熟練を要することから日常診療に応用するには限界があるとされていたが，近年，半自動測定機器が開発されたことで臨床応用可能となった．

FMD（flow mediated dilatation）の測定原理は，以下のとおりである．前腕を一定時間駆血すると，反応性充血により上腕動脈を通る血流速度が増加する．血流速度の上昇はずり応力の増加を引き起こし，この物理的変化を血管内皮細胞は感知し，内皮型NO合成酵素（eNOS）を介してNO産生を増加させる．産生されたNOは血管平滑筋に作用し血管を拡張させるため，一連の阻血再灌流反応の前後における上腕動脈の血管径変化率を%FMDとして測定することで，血管内皮機能の評価を行うことが可能である．NO産生能力は血管の器質的変化が生じる以前の初期段階での障害程度を反映すると考えられており，現時点では鋭敏な血管内皮機能検査と位置づけられている．

FMDを用いた観察研究では中央値より低値群では5年間の心血管イベント発症が有意に多く[9]，また胸痛を主訴に心臓カテーテル検査を受けた患者を5年間追跡した検討では，FMDによる血管内皮機能評価は心血管イベント発症と有意に相関がみられ，一次予防，二次予防ともにその有用性が報告されている[10]．さらにFMDはCAL数とよく相関するといった報告もみられ，CALのスクリーニングとしてFMDが有用である[11]ことが示されている．ただし予後評価のための基準値は確定していない．

2) RH-PAT

指先に音振動測定器 tonometry を装着して前腕阻血手技前後における血管トーヌスの変化を評価する．検査機器が単一で手技が簡便で再現性がよいことから普遍性が高い検査方法である．上腕動脈より

末梢の動脈血管拡張反応であるため，NO よりアデノシンや過分極因子が関与すると考えられている．したがって FMD とは異なった病態評価であり，実際両者の相関は密接ではなく，個々に独立した指標として扱うべきである[12]．

RH-PAT（reactive hyperemia peripheral arterial tonometry）を用いた最近の報告では，冠動脈疾患患者を対象とし検討したところ index 低値群は明らかに心血管イベント発生率が高く，二次予防において RH-PAT index（RHI）を加味した分析モデルがイベントの予後予測にもっとも有用であった[13]．また，冠動脈石灰化と血管機能に関する大規模研究のなかで，RHI は血管機能評価のひとつとして用いられ，冠動脈カルシウムスコアとの有意な相関が示された[14]．しかし，FMD と同様に明確な基準値が設定されていない．また，臨床研究での歴史が浅いためエビデンスは FMD と比べて少なく，今後の蓄積が望まれる．

2. 脈波伝播速度（PWV）

動脈上で圧脈動を検出する 2 点の距離と伝播に要した時間から算出され，動脈の硬さの指標である．上腕−足首間脈波伝播速度（brachial-ankle pulse wave velocity：baPWV），頸動脈−大腿動脈間脈波伝播速度（carotid-femoral PWV：cfPWV），心臓足首血管指数（cardio ankle vascular index：CAVI）がある．いくつかの前向き研究を統合したメタ解析において，baPWV は従来の指標であるフラミンガムリスクスコア（1998 年に発表された 10 年間の心筋梗塞発症を予測するスコア）と独立して予後評価に有用であることが確認されており[15]，測定の簡便性からも重要である．CAVI は血圧の影響を除去した検査方法であり予後予測因子として有用性が報告されているが，メタ解析は実施されていない．baPWV と CAVI の有用性を比較した検討では，baPWV のほうがより有用であるとの報告がある[16]．

3. 足関節上腕血圧比（ABI）

下肢収縮期血圧と上腕収縮期血圧の比で算出され，ドプラ法とオシロメトリック法がある．両者の相関は高いが，足関節上腕血圧比（ankle brachial index：ABI）低下例ではオシロメトリック法の精度には限界がある．ABI＜0.90 は心疾患発症の予測指標であると考えられており，軽度異常値が血管機能

異常を推測でき FMD の代用としての可能性が報告されている[17]．

川崎病遠隔期における血管障害の評価

1. 血管障害マーカーによる評価

CAL を残存した群は残存しない群および川崎病既往のない対照群と比較して高感度 CRP は有意に高く，残存する症例では冠動脈に微小ながらも炎症が持続すると考えられる[18]．また，CAL 退縮例においても，高感度 CRP 高値が持続し炎症が持続しているとの報告がある．高感度 CRP は動脈硬化性疾患の予測因子として米国食品医薬品局（Food and Drug Administration：FDA）に承認され，日本でも広く認められている指標である．したがって川崎病遠隔期症例では CAL の有無にかかわらず微少な炎症が残存し，動脈硬化へ早期に進展する可能性がある．また，酸化ストレスマーカー（urinary 8-isoproistane，malondialdehyde，hydroperoxide）も遠隔期 CAL 例で増加していることが報告されている[19]．CAL のない川崎病既往例でも増加している報告は散見されるが，対照群と有意差はないとする報告もみられ，結果は一致していない．CAL 残存例の遠隔期は酸化ストレスの状態にあり，血管内皮細胞障害の発現や進展に関与していると考えられる．さらに，その他のマーカー（酸化 LDL，urinary NOx/Cre，ADMA，vVW，接着分子，MMP，ホモシステイン）も内皮機能障害の評価に利用され報告されている．

2. 画像による形態的評価

冠動脈の形態的評価には経胸壁エコー検査や X 線冠動脈造影が従来の手法であったが血管内エコー（intra-vascular ultrasound：IVUS）の出現で，造影検査時にあわせて同検査を施行し，詳細な評価を行うことが可能となった．その結果，従来の検査で異常が指摘されていなかった血管に内膜肥厚が存在することが明らかとなった．さらに，詳細な病理学的検討が可能である virtual histology IVUS を用いて青年期川崎病症例における CAL を検討した報告がある[20]．これによると，退縮瘤と冠動脈瘤では線維性病変が主であったが，内膜肥厚とともにある程度の石灰化を伴っていた．また，病変部位が重症であ

るほど，石灰化とともに線維性肥厚でない不均一な成分が認められ，動脈硬化病変に類似している事実が明らかとなった．

また，頸動脈エコーにより川崎病遠隔期における頸動脈内膜中膜肥厚についての報告もみられる[21]．動脈硬化の代替指標とされる頸動脈の内膜中膜肥厚度は，CAL残存の有無にかかわらず，川崎病既往例は既往のない対照例に比べて有意に高値を示し，PWVやLDLコレステロールとの間に正の相関関係がある．これらの報告は川崎病既往症例において動脈硬化が起こっていることを示唆するものである．

その他の画像検査としてはmultidetector-row CT（MDCT）やblack blood法を用いたMR coronary angiography（MRCA）などがあり，より低侵襲な評価が可能となっている．川崎病遠隔期に高頻度に生じる血管の石灰化は，これらの検査で評価可能である[22]．石灰化が川崎病遠隔期の血管病態においてプラスなのかマイナスなのか，血管リモデリングに伴う単なる副産物であるのか，結論には至っていない．しかし，石灰化は内膜肥厚に付随して認めることが多く，狭窄性病変形成に関連する所見として重要視されている．遠隔期成人例の管理において課題となる虚血性イベントを未然に防ぐ策として，冠動脈石灰化の出現をいち早く捉えるための低侵襲画像評価をもっと取り入れようという近年の方針はもっともである[23]．

3. 血管内皮機能による評価

近年は血管内膜肥厚といった形態的変化を生じる前の段階の機能的障害を評価することに注目が集まっている．Arterial stiffnessの評価にはPWVが有効とされ，成人領域では動脈硬化の指標として用いられている．川崎病遠隔期においてbaPWVを検討した文献が散見されるが，川崎病既往群はコントロール群に比べて有意に高値を示し，CALの有無には左右されなかったという報告[24]や，CAL残存例のみで有意に高値を示したという報告などさまざまである．しかし前述のように，血管弾性を評価するPWVより血管内皮由来NOの放出を誘発するreactive hyperemiaを用いたFMDのほうがより鋭敏に血管機能障害を検出すると考えられ，薬剤などの介入試験評価にも用いられている．

成人領域ではすでにFMDの有用性には定評があ

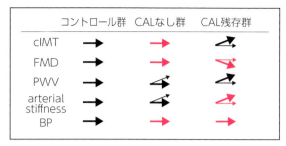

図2 非侵襲的評価（測定値の変化）
↗：上昇，→：横ばい，↘：低下

り，糖尿病，脂質異常症，高血圧，喫煙，加齢などの血管内皮細胞障害因子を抱えるグループでは%FMDは有意に低下する．また，川崎病遠隔期においても%FMDが低下するといった報告が散見されており[25]，冠動脈正常症例と対照群の2群間に有意差を認めず，CAL残存症例のFMDはコントロール群に比べ低下傾向にあるとする報告が多い．さらに，FMDの低下した川崎病遠隔期症例に対し抗酸化薬であるビタミンCを投与したところFMDの改善が確認されたとする報告もあり[26]，血管内皮細胞障害に酸化ストレスが強く関与するとの見解を支持するものである．

一方，RH-PATは川崎病遠隔期症例に関する報告が少なく，一貫した結果は得られていない．中小動脈が主に障害される川崎病で，より末梢の血管評価を行うRH-PATでの結果に影響が生じるか評価方法の妥当性に疑問が残るが，今後のデータの蓄積が望まれる．

＊＊＊

以上，これまで述べてきたことを総合すると，CALを残存しない症例では血管内皮機能低下を疑わせる報告は少数存在するものの，その血管は修復過程を経て遠隔期にはおおむね健康に保たれていることが多いと考えてよさそうである（図2）．しかしCALが残存する症例では血管の内皮機能障害ないし形態的障害をきたしている可能性は高く，その強さや範囲は急性炎症後血管リモデリングの程度によると考えられる．現時点で遠隔期症例での粥状動脈硬化の存在ははっきり証明されておらず，エビデンスは多くない．したがって粥腫を伴わない動脈硬化性病変が主となり，時として石灰化を伴う狭窄性病変が将来の虚血性心疾患イベントのリスクを増大さ

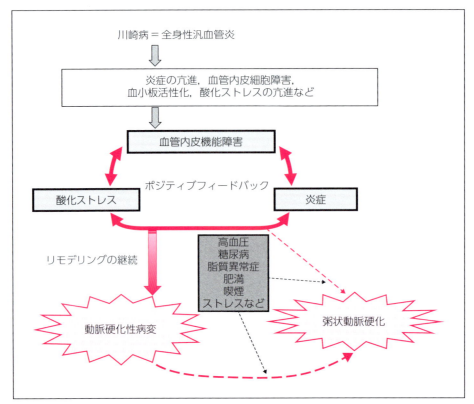

図3 川崎病遠隔期と動脈硬化
〔Yahata T, et al.: Oxidative stress in Kawasaki disease. In: Saji T, et al.(eds), Kawasaki Disease. Springer, 2016；341-352 より引用改変〕

せる可能性がある．

　しかし一方で，川崎病類似血管炎モデル動物において高コレステロール食を負荷したところ粥状動脈硬化の発症を確認したという報告がみられている[27]．これは川崎病遠隔期症例に脂質異常症などの他の動脈硬化危険因子が加わると，若年成人における動脈硬化の発症と進展が容易に起こり，いずれは粥状動脈硬化へとつながる可能性を示唆している．動脈硬化促進因子の重複に注意を払うべきであり，少なくとも遠隔期症例に禁煙（防煙）や適正体重の維持などの生活指導を行う必要はあるだろう．

　粥腫を伴うかどうかはさておき，広義の動脈硬化症の発症には血管内皮機能の障害，持続する炎症，酸化ストレスの三者の悪循環がベースにあり，これらの存在なしに病態形成はない（図3）[28]．したがって，遠隔期フォローにおいては血管内皮機能の低下を防止し，慢性炎症を抑制し，酸化ストレスを低減するように方針を立てることが肝要となる．あるいは，血管モニタリングとしてこれら三者を数値化し動態を観察し，数値の悪化に対して抗炎症や抗酸化，血管保護の作用をもつ薬剤での管理を積極的に行うことが適切なフォローとなる．加えて，血管病態変化の一事象としての血管石灰化の出現を，低侵襲画像検査を用いて早期把握に努めることが，虚血性イベントリスクを最小限に抑えるという遠隔期管理の最大の目標につながる．

　今後，剖検例の集積，さらにはCALを残存しない症例の追跡調査を積極的に行うなど，データを蓄積する必要がある．また，場合によりCAL残存症例での血管内皮機能障害の程度に応じた動脈硬化リスク層別化を進めていくことも遠隔期症例の血管予後改善の一助となるだろう．

文　献

1) Ross R：Atherosclerosis—an inflammatory disease. N Engl J Med 1999；340：115-126
2) Takahashi K, et al.：Pathological study of postcoronary arteritis in adolescents and young adults：with reference to the relationship between sequelae of Kawasaki disease

and atherosclerosis. Pediatr Cardiol 2001；22：138-142

3）Yokouchi Y, et al.：Repeated stent thrombosis after DES implantation and localized hypersensitivity to a stent implanted in the distal portion of a coronary aneurysm thought to be a sequela of Kawasaki disease：autopsy report. Pathol Int 2010；60：112-118

4）Widlansky ME, et al.：The clinical implications of endothelial dysfunction. J Am Coll Cardiol 2003；42：1149-1160

5）Babior BM：The NADPH oxidase of endothelial cells. IUBMB Life 2000；50：267-269

6）Heitzer T, et al.：Endothelial dysfunction, oxidative stress, and risk of cardiovascular events in patients with coronary artery disease. Circulation 2001；104：2673-2678

7）Gokce N, et al.：Risk stratification for postoperative cardiovascular events via noninvasive assessment of endothelial function：a prospective study. Circulation 2002；105：1567-1572

8）Tomiyama H, et al.：The relationships of cardiovascular disease risk factors to flow-mediated dilatation in Japanese subjects free of cardiovascular disease. Hypertens Res 2008；31：2019-2025

9）Yeboah J, et al.：Predictive value of brachial flow-mediated dilation for incident cardiovascular events in a population-based study：the multi-ethnic study of atherosclerosis. Circulation 2009；120：502-509

10）Neunteufl T, et al.：Late prognostic value of flow-mediated dilation in the brachial artery of patients with chest pain. Am J Cardiol 2000；86：207-210

11）Kawano H, et al.：The relationship between endothelial function in the brachial artery and intima plus media thickening of the coronary arteries in patients with chest pain syndrome. Atherosclerosis 2007；195：361-366

12）日本循環器学会，他：血管機能の非侵襲的評価法に関するガイドライン［http://www.j-circ.or.jp/cms/wp-content/uploads/2020/02/JCS2013_yamashina_h.pdf］

13）Matsuzawa Y, et al.：Peripheral endothelial function and cardiovascular events in high-risk patients. J Am Heart Assoc 2013；2：e000426

14）Torngren K, et al.：Association of coronary calcium score with endthelial dysfunction and arterial stiffness. Atherosclerosis 2020；313：70-75

15）Ohkuma T, et al.：Brachial-ankle pulse wave velocity and the risk prediction of cardiovascular disease：An individual participant data meta-analysis. Hypertension 2017；69：1045-1052

16）Kusunose K, et al.：Prognostic implications of non-invasive vascular function tests in high-risk atherosclerosis patients. Circ J 2016；80：1034-1040

17）Kajikawa M, et al.：Borderline ankle-brachial index value of 0.91-0.99 is associated with endothelial dysfunction. Circ J 2014；78：1740-1745

18）Cheung YF, et al.：Increased high sensitivity C reactive protein concentrations and increased arterial stiffness in children with a history of Kawasaki disease. Heart 2004；90：1281-1285

19）Hamaoka A, et al.：Effects of HMG-CoA reductase inhibitors on continuous post-inflammatory vascular remodeling late after Kawasaki disease. J Cardiol 2010；56：245-253

20）Mitani Y, et al.：In vivo plaque composition and morphology in coronary artery lesions in adolescents and young adults long after Kawasaki disease：a virtual histology-intravascular ultrasound study. Circulation 2009；119：2829-2836

21）Noto N, et al.：Reassessment of carotid intima-media thickness by standard deviation score in children and adolescents after Kawasaki disease. Springerplus 2015；4：479

22）Kanamaru H, et al.：Assessment of coronary artery abnormalities by multislice spiral computed tomography in adolescents and young adults with Kawasaki disease. Am J Cardiol 2005；95：522-525

23）Kahn AM, et al.：Usefulness of calcium scoring as a screening examination in patients with a history of Kawasaki disease. Am J Cardiol 2017；119：967-971

24）Ooyanagi R, et al.：Pulse wave velocity and ankle brachial index in patients with Kawasaki disease. Pediatr Int 2004；46：398-402

25）Niboshi A, et al.：Endothelial dysfunction in adult patients with a history of Kawasaki disease. Eur J Pediatr. 2008；167：189-196

26）Deng YB, et al.：Evaluation by high-resolution ultrasonography of endothelial function in brachial artery after Kawasaki disease and the effects of intravenous administration of vitamin C. Circ J 2002；66：908-912

27）劉　亜黎，他：家兎の冠状動脈炎における遊走平滑筋細胞動態と動脈硬化に対する検討．日本小児科学会雑誌 1996；100：1453-1458

28）Yahata T, et al.：Oxidative stress in Kawasaki disease. In：Saji T, et al.（eds）, Kawasaki Disease. Springer, 2016；341-352

〔八幡倫代〕

C 妊娠・出産

▶ 周産期の母体循環変化と合併症リスク

妊娠・出産から産後にかけて，母体の循環動態はダイナミックに変化する．これまでに，心血管合併症のない，川崎病の既往歴をもつ妊娠のリスクが，正常妊娠リスクを上回るとの報告はない．一方，冠動脈を含む心血管病変や心機能低下を認める川崎病既往妊娠では，周産期の循環動態変化をふまえた診療を行い，合併症の予防や早期診断に努める．

循環血漿量は妊娠初期から中期にかけて大きく増加し，妊娠30週前後には平均して非妊時の約1.5倍となる．容量負荷の増大に対し，心機能低下症例では，心不全や低心拍出量に注意する．分娩時には，子宮収縮に伴って，さらに循環血漿量や心拍出量が

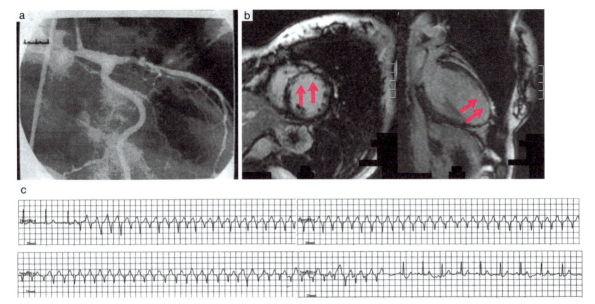

図4 川崎病から左冠動脈瘤と心筋梗塞をきたし，妊娠中に心室頻拍が出現した1例

1歳で川崎病を発症し，左冠動脈拡大を指摘(a)．10歳時の心臓カテーテル検査で，左冠動脈瘤と左室心尖部の壁運動低下が指摘された．心臓MRIでは左室駆出率48%，中部〜心尖部の前壁中隔に内膜側優位の遅延造影を認める(b)．妊娠34週，胸痛が出現したが，心電図上ST変化なく，モニター監視を継続した．その1時間後に，動悸を伴う心室頻拍（165〜180 bpm）が30秒間出現した(c)．β遮断薬を開始し，35週で帝王切開施行．産後のHolter心電図検査でも非持続性心室頻拍が散見された

増える．循環血漿量が非妊時の状態に復するまでには，分娩後約4〜6週間かかる．このような妊娠・分娩に伴う前負荷の増大時期を反映し，心不全合併症は，循環血漿量増大がピークとなる妊娠20〜30週と分娩〜産後1か月に多い[1]．

心拍数も妊娠中増加し，後期には，妊娠前の約1.2倍となる．心拍数増加や血漿量の増加に伴う心拡大・心筋伸展に伴い，期外収縮や頻拍性不整脈は妊娠中には増悪傾向にある．川崎病既往で陳旧性心筋梗塞や術後，心機能低下症例では，心室性不整脈の合併に注意する（図4）．

妊娠中から産後にかけては，凝固因子が増加・活性化され，血栓・塞栓症のリスクが高くなる．CAL，特に有意狭窄や冠動脈瘤を合併した症例では，抗血小板療法や抗凝固療法が必要である．ワルファリンは，催奇形性と胎盤移行性をもつため胎児リスクが大きく，代替にヘパリンを使用する．

このような妊娠による生理的変化をふまえ，日本循環器学会の「心疾患患者の妊娠・出産の適応，管理に関するガイドライン」[2]では，妊娠の際，厳重な注意を要する，あるいは妊娠を避けるべき心疾患として，肺高血圧症などとともに，心不全〔NYHA分類III-IV度，左室駆出率（left ventricular ejection fraction：LVEF）<35〜40%〕をあげている．これに該当していなくても，有意なCALや軽度心機能低下症例，抗凝固療法中の女性患者においては，専門医へのコンサルト，妊娠前カウンセリングの実施が推奨される．

川崎病と妊娠・出産

川崎病既往と心血管病変の有無を把握し，必要に応じて抗血小板療法や抗凝固療法を妊娠中も施行することで，血栓性急性冠症候群の合併報告はない[3〜13]．日本の52人72妊娠のレビュー[3]では，早産，産後出血などの産科合併症を7妊娠（9.7%）に，心血管合併症を5人（9.6%）に認めた．心血管合併症の1例は，妊娠前から安定狭心症を有し，アスピリン（ASA）内服を継続していたが，心筋酸素消費量の増大とともに胸痛，徐拍，酸素飽和度の低下などを認め，妊娠33週で帝王切開により分娩となった[4]．他には，心室性不整脈（図5）やLVEF低下などが報告されている．一方，妊娠中に心筋梗塞や心室細動を発症し，精査の結果，川崎病によると考えられるCALを認めた症例が複数報告されている[14,15]．さら

に，妊娠中に川崎病を発症した報告が2例ある[16,17]．

また，川崎病既往後の10人21妊娠の検討では，出生児のうち2人がその後，川崎病を発症したと報告されている[3]．

妊娠・分娩管理

1. 妊娠中の抗凝固療法

前述のように，症例に応じて抗血小板療法や抗凝固療法を妊娠中も施行することで，血栓性急性冠症候群の合併報告はない．冠動脈狭窄や軽度拡張に対して妊娠前から抗血小板療法が施行されている症例では，妊娠中も低用量 ASA の内服を継続する．高用量 ASA の内服では，胎児の動脈管早期閉鎖のリスクが指摘されているが，低用量であれば，胎児動脈管への影響はないとされる．筆者の施設では，低用量 ASA の内服を分娩一週間前に中止し，分娩翌日より再開している．

妊娠前からワルファリンによる抗凝固療法を行っている症例では，妊娠中はヘパリンへの変更が勧められる．ワルファリンは，凝固因子以外に，ビタミン K 依存で骨形成に関与する蛋白であるオステオカルシンの活性も抑制する．そのため，器官形成期（特に妊娠6～12週）にワルファリンを内服した場合，1～2割に，胎児ワルファリン症候群（鼻形成不全，小眼球症など）をきたす[18]．催奇形性は用量依存性であり，5 mg/日未満の内服量であれば，奇形リスクは低いとするヨーロッパからの報告があるが[19]，用量については人種差があると考えられる．また，妊娠中期以降は，ワルファリンは胎盤を通過し，胎児に出血合併症をきたすリスクがある．明らかな脳出血を起こしていなくても，発育・発達障害を認める例があり，胎内で微小脳出血が多発していたためと考えられている．一方，ヘパリンによる催奇形性は報告されておらず，高分子で胎盤を通過しないため，児の出血リスクも伴わない．

妊娠中の抗血小板療法，抗凝固療法の適応症例について，詳細な決まりはない．現時点では，妊娠前の治療方針を継続するのでよいと考えられるが，さらなる症例の蓄積が必要である．

2. 分娩方法と麻酔

分娩方法は，急性冠症候群や急性心不全の状態では帝王切開が考慮されるが，それ以外は経腟分娩が推奨される．

従来，心疾患を有する女性では帝王切開を勧められることが多かったが，帝王切開により出産に伴う心血管系へのストレスが回避できるわけではない．帝王切開でも，心拍出量は手術中から術後にかけて50% 増加し，酸素消費量も25% 高まることが知られている．帝王切開のほうが経腟分娩よりも平均出血量が多く，必要とされる麻酔深度も深いため，循環動態が大きく変動する可能性がある．また，術後の血栓症リスクも経腟分娩より高い．そこで，川崎病既往をもつ女性においても，産科的適応がない限り，経腟分娩が推奨される．

経腟分娩時の産科処置としては，母体負荷を軽減するため，分娩第2期を短縮する目的で，吸引や鉗子分娩を行うことがある．また，虚血性変化や頻拍性不整脈，心機能低下を認める場合は，硬膜外麻酔併用下の経腟分娩が推奨される．硬膜外麻酔による鎮痛法は，循環動態変化が少なく，効果的な鎮痛を提供できる優れた方法である．経腟分娩に際し，硬膜外麻酔を行うことは，心拍出量を減少させて負荷を軽減し，また疼痛緩和により患者の不安を取り除くことも可能である．さらに産科的緊急処置に速やかに対応できるといった利点もある．しかし，抗血小板療法や抗凝固療法中の硬膜外麻酔は，硬膜外血腫のリスクがあるため，施行できない．

分娩・麻酔方法については，個々の症例での検討が必要であるとともに，分娩施設における習熟度なども考慮して決定する．

文　献

1) Ruys TPE, et al.：Heart failure in pregnant women with cardiac disease：data from the ROPAC. Heart 2014；100：231-238
2) 日本循環器学会，他：心疾患患者の妊娠・出産の適応，管理に関するガイドライン（2018年改訂版）［https://www.j-circ. or.jp/cms/wp-content/uploads/2020/02/JCS2018_akagi_ ikeda.pdf］
3) Gordon CT, et al.：Pregnancy in women with a history of Kawasaki disease：management and outcomes. BJOG 2014；121：1431-1438
4) 津田悦子，他：川崎病による冠動脈狭窄性病変合併妊娠の1例．Prog Med 1999；19：1628-1630
5) Arakawa K, et al.：Anticoagulant therapy during successful pregnancy and delivery in a Kawasaki disease patient with coronary aneurysm-a case report. Jpn Circ J 1997；61：197-200
6) 津田　博，他：川崎病後の巨大冠動脈瘤と陳旧性心筋梗塞

を合併した妊娠・分娩の1例. 臨床婦人科産科 1997；51：99-101

7) 飯野好明, 他：川崎病合併妊娠の1例. 産科と婦人科 1997；64：867-872

8) Hayakawa H, et al.：Successful pregnancy after coronary artery bypass grafting for Kawasaki disease. Acta Pediatr Jpn 1998；40：275-277

9) 辰巳貴美子, 他：川崎病による冠動脈障害をもつ患者の妊娠・分娩について〜4例の症例経験から〜. 日本小児循環器学会誌 2001；17：52-59

10) Tsuda E, et al.：Pregnancy and delivery in patients with coronary artery lesions caused by Kawasaki disease. Heart 2005；91：1481-1482

11) Tsuda E, et al.：Nationwide survey of pregnancy and delivery in patients with coronary arterial lesions caused by Kawasaki disease in Japan. Cardiol Young 2006；16：173-178

12) Alam S, et al.：Anaesthetic management for caesarean section in a patient with Kawasaki disease. Can J Anaesth 1995；42：1024-1026

13) Shear R, et al.：Successful pregnancy following Kawasaki disease. Obstet Gynecol 1999；94：841

14) Nolan TE, et al.：Peripartum myocardial infarction from presumed Kawasaki's disease. South Med J 1990；83：1360-1361

15) McAndrew P, et al.：Pregnancy and Kawasaki disease. Int J Obstet Anesth 2000；9：279-281

16) Kanno K, et al.：An adult case of Kawasaki disease in a pregnant Japanese woman：a case report. Case Rep Dermatol 2011；3：98-102

17) Lefkou E, et al.：Kawasaki syndrome during pregnancy：a case report and literature review. Obstet Med 2008；1：24-28

18) Briggs GG, et al.：Coumarin derivatives. In：Briggs GG, et al.(eds), Drugs in Pregnancy and Lactation. 8th ed., Lippincott Williams & Wilkins, 2008；430-437

19) Vitale N, et al.：Dose-dependent fetal complications of warfarin in pregnant women with mechanical heart valves. J Am Coll Cardiol 1999；33：1637-1641

〔神谷千津子〕

索 引

和 文

あ

アスピリン	153
アデノウイルス	110
アデノシン	183, 193
アンジオテンシン変換酵素阻害薬	160
アンモニア PET	190, 192, 193
アンモニア心筋血流 PET	189

い・う

咽後膿瘍	113
インフリキシマブ	20, 142
ウリナスタチン	146

え・お

衛生仮説	29
江上スコア	121
壊死	48
エタネルセプト	145
エルシニア感染症	27
遠隔期予後	158
炎症性サイトカイン	96
炎症性斜頸	75
炎症誘発性細胞死	30
大型血管炎	191, 192
親子例	23

か

学校心臓検診	215
活性酸素種	228
粥腫	163
粥状動脈硬化	41, 163
カルシニューリン阻害薬	141
川崎富作	2
川崎病遺伝コンソーシアム	37
川崎病冠動脈後遺症	195
川崎病ショック症候群	77, 105
川崎病診断の手引き（改訂第6版）	93
川崎病による冠動脈病変	199
肝逸脱酵素	80
感音難聴	75
冠危険因子	163
冠血流予備能比	160, 167, 204
感染症	110
冠動脈 CT	169
冠動脈 MRI	176
冠動脈インターベンション	203
冠動脈狭窄	56
―病変	92
冠動脈造影	164
冠動脈内径 Z スコア	92
冠動脈の優位性	89

き・く

冠動脈バイパス術	161, 165, 203, 209
冠動脈破裂	92
冠動脈病変	102, 164, 199
冠動脈瘤	41, 91, 115
鑑別診断	109
顔面神経麻痺	75
管理指導	215

急性冠症候群	203
急性期治療のガイドライン	121
急性糸球体腎炎	77
急性心筋梗塞	199, 203
急性リウマチ熱	112
胸部 X 線	84
虚血	182
―評価	177
空気伝搬	32

け

形質転換	158
系統的血管炎	40
経皮的冠動脈インターベンション	161, 165
経皮的血管バルーン形成術	205
経皮的心肺補助装置	204
頸部リンパ節腫脹	113
血管炎	51
血管障害	96
血管ずり応力	158
血管内エコー	193, 230
血管内皮細胞	51
―機能	228
血管モニタリング	232
血管リモデリング	166, 231
血漿交換	20
―療法	106, 149
結節性多発動脈炎	42
血栓性閉塞	41, 199
血栓溶解療法	204
結膜	47

こ

高位側壁枝	90
抗凝固薬	151
抗凝固療法	235
抗血栓治療	153, 155
神前章雄	4
梗塞	182
梗塞部の検出	176
好中球	146
好中球エラスターゼ阻害薬	146
国際標準比	200
小林スコア	121

コホート研究	18

さ

最終治療	149
再疎通血管	41
再発例	24
佐野スコア	121
酸化 LDL	32
酸化ストレス	32, 228
酸化ホスファチジルコリン	32
酸化リン脂質	32
参考条項	72

し

シクロスポリン	37
重松逸造	4
指趾の特異的落屑を伴う小児の急性熱性皮膚粘膜淋巴腺症候群：自験例50例の臨床的観察	3
次世代シークエンサー	27, 28
重症化関連遺伝子	37
出血性合併症	156
出生コホート	20
主要症状	64
小児多系統炎症性症候群	111, 123
症例対照研究	18
諸外国の川崎病疫学研究	15
新型コロナウイルス感染症	107
心筋炎	93, 115
心筋血流イメージング	182
心筋血流予備能	191
心筋血流量	191
心筋バイアビリティ	182
―診断	190, 191
診断の手引き	8, 64
心電図	85
心膜液貯留	94
心膜炎	117

す

スタチン	160
ステロイド	153
ステロイドパルス	133
ステロイド併用療法	20

せ・そ

制御性 T 細胞	32
精巣	47
精巣上体	47
精密医療	39
石灰化	41, 194, 197, 231
全国調査	12, 20
全身型若年性特発性関節炎	112
早期乳児例	102
早発動脈硬化症	227

僧帽弁逆流	93	中枢神経	46	

僧帽弁逆流　93
足関節上腕血圧比　230

た・ち
大動脈弁逆流　94
大伏在静脈　209
ダメージ関連分子パターン　30
単球/マクロファージ　40
致死性不整脈　201
中毒性表皮壊死症　112
中膜平滑筋細胞　158
直接経口抗凝固薬　160

つ・て
追加治療　152
追跡研究　19
低体温対策　150
テーラーメイド治療　53
デクチン2　54
テクネチウム　182

と
同時感染　23
同胞例　23
動脈硬化リスク　158, 163
毒素性ショック症候群　27

な・に
内胸動脈　209
内弾性版　158
内膜肥厚　197, 230
生ワクチン　144
日本赤十字社中央病院　2
乳児結節性動脈周囲炎　42
妊娠・出産　233

ね・の
年長児発症　104
脳炎　106
脳症　106
脳性ナトリウム利尿ペプチド　202

は
バーチャルヒストロジー　194
バイオマーカー　96
敗血症　76
パイロトーシス　30
白血球　80
発症年齢　104

ひ
非化膿性炎症　48
非ステロイド性抗炎症薬　156
ヒトパレコウイルス　110
病因　17
病原体関連分子パターン　30
病理
　大型血管　46
　肝臓　45
　消化管　46
　腎臓　44
　膵臓　45
　胆嚢　45

中枢神経　46
肺　45
皮膚　46

ふ・ほ
ファージライブラリー　29
フィブリノイド壊死　42
不全型川崎病　99, 102
フルルビプロフェン　153
プレドニゾロン　129
分析疫学　18
分娩　235
放射線被ばく　169
保険収載　21
保険適用　21

ま・み
マイクロバイオーム解析　27
マウスモデル　59
マクロファージ活性化症候群　105
脈波伝播速度　230

む・め
無菌性膿尿　80
メチルプレドニゾロン　133
免疫グロブリン静注療法　4, 20, 125
免疫抑制薬　20

や
薬剤性過敏症候群　112
薬剤溶出ステント　206

り・る・ろ
リウマチ性疾患　112
罹患感受性遺伝子　35
瘤縫縮術　212
リンパ節　48
累計罹患率　19
ロータブレータ　198, 206

わ
ワルファリン　160, 200

欧　文

A・B
A群溶血性レンサ球菌　110
ACS（acute coronary syndrome）　203
AHA statement 2017　101
BCG接種痕の発赤　69
BLK　36
BNP（brain natriuretic peptide）　202

C・D
Ca^{2+}/NFAT経路　137
Ca^{2+}/NFAT パスウェイ　37
CABG（coronary artery bypass grafting）　161, 165, 167, 203
CADS（C. albicans derived substance）　53
CAL（coronary artery lesions）　102, 164, 199
　―合併　150

Candida　53
CASP3　35
CASP3　137
CAWS（C. albicans water soluble fractions）　53
CD40　36
CFR（coronary flow reserve）/MFR　193
D-SPECT　185
DES（drug eluting stent）　206
DOAC（direct oral anticoagulants）　160

F・H
FCGR2A　35
FDG-PET　189, 190, 193
FFR（fractional flow reserve）　160, 167, 204
FMD（flow mediated dilatation）　229
HLA クラス2　36
HMGB1　32

I・J
ICT（intracoronary thrombolysis）　204
IgA 抗体　29
IGHV3-66　37
IL-1β　57
incomplete KD　99
infusion reaction　77, 144
INR（international normalized ratio）　200
iPS 細胞　51
ITPKC　35
ITPKC　137
IVIG（intravenous immunoglobulin）　4, 20, 125
　―不応　52, 125
　―不応予測スコア　121
　―療法　20, 125
IVUS（intra-vascular ultrasound）　193
Judkins カテーテル　165

L・M
LCWE（Lactobacillus casei cell wall extract）　55
MBF（myocardial blood flow）　191, 193
MERS（mild encephalitis/ encephalopathy with a reversible splenial lesion）　78
MFR（myocardial flow reserve）　191
MIS-C　107, 123

N・O
Nod1 リガンド　59
OCT（optical coherence tomography）　195
OFDI（optical frequency domain

imaging) 195
off-pump CABG 210
ORAI1 37

P

PAMPs（pathogen-associated
　molecular patterns） 27, 54, 56
PCI（percutaneous coronary
　intervention） 161, 165, 167, 203
PCPS（percutaneous caidiopulmonary
　support） 204
PCR（polymerase chain reaction）法
　 27, 29
PE 試行中の鎮静 151
PET（positron emission tomography）

189
PIMS-TS 107
POBA（percutaneous old balloon
　angioplasty） 205
Post RAISE 129

R・S

RAISE Study 20, 129
RH-PAT（reactive hyperemia
　peripheral arterial tonometry） 230
RNA-seq 解析 52
S100 proteins 31
SARS-CoV-2 108, 111
segment 分類 88
sepsis 76

SIRS（systemic inflammatory response
　syndrome） 76
Stevens-Johnson 症候群 2, 112

T・Y

Th17 細胞 32
TNF-a 142
toxic shock syndrome 111
Yersinia pseudotuberculosis 111

数　字

3rd line 149

- **JCOPY** 〈㈳出版者著作権管理機構 委託出版物〉
  本書の無断複写は著作権法上での例外を除き禁じられています.
  複写される場合は,そのつど事前に,㈳出版者著作権管理機構
  (電話 03-5244-5088,FAX03-5244-5089,e-mail：info@jcopy.or.jp)
  の許諾を得てください.
- 本書を無断で複製(複写・スキャン・デジタルデータ化を含み
  ます)する行為は,著作権法上での限られた例外(「私的使用の
  ための複製」など)を除き禁じられています.大学・病院・企業
  などにおいて内部的に業務上使用する目的で上記行為を行うこと
  も,私的使用には該当せず違法です.また,私的使用のためで
  あっても,代行業者等の第三者に依頼して上記行為を行うことは
  違法です.

川崎病学　改訂第2版　　　　　　　　ISBN978-4-7878-2482-0

2021 年 12 月 6 日　改訂第 2 版第 1 刷発行

2018 年 11 月 30 日　初版第 1 刷発行
2019 年 3 月 27 日　初版第 2 刷発行

編　　　集	日本川崎病学会
発 行 者	藤実彰一
発 行 所	株式会社　診断と治療社
	〒 100-0014　東京都千代田区永田町 2-14-2　山王グランドビル 4 階
	TEL：03-3580-2750(編集)　03-3580-2770(営業)
	FAX：03-3580-2776
	E-mail：hen@shindan.co.jp(編集)
	eigyobu@shindan.co.jp(営業)
	URL：http://www.shindan.co.jp/
装　　　丁	株式会社サンポスト
印刷・製本	三報社印刷株式会社

© 日本川崎病学会 , 2021. Printed in Japan.　　　　　　　　　　　　　　　[検印省略]
乱丁・落丁の場合はお取り替えいたします.